PERSONAGES

ROBERT LITTELL

PERSONAGES

UITGEVERIJ LUITINGH

© 2006 Nederlandse vertaling
Uitgeverij Luitingh ~ Sijthoff B.V., Amsterdam
Alle rechten voorbehouden
Oorspronkelijke titel: *Legends*
Vertaling: J.J. de Wit
Omslagontwerp: Studio Jan de Boer
Omslagfotografie: Masterfile Deutschland

ISBN 90 245 5587 6 / 9789024555871
NUR 305

www.boekenwereld.com

Voor mijn muzen:

Marie-Dominique en Victoria

'Alle namen zijn pseudoniemen.'
—ROMAIN GARY (schrijvend onder de naam
Emile Ajar)

'...een van die mensen met vele gezichten – als zo velen
van de grote spionnen uit de mythologie van de Koude
Oorlog – die telkens anders blijken dan zij schijnen en
die, zodra wij menen hen te kunnen plaatsen in het hart
van een groot raadsel, onderdeel van een ander, nog
groter raadsel blijken te zijn...'
—BERNARD-HENRY LÉVY, *Who Killed Daniel Pearl?*

1993: DE VEROORDEELDE VANGT EEN GLIMP OP VAN DE OLIFANT

Ze waren er eindelijk aan toegekomen de zeven kilometer lange zandweg te verharden die het dorp Prigorodnaia verbond met de vierbaans snelweg van Moskou naar Sint Petersburg. De plaatselijke priester, die een week vol drank achter de rug had, ontstak kaarsen voor Innocentius van Irkoetsk, de heilige die in de jaren twintig van de achttiende eeuw de weg naar China had hersteld en nu Prigorodnaia met de beschaving zou verbinden door middel van een asfaltlint met een witte middenstreep. De boeren, die een scherper oog hadden voor de wijze waarop Moedertje Rusland functioneerde, achtten het waarschijnlijker dat dit blijk van vooruitgang, als dat de juiste benaming ervoor was, op een of andere manier verband hield met het feit dat enkele maanden tevoren de grote houten datsja van wijlen de weinig betreurde Lavrenti Pavlovitsj Beria was gekocht door iemand die alleen werd aangeduid als de Oligarch. Over hem was vrijwel niets bekend. Hij kwam en ging op de vreemdste uren in een glimmende zwarte Mercedes s-600 sedan; heel even waren dan in het voorbijgaan zijn zilvergrijze haren en zonnebril achter de getinte autoramen te zien. Een vrouw uit het dorp, die de was voor hem deed, zou hebben gezien dat hij, staande in het kraaiennest dat als een commandotoren boven het dak van de datsja uitstak, met een vinnig gebaar de as van zijn sigaar tikte, waarna hij zich omdraaide om iemand instructies te geven. De vrouw, die doodsbang was voor de nieuwerwetse elektrische wasmachine in de datsja en de was op het wasbord in een ondiep gedeelte van de zijrivier deed, had zo ver bij hem vandaan gestaan dat ze maar enkele woorden had kunnen verstaan: 'Begraven, dat wil ik, maar levend...' Bij die woorden en de verbeten toon van de Oligarch had ze een rilling over haar rug gevoeld die haar elke keer als ze het verhaal vertelde weer deed huiveren. Twee boeren die aan de overkant van de rivier hakhout hadden verzaagd, hadden in de verte een glimp van de Oligarch opgevangen terwijl hij zich achter de datsja moeizaam met aluminium krukken over het pad voortbewoog naar de vervallen papierfabriek waarvan de reusachtige schoorstenen zes dagen per week veertien uur per dag vuilwitte rook uitbraakten; verderop voerde het pad naar het dorpskerkhof en de kleine orthodoxe kerk met de uiertoren waarvan de vale verf afbladderde. Twee barzois dartelden over het zandpad voor de Oligarch uit, die zijn ene heup naar voren wierp en zijn slepende been bijtrok, waarna hij die beweging herhaalde met zijn andere been. Drie mannen in Ralph Lauren-spijkerbroeken en *telnjasjki*, de opvallend gestreepte parachutistenhemden die veel veteranen ook na hun ontslag uit het leger bleven dragen, volgden hem traag, met hun geweer op de gebogen arm. De boeren hadden graag eens wat uitvoeriger willen kijken naar de gekromde, gezette nieuwe verschijning in het dorp, maar ze hadden daarvan afgezien nadat iemand had aangehaald wat de metropoliet op de kansel had verklaard toen hij twee januari's geleden voor de orthodoxe kerstdienst uit Moskou was overgekomen:

Als u zo stom bent om met de duivel te willen eten, gebruik dan in jezusnaam een lange lepel.

De wegenbouwers, met hun reusachtige nivelleerders op rupsbanden, stoomwalsen en vrachtwagens boordevol asfalt en steenslag, waren in de loop van de nacht aangekomen, terwijl in het noorden de aurora borealis nog flakkerde als geluidloos kanonvuur; er was niet veel fantasie voor nodig om te veronderstellen dat achter de horizon een zware strijd werd uitgevochten. De mannen, die langgerekte schaduwen wierpen in het spookachtige schijnsel van de koplampen, hesen zich in stijve overals vol teervlekken en stapten in hoge rubberlaarzen om aan het werk te gaan. Bij het aanbreken van de dag, toen ze veertig meter weg hadden verhard, waren het noorderlicht en de sterren verdwenen, maar aan de maanloze hemel waren twee planeten zichtbaar: Mars, pal boven hun hoofd, en Jupiter, nog dansend in het westen, boven de grondmist die amberkleurig leek door de gloed van Moskou. Toen de voorste ploeg de ronde kuil bereikte die een dag eerder in de zandweg was geboord met behulp van een stoomshovel, blies de voorman op een fluitje. De machines kwamen knarsend tot stilstand.

'Waarom stoppen we?' schreeuwde de bestuurder van een stoomwals, half uit zijn cabine hangend, ongeduldig van achter zijn zelfgemaakte masker dat bedoeld was om de zwaveldampen van de papierfabriek te filteren. De mannen werden per meter en niet per uur betaald en wilden opschieten.

'We verwachten elk ogenblik dat Jezus op aarde terugkomt als Russische tsaar,' riep de voorman loom terug. 'We willen het niet missen als hij over de rivier komt.' Hij stak een dikke Turkse sigaret aan met de peuk van de vorige en liep naar de oever van de rivier die over een paar kilometer evenwijdig liep aan de weg. De rivier heette de Lesnia, net als het dichte bos waar hij doorheen stroomde, net buiten Prigorodnaia. Om twaalf minuten over zes verscheen een kille zon boven de boomtoppen en begon de mosterddikke septembernevel weg te branden boven de rivier, waarin de waterstand hoog was; lange grassprieten deinden mee op de stroming.

Het vissersbootje dat uit de mist opdoemde stak te diep om de oever te kunnen bereiken, en de drie inzittenden moesten het laatste stuk waden. De twee mannen met parahemden trokken hun laarzen en kousen uit en stroopten hun jeanspijpen op tot net onder de knie. De derde hoefde niets te doen. Hij was spiernaakt. Hij droeg een doornenkroon en bloed drupte uit zijn hoofdwonden. Een grote veiligheidsspeld aan een stuk karton was tussen zijn schouderbladen in zijn vlees gestoken; op het stuk karton stond 'De spion Kafkor'. De gevangene, wiens polsen en ellebogen met een stuk snoer op zijn rug waren vastgebonden, had een onverzorgde baard van enkele weken en zijn uitgemergelde lichaam zat onder de blauwe plekken en brandwonden, zo te zien van uitgedrukte sigaretten. Voorzichtig liep hij over de modderbodem tot hij vaste grond onder de voeten voelde; hij leek gedesoriënteerd en staarde naar zijn spiegelbeeld in het ondiepe water van de rivier, terwijl de para's hun voeten afdroogden met een oud hemd, hun kousen en laarzen weer aantrokken en hun broekspijpen omlaag schoven.

De spion Kafkor leek de gedaante die hem van het wateroppervlak aanstaarde niet te herkennen.

Inmiddels hadden de wegenbouwers, getroffen door de verschijning van de drie mannen, geen enkele aandacht meer voor hun werk. Bestuurders hadden zich uit hun cabines op de grond laten zakken, en de mannen met harken en scheppen verplaatsten nerveus hun gewicht van de ene voet op de andere. Niemand twijfelde eraan dat er iets vreselijks zou gebeuren met de naakte Christus, die door de para's tegen het talud van de oever op werd geduwd. Ze twijfelden er evenmin aan dat het de bedoeling was dat zij getuige zouden zijn en het verhaal zouden doorvertellen. Zulke dingen waren tegenwoordig schering en inslag in Rusland.

Op het pas geasfalteerde gedeelte van de weg veegde de lasser van de ploeg zijn zweethanden af aan zijn dikke leren voorschoot, pakte zijn broodtrommel van de ossenwagen met lasgereedschap en liep haastig naar de aflopende oever om beter te kunnen zien wat er gebeurde. De lasser, die klein en stevig was en een bril met stalen montuur en getinte glazen droeg, klapte zijn broodtrommel open en stak zijn hand erin om de verborgen camera aan te zetten waarmee hij door een opening in de bodem van zijn thermosfles foto's kon nemen. Nonchalant liet hij de thermosfles op zijn knieën rusten en draaide aan de dop om opnamen te maken.

De gevangene, die zich er opeens van bewust leek dat alle mannen van de wegenbouwploeg naar hem keken, scheen eerder gehinderd door zijn naaktheid dan door zijn benarde situatie, tot hij de diepe kuil zag. Die had ongeveer de afmeting van een groot trekkerwiel. Ernaast lag een stapel dikke planken. Hij bleef stokstijf staan en de para's moesten hem de laatste meters aan zijn bovenarmen meetrekken. Bij de rand van de kuil ging de gevangene door de knieën en keek om naar de arbeiders, met holle ogen van doodsangst en openhangende mond; hij haalde sidderend adem, met een droge keel. Hij zag dingen die hij herkende, maar zijn hersenen, verdoofd door de chemische stoffen die door zijn angst waren vrijgekomen, konden geen woorden vinden om ze te omschrijven: de twee schoorstenen waaruit vuilwitte rookwolken kwamen, het leegstaande douanekantoor met een verschoten rode ster die boven de deur was geschilderd, de rij gewitte bijenkasten op een glooiing bij een groepje scheefgegroeide appelbomen. Dit is een nachtmerrie, hield hij zichzelf voor. Elk ogenblik kon hij te bang worden om te blijven dromen; dan zou hij zichzelf dwingen door het membraan te gaan dat slaap scheidt van wakker worden, het zweet van zijn voorhoofd vegen en, nog onder de indruk van de nachtmerrie, moeite hebben om weer in slaap te vallen. Maar de grond voelde vochtig en koud onder zijn knieën, een vlaag zwavellucht prikkelde zijn longen en de koude zon op zijn huid leek zijn brandwonden te prikkelen, en door die pijn drong tot hem door dat wat er was gebeurd, wat er op het punt stond te gebeuren, geen droom was.

Uit de richting van het dorp naderde langzaam een Mercedes over de zandweg, direct gevolgd door een tweede wagen, een metallic grijze Land Cruiser vol lijfwachten. Geen van beide auto's had een kentekenplaat en de toekijkende wegwerkers maakten daaruit op dat de inzittenden te belangrijk waren om door de politie te worden aangehouden. De Mercedes keerde half, zodat hij dwars op de weg kwam te staan toen hij tien meter bij de knielende gevangene vandaan tot stilstand kwam. Het achterste portierraam ging open op een kier zo groot als een vuist. De Oligarch keek door een bril met donkere glazen naar buiten. Hij nam de sigaar uit zijn mond en bestudeerde de naakte gevangene enige tijd, als om zich hem en het moment in zijn geheugen te prenten. Toen haalde hij met een uitdrukking van pure boosaardigheid op zijn gezicht uit met zijn kruk en tikte de man die naast de bestuurder zat op zijn schouder. Het voorportier ging open en de man stapte uit. Hij was van gemiddelde lengte en mager, met een smal gezicht. Hij droeg bretels die zijn broek tot boven zijn middel opgesjord hielden en een nachtblauw Italiaans kostuumjasje hing als een cape over zijn gesteven witte overhemd, zonder das en dichtgeknoopt tot aan zijn opvallende adamsappel. Op de borstzak waren de letters S en O-Z geborduurd. Hij liep met grote stappen naar de volgauto en plukte een brandende sigaret uit de mond van een van de lijfwachten. Hij hield de sigaret met zijn duim en middenvinger vast en liep naar de gevangene toe. Kafkor keek op, zag de sigaret en dook in elkaar, bang dat hij met het brandende uiteinde zou worden bewerkt. Maar S O-Z glimlachte flauwtjes, bukte en schoof de sigaret tussen de lippen van de gevangene. 'Het is traditie,' zei hij. 'Een ter dood veroordeelde heeft recht op een laatste sigaret.'

13

'Ze…hebben me beschadigd, Samat?' fluisterde Kafkor hees. Hij zag de zilverkleurige kuif van de man die toekeek vanaf de achterbank van de Mercedes. 'Ze hebben me in een kelder vol rioolwater opgesloten, ik kon dag en nacht niet van elkaar onderscheiden, ik was elk besef van tijd kwijt, ze maakten me wakker…met luide muziek als ik in slaap viel. Waarom, leg het me uit als er een waarom is?' De veroordeelde sprak Russisch met een zwaar Pools accent; hij benadrukte de open O's en legde de klemtoon op de voorlaatste lettergreep. Angst vervormde zijn zinnen tot grammaticaal barokke constructies. 'Het allerlaatste wat ik niemand zou vertellen is wat ik niet word geacht te weten.'

Samat haalde zijn schouders op alsof hij wilde aangeven dat hij het niet voor het zeggen had. 'Als je te dicht bij het vuur komt, moet je je branden, al was het maar om anderen af te schrikken van het vuur.'

Bevend inhaleerde Kafkor. De handeling van het roken en de rook die zijn keel verdoofde leken hem afleiding te geven. Samat staarde naar de askegel en wachtte tot die door zijn eigen gewicht eraf zou vallen, zodat ze konden doorgaan met de executie. Zuigend aan de sigaret merkte Kafkor de as ook op. Zijn leven leek ervan af te hangen. In weerwil van de zwaartekracht werd de askegel langer dan het onopgerookte gedeelte van de sigaret.

Toen brak een windvlaag van over de rivier de askegel af. Kaskor spuwde de peuk uit. '*Posjol ty na choey*,' fluisterde hij, de O's in 'Posjol' zorgvuldig articulerend. *Spiets jezelf op een lul.* Hij ging op zijn hielen zitten en tuurde naar het groepje scheefgegroeide appelbomen op het talud boven hem. 'Kijk!' bracht hij uit, zijn angst overwinnend maar verliezend van een nieuwe vijand, de waanzin. 'Daarboven!' Hij zoog zijn adem in. 'Ik zie de olifant. Gezegd kan worden dat het dier in opstand is.'

Het linker achterportier van de Mercedes ging open en een broze vrouw in een tot op de enkels vallende winterjas van stof en op boerenlaarzen stapte uit. Ze droeg een zwarte toque met een dikke voile die over haar ogen viel, waardoor iemand die haar niet kende moeilijk haar leeftijd zou kunnen schatten. 'Jozef…' riep ze. Ze strompelde naar de gevangene toe die ter dood zou worden gebracht, ging op haar hurken zitten en keek naar de man op de achterbank. 'Stel dat het gaat sneeuwen?' schreeuwde ze.

De Oligarch schudde zijn hoofd. 'Neem maar van mij aan, Krystina: in de grond zal hij het warmer hebben als het gat door sneeuw wordt bedekt.'

'Hij is als een zoon voor me,' bracht de vrouw met gesmoorde stem uit. 'We moeten hem niet begraven voordat hij zijn middageten heeft gekregen.'

Op handen en knieën begon de huilende vrouw door het zand naar de kuil te kruipen. Op de achterbank van de Mercedes maakte de Oligarch een gebaar met zijn vinger. De bestuurder stapte haastig uit, legde zijn hand over de mond van de vrouw, sleurde haar terug naar de auto en schoof haar op de achterbank. Voordat het portier dichtsloeg, was nog te horen dat ze snikkend zei: 'En als het niet sneeuwt, wat dan?'

De Oligarch deed zijn raam dicht en bekeek de gebeurtenissen verder door het getinte glas. De twee para's pakten de gevangene bij zijn armen, tilden hem in de kuil en legden hem in foetushouding op zijn zij in het ronde gat. Daarna dekten ze het gat af met de dikke planken en schopten de uiteinden de grond in zodat de planken evenwijdig kwamen te liggen met de zandweg. Vervolgens legden ze een metalen rooster over de planken. Niemand zei iets. Op het talud wendden de sigaretten rokende wegwerkers hun blik af of staarden naar hun voeten.

Toen de para's klaar waren met het afdekken van de kuil, gingen ze achteruit om hun werk te bewonderen. Een van hen gaf een teken aan de bestuurder van een vrachtwagen. Hij ging achter het stuur zitten, reed achteruit naar de kuil en bediende de hefboom waardoor teermacadam uit de laadbak op de weg werd gestort. Enkele arbeiders kwamen dichterbij om het macadam met lange harken te verspreiden, tot een dikke, glinsterende laag de houten planken bedekte, zodat ze niet langer zichtbaar waren. Ze gingen opzij en de para's wenkten de stoomwals. Er kwamen zwarte wolken uit de uitlaat terwijl het roestige voertuig traag naar de kuil reed. Toen de bestuurder leek te aarzelen, klonk de claxon van de Mercedes en een van de lijfwachten die erbij stond maakte geërgerd een gebaar met zijn arm. 'We hebben niet de hele dag de tijd,' riep hij boven het geraas van de stoomwals uit. De bestuurder schakelde en begon de laag boven de planken te pletten. Toen hij de andere kant had bereikt, keerde hij en ging uit de cabine hangen om het

pas verharde weggedeelte te keuren. Opeens rukte hij zijn zelfgemaakte masker af, sloeg dubbel en braakte over zijn schoenen.

Vrijwel geruisloos keerde de Mercedes, passeerde de volgwagen
en reed over de zandweg naar de grote houten datsja aan de rand
van het dorp Prigorodnaia, dat al bijna aansluiting had op de snelweg van Moskou naar Sint Petersburg – en de wereld – door een
lint van asfalt met een pas geschilderde witte middenstreep.

1997: MARTIN ODUM HERZIET ZIJN OORDEEL

Gehuld in een verwassen witte overal en een oude tropenhelm met afhangend muskietennet ter bescherming van zijn hoofd naderde Martin Odum de bijenkasten behoedzaam aan de dichte kant, om niet de vliegroute te verstoren van bijen die de kasten in wilden. Met zijn imkerpijp blies hij een fijne witte nevel in de dichtstbijzijnde van de twee kasten; de rook alarmeerde het volk en zette de twintigduizend bijen in de kast ertoe aan zich te goed te doen aan honing, wat een kalmerend effect zou hebben. April was echt de moeilijkste maand voor bijen, omdat het er dan om spande of de wintervoorraad honing voldoende zou zijn om niet te verhongeren; als de raten te licht waren, moest hij kandijsuiker met water opkoken en in de kast neerzetten om de koningin en haar volk te helpen tot het warmer werd en de bomen in Brower Park in bloei zouden staan. Met zijn blote hand haakte Martin een van de wasramen los; hij had bij dat werkje altijd handschoenen gedragen, tot de dag waarop Minh, die soms zijn maîtresse was en werkte in het Chinese restaurant onder de biljartzaal op de eerste verdieping, hem had verteld dat bijensteken je hormoonproductie stimuleerden, waardoor je geslachtsdrift toenam. In de twee jaar dat hij op dit dak in Brooklyn bijen hield, was Martin vaak genoeg gestoken, maar van een stimulerend effect had hij nooit iets gemerkt; daarentegen scheen het gevoel van gestoken worden vage, onbestemde herinneringen bij hem op te roepen.

Martin, die wallen onder zijn ogen had die niets te maken hadden met slaapgebrek, maakte het eerste raam los en hield het voorzichtig in de bleke middagzon om de raten te inspecteren. Honderden werkbijen klampten zich verschrikt gonzend aan de raten vast; de voorraad was afgenomen, maar nog voldoende om het volk te voeden. Hij schraapte een beetje was van de raat en bekeek die op tekenen van Amerikaans vuilbroed. Hij zag niets en hing het raam terug in de kast, stapte achteruit, zette de tropenhelm af en sloeg speels naar een paar bijen die zich op hem wilden wreken. 'Vandaag niet, vrienden,' zei Martin met een zacht lachje en trok zich terug in het gebouw, waarna hij de deur naar het dakterras dichtsloeg.

Beneden, in de achterkamer van de biljartzaal waarin hij zijn onderkomen had, trok Martin de overal uit, mikte hem op het onopgemaakte veldbed en schonk zichzelf een glas whisky in. Hij koos een Ganaesh Beedie uit een dun blikje met Indiase sigaretten. Hij stak hem op, inhaleerde eucalyptusrook en installeerde zich op de draaistoel met de versleten rieten rugleuning die in zijn rug prikte; hij had de stoel voor een grijpstuiver gekocht op een particuliere verkoping in Crown Heights op de dag dat hij de biljartzaal had gehuurd en het wakkere oog van Alan Pinkerton op de voordeur beneden had geschroefd, boven 'Martin Odum – Privédetective'. De rook van de Beedie, die op die van marihuana leek, had hetzelfde effect op hem als op bijen: hij kreeg er honger van. Hij maakte een blikje sardines open, legde ze met een lepel op een bord dat al een paar dagen niet was afgewassen en at ze op met een oude snee roggebrood die hij in de koelkast had ontdekt die (hield hij zichzelf voor) hoognodig moest worden ontdooid. Met een stukje roggebrood veegde hij het bord schoon en gebruikte vervolgens de onderkant als schoteltje. Het was een truc die Dante Pippen had geleerd in het wetteloze onherbergzame tribale gebied van Pakistan bij de Khyberpas; het handjevol Amerikanen dat daar agenten of operaties runde, at zijn rijst en vet schapenvlees met de vingers van een bord, als ze tenminste iets hadden dat op een bord leek, en at vervolgens fruit van de onderkant, de weinige keren dat ze aan iets als fruit hadden kunnen komen. De herinnering aan een klein detail uit het verleden, hoe onbenullig ook, schonk Martin een ogenblik voldoening. Boven de onderkant van het bord pelde hij met een klein vlijmscherp mes een mandarijn. 'Gek dat je sommige dingen meteen de eerste keer goed doet,' had hij dr. Treffler bij een van hun eerste gesprekken toevertrouwd.

'Zoals?'

'Zoals het pellen van een mandarijn. Of het afsnijden van een lont voor een kneedbom op de juiste lengte om tijdig weg te zijn uit de gevarenzone. Of het tot stand brengen van een flitscontact in een drukke soek in Beiroet.'

'Welk personage gebruikte je in Beiroet?'

'Dante Pippen.'

'Was hij niet de man die geschiedenis doceerde aan een kleine universiteit? De man die een boek over de Burgeroorlog had geschreven dat hij in eigen beheer moest uitgeven omdat geen uitgever het wilde hebben?'

'Nee, nu denk je aan Lincoln Dittmann, met dubbel t en dubbel n. Pippen was de Ierse explosievenexpert uit Castletownbere, die als instructeur op de Boerderij was begonnen. Later gaf hij zich uit voor een explosievenman van de IRA om een Siciliaanse maffiafamilie te infiltreren, de moellahs van de Taliban in Peshawar, en een afdeling van Hezbollah in de Beka'a-vallei in Libanon. Bij die laatste operatie werd zijn dekmantel doorzien.'

'Het kost me moeite al die identiteiten uit elkaar te houden.'

'Mij ook. Daarom zit ik hier.'

'Weet je zeker dat je de identiteit van al je operationele personages helder hebt?'

'Degenen die ik me kan herinneren.'

'Heb je het gevoel dat je er misschien een paar verdringt?'

'Weet ik niet. Volgens jouw theorie is het mogelijk dat ik er minstens een verdring.'

'In de literatuur over het onderwerp is de consensus overwegend...'

'Ik dacht dat je er niet van overtuigd was dat ik precies pas in de literatuur over het onderwerp.'

'Jij bent hors genre, Martin, dat staat vast. Niemand in mijn beroep heeft ooit iemand zoals jij meegemaakt. Het zal heel wat ophef geven wanneer ik mijn artikel publiceer...'

'Waarin de namen veranderd zullen zijn ter bescherming van de onschuldigen.'

Tot Martins verbazing had ze een opmerking gemaakt die als scherts kon worden opgevat. 'Ook ter bescherming van de schuldigen.'

Er zijn ook dingen, bedacht Martin nu (naar aanleiding van datzelfde gesprek met dr. Treffler) die je nooit echt in de vingers krijgt, al doe je nog zo je best. Zoals (vervolgde hij zijn denkbeeldige gesprek met haar) het pellen van hardgekookte eieren. Zoals het binnenstormen van hotelkamers waarin getrouwde mannen orale seks bedreven met prostituees. Zoals een door de Firma gecheckte psychiater duidelijk maken dat je er weinig vertrouwen in had dat je je identiteitscrisis te boven zou komen. 'Vertel me nog eens wat je door deze gesprekken hoopt te bereiken?' hoorde hij haar vragen. Hij gaf het antwoord dat ze, dacht hij, wilde horen: 'In theorie wil ik graag weten welke van die dekmantels ik zelf ben.' Hij hoorde haar vragen: *Waarom in theorie?'* Hij dacht daar een ogenblik over na. Hoofdschuddend hoorde hij zichzelf hardop antwoord geven: 'Ik weet niet of ik wel de behoefte heb om dat te weten; in de praktijk ben ik met mijn saaie leventje misschien beter af als ik het niet weet.'

Martin zou zijn fictieve dialoog met dr. Treffler als tijdverdrijf hebben voortgezet als hij niet de deurbel had gehoord. Op blote voeten liep hij door de biljartzaal die hij tot kantoor had verbouwd; het ene biljart gebruikte hij als bureau, op het andere had hij Lincoln Dittmanns verzameling wapens uit de Amerikaanse Burgeroorlog uitgestald. Op de bovenste tree van de schemerige smalle houten trap naar de straat hurkte hij om te kijken wie er had aangebeld. Door de belettering en het logo van de heer Pinkerton heen zag hij dat er een vrouw met haar rug naar de deur naar het verkeer op Albany Avenue stond te kijken. Martin wachtte af of ze opnieuw zou aanbellen. Toen ze dat deed, liep hij naar beneden om de twee sloten open te maken.

De vrouw droeg een lange regenjas, hoewel de zon scheen, en een leren schoudertas. Ze had een donkere vlecht op haar rug die tot op haar middel viel, op de plaats waar Martin zijn pistool had gedragen (hij had de holster bijgesneden zodat het wapen in een oude scherfwond zou passen) in de tijd dat hij over iets dodelijkers beschikte dan zijn cynisme. De zoom van haar regenjas wapperde op tot boven haar enkels toen ze zich naar hem omdraaide.

'Bent u de detective?' vroeg ze.

Martin bekeek haar schattend, zoals hem was geleerd te kijken naar mensen die hij eventueel ooit in een contraspionagedossier zou moeten herkennen. Ze leek hem tussen de vijfendertig en veertig, maar in het schatten van de leeftijd van vrouwen was hij nooit goed geweest. Ze had rimpeltjes bij haar ooghoeken en ze loenste licht, maar permanent. De trek om haar dunne lippen zou uit de verte een flauwe glimlach kunnen lijken; van dichtbij leek het eerder nauw bedwongen ongeduld. Voorzover hij het kon beoordelen was ze niet opgemaakt en een zwakke geur van parfum op basis van rozenolie leek van onder de kraag in haar nek te komen. Ze zou knap zijn geweest als ze niet een beschadigde voortand had.

'In mijn huidige incarnatie,' zei hij ten slotte, 'word ik verondersteld een detective te zijn.'

'Wilt u daarmee zeggen dat u ook andere incarnaties hebt gehad?'

'Bij wijze van spreken.'

Ze verplaatste haar gewicht naar haar andere been. 'Mag ik binnenkomen?'

Martin ging opzij en wees met zijn kin naar de trap. De vrouw aarzelde alsof ze zich afvroeg of iemand die boven een Chinees restaurant woonde wel echt detective van beroep kon zijn. Kennelijk concludeerde ze dat ze niets te verliezen had, want ze haalde diep adem, draaide zich half om, maakte zich dun om hem zijdelings te passeren en liep naar boven. In de biljartzaal aangekomen keek ze om en zag hem opdoemen uit het schemerige trapgat. Ze merkte op dat hij bij het lopen zijn linkervoet probeerde te ontzien.

'Wat is er met uw voet?' vroeg ze.

'Beknelde zenuw. Stijfheid.'

'Is dat geen handicap in uw beroep?'

'Integendeel. Geen zinnig mens denkt dat hij wordt geschaduwd door iemand die met zijn been trekt. Veel te opvallend.'

'Maar daar moet u toch naar laten kijken?'

'Ik loop bij een chassidische acupuncturist en een Haïtiaanse kruidendokter, maar ik heb de een niet over de ander verteld.'

'En helpt dat?'

'Niet echt. Een van de twee heeft wel iets bereikt; ik heb er wat meer gevoel in, maar ik weet niet wie van de twee.'

Er verscheen een flauw lachje om haar lippen. 'Zo te horen hebt u er slag van simpele dingen ingewikkeld te maken.'

Met een koele beleefdheid die maskeerde dat zijn belangstelling al bijna nul tot was gedaald zei hij: 'Dat is volgens mij beter dan ingewikkelde dingen versimpelen.'

De vrouw liet haar tas van haar schouder glijden, ontdeed zich van haar regenjas en hing die netjes over de leuning. Ze droeg sportschoenen, een getailleerde bandplooibroek en een herenhemd, met een sluiting van links naar rechts. De bovenste knoopjes stonden open, zodat een driehoek bleke huid zichtbaar was. Uit niets bleek dat ze er iets onder droeg. Bij die observatie zoog hij zijn wangen in; hij bedacht dat de bijensteken misschien toch effect hadden.

De vrouw wendde zich van Martin af en liep de biljartzaal in; ze bekeek de verschoten groene viltlakens, de stapel nog dichtgeplakte verhuisdozen in de hoek naast de roeimachine, de ventilator aan het plafond die zo langzaam draaide dat het lethargische tempo zich leek mee te delen aan de ruimte. 'U lijkt me niet iemand die sigaren rookt,' zei ze, wijzend naar de mahoniehouten humidor met de ingebouwde thermometer op het biljart dat als bureau fungeerde.

'Dat doe ik ook niet. Ik bewaar er lonten in.'

'Lonten?'

'Lonten voor explosieven.'

Ze tilde het deksel op. 'Dit lijken wel patroonhulzen van papier.'

'Lonten en patroonhulzen moeten droog worden bewaard.'

Ze wierp hem een bezorgde blik toe en vervolgde haar inspectie. 'Erg comfortabel leeft u niet,' merkte ze op; haar woorden zweefden over haar schouder terwijl ze over de brede vloerplanken haar ronde maakte.

Martin dacht aan alle *safehouses* waarin hij was ondergebracht, allemaal ingericht met versleten modern Deens meubilair; hij vermoedde dat de CIA duizenden blikopeners, sapcentrifuges en wc-borstels tegelijk had ingeslagen, omdat ze in al die huizen eender waren. En omdat het safehouses waren, waren ze juist niet safe. 'Comfort is niet goed,' zei hij nu. 'Zachte banken, grote bedden, ruime badkamers, dat soort dingen. Zonder comfort hecht je je niet aan je omgeving, je blijft ongebonden. Als je in beweging blijft, maak je meer kans de mensen die het op je gemunt hebben voor te blijven.' Hij liet haar zijn lachrimpeltjes zien terwijl hij eraan toevoegde: 'Dat geldt des te meer voor iemand die mank loopt.'

Vanuit de deuropening naar de achterkamer zag de vrouw de verfrommelde kranten die om het veldbed lagen. 'Waar zijn die kranten voor?' vroeg ze.

Terwijl Martin haar aanhoorde, bedacht hij hoe bevredigend muzikaal een gewone menselijke stem kon zijn. 'Dat trucje heb ik uit *The Maltese Falcon*. Een zekere Thursby legde daarin kranten om zijn bed zodat niemand hem in zijn slaap geruisloosloos kon besluipen.' Zijn geduld was bijna op. 'Alles wat ik weet over het bestaan van detectives heb ik geleerd van Humphrey Bogart.'

De vrouw had zich omgedraaid en bleef voor Martin staan; ze bestudeerde zijn gezicht, maar kon niet zien of hij het meende. Ze vroeg zich af of ze wel een opdracht wilde gunnen aan iemand die het vak van detective uit Hollywoodfilms had geleerd. 'Is het waar dat detectives stillen werden genoemd?' vroeg ze, met een blik op zijn blote voeten. Ze liep naar het biljart met voorladers en kruithoorns en met militaire onderscheidingen die op een vuurrood kussen waren gespeld en probeerde een uitvlucht te bedenken om hier weg te kunnen zonder hem voor het hoofd te stoten. Ze wist niet goed wat ze moest zeggen en streelde met haar vingertoppen het messing telescoopvizier op een antiek geweer. 'Mijn vader verzamelt vuurwapens uit de Grote Vaderlandse Oorlog,' merkte ze op.

'Dan is uw vader een Rus. In Amerika noemen we dat de Tweede Wereldoorlog. Ik heb liever dat u de wapens niet aanraakt.' En hij vervolgde: 'Dat is een Engelse Whitworth. Het was het favoriete wapen van de Zuidelijke scherpschutters. De papieren hulzen in de humidor zijn voor de Whitworth. In de Burgeroorlog waren patronen voor de Whitworth wel duur, maar een bekwame schutter kon er alles wat hij zag mee raken.'

'Bent u een deskundige op het gebied van de Burgeroorlog?'

'Mijn alter ego wel,' zei hij. 'En nu hebben we wel genoeg gebabbeld. Ter zake, dame. Je hebt vast wel een naam.'

Haar linkerhand zweefde naar de onbedekte driehoek onder haar hals. 'Ik ben Estelle Kastner,' verklaarde ze. 'De weinige vrienden die ik heb, noemen me Stella.'

'Wie ben je?' drong hij aan, op zoek naar een diepere identiteitslaag.

De vraag bracht haar van haar stuk; hij was kennelijk gecompliceerder dan hij leek, wat haar ingaf dat hij haar misschien toch zou kunnen helpen. 'Luister, Martin Odum, zo gemakkelijk kom je er niet van af. Als je te weten wilt komen wie ik ben, zul je er tijd in moeten steken.'

Martin leunde tegen de trapleuning. 'Wat hoop je dat ik voor je kan doen?'

'Ik hoop dat je de man van mijn zus kunt vinden, die bij haar is weggelopen.'

'Waarom ga je niet naar de politie? Die hebben een afdeling vermisten die dit soort gevallen behandelt.'

'Omdat het in dit geval om de Israëlische politie gaat. En die heeft wel andere dingen te doen dan weggelopen echtgenoten opsporen.'

'Als de man van je zus in Israël is verdwenen, waarom ben je dan in de vs naar hem op zoek?'

'We denken dat dat een van zijn reisdoelen was toen hij de benen nam.'

'We?'

'Mijn vader, de man die de Tweede Wereldoorlog de Grote Vaderlandse Oorlog noemt.'

'En die andere reisdoelen?'

'De man van mijn zus had zakenrelaties in Moskou en Oezbekistan. Hij schijnt betrokken te zijn geweest bij een project in Praag. Hij had briefpapier met een adres in Londen.'

'Begin bij het begin,' zei Martin.

Stella Kastner hees zich op het biljart dat Martin als bureau gebruikte. 'Het zit zo,' zei ze, kruiste haar enkels en speelde met het laagste niet gesloten knoopje aan haar hemd. 'Mijn halfzus Elena, de dochter van mijn vader uit zijn eerste huwelijk, is orthodox geworden en heeft zich aangesloten bij de Loebavitsjer Joden hier in Crown Heights, kort na onze immigratie naar Amerika in 1988. Een paar jaar geleden kwam de rabbijn bij mijn vader om een voorstel te doen voor een huwelijk met een Russische Loebavitsjer die naar Israël wilde emigreren. Hij sprak geen Hebreeuws en was op zoek naar een orthodoxe echtgenote die Russisch sprak. Mijn vader had gemengde gevoelens over Elena's vertrek naar Israël, maar ze haalde hem over zijn toestemming te geven. Mijn vader kon niet vrij reizen, om redenen die te ingewikkeld zijn om nu op in te gaan, dus ging ik met Elena mee naar Israël. We namen een *sharut...*' Ze zag Martin bevreemd fronsen. 'Dat is een gemeenschappelijke taxi. Die namen we naar een Joodse kolonie, Kiryat Arba, op de Westelijke Jordaanoever bij Hebron. Een uur en een kwartier na haar aankomst werd Elena, die zodra ze in Israël voet aan de grond zette haar naam veranderde in Ya'ara, in de echt verbonden door een rabbijn die tien jaar eerder vanuit Crown Heights was geëmigreerd.'

'Vertel eens over de Rus die je zus nooit had gezien voordat ze met hem trouwde.'

'Hij heette Samat Oegor-Zjilov. Hij was niet klein of groot maar iets ertussenin, en mager, hoewel hij aan tafel twee keer opschepte en ook tussendoor nog vaak wat at. Hij had zeker een snelle spijsvertering. Hij was een hypernerveuze man, altijd in beweging. Het leek of hij met zijn gezicht in een bankschroef had gezeten; hij zag er altijd uit alsof hij rouwde om een naast familielid. Hij had zeewiergroene irissen en zijn ogen drukten geen enkele emotie uit; kil en berekenend, zo zou ik ze willen omschrijven. Hij droeg dure Italiaanse pakken en overhemden met zijn initialen op de borstzak geborduurd. Ik heb hem nooit een das zien dragen, ook niet op zijn trouwdag.'

'Zou je hem herkennen als je hem terugzag?'

'Dat is een vreemde vraag. Al zou hij als een Arabier zijn hoofd bedekken, dan nog zou ik hem aan zijn ogen overal herkennen.'

'Wat deed hij voor werk?'

'Als je werk in de normale betekenis bedoelt: niets. Hij had een nieuwe splitlevelwoning aan de rand van Kiryat Arba gekocht en contant betaald, fluisterde de rabbijn me in toen we naar de synagoge liepen voor de trouwdienst. Hij bezat een splinternieuwe Honda en betaalde voor alles, althans waar ik bij was, contant. Ik ben tien dagen in Kiryat Arba gebleven en ben er twee jaar later nog eens tien dagen geweest, maar ik heb hem nooit naar de synagoge zien gaan of de Thora zien bestuderen, zoals andere mannen daar deden. Er waren twee telefoons en een fax in huis en die gingen voortdurend. Soms sloot hij zich in de slaapkamer boven op om urenlange telefoongesprekken te voeren. De paar keer dat hij telefoneerde waar ik bij was, ging hij over in het Armeens.'

'Aha.'

'Hoezo aha?'

'Hij klinkt als zo'n Russische kapitalist waar je in de krant over leest. Heeft je zus kinderen gekregen?'

Stella schudde haar hoofd. 'Nee. Het klinkt misschien cru, maar ik weet niet of ze het huwelijk ooit hebben voltrokken.' Ze liet zich op de grond glijden en liep naar het raam om naar de straat te staren. 'Ik kan het hem eigenlijk niet verwijten dat hij haar heeft laten zitten. Ik denk niet dat Elena – ik heb er nooit aan kunnen wennen om haar Ya'ara te noemen – er een flauw idee van heeft hoe ze het een man naar de zin kan maken. Samat is er waarschijnlijk van door met een nepblondje dat hem in bed meer genot bezorgt.'

Martin, die verveeld naar haar had geluisterd, veerde op. 'Je maakt de vergissing die veel vrouwen maken. Als hij er met een andere vrouw vandoor is gegaan, is het omdat hij haar in bed meer genot bezorgde.'

Stella liet haar starende blik nu weer op Martin rusten. Ze kneep haar ogen bijna dicht. 'Je praat niet als een detective.'

'Zeker wel. Het is precies wat Bogart zou hebben gezegd om een cliënt ervan te overtuigen dat er achter zijn spijkerharde uiterlijk een gevoelige ziel schuilging.'

'Als dat de bedoeling is, wil het niet lukken.'

'Ik heb een vraag: waarom gaat je zus niet gewoon naar de rabbijn daar om te verklaren dat haar man is weggelopen en dat ze wil scheiden?'

'Dat is nu juist de moeilijkheid,' zei Stella. 'In Israël moet een orthodoxe vrouw haar scheiding door een religieuze rechtbank laten uitspreken voordat ze zelfstandig verder kan leven. De scheiding heet een *get*. Zonder een get blijft een joodse vrouw een *agunah*, een geketende vrouw, die niet voor de joodse wet kan hertrouwen; zelfs als ze voor de burgerlijke stand hertrouwt, worden haar kinderen nog als onwettig beschouwd. En de enige manier waarop een vrouw een get kan krijgen is als de man voor een religieuze rechtbank verschijnt en instemt met de scheiding. Voor orthodoxen kan het uitsluitend op deze manier. Er zijn jaarlijks tientallen chassidische echtgenoten die verdwijnen om hun vrouw te straffen; zij gaan dan naar Amerika of Europa. Soms wonen ze daar onder een schuilnaam. Zie ze maar eens te vinden! Voor de joodse wet mag de man samenwonen met een vrouw die niet zijn echtgenote is, maar de echtgenote heeft dat recht niet. Ze kan niet hertrouwen, ze mag niet samenwonen, ze mag geen kinderen krijgen.'

'Nu begin ik te begrijpen waarom je een detective wilt inschakelen. Hoe lang geleden is die Samat bij je zus weggelopen?'

'Komend weekend is het twee maanden geleden.'

'En nu pas denk je erover een detective in te schakelen?'

'We wisten pas dat hij weg zou blijven toen hij wegbleef. Toen hebben we tijd verdaan met navraag doen bij ziekenhuizen, mortuaria, de Amerikaanse en de Russische ambassade in Israël, de plaatselijke politie in Kiryat Arba en de nationale politie in Tel Aviv. We hebben zelfs een advertentie in de krant gezet om een beloning uit te loven.' Ze haalde haar schouders op. 'We hadden nu eenmaal niet veel ervaring met het opsporen van vermiste personen.'

'Je zei al eerder dat je vader en jij dachten dat Samat misschien naar Amerika was gegaan. Hoe kwamen jullie daarbij?'

'Door de telefoontjes. Ik heb een keer zijn telefoonrekening gezien; het maandbedrag was in de duizenden shekels, voor een normaal mens een hap uit zijn bankrekening. Het viel me op dat hij een aantal keren hetzelfde nummer in Brooklyn had gebeld. Ik herkende de landencode en het kengetal – 1 is Amerika en 718 is Brooklyn – omdat wij die ook hebben, in President Street.'

'Dat nummer heb je zeker niet opgeschreven?'

Ze schudde wanhopig haar hoofd. 'Niet aan gedacht...'

'Begrijpelijk. Je kon niet weten dat die Samat je zus aan de kant zou zetten.' Hij zag dat ze snel haar blik afwendde. 'Of toch wel?'

'Ik dacht niet dat het huwelijk duurzaam zou zijn. Ik kon me niet voorstellen dat hij zijn verdere leven in een gat als Kiryat Arba zou willen doorbrengen. Daarvoor ging hij veel te veel op in de wereld, hij was veel te dynamisch en aantrekkelijk...'

'Vond je hem aantrekkelijk?'

'Dat zeg ik niet,' zei ze afwerend. 'Ik had het idee dat sommige vrouwen hem wel aantrekkelijk zouden vinden. Maar mijn zuster niet. Die had haar hele leven nog nooit naakt voor een man gestaan. Zelfs als ze een geklede man zag, wendde ze haar blik af. Als Samat naar een vrouw keek, kleedde hij haar met zijn ogen uit. Hij beweerde een orthodoxe jood te zijn, maar ik vraag me af of dat niet een dekmantel was, een manier om Israël binnen te komen, uit de wereld te verdwijnen en op te gaan in de wereld van het chassidisme. Ik heb hem nooit gebedsriemen zien aanleggen, ik heb hem nooit naar de synagoge zien gaan. Ik heb hem nooit zien bidden zoals religieuze Joden doen, vier keer per dag. Hij drukte ook geen kus op de mezoeza bij de deur voor hij naar binnen ging; mijn zus deed dat wel. Elena en Samat leefden allebei in hun eigen wereld.'

'Heb je foto's van hem?'

'Toen hij verdween, bleek het fotoalbum van mijn zus ook verdwenen te zijn. Ik heb alleen een foto van hun trouwdag; die had ik naar mijn vader gestuurd, die hem heeft laten inlijsten om hem op de schoorsteenmantel neer te zetten.' Ze pakte haar schoudertas, haalde er een envelop uit en trok voorzichtig een zwart-witfoto tevoorschijn. Ze staarde er even naar en gaf hem toen met een mismoedig lachje aan Martin.

Martin deed een stap achteruit en maakte een afwerend gebaar. 'Heeft Samat die foto ooit in handen gehad?'

Ze dacht even na. 'Nee. Ik heb het rolletje laten ontwikkelen bij de Duitse winkel in Jeruzalem, en naar mijn vader verstuurd op het postkantoor tegenover de fotowinkel. Samat wist er niets van.'

Martin pakte de foto aan en hield hem onder een gunstige hoek om hem bij daglicht te bekijken. De bruid, een bleke en opvallend gezette jonge vrouw in wit satijn met een hoog gesloten lijfje, en de bruidegom, in een gesteven wit overhemd dat tot aan zijn adamsappel was dichtgeknoopt, met een zwart jasje over zijn schouder, staarden neutraal naar de camera. Martin stelde zich voor dat Stella het bruidspaar het Russische equivalent van 'Cheese!' had toegeroepen om het tweetal een lachje te ontlokken, maar dat was kennelijk niet gelukt; de lichaamstaal – bruid en bruidegom stonden naast elkaar, maar zonder elkaar aan te raken – duidde op twee onbekenden in de rouw, in plaats van een man en vrouw na het sluiten van hun huwelijk. Samats gezicht ging vrijwel schuil achter een zware zwarte baard met snor. Alleen zijn ogen, stormachtig donker van wrok, waren zichtbaar. Hij ergerde zich kennelijk, maar wat was de aanleiding? Had de religieuze plechtigheid te lang geduurd? Of kwam het door het vooruitzicht op huwelijksgeluk in een kerker op de Westelijke Jordaanoever, met een Loebavitsjer vrouw die haar jawoord had gegeven als celgenote?

'Hoe lang is je zus?' vroeg Martin.

'Een meter vijfenzestig. Hoezo?'

'Hij is iets langer, dus hij zal rond de een meter zeventig zijn.'

'Mag ik iets vragen?' vroeg Stella.

'Ga je gang,' zei Martin ongeduldig.

'Waarom maak je geen aantekeningen?'

'Dat hoeft niet. Ik maak geen aantekeningen omdat ik de zaak niet wil aannemen.'

Stella was teleurgesteld. 'Waarom niet? Mijn vader wil je in elk geval betalen, of je hem vindt of niet.'

'Ik neem de zaak niet in behandeling,' verklaarde Martin, 'omdat het gemakkelijker is een naald in een dorp vol hooibergen te vinden dan de weggelopen man van je zus.'

'Je kunt het toch proberen,' zei Stella gekweld.

'Dat is zonde van je vaders geld en mijn tijd. Kijk eens hier: Russische revolutionairen rond de eeuwwisseling lieten net zo'n baard staan als je zwager. Het is een truc die al werd gebruikt toen Mozes spionnen uitstuurde om meer te weten te komen over de slagorde van de vijand bij Jericho. Als je lang genoeg een baard hebt, word je ermee vereenzelvigd. De dag waarop je wilt verdwijnen doe je wat die Russische revolutionairen al deden: je baard afscheren. Voortaan kan je vrouw je niet eens herkennen bij een politieconfrontatie. Laten we er voor het gemak van uitgaan dat Samat zo'n schurkachtige kapitalist was over wie je tegenwoordig veel hoort. Misschien was je toekomstige ex-zwager in Moskou de grond te heet onder de voeten geworden toen hij in Kiryat Arba opdook om met je halfzus te trouwen. Tsjetsjeense criminelen die vanuit dat monsterlijke hotel tegenover het Kremlin opereerden – dat heet het Rossija, als ik me goed herinner – streden met de Slavische Alliantie om de macht over de lucratieve protectiebendes in de hoofdstad. In de strijd om uitbreiding van hun territorium waren er elke dag schietpartijen. Getuigen van die schietpartijen werden ook doodgeschoten, om te voorkomen dat ze naar de politie zouden gaan. Mensen die 's ochtends naar hun werk gingen, zagen mannen hangen die aan lantaarnpalen waren opgeknoopt. Misschien is Samat een jood, of misschien ook een apostolische christen uit Armenië. Het maakt niet uit. Hij koopt een geboorteakte waarin staat dat zijn moeder Joods is – geen enkel probleem op de zwarte markt – en vraagt een visum voor Israël aan. De formaliteiten kunnen maanden in beslag nemen, dus versnelt je zwager de gang van zaken door een rabbijn in de arm te nemen die een huwelijk kan regelen met een Loebavitsjer vrouw uit Brooklyn. Het is een perfecte dekmantel, de ideale manier om uit het zicht te verdwijnen tot de bendeoorlog in Moskou afgelopen zal zijn. Vanuit zijn huisje op de Westelijke Jordaanoever onderhoudt hij contacten met zijn compagnons; hij koopt en verkoopt aandelen, hij verzorgt de export van Russische grondstoffen in ruil voor Japanse computers of Amerikaanse spijkerbroeken. En op een mooie ochtend, als het stof in Rusland is neergedaald, besluit hij dat hij genoeg heeft van zijn Israëlische kerker. Hij wil niet dat zijn vrouw, de rabbijnen of de staat Israël hem vragen waar hij naartoe gaat, of hem daar gaan opzoeken, dus neemt hij het foto-album van zijn vrouw mee en scheert zijn baard af, neemt de wijk uit Israël en verdwijnt van de aardbodem.'

Stella's mond viel open bij het aanhoren van Martins scenario. 'Hoe komt het dat je zoveel weet over Rusland en de oorlog tussen de bendes?'

Hij haalde zijn schouders op. 'Als ik je vertel dat ik dat zelf niet goed weet, geloof je me dan?'

'Nee.'

Martin pakte haar regenjas van de trapleuning. 'Het spijt me van je vergeefse moeite.'

'Mij heeft het wel iets opgeleverd,' zei ze ingehouden. 'Ik weet nu meer dan toen ik binnenkwam.' Ze pakte haar regenjas aan, schoof haar armen in de mouwen en trok de ceintuur strak aan tegen de stortbuien waarvan ze het straks ijskoud zou krijgen. Bijna achteloos haalde ze een pen uit haar jaszak, pakte zijn hand en schreef er een 718-nummer in. 'Als je je bedenkt...'

Martin schudde zijn hoofd. 'Reken er maar niet op.'

De stapel vuile vaat in de gootsteen was zelfs Martin te hoog geworden. Met tot boven de ellebogen opgerolde mouwen was hij bezig de bovenste laag af te spoelen toen de telefoon in de biljartzaal ging. Zoals gewoonlijk liet hij hem rijkelijk lang overgaan; in zijn ervaring leidde het opnemen van de telefoon maar tot complicaties in het leven. Toen de telefoon bleef rinkelen, wandelde hij naar de biljartzaal, droogde zijn handen af aan zijn kaki broek en klemde de hoorn met zijn schouder tegen zijn oor.

'Spreek desnoods een bericht in,' liet hij weten.

'Hoor eens, Dante,' blafte een vrouw.

Een vlijmende hoofdpijn laaide op achter Martins oogkassen. 'Verkeerd verbonden,' mompelde hij en hing op.

Vrijwel onmiddellijk ging de telefoon opnieuw. Martin drukte de hand waarop het telefoonnummer was geschreven tegen zijn voorhoofd en staarde naar het toestel; het leek een eeuwigheid te duren voordat hij besloot op te nemen.

'Dante, Dante, je gaat toch niet ophangen als ik bel. Dat kan echt niet. Dat is niet beschaafd. God nog aan toe, ik weet toch dat jij het bent.'

'Hoe heb je me gevonden?' vroeg Martin.

De vrouw aan de lijn onderdrukte een lachje. 'Je staat op het selecte lijstje van ex-agenten die we blijven volgen,' zei ze. Haar stem kreeg een ernstige klank. 'Ik ben beneden, in het Chinese restaurant, Dante. Ik zit achterin. Ik ben licht in het hoofd van de vetsin. Kom naar beneden, dan trakteer ik je op iets uit categorie B.'

Martin haalde diep adem. 'Er wordt beweerd dat het vijfenzestig miljoen jaar geleden is dat dinosaurussen de aarde bevolkten. Jij bent het levende bewijs dat ze niet allemaal zijn uitgestorven.'

'Schelden doet geen zeer, Dante.' Licht gespannen voegde ze eraan toe: 'Ik zal je een goede raad geven, voor je eigen bestwil. Haal het niet in je hoofd om weg te blijven, Dante.'

De verbinding werd verbroken.

Even later passeerde Martin het raam met geplukte eenden aan vleeshaken en duwde de zware glazen deur open van Xings restaurant Mandarin, onder de biljartzaal. Tsou Xing, die ook zijn huisbaas was, zat zoals gewoonlijk op zijn hoge kruk achter de kassa te oreren. Hij gebaarde met zijn enige arm om Martin te begroeten. 'Dag dag,' zei de oude man met zijn hoge stem. 'Aan tafel eten of meenemen, hè?'

'Ik heb een afspraak...' Hij keek onderzoekend naar de tien of twaalf gasten en zag Crystal Quest op een bankje bij de klapdeuren naar de keuken zitten. Een hele generatie bij de Firma noemde haar Fred omdat ze een opvallende gelijkenis vertoonde met Fred Astaire; indertijd ging het verhaal dat de president van de Verenigde Staten, die haar opmerkte tijdens een overleg in het Oval Office, een briefje aan een assistent had doorgegeven om te vragen waarom de CIA werd vertegenwoordigd door een travestiet. Quest, die haar vak als weinig anderen beheerste, was met haar rug naar de tafeltjes gaan zitten, tegenover een spiegel waarin ze kon zien wie er binnenkwam of wegging. Ze keek in de spiegel naar de naderende Martin.

'Je ziet er goed afgetraind uit, Dante,' zei ze terwijl hij op het bankje tegenover het hare ging zitten. 'Wat is je geheim?'

'Geïnvesteerd in een roeimachine,' zei hij.

'Hoeveel uur per dag zit je erop?'

''s Ochtends een uur, voor het ontbijt. En midden in de nacht een uur, als ik badend in het zweet wakker word.'

'Waarom zou iemand met een gerust geweten badend in het zweet wakker worden? Je gaat me toch niet vertellen dat je nog inzit over de dood van die hoer in Beiroet, in godsnaam.'

Martin bracht zijn hand naar zijn voorhoofd, dat nog zeer deed. 'Ik denk nu en dan wel aan haar, maar dat is niet wat me dwarszit. Als ik wist waarvan ik wakker word, kon ik misschien doorslapen.'

Fred, een slanke vrouw die zich gaandeweg had opgewerkt, en de eerste vrouwelijke adjunct-directeur van Operaties was geworden, droeg een van haar fameuze broekpakken met brede revers en een overhemd met ruches langs de voorsluiting. Ze had, zoals gewoonlijk, kortgeknipt haar dat roestbruin was geverfd om de grijze lokken te verhullen die topfunctionarissen volgens Fred kregen vanwege hun zorgen over de juiste standaardprocedure: ga je uit van een hypothese en analyseer je aan de hand daarvan de gegevens, of bekijk je de gegevens op zoek naar een houdbare hypothese?

Martin gebaarde met een eetstokje en bewoog het tussen zijn vingers. Achter de bar schonk Tsou Xing een whisky voor hem in, zonder ijs. Een slanke jonge Chinese vrouw in een strakke rok met split kwam hem brengen.

'Dank je, Minh,' zei Martin.

'Je moet eten, Martin,' zei de jonge vrouw. Ze zag hem met het eetstokje spelen. 'Chinezen zeggen man met één eetstokje gaan dood van honger.'

Lachend liet hij het stokje op tafel vallen. 'Ik neem straks wel een portie pekingeend mee.'

Fred keek het meisje na in de spiegel. 'Wat een lekker kontje. Kom je nog aan je trekken, Dante?'

'En jij, Fred?' vroeg hij vriendelijk. 'Word jij nog genaaid?'

'Ze proberen het wel,' zei ze met een stroef lachje, 'in beide betekenissen. Maar het lukt niemand.'

Grinnikend pakte Martin een Beedie uit het blikje en stak hem aan met een van de luciferboekjes die op tafel lagen. 'Je hebt niet gezegd hoe je me hebt gevonden.'

'Ik heb je toch niet hoeven zoeken? We zijn je nooit uit het oog verloren. Toen jij als een stuk wrakhout boven een Chinees restaurant in Brooklyn aanspoelde, klonken er alarmschellen en sirenes in de slagschip-grijze gangen van het kantoor. De dag dat jij je huurcontract tekende, kregen wij er een kopie van. Het verbaasde natuurlijk niemand dat je in de huid van het personage Martin Odum was gekropen. Logisch toch? Opgegroeid aan de Eastern Parkway, lagere school in de buurt, kent Crown Heights als zijn broekzak, zijn vader had vroeger een gereedschapswinkel aan Kingston Avenue. Martin heeft zelfs een schoolvriend wiens vader het Chinese restaurant aan Kingston Avenue had. Het personage Martin Odum heb je onder mijn supervisie ontwikkeld, of is je dat ontschoten? Nu ik eraan denk: jij was de laatste agent die ik nog persoonlijk heb aangestuurd, voordat ik naar boven werd geschopt om leiding te geven aan de mensen die leidinggeven aan de agenten, hoewel ik altijd het gevoel heb gehouden dat ik jou aanstuurde, al zat er een schakel tussen. Het gekke is dat ik me niet kan herinneren dat Odum detective was. Kennelijk wilde je het personage optuigen?'

Martin ging ervan uit dat de biljartzaal werd afgeluisterd. 'Liever detective dan werken voor de kost.'

'Wat krijg je voor zaken?'

'Mahjongschulden. Kwade echtgenotes die me betalen voor foto's van overspelige echtgenoten. Chassidische vaders die zich zorgen maken over zoons die misschien wel uitgaan met niet-koosjere meisjes. Ik ben eens ingeschakeld door een Rus uit Little Odessa, waar de meeste in Amerika terechtgekomen Russen wonen, omdat ze ervan overtuigd waren dat de Tsjetsjenen van het crematorium gouden vullingen van dierbare overledenen verwijderden voordat de lijken werden verast. Een andere keer kreeg ik een opdracht van een kleurrijke politicus uit Little Odessa die wilde dat ik de rottweiler zou terughalen die zijn ex-vrouw had meegenomen omdat hij geen alimentatie meer wilde betalen.'

'Dus Little Odessa levert je veel werk op.'

'Ik blijf maar knikken wanneer mijn cliënten niet op het juiste woord in het Engels kunnen komen en in het Russisch verder praten. Ze schijnen te denken dat ik ze kan verstaan.'

'Heb je die hond gevonden?'

'Martin Odum vindt altijd zijn hond.'

Ze raakte zijn glas aan met het hare. 'Ga zo door, Dante.' Ze nam een slokje van haar daiquiri en keek naar hem over de rand van het cocktailglas. 'Je doet zeker geen weggelopen echtgenoten?'

De vraag bleef in de lucht hangen. Martin nam een trek van zijn Beedie en zei toen achteloos: 'Waarom vraag je dat?'

Ze tikte met haar wijsvinger tegen de zijkant van haar Fred Astaire-neus. 'Ik ben hier niet om Trivial Pursuit met je te spelen, Pippen.'

'Tot nu toe heb ik de weggelopen echtgenoten weten te mijden.'

'En vanaf nu?'

Martin trok de conclusie dat zijn woonruimte toch niet werd afgeluisterd; anders had Fred geweten dat hij Stella Kastners verzoek had afgewimpeld. 'Weggelopen echtgenoten hebben niet mijn voorkeur, voornamelijk omdat ze in negenennegentig van de honderd gevallen een bevredigend nieuw leven zijn begonnen met een andere identiteit en een andere vrouw. En het is buitengewoon lastig, statistisch onmogelijk zeg maar, om mensen te vinden die zich heel beslist hebben voorgenomen niet naar hun vorige vrouw terug te gaan.'

Er leek een last van Freds schoudervullingen af te vallen. Ze viste nog een ijsblokje uit haar daiquiri en stopte het in haar mond. 'Ik heb een zwak voor je, Dante. Echt waar. In de jaren tachtig en vroege jaren negentig was je legendarisch om je personages. Er wordt nog altijd over je gepraat, al word je met verschillende namen aangeduid, al naar gelang de naam waaronder ze je hebben leren kennen. "Wat doet Lincoln Dittmann tegenwoordig nog?" vroeg iemand van het kader vorige week. Agenten zoals jij komen een of twee keer per oorlog voor. Je zweefde op een wolk van personages en gefingeerde achtergronden die je, compleet met tekens van de dierenriem en de begraafplaatsen waar de diverse familieleden waren bijgezet, vlot paraat had. Als ik me goed herinner was Dante Pippen een afvallige katholiek; hij kon de rozenkrans in het Latijn opzeggen omdat hij dat als misdienaar in County Cork had geleerd, hij had een broer die als jezuïetenpater in Congo missiewerk deed en een zus die in een nonnenziekenhuis in Ivoorkust werkte. Dan was er het personage Lincoln Dittmann, opgegroeid in Pennsylvania en docent geschiedenis aan een academische vooropleiding. Daar hoorden allerlei sterke verhalen bij: over een eindexamenfeest in Scranton waar de politie aan te pas was gekomen, of een oom Manny in Jonestown die in de Tweede Wereldoorlog een klapper had gemaakt met de leverantie van ondergoed aan defensie. In die rol had je alle slagvelden uit de Burgeroorlog ten oosten van de Mississippi bezocht. Je vertolkte zoveel personages dat je zei dat je soms niet meer wist welke biografische bijzonderheden authentiek waren en welke verzonnen. Je ging zo sterk in je dekmantel op dat de boekhouding soms niet meer wist op welke naam je salaris moest worden uitbetaald. Ik zal je een bekentenis doen, Dante: ik had niet alleen bewondering voor je vakmanschap, ik benijdde je ook. Iedereen zet graag een masker op, maar het ultieme masker is het vermogen net zo gemakkelijk van persoonlijkheid te wisselen als je schone kleren aantrekt: alias, bijbehorende levensloop en uiteindelijk, als je er echt goed in bent, verschillende persoonlijkheden en talen die bij de verschillende personages horen.'

Met zijn Beedie maakte Martin speels een kruisteken in de lucht. *'Ave Maria, gratia plena, Dominus tecumi, benedicta tu in mulieribus...'*

Grinnikend gebaarde Fred naar Xing in de spiegel. 'De rekening, is dat te veel gevraagd?' riep ze. Ze lachte lief naar Martin. 'Ik hoop dat je hebt begrepen voor welke boodschap ik helemaal hierheen ben gekomen. Hou je verre van weggelopen echtgenoten, Dante.'

'Waarom?'

De vraag ergerde Fred. 'Omdat ik het zeg, verdomme. In het hoogst onwaarschijnlijke geval dat je hem zou vinden, zouden wij nog eens heel goed moeten kijken naar bepaalde beslissingen die we ten aanzien van jou hebben genomen. Uiteindelijk bleek je toch een rotte appel te zijn, Dante.'

Hij had geen flauw idee waar ze op doelde. 'Misschien waren er grenzen die ik niet kon overschrijden,' zei hij in een poging het gesprek op gang te houden, in de hoop te ontdekken waarom hij midden in de nacht badend in het zweet wakker werd.

'We hebben niet je geweten in dienst genomen, alleen je verstand en je lichaam. Op zekere dag stapte je uit je personage – uit al je personages – om een zogenaamd moreel standpunt in te nemen. Het was je ontgaan dat moraliteit verschillende vormen kan aannemen. Er volgde topoverleg in Langley. De keuzemogelijkheden waren simpel: we konden je ontslaan of we konden je uitschakelen.'

'En hoe viel de stemming uit?'

'Fiftyfifty, merkwaardig genoeg. Mijn stem gaf de doorslag. Ik koos de kant van degenen die je dienstverband wilden beëindigen, op voorwaarde van opname in een van onze gesloten inrichtingen. We moesten de zekerheid hebben...'

Voordat Fred uitgesproken was, verscheen Minh met een schoteltje met een dubbelgevouwen rekening erop. Ze zette het tussen hen in op tafel. Fred griste de nota weg, vouwde hem open, trok twee briefjes van tien van een rolletje en streek ze glad op het schoteltje. Ze zette er het zoutvaatje op. Zwijgend wachtten Martin en zij tot het geld was opgehaald.

'Ik had echt een zwak voor je,' zei Fred ten slotte en ze schudde haar hoofd bij de herinnering.

'Ik had hulp nodig om me alles weer voor de geest te halen,' zei hij zacht voor zich heen. 'Die heb ik niet gekregen.'

'Wees blij,' zei Fred vinnig. Ze schoof over het bankje en stond op. 'Zorg dat ik geen spijt krijg van mijn stem, Dante. En veel geluk met je detectivewerk. Ik heb echt een hekel aan Tsjetsjenen die gouden vullingen pikken en dan het corpus delicti cremeren.'

Ze reden in hoog tempo over de snelweg door Brooklyn en Queens naar het vliegveld La Guardia om het pendelvliegtuig terug naar Washington te nemen, toen de telefoon in het dashboard overging. De ambtenaar van het Directoraat Operaties die als chauffeur fungeerde, griste het toestel uit de houder en hield het bij zijn oor. 'Een ogenblik,' zei hij en gaf het toestel door naar achteren, waar Crystal Quest tegen een portier geleund zat te dommelen.

'Quest,' zei ze in het toestel.

Ze ging rechtop zitten. 'Inderdaad. Dante en ik kennen elkaar al heel lang; ik weet zeker dat het feit dat ik hem in eigen persoon de instructie heb overgebracht hem ervan heeft overtuigd dat het niet om een spelletje mikado gaat.' Ze luisterde even. Voorin nam de chauffeur aan dat de blikkerige geluiden die het toestel voortbracht zowel door het timbre als door de inhoud misnoegen uitdrukten.

Quest krabde over haar hoofdhuid onder het roestbruine haar. 'Ik word absoluut niet sentimenteel, chef; sentimentaliteit is niets voor mij. Ik heb hem zelf als agent gerund toen hij nog voor ons werkte. Dat hij uit de kou is gekomen, zoals die Britse schrijver het noemde, verandert daar niets aan. Wat mij betreft run ik hem nog steeds. Zolang hij zich niet kan herinneren wat er is gebeurd, zolang hij niet zijn neus in de Samat-zaak steekt, is er geen reden om die beslissing te heroverwegen.' Ze luisterde weer en zei toen kil: 'Ik ben het eens met wat u over onnodig risico zegt. Als hij zich vergaloppeert...'

De man met wie ze in gesprek was, maakte de zin voor haar af; de man aan het stuur zag zijn chef in het spiegeltje knikken terwijl ze naar een instructie luisterde.

'Daar kunt u op rekenen,' zei Quest.

Het gesprek was kennelijk afgelopen (de directeur stond erom bekend dat hij gesprekken abrupt beëindigde), want Quest boog naar voren om het toestel op de voorbank te laten vallen. Ze zakte weer onderuit tegen het portier en staarde zonder iets te zien naar buiten, terwijl ze een onsamenhangend gemompel voortbracht. Na een poosje kregen de woorden betekenis. 'Directeuren komen en gaan,' hoorde hij haar zeggen. 'Degenen die door hun connectie met het Witte Huis in Langley terechtkomen, zijn niet de hoeders van het heilig vuur: dat zijn wij. Wij staan op de bres terwijl de directeur zich uitslooft op etentjes in het diplomatieke circuit. Wij runnen de agenten die hun leven wagen in de verre uithoeken van de macht. En dat eist een zware tol van ons. Als een actieve agent te veel drinkt, krijgt zijn chef de kater. Agent steigert, wij slaan op hol. Agent sneuvelt, wij gaan door het stof en rouwen veertig dagen en veertig nachten.' Quest zuchtte omdat haar jeugd achter haar lag en omdat ze geen genoegen meer beleefde aan haar vrouw-zijn. 'Wat ons er al met al niet van weerhoudt,' zei ze verbeten, 'die klootzak af te maken als het erop lijkt dat hij ons kroonjuweel bedreigt.'

Een uur voor het aanbreken van de dag ging Martins wekker af. Voor het geval Fred toch afluisterapparatuur had laten installeren, zette hij de radio aan en voerde het volume op om zijn voetstappen en het openen en sluiten van de deur te overstemmen. In zijn trainingspak klom hij met zijn imkerpijp naar het dak om rook in de tweede kast te blazen, zodat het bijenvolk zich volpropte met honing. Daarna voelde hij in de spleet tussen de bovenkant van de kast en de bovenkant van de lijst om er iets uit te halen dat in zeildoek was verpakt. Beneden deed Martin de koelkast open en zette een plastic bak onder het lekgaatje. In het zwakke licht van de open koelkast vouwde hij het zeildoek open en legde de inhoud op zijn bed. Er lagen zes Amerikaanse en buitenlandse paspoorten, een Frans Livret de famille, drie binnenlandse reisbescheiden uit Oost-Europese landen, een verzameling gelamineerde rijbewijzen uit Ierland, Engeland en diverse Amerikaanse staten aan de oostkust, een sortering bibliotheekkaarten en *frequent flyer* pasjes en verzekeringspasjes, sommige bros van ouderdom. Hij pakte de legitimatiebewijzen om ze te verspreiden onder de kartonnen voering van de gehavende leren koffer met stickers van vijf of zes Club Med-bestemmingen. Hij vulde de koffer met overhemden en ondergoed en sokken en toiletartikelen, legde er de opgevouwen witzijden gelukshalsdoek van Dante Pippen op en verkleedde zich in een driedelig zomerpak en de schoenen met dikke rubberzolen waarop hij een jaar eerder met Minh voettochten in de Adirondacks had gemaakt. Terwijl hij om zich heen keek en zich afvroeg wat hij had vergeten, dacht hij weer aan de bijen. Hij schreef haastig een briefje voor Tsou Xing om hem te vragen met behulp van de reservesleutel die hij in de kassa had liggen om de dag naar de bijen te kijken; als er niet genoeg honing in de raten zat, moest hij ze bijvoeren tot het voorjaar. Tsou wist wel dat hij dan kandijsuiker moest opkoken met de ingrediënten in het gootsteenkastje om aan de bijen te geven.

Met de koffer en een oude maar nog bruikbare Burberry ging Martin naar het dak. Daar deed hij de toegangsdeur op slot en legde de sleutel onder een losse steen in de borstwering. Terwijl hij opkeek naar de Melkweg, of wat je daarvan op een dak in Brooklyn kon zien, moest hij denken aan de alevitische prostituee die Dante bij een uiterst precaire missie in Beiroet had leren kennen. Tegen de borstwering geleund observeerde hij Albany Avenue gedurende een kwartier; hij keek naar de donkere ramen en zonweringen aan de overkant of hij de minste beweging in de gordijnen of de gloed van een brandende sigaret zag. Nadat hij geen enkel teken van leven had kunnen bekennen, liep hij naar de andere kant van het dak om de steeg achter het Chinese restaurant te observeren. Aan de rechterkant, waar Tsou Xing zijn antieke Packard had geparkeerd, zag hij iets bewegen, maar het was alleen een kat die probeerde in een vuilnisemmer te komen. Toen Martin zich ervan had overtuigd dat de kust vrij was, daalde hij met zijn gezicht naar de muur voorzichtig over de stalen noodtrap af naar de eerste etage; daar liet hij het uiteinde van het touw naar de grond zakken (vanaf een relais dat hij elke twee maanden had gecontroleerd; Martins professionaliteit grensde aan religieuze toewijding). Hij controleerde nog een paar minuten de kwaliteit van de stilte en liet zich vervolgens zakken op Tsou Xings plaatsje, dat vol stond met fornuizen en snelkookpannen en koelkasten waarvan onderdelen nog eens van pas konden komen. Hij schoof het briefje voor Tsou onder de achterdeur van het restaurant naar binnen, ging naar de steeg en liep door naar Lincoln Place. Twee zijstraten verder, op de noordoosthoek van Schenectady, dook hij een telefooncel in die naar terpentijn stonk. Het eerste metaalgrijze licht was in het oosten te zien toen hij naar het nummer in zijn hand keek. Hij deed een muntje in de gleuf en draaide het nummer. De telefoon ging zo vaak over dat Martin zich bezorgd afvroeg of hij wel het goede nummer had gedraaid. Hij hing op, controleerde het nummer nog eens goed en draaide het opnieuw. Hij begon het aantal keren te tellen dat het toestel over ging, gaf het toen op en bleef ernaar luisteren, terwijl hij zich afvroeg wat hem te doen stond als er niet werd opgenomen. Hij wilde net ophangen (en zijn heil zoeken in een permanent geopend eettentje aan Kingston Avenue om het over een uur nog eens te proberen) toen er eindelijk iemand aan de lijn kwam.

'Wat een tijd om op te bellen!' zei een bekende stem boos.

'Ik weet nu dat ik niet zonder je kan leven. Als je me nog wilt hebben, denk ik dat we er wel uit kunnen komen.'

Estelle Kastner hield even haar adem in; ze besefte dat hij bang was dat het gesprek werd afgeluisterd. 'Ik had je al opgegeven,' erkende ze. 'Wanneer kun je komen?'

Haar stijl beviel hem. 'Wat dacht je van nu meteen?'

Ze gaf hem een adres in een zijstraat een eind verderop in President Street, tussen Kingston en Brooklyn. 'Het is een groot woonhuis. Er is een ingang aan de zijkant; daar brandt licht. Ik wacht op je in de hal.' Voor het geval het gesprek inderdaad werd afgeluisterd, voegde Estelle eraan toe: 'Ik heb nog nooit iets gehad met iemand wiens sterrenbeeld niet harmonieert met het mijne. Dus wat ben je?'

'Een Leeuw.'

'Daar geloof ik niets van. Leeuwen lopen over van zelfvertrouwen. Jij lijkt me eerder een Steenbok. Steenbokken zijn impulsief, grillig en zo koppig als een ezel, in de goede betekenis: als je eenmaal ergens aan bent begonnen, maak je het ook af. Als Steenbok pas je uitstekend bij me.' Ze schraapte haar keel. 'Waardoor heb je je bedacht? Dat je toch belt?'

Ze hoorde Martin zachtjes lachen; het klonk haar troostrijk in de oren. Ze hoorde hem zeggen: 'Ik heb me niet bedacht, ik volg de stem van mijn hart.'

Ze citeerde een liedje dat ze eindeloos op de grammofoon had afgespeeld. 'Fools rush in where angels fear to tread.' Bezint eer gij begint. Ze hoorde Martin ademen in de hoorn. Net voordat ze de verbinding verbrak, zei ze, meer bij zichzelf dan tegen hem: 'Ik heb een zwak voor mannen die geen aftershave gebruiken.'

1994: MARTIN ODUM ZET ZIJN LEVENS VOORT

'Kunt u iets zeggen zodat ik het volume kan instellen?'

'Wat moet ik zeggen?'

'Wat er maar in uw hoofd opkomt.'

'...de zwijgende kanonnen glanzend als goud rijden licht ratelend over de stenen. Zwijgende kanonnen, die weldra uw zwijgen zullen verbreken, weldra onbelemmerd zullen beginnen met het rode werk.'

'Prima. Recht in de microfoon blijven praten. Daar gaan we. Ter inleiding: het is donderdag 16 juni 1994. Wat volgt is een opname van mijn eerste gesprek met Martin Odum. Ik heet Bernice Treffler. Ik ben directeur van de psychiatrische afdeling in dit particuliere ziekenhuis in Bethesda, Maryland. Als u wilt pauzeren, meneer Odum, steekt u uw hand op. Wat was dat trouwens voor een citaat?'

'Een van Walter Whitmans verzen over de Burgeroorlog.'

'Hebt u een reden om hem Walter te noemen in plaats van Walt?'

'Ik heb de indruk dat mensen die hem kenden hem Walter noemden en niet Walt.'

'Bent u een fan van Whitman?'

'Bij mijn weten niet. Ik wist niet dat ik die regels kende tot ik ze uitsprak.'

'Heeft de Burgeroorlog uw belangstelling?'

'Als Martin Odum niet, maar degene die er wel belangstelling voor had – hoe moet ik het uitleggen? – stond me na. In een van mijn incarnaties werd ik geacht college te hebben gegeven over de Burgeroorlog. Toen we aan het personage werkten...'

'Neem me niet kwalijk. De CIA-mensen die ik tot nu toe heb behandeld werkten allemaal in Langley zelf. U bent mijn eerste undercoveragent. Wat bedoelt u met een personage?'

'Een gefingeerde identiteit. Veel mensen bij de Firma maken er gebruik van, zeker als ze buiten de Verenigde Staten werken.'

'Ik begrijp dat ik in onze gesprekken mijn vocabulaire zal kunnen uitbreiden, meneer Odum. Gaat u maar verder.'

'Waar had ik het over?'

'U vertelde over het werken aan een personage.'

'O ja. Omdat ik in mijn nieuwe incarnatie werd geacht min of meer deskundig te zijn op dat terrein, moest degene die ik zou worden zich in de Burgeroorlog verdiepen. Hij las een stapel boeken, bezocht een groot aantal slagvelden, woonde symposia bij en zo meer.'

'Hij, niet u?'

'Mja.'

'Was er een naam verbonden met eh... dat personage?'

'Dittmann, met dubbel t en dubbel n. Lincoln Dittmann.'

'Hebt u hoofdpijn, meneer Dittmann?'

'Ik voel druk achter mijn ogen. Mag er een raam op een kier? Het is hier benauwd... Dank u.'

'Wilt u een aspirientje?'

'Misschien straks.'

'Hebt u vaak hoofdpijn?'

'Vrij vaak.'

'Hm. Wat was die Lincoln Dittmann voor iemand?'

'Ik weet niet of ik de vraag begrijp.'

'Was hij anders dan u? Anders dan Martin Odum?'

'Dat was nu juist de bedoeling: hij moest anders zijn om te kunnen opereren zonder dat iemand hem voor mij aanzag, of andersom.'

'Wat kon Lincoln Dittmann wel dat u niet kunt?'

'Ten eerste was hij scherpschutter; hij schoot veel beter dan ik. Hij nam er alle tijd voor om zijn doelwit met een enkel schot te kunnen raken. Hij hield rekening met factoren als speling en afstand en haalde dan behoedzaam de trekker over, dus niet abrupt.

Ik ben te nerveus om op die manier in koelen bloede te kunnen do-den, tenzij ik door types als Lincoln tot actie word geprikkeld. De paar keer dat ik in mijn leven een menselijk doelwit op de korrel heb gehad, kreeg ik een droge mond en had ik bonzende slapen. Ik moest me concentreren om mijn vinger niet te laten trillen. Wan-neer een geboren schutter zoals Lincoln op een menselijk doelwit schoot, voelde hij alleen de terugslag van het geweer. Wat nog meer? Mijn professionele bekwaamheid was groter; ik kon zelfs opgaan in de menigte als er geen menigte was, beweerden ze. Lincoln was juist een opvallende verschijning. Hij was natuurlijk intellectueler dan ik, of mijn andere personage. Hij was een sterkere schaker, niet omdat hij intelligenter was dan ik, maar alleen omdat ik te ongeduldig was, te rusteloos om alle implicaties van een bepaald gambiet te door-denken, na te gaan wat er acht of tien zetten later zou gebeuren.Lin-coln daarentegen was begiftigd met een eindeloos geduld. Als een opdracht inhield dat iemand moest worden geschaduwd, was Lin-coln de meest geschikte agent voor die taak. En we keken ook an-ders tegen de wereld aan.'

'Ga door.'

'Martin Odum is een nerveus type; er zijn dagen dat hij letterlijk schrikt van zijn eigen schaduw. Hij durft amper ergens naar binnen waar hij niet eerder is geweest, hij voelt zich slecht op zijn gemak als hij iemand tegenkomt die hij nog niet kent. Hij laat mensen, vooral vrouwen, naar zich toe komen. Hij heeft wel een libido, maar onthoudt zich net zo lief. Als hij de liefde bedrijft, is het voorzich-tig. Hij besteedt veel aandacht aan het genot van de vrouw voordat hij aan zichzelf denkt.'

'En Lincoln?'

'Lincoln was nergens bang voor: niet voor zijn eigen schaduw, niet voor een hem onbekende omgeving, niet voor mensen die hij nog niet kende. Het was niet dat hij geen angst kende; het was eer-der een kwestie van verslaving aan angst die elke dag bevredigd moest worden.'

'Wat u beschrijft lijkt sterk op een gespleten persoonlijkheid.'

'U begrijpt het niet. Het is geen kwestie van gespletenheid. Het is een kwestie van het creëren van verschillende persoonlijkheden die... Sorry, maar waarom maakt u aantekeningen terwijl dit ge-sprek wordt opgenomen?'

'Het gesprek heeft een fascinerende wending genomen, meneer Odum. Ik noteer wat eerste indrukken. Waren er nog meer verschillen tussen Dittmann en Odum; tussen Dittmann en u?'

'Het creëren van een personage gebeurt niet van vandaag op morgen. Het kost veel tijd en inspanning. De bijzonderheden werden vastgesteld met de hulp van een team deskundigen. Odum rookt Beedies, Dittmann rookte Schimmelpenninck als hij die kon krijgen, anders dunne sigaartjes. Odum at geen vlees, Dittmann kon met smaak een entrecote verorberen. Odum is een Ram, Dittmann wist niet wat zijn teken was en het kon hem niet schelen ook. Odum wast en scheert zich elke dag, maar gebruikt geen aftershave. Dittmann waste zich wanneer de gelegenheid zich voordeed en gebruikte anders veel Vetiver. Odum is eenzelvig; de weinige mensen die hem kennen, zeggen voor de grap dat hij liever bijen om zich heen heeft dan mensen en daar zit wel iets in. Dittmann omringde zich juist met mensen; in tegenstelling tot Odum danste hij goed, hij hield van nachtclubs, hij kon grote hoeveelheden goedkope alcohol met bier ernaast naar binnen slaan zonder dronken te worden. Hij gebruikte drugs, hij vulde cryptogrammen in met inkt, hij speelde *ludo* en go. Wat vrouwen betrof was hij een onverbeterlijke romanticus. Hij had een zwak voor vrouwen...' Martin herinnerde zich een missie die Lincoln had gebracht naar een stad aan de Paraguayaanse kant van het Driegrenzengebied. '...die bang voor het donker waren wanneer het laatste daglicht verdwenen was, bang voor mannen die hun riem lostrokken voordat ze hun broek uittrokken, bang dat het leven op aarde de volgende dag voor de dageraad afgelopen zou zijn, bang dat het eeuwig door zou gaan.'

'En u...'

'Ik gebruik geen drugs. Ik houd niet van bordspelen. Ik doe nooit cryptogrammen, ook niet met potlood.'

'Dus Odum en Dittmann zijn antipoden? Dat betekent...'

'Lincoln Dittmann zou weten wat antipoden zijn. En in een uithoekje van mijn hersenen heb ik toegang tot wat hij weet.'

'Waaruit bestaat die toegang?'

'U zult het niet geloven.'

'Probeer het maar.'

Heel zachtjes zei Martin: 'Er zijn ogenblikken waarop ik zijn stem in mijn oor hoor fluisteren. Zo kwam ik aan dat citaat van Walter Whitman.'

'Dat werd u door Lincoln Dittmann ingefluisterd.'

'Mja. Andere keren weet ik wat hij zou doen of zeggen als hij in mijn schoenen stond.'

'Het is me duidelijk.'

'Wat is u duidelijk?'

'Het is me duidelijk waarom uw werkgever u naar ons toe heeft gestuurd. Hmmm. Er is iets wat me een beetje bevreemdt. U praat over Lincoln Dittmann in de verleden tijd, alsof hij niet meer bestaat.'

'Hij bestaat net zo goed als ik.'

'Zoals u over Martin Odum praat lijkt het bijna of hij ook een personage is. Is dat zo?'

Toen Martin geen antwoord gaf, herhaalde ze de vraag. 'Is Martin Odum ook een van uw gefingeerde personages, meneer Odum?'

'Dat weet ik niet zeker.'

'Wilt u zeggen dat u dat echt niet weet?'

'Ik dacht dat u me zou helpen dat uit te zoeken. Een van de personages moet mijn echte ik zijn. De vraag is welke.'

'Dit wordt in elk geval een stuk interessanter dan ik had voorzien. U hebt een heel originele kijk op MPS.'

'Wat mag dat wel zijn?'

'Meervoudige persoonlijkheidsstoornis.'

'Is het dodelijk wat ik heb? Waarom lacht u?'

'Een meervoudige persoonlijkheidsstoornis is eerder nuttig dan dodelijk, meneer Odum. Ik zal u een korte toelichting geven. Ik vermoed dat u op een bepaald ogenblik iets is overkomen. In de overweldigende meerderheid van de gevallen is het trauma in de jeugdjaren ontstaan; seksueel misbruik staat hoog op de lijst van jeugdtrauma's, maar dat is niet het enige. Een jaar of vier geleden had ik een patiënt die getraumatiseerd was geraakt omdat hij door het spelen met lucifers een brand had veroorzaakt die tot de dood van zijn jongere zusje had geleid. Het trauma veroorzaakte kortsluiting in zijn geheugen. Deze patiënt ontwikkelde zeven verschillende volwassen persoonlijkheden, allemaal met eigen emoties en herinneringen en zelfs bekwaamheden. Hij wisselde van persoonlijkheid zodra hij onder spanning kwam. Geen van de zeven alters

– die u personages zou noemen, meneer Odum – kon zich de oorspronkelijke persoonlijkheid van het kind herinneren of het trauma dat met die persoonlijkheid verbonden was. Dus u begrijpt dat het wisselen van personage – wat overigens vrijwel altijd gepaard ging met hoofdpijn – een overlevingsmechanisme was. Het was zijn manier om een geheugenbarrière in stand te houden om zich te beschermen tegen een ongemeen beangstigende jeugdherinnering, en in die zin wordt MPS als nuttig beschouwd. Het is een middel dat iemand in staat stelt zijn leven voort te zetten...'

'Of zijn levens.'

'Heel goed, meneer Odum. Of zijn levens, inderdaad. Mijn instinct zegt me dat u niet precies past in de literatuur over het onderwerp, aangezien u uw alters hebt ontwikkeld om undercover te kunnen functioneren, niet uit psychologische noodzaak. Toen uw psyche besloot dat het noodzakelijk was achter een geheugenbarrière te verdwijnen, had u een reeks ontwikkelde persoonlijkheden pasklaar. In die zin kan worden gesteld dat u past in het beeld van een meervoudige persoonlijkheidsstoornis.'

'Hoe verschillend waren die zeven persoonlijkheden van uw patiënt?'

'In het geval van mijn patiënt, en in de meeste gevallen van MPS, verschilden ze sterk van elkaar, elk met eigen gewoonten, talenten, interesses, waarden, kledingstijl, eigenaardigheden, lichaamstaal en manier van uitdrukken. Ze bedreven zelfs op verschillende manieren de liefde. De alters hadden eigen namen en enkele hadden zelfs een andere leeftijd. Eén ervan was niet in staat zich verbaal uit te drukken, terwijl een andere een taal sprak, Jiddisj in dit geval, die de anderen niet konden verstaan.'

'Hoe is het mogelijk dat de ene persoonlijkheid een taal spreekt die zijn andere persoonlijkheden niet kunnen verstaan?'

'Het is een goed voorbeeld van de compartimentering van wat u personages noemt in de hersenen.'

'Waren de verschillende persoonlijkheden zich bewust van elkaars bestaan?'

'Sommige wel, andere niet. Dat aspect kan verschillen van geval tot geval. Meestal lijken verscheidene persoonlijkheden zich bewust van het bestaan van enkele andere persoonlijkheden; ze zien ze als vrienden die je kent maar al een tijd niet hebt gezien. En er is wat wij een "rangeerpersoonlijkheid" noemen – in uw geval lijkt dat Martin Odum te zijn – die fungeert als bewaarder van informatie over alle andere persoonlijkheden behalve de "gastheerpersoonlijkheid" die het trauma heeft ondergaan. Dat zou een verklaring kunnen zijn voor het gevoel dat u hebt dat u, zoals u daarnet zei, in een uithoek van uw geheugen toegang lijkt te hebben tot de gespecialiseerde talenten van een andere alter of, zoals u het noemt, dekmantel.'

'Ik heb een vraag, dr. Treffler.'

'Gezien het feit dat we nog wel een poos zullen samenwerken, stel ik voor dat we elkaar bij de voornaam noemen. Zeg jij Bernice, dan zeg ik Martin, goed?'

'Best. Bernice.'

'Wat wil je vragen, Martin?'

'Ik schijn in staat te zijn drie actieve personages te onderscheiden. Ten eerste Martin Odum. Dan Lincoln Dittmann. En er is er een aan wie ik je nog niet heb voorgesteld: de Ier, Dante Pippen. Zeker op deze dag zou Dante Pippen een kroegentocht door Dublin maken om te kijken in hoeveel pubs hij kon drinken voor het donker werd.'

'Waarom juist vandaag?'

'Omdat het Bloomsday is! De hele handeling in *Ulysses* vindt precies negentig jaar geleden plaats: op 16 juni 1904.' Martin deed zijn ogen dicht en hield zijn hoofd scheef. '"Bloom ging naar binnen bij Davy Byrne. Nette pub. Kastelein kletst niet. Biedt soms wat aan." Bovendien was het een dinsdag, net als vandaag. In Ierland laat je zoiets niet voorbijgaan zonder te bidden bij wat Dante tabernakels met vergunning noemde.'

'Hmmm.'

'Mijn vraag is dus: is een van mijn drie personages de echte? Of loert er nog een vierde in de schaduw die is wat ik werkelijk ben?'

'Daar kan ik nog niet op ingaan. Elk van beide veronderstellingen kan juist zijn. Er kan nog een vierde persoonlijkheid zijn of zelfs een vijfde. Dat weten we pas wanneer we de geheugenbarrières gaan slopen, steen voor steen, om bij de identiteit te komen die zichzelf herkent als je oorspronkelijke zelf.'

'Maar dat kan alleen nadat het jeugdtrauma aan de oppervlakte is gekomen?'

'Is dat een vraag of een bewering?'

'Een vraag.'

'Ik verheug me op onze samenwerking, Martin. Je bent snel. Je bent niet bang, althans niet zo bang dat je terugschrikt voor dit avontuur. Het antwoord op je vraag is: tot je oorspronkelijke ik kun je waarschijnlijk alleen doordringen door pijn te ervaren. Hoe sta je daar tegenover?'

'Ik weet niet goed welk antwoord ik daarop moet geven. Martin Odum heeft er mogelijk een bepaalde visie op en Lincoln Dittmann en Dante Pippen een andere.'

'Zullen we met die elegante observatie afsluiten?'

'Mja.' Martin leek zich te bedenken. 'Mag ik toch een aspirientje van je?'

1997: MARTIN ODUM MERKT DAT WEINIG HEILIG IS

Vanuit Lower Manhattan is Crown Heights hemelsbreed maar zes kilometer verderop aan de overkant van de rivier, maar het is een andere wereld. Sinds de rassenrellen in het begin van de jaren negentig van de twintigste eeuw kreeg dit deel van Brooklyn bijzondere aandacht. Rondrijdend in surveillancewagens met de mantra 'Beleefdheid, professionaliteit, respect' op portieren die vrij waren van straatvuil voerden politiemensen overdag patrouilles uit, maar alleen bij de meest in het oog springende misdrijven waren ze bereid de relatief veilige beslotenheid van hun dienstauto op te geven. In bepaalde straten werd de ene kant beheerst door de ene maffia, en de overzijde door de andere. In de straten ten zuiden van de Eastern Parkway achter Nostrand Avenue hielden de Loebavitsjers, gewichtige mannen in zwarte pakken met zwarte hoofddeksels, zich in de buurtsynagoges bezig met het lezen van de Thora en het in acht nemen van de 613 geboden daaruit, in afwachting van de komst van de messias die nu elke dag werd verwacht en op zijn laatst het eind van de week. Omdat het einde van de wereld nabij was, sloten Loebavitsjers gretig hypotheken af met een zo lang mogelijke looptijd, maar ze waren huiverig voor de aanschaf van dingen die ze niet onmiddellijk konden consumeren en gingen geen conflicten aan die niet voor het vallen van de avond konden worden beslecht. Een straat verderop, aan Rogers Avenue, woonde een andere bevolkingsgroep, Afro-Amerikanen, in overvolle woonkazernes. Met hun gettoblasters op maximumvolume overstemden ze soms het gekrijs van verslaafden die moesten scoren, maar daar geen geld voor hadden. Het West-Indische getto, met zijn nette straten en buurthuizen, en straatfeesten waarop jonge mensen flaneerden tot het ochtendgloren, begon een paar straten verderop naar het zuiden, aan Empire Boulevard. Wanneer de bewoners van de verschillende getto's met elkaar in aanraking kwamen, konden de spanningen hoog oplopen. Iedereen besefte dat er maar een vonk hoefde over te slaan, of het vuur zou weer oplaaien.

Martin, buitenstaander in alle getto's in Crown Heights, was zo verstandig hier met gebogen hoofd over straat te gaan en niemand recht in het gezicht te kijken. De zon was opgekomen en verdreef de frisheid uit de lucht terwijl hij over Schenectady liep, langs een etalageruit met in grote kalkletters 'Huurstaking' erop, langs kapotte winkelwagentjes met bordjes waarop stond dat ze eigendom waren van Throckmorton's Minimarket aan Kingston Avenue, terugbrengen s.v.p. Zijn been met de beklemde zenuw begon pijn te doen toen hij afsloeg naar President, een brede laan met bomen en vrijstaande huizen aan weerskanten. Hij ging van de stoep af om drie Loebavitsjer vrouwen te laten passeren, de een nog bloedelozer dan de ander, alle drie gekleed in een lange rok en met een doek om het geschoren hoofd. Ze keken niet naar hem, maar babbelden door in een taal die Martin niet kon thuisbrengen. Bij Kingston kwam hij langs een ambulance met een Joodse davidster op het portier, die geparkeerd stond voor een herenhuis dat als synagoge was ingericht; twee puisterige jongemannen met geborduurde keppeltjes en pijpenkrullen van hun slaap tot hun kaken zaten voorin naar Bob Dylan te luisteren.

> ...Alles, van vonken uit klapperpistooltjes
> Tot vleeskleurige Christusbeelden die opgloeien in het donker:
> Je hoeft niet ver te kijken om te weten
> Dat weinig echt heilig is.

Op Kingston Avenue lette Martin op de huisnummers. Op twee derde van het blok vond hij het grote huis dat Estelle Kastner had beschreven; een smal pad van flagstones leidde naar een zijdeur waarboven een lamp brandde. Zonder zijn pas in te houden liep hij het huis voorbij en ging rechtsaf Broadway Avenue in, en weer rechtsaf Union Street in, terwijl hij scherp oplette of hij werd geschaduwd door iemand te voet of in een auto. Hij voelde een nostalgisch verlangen naar de goede oude tijd in het veld, toen hij altijd een of twee man achter zich had gehad om uit te kijken of hij werd gevolgd en om korte metten te maken met eventuele belagers. Tegenwoordig moest hij voor zijn bescherming terugvallen op de rudimentaire professionele voorzorgsmaatregelen. Straten, stegen en kruisingen, de entrees van gebouwen met hun rijen liften, de toiletten achter in restaurants en de ramen achter in wc's die uitzicht boden op stegen: hij prentte zich alles in alsof zijn leven nog zou kunnen afhangen van wat hij nu waarnam.

Halverwege Union beklom hij de stoep voor een herenhuis en belde aan. Een oude man in interlock schoof een raam omhoog en riep: 'Wat moet je?'

'Ik zoek de familie Grossman,' riep Martin terug.

'Dan zit je verkeerd hier,' schreeuwde de man terug. 'De Joden wonen in President Street. Union is goddank nog goed rooms.'

Daarmee trok hij zijn hoofd naar binnen en ramde het raam dicht.

Martin bleef even op de stoep staan en keek in gespeelde verwarring de straat in, naar beide kanten. Toen liep hij terug in de richting waaruit hij was gekomen en volgde President Street naar de flagstones die naar de zijdeur voerden met de lamp erboven. Hij wilde net aankloppen op het bordje 'Aan de deur wordt niet gekocht' toen de deur werd opengedaan. Stella, in een strakke spijkerbroek met in de broek gedragen manshemd, stond binnen naar hem te kijken. Dezelfde drie bovenste knoopjes stonden open, waardoor de bleke driehoek zichtbaar was. Merkwaardig genoeg vond Martin haar aantrekkelijker dan hij zich herinnerde. Voor het eerst merkte hij haar handen op: de nagels waren niet gelakt of afgebeten en de vingers waren lang en uitzonderlijk elegant. Zelfs haar gedeeltelijk afgebroken voortand, die hij een dag eerder uitgesproken lelijk had gevonden, leek een troef.

'Als het niet de speurneus op blote voeten is, privédetective Martin Odum,' zei Stella met een spottend grijnsje. Ze liet hem binnenkomen en schoof zijn koffer onder een stoel. 'In die regenjas,' zei ze, terwijl ze de jas aanpakte om hem aan een kapstokhaak te hangen, 'lijk je wel een buitenlandcorrespondent op locatie. Ik zag je tien minuten geleden langsstrompelen,' verkondigde ze, terwijl ze voor hem uit een trap op liep die uitkwam in een inloopkast zonder ramen. 'Ik concludeerde dat je pijn aan je been had. Ik concludeerde ook dat je een paranoïde neiging had te denken dat iemand je schaduwde. Ik wed dat je me niet hebt gebeld vanuit je huis; ik wed dat je een openbare telefoon hebt gebruikt.'

Martin grijnsde. 'Er is een cel op Lincoln, hoek Schenectady die naar terpentijn ruikt.'

Een zware stem achter Martin riep uit: 'Lieve Stella, wanneer leer je nu eens dat sommige mensen met achtervolgingswanen wel degelijk worden achtervolgd? Ik stond boven voor het raam te kijken toen hij trekkebenend door President Street liep. Onze bezoeker heeft de opgejaagde blik van iemand die twee blokjes omgaat voordat hij bij zijn eigen moeder aanbelt.'

Martin draaide zich om naar de corpulente man in grijze badjas die in een elektrische rolstoel geprop zat. Terwijl hij met zijn ene door nicotine bevlekte hand over zijn baardstoppels krabde en met de andere een kleine joystick bediende, reed hij de kast in, deed met zijn elleboog de deur achter zich dicht en stelde zich op tegen de muur. De naakte peer die van het plafond afhing bescheen zijn bleke gezicht. Martin bestudeerde het en meende iets te herkennen: in een van zijn incarnaties had hij een foto van deze man gezien in een contraspionagealbum. Maar wanneer? En onder welke omstandigheden?

'Martin Odum en ik,' zei de man met de schorre stem van een kettingroker, 'hebben dezelfde instelling. Het vakmanschap van de agent is onze kabbala.' Hij streek een keukenlucifer af aan de muur en trok aan een stinkende sigaret tot die goed brandde. 'Daarom kom ik naar deze veilige ruimte,' vervolgde hij en wees met een breed armgebaar naar de planken vol schoonmaakmiddelen, bezems en zwabbers en stapels oude kranten die klaarlagen om te worden weggebracht. 'Wij beseffen allebei dat er organisaties zijn die vaste telefoontoestellen kunnen afluisteren, waarbij het niet uitmaakt of de hoorn op het toestel ligt of niet.'

Stella stelde de mannen formeel aan elkaar voor. 'Martin Odum, dit is mijn vader. Oskar Aleksandrovitsj Kastner.'

Kastner haalde een met parelmoer ingelegde Toela-Tokarev uit de zak van zijn badjas en legde het vuurwapen op een plank. Martin, die de waarde van gebaren besefte, beantwoordde Kastners beslissing met een knikje.

Het aanroeren van het vakmanschap van de agent had een herinnering bij hem opgeroepen. Opeens wist Martin weer welk contraspionagealbum hij had bestudeerd toen hij het gezicht van Stella's vader was tegengekomen: het was de collectie foto's van overlopers uit de Sovjet-Unie. 'Uw dochter heeft me verteld dat u een Rus bent,' zei Martin loom. 'Ze heeft niet gezegd dat u van de KGB was.'

Geagiteerd knikkend gebaarde Kastner naar een plastic kruk, en Martin trok die naar zich toe en ging erop zitten. Stella leunde tegen een ingeklapte huishoudtrap en zat half op een van de treden. 'Je bent snel van begrip, Martin Odum,' erkende Kastner, wiens borstelige wenkbrauwen een dansje uitvoerden boven zijn ogen. 'Mijn lichaam is trager geworden, maar mijn hersenen functioneren nog goed, wat de reden is dat ik nog mijn lijfrente uitgekeerd krijg. Hoewel het vanzelf spreekt, zeg ik het toch: ik heb naspeuringen verricht voordat ik Stella erop uitstuurde om poolshoogte te nemen.'

'Er zijn niet veel mensen in de wijk bij wie u navraag kunt hebben gedaan,' merkte Martin op, nieuwsgierig naar Kastners bronnen.

'Je naam heb ik gekregen van iemand in Washington die me heeft verzekerd dat je ruimschoots gekwalificeerd bent voor elke opdracht die ik je zou kunnen geven. Uit veiligheidsoverwegingen heb ik discreet geïnformeerd: ik heb gesproken met een Rus in Little Odessa wiens ex-vrouw zijn rottweiler had gestolen toen hij achter was met alimentatie betalen. De persoon in kwestie vergeleek je met een langeafstandsloper. Volgens hem maak je af waar je aan begonnen bent.'

Martin trok zijn conclusies. 'Kastner is natuurlijk een alias,' zei hij, hardop denkend. 'Een overloper van de KGB die onder een andere naam in Brooklyn woont – er hoort ongetwijfeld een tot in detail uitgewerkte dekmantel bij – dat betekent dat u net als andere Sovjet-overlopers in het programma van de FBI voor getuigenbescherming bent opgenomen. Volgens uw dochter bent u hier in 1988 aangekomen, wat betekent dat de CIA allang met u uitgepraat is en waarschijnlijk niet terugbelt als u daarom vraagt. Dat wijst erop dat de man in Washington die mijn naam heeft genoemd uw chef bij de FBI is.'

Dus daardoor was Crystal Quest op de hoogte van Stella's bezoek aan de biljartzaal! Iemand bij de FBI had gehoord dat een voormalige CIA-agent in Brooklyn voor detective speelde en had Martins naam doorgegeven aan Kastner. De FBI-ambtenaren die belast zijn met de uitvoering van het beschermingsprogramma zouden een 'contactmelding' in hun rapport hebben opgenomen zodra een voormalige KGB-officier had laten weten dat hij voornemens was een voormalige CIA-agent in te schakelen, ook al had de zaak zelf niets te maken met CIA-operaties. Ergens in het gangenlabyrint in Langley moest een alarm hebben geklonken en waarschijnlijk stond dat alarm in verbinding met het brein van Quest.

Wilde dat zeggen dat Kastners verdwenen schoonzoon betrokken was geweest bij huidige of vroegere CIA-operaties? Martin vond dat het overwegen waard.

'Hij is behoorlijk snel voor een langeafstandsloper,' zei Kastner tegen zijn dochter. 'Mijn vriend bij de FBI zei dat je in 1994 door de CIA bent ontslagen. Hij vertelde niet waarom, alleen dat het niets te maken had met verduistering of het verkopen van geheimen of zoiets vervelends.'

'Het is een opluchting dat jullie allebei aan dezelfde kant staan,' zei Stella vanaf haar traptree.

Martin wapperde met zijn hand om de rook van Kastners sigaret te verspreiden. 'Waarom hebt u de FBI niet gevraagd om uw vermiste schoonzoon op te sporen?'

'Dat heb ik meteen geprobeerd. Ze waren me ter wille en hebben in hun database gezocht naar vermisten die dood waren teruggevonden. Jammer genoeg was daar niemand bij die aan Samats signalement beantwoordde.'

Martin glimlachte. 'Jammer genoeg?'

Kastner vertrok zijn hoekige gezicht in een glimlach. 'Ik spreek Amerikaans met een accent – Stella verbetert me voortdurend – maar ik kies mijn woorden zo zorgvuldig alsof mijn leven van de juistheid afhangt.'

'Voor Kastners accent kan ik instaan,' zei Stella lachend.

'Je noemt je vader Kastner?'

'Zeker. Je bent er al achter dat het niet zijn echte naam is; het is de naam die de FBI hem heeft gegeven toen hij in het programma voor getuigenbescherming werd opgenomen. Dat ik mijn vader

Kastner noem is een oud grapje tussen ons. Niet, Kastner?'

'Het herinnert ons aan wat we niet zijn.'

Martin richtte zich tot Stella. 'De kennismaking met je vader verklaart veel.'

'Wat bijvoorbeeld?' wilde ze weten.

'Hoe het komt dat je direct meespeelde toen ik vanmorgen belde; je begreep dat ik dacht dat de telefoon kon worden afgeluisterd. Je bent echt een dochter van je vader.'

'Ze heeft discretie geleerd bij het gebruik van de telefoon,' stemde Kastner in, met kennelijke trots. 'Ze heeft genoeg geleerd om oog te hebben voor mensen die voor etalages staan te kijken naar dingen die ze waarschijnlijk nooit kopen. Vrouwen en vishengels, bijvoorbeeld. Of mannen en damesondergoed.'

'Je had echt niet twee keer een blokje om hoeven gaan,' zei Stella. 'Ik werd niet geschaduwd toen ik bij je langskwam. En ook niet toen ik weer naar huis ging.'

'Als dat zo is, waarom proberen de mensen voor wie ik vroeger werkte me dan af te houden van zaken met vermiste echtgenoten?'

Kastner bewoog zijn joystick; de rolstoel kwam schokkerig op Martin af. 'Hoe weet je dat ze ervan weten?' vroeg hij met gedempte stem.

'Dat heeft een vrouw me ingefluisterd, die Fred Astaire wordt genoemd.'

'Ik zie aan je ogen,' zei Kastner, 'dat je die Fred Astaire niet als vriendin beschouwt.'

'Een hekel aan iemand hebben kost veel energie. In een enkel geval breng ik die op.'

Stella had haar eigen gedachtegang gevolgd. 'Misschien wordt je biljartzaal afgeluisterd,' merkte ze op. 'Misschien zat het zendertje in dat geweer uit de Burgeroorlog verstopt.'

Martin schudde zijn hoofd. 'Als ze me daar afluisteren, hadden ze gehoord dat ik de zaak heb afgewezen; en dan hadden ze me niet benaderd om me af te schrikken.'

Kastner hield zijn grote hoofd scheef en dacht hardop. 'De tip kan van de FBI zijn gekomen; iemand daar kan mijn begeleider bij de CIA hebben getipt dat het ernaar uitzag dat je je met mij inliet. Maar dat heb je waarschijnlijk zelf al bedacht.'

Zijn conclusie was een grote opluchting voor Martin. Die onderstreepte zijn geloofwaardigheid.

Kastner stak zijn kin naar voren en staarde Martin aan. 'Stella zei dat je de zaak hebt geweigerd. Waarom ben je van zienswijze veranderd?'

Stella bleef naar Martin kijken terwijl ze tegen haar vader zei: 'Zijn zienswijze is niet veranderd, Kastner. Zijn instelling wel.'

'Wil je alsjeblieft de vraag beantwoorden,' zei Kastner tegen zijn bezoeker.

'Laten we maar zeggen dat het komt door ongezonde nieuwsgierigheid – ik wil graag weten waarom de CIA niet wil dat deze weggelopen echtgenoot wordt opgespoord. Dat en het feit dat ik het vervelend vind als een onaangename vrouw die op ijsblokjes kauwt me vertelt wat ik wel of niet mag doen.'

'Ik mag je wel,' liet Kastner zich ontvallen, en zijn gezicht plooide zich in een scheve grijns. 'Ik mag hem wel,' zei hij tegen zijn dochter. 'Maar hij zou het niet ver hebben geschopt in ons Komitet Gosoedarstvenni Bezopasnosti. Hij is te veel op zichzelf. Dat soort mensen vertrouwden wij niet. Wij namen alleen mensen aan die goed konden functioneren als radertje in de machine.'

'Welk directoraat?' vroeg Martin.

De botheid van Martins vraag trof Stella onaangenaam; zij had de ervaring dat mensen in het inlichtingenwerk liever in bedekte termen spraken. 'In de VS, Kastner,' zei ze tegen haar vader, die beduusd keek, 'noemen ze dit ter zake komen.'

Kastner schraapte zijn keel. 'Het Zesde Hoofddirectoraat,' zei hij, zich aanpassend aan de situatie. 'Ik was de tweede adjunct van de man die het directoraat leidde.'

'Aha.'

De Rus keek naar zijn dochter. 'Wat betekent aha?'

'Het betekent dat hij het Zesde Hoofddirectoraat kent, Kastner.'

In feite had Martin dit Directoraat meer dan oppervlakkig leren kennen. In de late jaren tachtig had Lincoln Dittmann in Istanboel een KGB-officier geworven. Lincoln had zijn aanbod gedaan toen hij in het geruchtencircuit had vernomen dat de jongere broer van de man was gearresteerd omdat hij bij het exerceren uit de pas had gelopen; de instructeur had hem ervan beschuldigd het roemrijke Rode Leger in diskrediet te willen brengen door het saboteren van

56

de grote parade. Lincoln was erin geslaagd de ontgoochelde KGB-officier en diens gezin de stad uit te smokkelen in ruil voor een microfilm vol documenten van het Zesde Hoofddirectoraat. Door dat materiaal had de CIA voor het eerst direct inzicht gekregen in de operaties van dit tot dan toe geheime dienstonderdeel. Het was in de jaren zestig gevormd door de KGB-leiding voor onderzoek naar economische criminaliteit. In 1987, toen wat de Sovjet-Unie 'coöperatieven' noemde, en de rest van de wereld 'ondernemingen op de vrije markt', door kameraad Gorbatsjov waren gelegaliseerd, had het Zesde Hoofddirectoraat zich een extra inspanning getroost om die nieuwe ondernemingen te volgen. Terwijl de economie, gehinderd door inflatie en corruptie op de hoogste overheidsniveaus, stagneerde, bloeide het gangsterkapitalisme op; coöperatieven moesten uit zelfbehoud protectie betalen – wat de Russen *krijsja* noemden, een 'dakje', aan de honderden bendes die in Moskou en andere steden opkwamen. Toen het Zesde Hoofddirectoraat merkte dat het niet in staat was de bendes uit te schakelen of de ontwikkeling van de markteconomie te bevorderen, gaf het eenvoudig zijn pogingen op en ging meedoen aan het ongeremde plunderen van het land. Martin herinnerde zich dat Stella had gezegd dat haar vader in 1988 naar Amerika was gekomen. Als hij bezig was geweest zich te verrijken, zou hij gebleven zijn en had hij een percentage van zijn inkomsten afgestaan. Dat betekende dat hij zo'n verstokte socialist was die Gorbatsjov en zijn 'wederopbouw' verweet zeventig jaar Sovjet-communisme teniet te hebben gedaan. Kortom, Kastner hoorde waarschijnlijk tot die uiterst zeldzame vogelsoort: de gelovige, maar gedesillusioneerde marxist, gedoemd zijn dagen uit te dienen in het kapitalistische Amerika.

'Je denkt zo hard na dat er rook uit je oren komt,' zei Kastner lachend. 'Welke conclusie heb je getrokken?'

'U bevalt mij ook,' verklaarde Martin. 'Je vader bevalt me,' zei hij tegen Stella. 'Hij zou het bij de CIA niet lang hebben uitgehouden. Hij is veel te idealistisch voor een instelling die trots is op de virtuositeit van zijn pragmatici. In tegenstelling tot je vader streven de Amerikanen niet naar het bouwen van Utopia, om de eenvoudige reden dat ze menen daar al te wonen.'

Stella leek verbijsterd. 'Het bevalt me dat Kastner je bevalt, en om de juiste redenen,' zei ze zacht.

Kastner draaide nerveus zijn rolstoel de ene en weer de andere kant op. 'Nu moeten wij de koppen bij elkaar steken om te weten te komen waarom de vrouw met het pseudoniem Fred Astaire niet wil dat mijn schoonzoon Samat wordt ontdekt.'

Martin veroorloofde zich een zeldzaam grijnsje. 'Daarvoor zal ik Samat eerst moeten ontdékken.'

Stella verdween om thee te zetten en kwam even later haastig terug met een dienblad waarop drie dampende bekers en een pot jam stonden. Ze trof haar vader en Martin verdiept in hun gesprek, met de knieën bijna tegen elkaar aan. Martin rookte een flinterdunne Beedie. Haar vader had weer een sigaret opgestoken, maar hield zijn arm gestrekt, zodat Martin geen last had van de rook.

'...op een of andere manier gelukt de administratie te vervalsen, zodat de partij niet zou weten dat hij Joods is,' legde Kastner uit. 'Zijn vader, een Armeense arts, was partijlid; op een gegeven moment werd hij ervan beschuldigd een volksvijand te zijn en naar Siberië gestuurd, waar hij is gestorven. Het poststalinistische programma voor de rehabilitatie van mensen die ten onrechte van misdrijven waren beschuldigd werkte in Samats voordeel toen hij zich aanmeldde bij het Instituut voor Bosbouw; de staat had zijn vader vermoord, dus de zoon moest compensatie krijgen.'

Martin knikte. 'Mij staat bij dat aan uw Instituut voor Bosbouw van alles werd gedoceerd, maar geen bosbouw.'

Kastner legde zijn sigaret op een schoteltje en roerde een lepeltje jam door zijn thee. Hij blies luidruchtig en nam een slokje hete thee. 'Het was het geheime instituut voor ons ruimtevaartprogramma,' zei hij. 'In de jaren zeventig was er in de Sovjet-Unie geen betere omgeving om computerkunde te studeren. Samat zette zijn studie voort aan de Economische Hogeschool van het Staatsplanbureau. Toen hij als een van de besten afstudeerde, werd hij ingelijfd door de KGB. Vanwege zijn computerkennis werd hij aangesteld bij het Zesde Hoofddirectoraat.'

'U kende hem dus persoonlijk?'

'Hij werkte aan verscheidene zaken waar ik ook aan werkte. Hij ontwikkelde zich tot deskundige op het gebied van witwassen; hij wist alles van belastingparadijzen en fiscale constructies. In 1991, het jaar dat Jeltsin Gorbatsjov eruit werkte en de macht overnam, was een van zijn maatregelen het ontbinden van ons Comité voor Staatsveiligheid in onderdelen, waardoor een groot aantal KGB'ers opeens op straat kwam te staan en een andere baan moest zoeken. Samat was een van hen.'

'U was toen al in Amerika. Hoe weet u dit allemaal?'

'Jouw CIA heeft me aangemoedigd in contact te blijven met het Zesde Hoofddirectoraat. Ze wilden dat ik actieve agenten zou werven.'

'Is dat gelukt?'

Kastner reageerde met een gekwelde glimlach. 'Ik trek de vraag in,' zei Martin. 'Dus we zijn bij Samat die ontslagen is bij de KGB en een nieuwe baan zoekt. Wat is hij gaan doen?'

'Hij ging werken voor een rijzende ster in de particuliere sector, iemand die een eigen model had voor de overgang van socialisme naar marktgeoriënteerd kapitalisme. Zijn oplossing was gangster-kapitalisme. Hij was een van de gangsters op wie het Zesde Hoofd-directoraat een oogje hield toen ik daar werkte. Samat was zo goed op de hoogte van witwastechnieken dat hij zich snel opwerkte tot financiële topman bij de organisatie. Hij was degene die balletje-balletje naar Rusland haalde. Op Rogers Avenue heb je vast wel de negers gezien die zich daarmee bezighouden. Ze vouwen je tien-dollarbiljet zo klein op als een walnoot, leggen het onder een schelp naast twee andere schelpen. Wanneer ze klaar zijn met verschuiven, is je tiendollarbiljet verdwenen. Samat deed hetzelfde, maar op veel grotere schaal.'

'En dat is de Russische Loebavitsjer die met uw dochter wilde trouwen en in Israël wonen?'

Kastner knikte nadrukkelijk. 'Op een gegeven ogenblik vroeg de CIA mij een poging te doen om Samat te werven. Er werd een te-lefoongesprek voor me geregeld toen hij in Genève was. Ik praatte over een geheime rekening waarover hij zou kunnen beschikken. Ik noemde een bedrag dat op die rekening zou worden gestort. Hij lachte en antwoordde dat het voorgestelde bedrag klein geld in zijn broekzak was. Hij liet me weten dat de CIA hem nog geen tiende van zijn inkomen kon betalen. Toen Samat in Rusland terug was, liet hij iedereen weten dat de CIA had geprobeerd hem in te pal-men. Er verscheen zelfs een satirisch artikel in de *Pravda* waarin de stuntelige benadering door een overloper werd beschreven.'

'Wanneer heeft Samat contact met u opgenomen over een hu-welijk met uw dochter?' vroeg Martin.

'Het was niet Samat die contact met Kastner opnam,' zei Stella. 'Samats werkgever, toevallig een oom van Samat, de broer van zijn vader, heeft het contact met Kastner gelegd.'

Martin keek van de een naar de ander. 'En wie was Samats werkgever?'

Kastner schraapte zijn keel. 'Dat was Tzvetan Oegor-Zjilov, de man met de bijnaam de Oligarch.'

'Dezelfde Oegor-Zjilov die begin jaren negentig op het omslag van *Time* stond?'

'Er is maar één Oegor-Zjilov,' zei Kastner met verbittering in zijn stem.

'Wist u dat Samat voor Tzvetan Oegor-Zjilov werkte toen u uw zegen aan het huwelijk gaf?'

Kastner keek naar zijn dochter en sloeg toen zijn ogen neer. Het was kennelijk een pijnlijk punt. Stella gaf antwoord voor haar vader: 'Het was geen toeval dat Tzvetan Oegor-Zjilov contact opnam met Kastner; ze kenden elkaar uit de tijd dat het Zesde Hoofddirectoraat toezicht hield op de coöperatieve bedrijven.'

'Begin jaren tachtig,' legde Kastner uit, 'was Oegor-Zjilov een kleine haai in een kleine vijver; hij verkocht tweedehandsauto's in Jerevan, de hoofdstad van Armenië. Hij was bekend bij de KGB; in de vroege jaren zeventig was hij gearresteerd op beschuldiging van omkoping en activiteiten op de zwarte markt en naar een goelag in de bergen bij Kolyma verbannen. Als je Solzjenitsyns *Een dag in het leven van Ivan Denisovitsj* leest, krijg je een idee van hoe Oegor-Zjilov die acht jaar daar heeft doorgebracht. Toen hij terugkwam in Armenië en geld bij elkaar scharrelde om in tweedehandsauto's te kunnen handelen, was hij fanatiek anti-Sovjet, en rancuneus tegenover de Russen. Hij zou van ons radarscherm zijn verdwenen als hij er niet zijn zinnen op had gezet om een grotere haai in grotere vijvers te worden. Hij kwam naar Moskou en veroverde daar in een paar maanden de markt in tweedehandsauto's. Hij kocht zijn concurrenten stuk voor stuk uit. Degenen die niet wilden verkopen werden uit de weg geruimd of verminkt. De wijze van straffen van de Oligarch zouden jullie Amerikanen "wreed en ongebruikelijk" noemen; hij meende dat het zijn zaken ten goede zou komen als zijn vijanden reden hadden hem te vrezen. Toen ik Samat in Genève sprak, vertelde hij het verhaal door dat Oegor-Zjilov iemand levend had begraven en een weg over hem heen had laten aanleggen, onder het oog van de wegarbeiders. Het verhaal van die liquidatie kan waar of onwaar zijn, het heeft in elk geval effect gehad. Weinig Russen waren zo roekeloos dat ze de Oligarch durfden uit te dagen.'

'U schijnt verbazend veel van Tzvetan Oegor-Zjilov af te weten,' merkte Martin op.

'Ik heb het onderzoek geleid naar de zaken van de Oligarch.'

Martin begreep waartoe het verhaal zou leiden. 'Een wilde gok: hij kocht het Zesde Hoofddirectoraat om.'

Kastner reageerde niet direct. 'Je moet je onze situatie indenken,' zei hij ten slotte. 'We waren eerlijke dienders en we zaten op een fatsoenlijke manier achter hem aan. Maar hij kocht de minister om die in het Kremlin het gezag had over de KGB en hij kocht mijn collega om die de chef was van het Zesde Hoofddirectoraat, en daarna benaderde hij mij en legde een dik pak geld op tafel, in een tijd dat we soms maandenlang geen salaris kregen door de economische chaos. Wat moest ik doen? Als ik het aannam, kwam ik bij hem in dienst. Als ik het weigerde, moest ik ernstig vrezen voor mijn leven.'

'Dus toen bent u uitgeweken naar Amerika.'

Kastner pakte zijn sigaret van het schoteltje, inhaleerde diep en trok zijn neus op voor de rook in de lucht. 'Er zat niets anders op,' zei hij.

'Hoe kon u, terwijl u wist van oom Oegor-Zjilov, uw dochter met zijn neef Samat laten trouwen?'

Stella kwam haar vader te hulp. 'Hij had geen keus.'

'Je begrijpt niet hoe het toeging na de val van communisme,' zei Kastner ernstig. 'Op een ochtend lag er in mijn brievenbus beneden in President Street een brief op dik handgeschept papier. Hij was niet ondertekend, maar ik begreep direct wie de afzender was. Hij schreef dat zijn neef zo snel mogelijk weg moest uit Rusland. Israël was de geschiktste bestemming voor hem. In die tijd stonden tienduizenden Joden in Moskou in de rij voor de Israëlische ambassade; de Israëlische Mossad was bang dat wat er over was van het KGB-apparaat zou proberen agenten in Israël te laten infiltreren, en trok de aanvragen van de Joodse gegadigden zorgvuldig na. Zorgvuldig betekende heel langzaam. Oegor-Zjilov wist kennelijk dat mijn dochter zich kort na onze vestiging in Crown Heights bij de

Loebavitsjer sekte had aangesloten. Hij wist dat Loebavitsjers veel invloed hadden bij de toelating van Joden tot Israël; zij konden gedaan krijgen dat iemands aanvraag bij de Israëlische immigratiedienst versneld werd behandeld als het om een Loebavitsjer huwelijk ging, zeker als het bruidspaar in een van de Joodse nederzettingen op de Westelijke Jordaanoever wilde gaan wonen, die de Israëlische regering indertijd graag wilde bevolken.'

Martin kreeg het benauwd in de bedompte inloopkast; hij had een fysieke afkeer van afgesloten ruimten zonder ramen. 'Hoe kan dat nou,' zei hij, kijkend naar de deur die hij het liefst had opengerukt. 'Hoe kon Tzvetan Oegor-Zjilov u een brief sturen terwijl u was opgenomen in het programma voor getuigenbescherming van de FBI...'

Martins mond viel open; het antwoord op zijn vraag viel hem in voordat Kastner het gaf.

'Juist omdat hij me een brief kon sturen,' zei Kastner, 'ondanks de FBI-bescherming, kon ik zijn verzoek onmogelijk weigeren. Tzvetan Oegor-Zjilov is een van de rijkste mensen in heel Rusland; een van de rijkste vijftig mensen ter wereld, volgens dat artikel in *Time*. Hij heeft enorm veel invloed en kan zelfs iemand bereiken die een nieuwe identiteit heeft gekregen en in President Street in Crown Heights woont.' Hij keek even naar Stella en ze lachten allebei grimmig. 'Hij kan zelfs,' vervolgde Kastner, 'zijn beide mooie meisjes bereiken. Wanneer de Oligarch ergens om vraagt, is het niet gezond om nee te zeggen terwijl je in een rolstoel zit en geen andere uitwijkmogelijkheid hebt.'

Martin moest aan het liedje van Bob Dylan denken dat hij op straat had gehoord en citeerde: 'Er is maar weinig echt heilig.'

'Dat is niet waar,' wierp Kastner tegen. 'Er is nog heel veel echt heilig. Het beschermen van mijn dochters is het belangrijkst.'

'Kastner kon niet voorzien dat Samat Elena zo slecht zou behandelen,' zei Stella. 'Hij kan er niets aan doen...'

Kastner viel haar in de rede. 'Wiens schuld is het dan wel, als het niet mijn schuld is?' zei hij moedeloos.

'Neemt u geen risico door mij in te schakelen om Samat te vinden?'

'Ik wil alleen maar dat hij mijn Elena een religieuze scheiding geeft, zodat ze kan hertrouwen. Wat hij daarna met zijn leven doet, moet hij zelf weten. Het is toch geen onredelijk verzoek.' Kastner bediende de joystick en liet de rugleuning van zijn rolstoel tegen de muur bonken. Hij haalde zijn zware schouders op alsof hij een last wilde afschudden. 'Hoe regelen we dit financieel?'

'Ik betaal met creditcards. Wanneer de mensen van de creditcard geld willen hebben, zal ik u vragen mijn onkosten te vergoeden. Als ik Samat vind en uw dochter haar get krijgt, bepalen we samen wat u dat waard is. Als ik hem niet vind, bent u mijn onkosten kwijt. Niet meer.'

'Bij je thuis had je het over zoeken naar een naald in een dorp vol hooibergen,' zei Stella. 'Waar begin je in vredesnaam met zoeken?'

'Iedereen is ergens,' verklaarde Martin. 'We beginnen in Israël.'

'We?' vroeg Stella verbaasd.

Martin knikte. 'Ten eerste vanwege je zus; die zal me eerder vertrouwen als jij erbij bent wanneer ik haar ontmoet. Dan is er Samat. Iemand die op de vlucht is, kan gemakkelijk zijn uiterlijk veranderen: kleur en lengte van zijn haar, bijvoorbeeld. Hij kan zich zelfs uitgeven voor een Arabier, met een kaffiya over zijn hoofd. Ik heb iemand nodig die hem aan zijn zeewiergroene ogen uit duizenden kan herkennen.'

'Dan blijven er niet veel anderen over,' beaamde Stella.

1997: MINH SLAAPWANDELT
DOOR VLUCHTIGE CONTACTEN

Gekleed in een ruimvallende zijden broek en een hoog gesloten zijden blouse met een geborduurde draak op haar rug haalde Minh de laatste vuile borden van de lunch weg toen Tsou Xing zijn hoofd om de keukendeur stak en haar vroeg of ze naar boven wilde gaan om Martins bijenkasten te controleren. Anders had hij het zelf wel gedaan, zei hij, maar hij verwachtte een bestelling bier uit Formosa en wilde de dozen voor de zekerheid natellen voordat ze in de kelder werden opgeslagen. Natuurlijk, zei Minh, dat doe ik wel even. Ze pakte Martins sleutel uit de geldla van de kassa en ging de straat op, blij dat ze even alleen kon zijn. Ze vroeg zich af of Tsou vermoedde dat ze met Martin had geslapen. Ze dacht dat ze een wellustige blik had gezien toen Tsou eerder die week over hun bovenbuurman was begonnen; hij had Engels gesproken, maar Martin aangeduid met het Chinese woord voor *kluizenaar*. Waar gaat *yin shi* naartoe, denk je, als hij weggaat? Minh had haar gespierde schouders opgehaald. Ik hoef voor mijn werk niet de klanten in de gaten te houden, had ze kribbig gezegd. Tsou had met zijn hand een vlieg van de toog gejaagd en gezegd dat ze niet zo gauw op haar teentjes getrapt moest zijn. Het was toch geen misdaad te denken dat zij dat misschien wel wist? En hij had zo vals gelachen dat ze zijn gouden tanden had kunnen zien. Nou, ik weet het niet en het kan me niet schelen ook, had Minh gezegd en zich resoluut omgedraaid. Ze vond het onaangenaam dat hij zich bemoeide met haar liefdesleven, of gebrek daaraan.

Nu wreef Minh met haar mouw over het detectivebordje op Martins voordeur om de regenvlekken weg te vegen, draaide de sleutel om en ging met twee treden tegelijk de trap op naar de biljartzaal. Ze vroeg zich af waar Martin naartoe was gegaan; ze vroeg zich ook af waarom hij wel een briefje voor Tsou had achtergelaten, maar niet voor haar. Ze weet het aan Martins verlegenheid; hij zou het niet prettig vinden als Tsou wist van hun relatie, als je hun schaarse gezamenlijk doorgebrachte avonden een relatie kon noemen. Ze liep door de biljartzaal, streek even over zijn verzamelde wapens uit de Burgeroorlog en de mappen op zijn bureau en de ongeopende dozen waarin van alles kon zitten. Kort nadat hij hier was komen wonen had ze hem gevraagd of hij hulp wilde bij het openmaken. Hij had een schop tegen een van de dozen gegeven en gezegd dat dat niet hoefde, hij wist wat erin zat. Ze vond het echt iets voor hem om zo te reageren.

Als Minh erover nadacht, wat haar vaker overkwam dan ze wilde toegeven, zat het feit dat ze niet wist wat ze voor de yin shi betekende haar dwars. Hij leek altijd blij haar te zien, maar het initiatief tot contact ging nooit van hem uit. Minh was opgegroeid in Chinatown in Lower Manhattan, een verzamelplaats voor allerlei vluchtelingen, die ze in een oogopslag herkende: wat hen verried was dat ze zelfs midden tussen de mensen alleen leken te staan. Ze was zelf illegaal, een vluchteling uit Taiwan. Minh was niet haar echte naam, een feit dat ze Martin nooit had toevertrouwd uit angst dat hij geschokt zou zijn. Ze kreeg soms het bizarre gevoel dat Martin zelf ook een vluchteling was – al had ze geen idee waarvandaan. De kluizenaar leidde een leven dat haar saai leek; hij bestelde drie of vier keer per week hetzelfde gerecht, verzorgde zijn bijenkasten op het dak, bedreef de liefde met haar als ze bij hem langskwam. Voor de kick deed hij invallen in hotelkamers waar mannen overspel pleegden, maar als hij zijn bron van inkomsten beschreef, slaagde hij erin zelfs die saai te laten klinken. De enige keer dat ze over verveling was begonnen, had hij haar verbaasd door toe te geven dat hij daar juist van hield; hij wilde het liefst een doodsaai leven tot het einde toe.

Indertijd had Minh gedacht dat hij dat had gezegd omdat het verstandig klonk; pas later had ze begrepen dat hij het letterlijk had gemeend, dat je doodvervelen een vertraagde vorm van zelfmoord was.

In de achterkamer trok Minh de lakens en dekens recht, leegde de plastic bak met water op de vloer, deed de deur van de koelkast dicht en ruimde de afwas op waaraan Martin eindelijk was toegekomen. Ze pakte Martins verschoten witte overal, trok die aan, rolde de mouwen en pijpen op en trok de rits dicht. Ze zette de tropenhelm met het afhangende muskietennet op en bekeek zichzelf in de gebarsten spiegel boven de wasbak in de badkamer. Ze haalde Martins imkerpijp uit het gootsteenkastje en nam de trap naar het dak. De zon, die hoog aan de hemel stond, liet de laatste druppels verdampen van de regen die in de afgelopen nacht was gevallen. Damp steeg op boven ondiepe plassen terwijl ze naar de kasten liep. Martin had de volken, de benodigdheden en zelfs de eerste koninginnen uit een catalogus gekocht toen hij het in zijn hoofd had gehaald dat hij bijen wilde houden. Aanvankelijk had hij zich verdiept in het instructieboek dat hij bij de bijen had gekregen. Daarna had hij een stoel op het dak neergezet om urenlang naar de volken te kijken en te proberen erachter te komen of de zwerm in een bepaald patroon vloog, of er een lijn te ontdekken viel in de ogenschijnlijke willekeurigheid. Minh had hem nog nooit zo geconcentreerd met iets bezig gezien. In het begin had hij handschoenen gedragen bij het inspecteren en schoonmaken van de ramen, totdat Minh hem had verteld over de oude Chinese overtuiging dat bijensteken je hormonen stimuleerden en de geslachtsdrift aanwakkerden. Niet dat er door de steken aan zijn handen iets was veranderd; het was onveranderlijk Minh die de eerste beweging maakte in de richting van het bed achterin, die Martin meetrok, haar kleren uittrok en daarna de zijne. Hij bedreef voorzichtig de liefde met haar, alsof hij (had ze uiteindelijk beseft) zelf broos was, niet zij; alsof hij bang was dat gevoelens tot uiting zouden komen die hij niet kon beheersen.

Minh hurkte voor de eerste kast en ontstak de imkerpijp, terwijl ze bedacht dat naar bed gaan met Martin leek op een slaapwandeling door een opeenvolging van vluchtige contacten die lichamelijk bevredigend maar emotioneel frustrerend waren, toen de dumdumkogel zich in de ramen boorde. Een ogenblik bleef het volkomen stil in de kast, omdat de twintigduizend bewoners ervan – de bijen die de inslag hadden overleefd – van schrik waren verstard. Toen stortte een razende geelbruine zwerm zich zo heftig naar buiten dat Minh ten val werd gebracht. De tropenhelm met het net viel af en de bijen vielen haar neusgaten en ogen aan, waarin ze met wilde wraakzucht hun angels staken. Ze balde haar vuisten en beukte in op de lagen bijen op haar huid, die ze met honderden tegelijk verpletterde, tot haar knokkels met een kleverige substantie waren bedekt. Er was geen zon meer, alleen een dik tapijt van doldrieste insecten die over elkaar heen buitelden in hun strijd om de indringer te belagen die hun kast had vernield.

Met gezwollen gezicht en oogleden zakte Minh onderuit op het warme asfaltpapier van het dak, krachteloos uithalend naar de bijen zoals Tsou de vlieg van de toog had geveegd. Terwijl de pijn werd gevolgd door gevoelloosheid hoorde ze een stem die opmerkelijk op de hare leek en die tegen Martin zei: je kunt beter geen handschoenen dragen. Er moet een reden zijn waarom de Chinezen denken dat bijensteken stimulerend zijn...

1997: OSKAR ALEKSANDROVITSJ KASTNER ONTDEKT HET GEWICHT VAN EEN SIGARET

De twee mannen in uniformen van het energiebedrijf parkeerden hun bestelbus in het straatje tussen President en Carroll en liepen naar de enige achtertuin die door een hoog gaashek werd afgeschermd. Een van de mannen mompelde iets in een walkietalkie, luisterde naar het antwoord en knikte vervolgens naar zijn collega. De tweede man haalde een sleutel tevoorschijn, deed de poort in het hek open en gebruikte dezelfde sleutel om aan de binnenkant het alarm uit te schakelen. Het tweetal, dat zich op crèpezolen geruisloos voortbewoog, klom de trap op naar de veranda. Met behulp van een tweede sleutel gingen ze de keuken aan de achterkant van het huis binnen en voerden de code in het alarm daar in. Gedurende enkele minuten bleven ze roerloos staan, strak kijkend naar het plafond. Toen ze het gedempte geluid hoorden van een rolstoel die boven door de gang reed, trokken de mannen pistolen met geluiddempers en gingen de trap op. Boven hoorden ze dat de radio in de voorkamer aanstond. Met beide handen om het omhooggerichte pistool slopen ze over de gang en drukten zich plat tegen de muur aan weerskanten van de dichte deur. Een van de mannen tikte tegen de zijkant van zijn neus om aan te geven dat hij een stinkende sigaret had geroken; hun doelwit bevond zich in het vertrek. Zijn metgezel, die in een strakke grijns zijn tanden ontblootte, greep de knop en smeet de deur open en het tweetal stormde, ineengedoken om laag te blijven, de kamer in.

Oskar Aleksandrovitsj Kastner, die bij het raam in zijn rolstoel zat, smeerde de slede van een Russische PPSJ41, een automatisch wapen uit de Tweede Wereldoorlog, in uitstekende conditie. Rook kringelde boven een sigaret die in een asbak lag. Kastners geloken ogen knipperden traag terwijl hij de indringers opnam. De een leek veel ouder dan de ander, maar de jongste gebaarde naar de ander dat hij de deur dicht moest doen en hij leek de leiding te hebben.

'*Vij Roesskij?*' vroeg Kastner.

'*Da. Ja Roesskij,*' antwoordde de jongste man van het energiebedrijf. '*I gdje vasja dotsj?*'

Kastner keek naar de met parelmoer afgewerkte Toela-Tokarev op tafel, een pistool uit de jaren dertig dat hij altijd geladen klaar had liggen, maar hij wist dat het hem nooit zou lukken om het te pakken. '*Ja ne znajoe,*' antwoordde hij. Hij was niet van plan te vertellen dat Stella onderweg was naar Israël, onder begeleiding van een CIA-agent die detective was geworden en boven een Chinees restaurant woonde. Hij vroeg zich af hoe de twee belagers over het hek waren gekomen en door de keuken, zonder dat de alarminstallatie was afgegaan. 'Het heeft lang geduurd voordat jullie kwamen,' zei hij in het Engels. 'Negen jaar.' Hij legde de PPSJ weg en gebruikte de joystick om de rolstoel met de rug naar de indringers te zetten.

'*Kto vas poslal?*' vroeg hij.

'*Oligarch,*' antwoordde de jongste met een wrede grinnik.

Kastner staarde naar buiten en zag twee Loebavitsjer jongetjes, in het zwart gekleed net als hun vaders, haastig over straat lopen. Hij wist van Elena dat zij elk ogenblik de komst van de messias verwachtten om de mensheid te verlossen. Misschien was de messias inderdaad verschenen, misschien waren de jongetjes engelen die zich haastten om hem welkom te heten. Hijzelf zou zeker terechtkomen waar engelen zich niet waagden, zoals in de song die Stella op de Victrola draaide. Kastner hield geschrokken zijn adem in toen hij de naald in zijn rug voelde, naast zijn schouderblad. In zijn tijd gebruikten de KGB-specialisten bij voorkeur een smaakloos, kleurloos rattengif, een bloedverdunner waardoor de ademhaling ophield. De mannen van de Oligarch zouden ongetwijfeld iets geraffineerders gebruiken, dat lastiger was op te sporen: misschien een van die nieuwerwetse op adrenaline lijkende stoffen die leidden tot maagbloedingen en uiteindelijk de dood, of, nog beter, een 'coagulant' die een stolsel in een kransslagader veroorzaakte waardoor ontstond wat artsen een myocardinfarct noemden, en leken een hartaanval. Voor het onwaarschijnlijke geval dat een van de engelen hem zou vragen zich bekend te maken, probeerde Kastner zich te herinneren hoe hij had geheten voordat de FBI hem het pseudoniem Oskar had toegekend. Het ergerde hem dat hij zich niet kon herinneren hoe zijn moeder hem als kind had genoemd. Als hij een trek van zijn sigaret kon nemen, zou hij daardoor zo rustig worden dat de naam hem weer zou invallen. Met een trage beweging, alsof hij door water werd omgeven, stak Kastner zijn hand uit naar de asbak. Door zich scherp te concentreren slaagde hij erin de sigaret tussen duim en wijsvinger vast te pakken, maar hij bleek te zwaar om op te tillen.

1987: DANTE PIPPEN WORDT SPRINGSTOFEXPERT BIJ DE IRA

In een opslagruimte zonder ramen, in een kelder in Langley vol lege waterautomaten, begonnen de acht mensen rond de vergadertafel zoals altijd met de achternaam, waarna vlot een lijstje werd ingekort tot één naam die Iers klonk, waarna een halfuur werd gediscussieerd over de spelling. Uiteindelijk richtte de voorzitter, een afdelingshoofd dat direct verslag uitbracht aan Crystal Quest, de nieuwe adjunct-directeur Operatiën, zich tot de agent die bekendstond als Martin Odum, en die het gesprek had gevolgd op een stoel die op twee poten tegen de muur steunde; omdat Martins 'Odum'-personage was ontmaskerd en hij degene was die het nieuwe personage zou gebruiken, zou het sneller gaan als hij de spelling bepaalde. Zonder een ogenblik te aarzelen koos Martin voor Pippen met drie p's. 'Ik heb stukken in de krant gelezen over een jonge zwarte basketballer aan de universiteit van Midden-Arkansas die Scottie Pippen heet,' legde Martin uit. 'Dus volgens mij heeft Pippen het voordeel dat je de naam gemakkelijk kunt onthouden.'

'Dan wordt het Pippen,' besliste de voorzitter, waarna hij overging op het voorleggen van een bij Pippen passende voornaam. Het jongste lid van de Personagecommissie, een aversietherapeut die aan Yale was opgeleid, stelde sarcastisch voor dan meteen ook maar Scottie als voornaam te kiezen. Maggie Poole, die aan Oxford was afgestudeerd in de geschiedenis van Frankrijk in de Middeleeuwen, en die graag Franse woordjes gebruikte, schudde haar hoofd. 'Jullie zullen wel denken dat ik getikt ben, maar afgelopen nacht heb ik van een naam gedroomd die volgens mij *parfait* is. Dante, zoals in Dante Aleghieri!' Vol verwachting keek ze de tafel rond.

De enige andere vrouw in de Personagecommissie, een lexicograaf die door de universiteit van Chicago was uitgeleend, kreunde. 'Het probleem met Dante Pippen,' zei ze, 'is dat het niet bepaald een onopvallende naam is. Die onthouden de mensen.'

'Maar daardoor is het juist zo'n goede keuze,' riep Maggie Poole. 'Niemand die een lijst namen afwerkt zou vermoeden dat Dante Pippen een *pseudonyme* is, juist omdat het zo'n opvallende combinatie is.'

'Daar zit iets in,' zei het commissielid met het meeste prestige, een CIA-veteraan die aan een gargouille deed denken en in de Tweede Wereldoorlog was begonnen met het creëren van dekmantels voor OSS-agenten.

'Ik moet toegeven dat Dante me als klank niet tegenstaat,' zei de aversietherapeut.

De voorzitter keek naar Martin. 'Wat vind jij?' vroeg hij.

Martin herhaalde de naam een paar keer. Dante. Dante Pippen. 'Mja. Daar kan ik wel mee verder. Ik kan wel leven met Dante Pippen.'

Zodra de commissie de naam had vastgesteld, ging de rest van het personage bijna vanzelf.

'Onze Dante Pippen is dus een Ier; hij kan geboren zijn in County Cork.'

'Waar in County Cork?'

'Daar ben ik een keer op vakantie geweest aan zee, in een haven die Castletownbere heet,' zei de aversietherapeut.

'Castletownbere in Cork, dat klinkt goed. Daar sturen we hem een week met verlof heen. Hij moet aan een plattegrond en een telefoonboek zien te komen om zich straatnamen, hotels en winkels in te prenten.'

'Castletownbere is een vissershaven. Hij kan als tiener op een zalmtreiler hebben gewerkt.'

'Maar toen de economie verslechterde, kan hij naar de Nieuwe Wereld zijn gegaan om daar zijn geluk te beproeven. Daar kan hij zich hebben verdiept in de geschiedenis van de Ieren in Amerika: de aardappelcrisis van 1840 waardoor de eerste Ierse immigranten naar ons lang zijn gekomen, de dienstplichtrevolte in de Burger-oorlog, zulke dingen.'

'Als hij uit Castletownbere komt, moet hij katholiek zijn. Tegen een royale schenking zal de kerk in Castletownbere wel bereid zijn de naam in het doopregister op te nemen.'

'En op zekere dag zal hij, net als veel of misschien wel de meeste Ieren, zijn buik vol hebben van de kerk.'

'Een afvallige katholiek dus,' zei de voorzitter, die het biografische detail op zijn stenoblok noteerde.

'Een katholiek die totaal met de kerk gebroken heeft,' liet Martin zich horen.

'Dat hij met de kerk heeft gebroken, hoeft niet te betekenen dat zijn familie ook met de kerk heeft gebroken.'

'Waarom geven we hem niet een broer en een zus die wel nog bij de kerk zijn, maar niet kunnen worden nagetrokken omdat ze niet meer de naam Pippen gebruiken. De een heet nu zus, de ander zo.'

'De broer kan een jezuïetenpater in Congo zijn, die de plaatselijke bevolking tot Jezus brengt aan een vrijwel onbereikbare meander in een rivier vol krokodillen.'

'En de zus: laten we die onderbrengen in een ziekenhuis van een zusterorde in het achterland van Ivoorkust.'

'Zij heeft een gelofte van zwijgen afgelegd, waardoor ze zelfs niet kan worden geïnterviewd als het iemand lukt tot haar door te dringen.'

'Rookt Dante Pippen of juist niet?'

De voorzitter keek Martin aan, die zei: 'Ik wil minderen. Als Dante Pippen verondersteld wordt niet-roker te zijn, heb ik een prikkel om van de ene dag op de andere te stoppen.'

'Dus niet-roker.'

'Pas maar op dat je niet te dik wordt. De CIA heeft weinig op met corpulente agenten.'

'Daar zouden er juist meer van moeten komen; corpulentie zou een perfecte dekmantel zijn.'

'Zelfs als onze Dante Pippen een afvallige katholiek is, moet hij als kind een katholieke school hebben bezocht. Hij moet te horen hebben gekregen dat je door de zeven sacramenten – doop, belijdenis, eucharistie, biecht, oliesel voor zieken en stervenden, huwelijk en intrede – opgewassen bent tegen het leven in een zee van zorgen.'

De voorzitter maakte weer een aantekening. 'Dat is een goed punt,' zei hij. 'We moeten iemand inschakelen om hem in het Latijn de rozenkrans te leren bidden; dan kan hij in gesprekken een woordje laten vallen om zijn geloofwaardigheid te vergroten.'

'Dat brengt ons bij zijn beroep. Wat laten we onze Dante Pippen in het leven uitvoeren?'

De voorzitter pakte Martin Odums 201-map van de centrale registratie en haalde er de biografie uit. 'O hemel, onze Martin Odum is hoogstens een renaissancemens in de zeer beperkte betekenis van het woord. Geboren in Lebanon County in Pennsylvania, de eerste acht jaar van zijn leven doorgebracht in een gat, Jonestown, waar zijn vader eigenaar was van een kleine fabriek die in de Tweede Wereldoorlog ondergoed leverde aan het leger. Na de oorlog ging de ondergoedfabriek failliet en vader Odum verhuisde het gezin naar Crown Heights in Brooklyn, waar hij een winkel in elektrische apparaten begon. Martin is opgegroeid in Crown Heights.'

'Opgroeien in Brooklyn is niet zo'n gunstig uitgangspunt voor een renaissancemens, zelfs in de beperkte betekenis,' grapte Maggie Poole. Ze draaide op haar stoel naar Martin toe. 'Ik strijk je toch niet tegen de haren in?'

Martin glimlachte alleen.

'Hoe dan ook,' zei de voorzitter, 'onze man is naar een klein college in Long Island gegaan om bedrijfskunde met bijvak Russisch te studeren, maar hij lijkt die studie niet te hebben afgemaakt. In de vakanties maakte hij bescheiden alpiene tochten in de Amerikaanse berggebieden. Toen hij zo gauw niet wist wat hij moest worden, ging hij het leger in om de wereld te zien en kwam, God mag weten waarom, bij de militaire inlichtingendienst terecht, waar hij zich richtte op dissidenten in de satellietstaten in Oost-Europa. Klopt het zo, Martin? Aha, hier staat iets intrigerends. Als jongeman werkte hij in de particuliere sector met explosieven...'

Maggie Poole richtte zich tot Martin. 'Wat deed je *précisément* met explosieven?'

Martin zette zijn stoel weer op alle vier de poten. 'Het was een vakantiebaantje. Ik werkte voor een slopersbedrijf dat oude gebouwen opruimde en diepe kuilen maakte voor de ondergrondse gara-

ges van nieuwe gebouwen. Ik was de man met de toeter die het teken gaf dat iedereen zich uit de voeten moest maken.'

'Maar weet je dan iets van dynamiet?'

'Ik heb het een en ander geleerd van de mensen die de springladingen aanbrachten. Ik kocht wat boeken om meer over het onderwerp te weten te komen. Aan het eind van de zomer heb ik toen
mijn springstofbrevet gehaald.'

'Werkte je met dynamiet of maakte je alleen ontstekingen?'

'En en. Toen ik voor de Firma ging werken,' zei Martin, 'heb ik
een maand of twee briefbommen gemaakt; toen kon ik opklimmen
naar mobiele telefoons op scherp zetten om op afstand tot ontploffing te brengen. Ik heb ook gewerkt met pentaerythritoltetranitraat, dat jij als PETN kent, een favoriet explosief onder terroristen. Het laat zich vermengen met latex voor de kneedbaarheid
waardoor je het in elke vorm kunt inpassen: een telefoon, radio, ted-
dybeer of sigaar. Relatief kleine hoeveelheden PETN geven een flinke klap, terwijl het zonder ontsteking relatief stabiel is. PETN is niet
zomaar te krijgen, maar als je een brevet hebt, zoals Martin Odum,
betaal je zo'n veertig dollar per kilo. Overigens kun je het ongemerkt door alle poortjes sluizen die vandaag de dag in gebruik zijn.'

'Dat biedt interessante mogelijkheden,' hield de voorzitter de anderen voor.

'Hij kan een tijdje als springstofdeskundige bij een leisteengroe-
ve in Colorado hebben gewerkt en dan om een of andere reden zijn
ontslagen...'

'Diefstal van PETN en verkoop op de open markt...'

'Een verhouding met de vrouw van de baas...'

'Of zelfs *homosexualité*...'

Martin liet zich horen. 'Nou nee, ik heb bezwaar tegen een ho-
moseksueel personage.'

'We kunnen later wel bepalen waarom hij is ontslagen. Wat we
hebben is een Ierse katholiek...'

'Een afvallige katholiek. Laten we dat vooral niet vergeten.'

'...een afvallige Ierse katholiek die in de privésector met spring-
stoffen heeft gewerkt.'

'Maar die om een nader te bepalen reden is ontslagen.'

'Misschien zit daar een probleempje,' zei de voorzitter, die met
zijn wijsvinger op Martin Odums 201-map tikte. 'Onze Martin

Odum is besneden. Dante Pippen, al dan niet afvallig, is een Ierse katholiek. Hoe verklaren we het feit dat hij besneden is?'

De commissie besprak verschillende mogelijkheden. Het was Maggie Poole die een geschikt verzinsel opperde. 'In het onwaarschijnlijke geval dat het ter sprake komt, kan hij zeggen dat zijn eerste Amerikaanse vriendinnetje hem heeft overgehaald; ze dacht dat ze minder gauw een geslachtsziekte van hem zou krijgen als hij besneden was. Pippen kan zeggen dat de ingreep in een kliniek in New York is verricht. Het kan niet al te moeilijk zijn een medisch verslag bij een kliniek onder te brengen om de bewering te onderbouwen.'

'Kan hij verder in een of ander stadium lid zijn geweest van de ira?'

'Een explosievenexpert van de ira! Dat is pas creatief. Het is niet iets wat de Russen of Oost-Europeanen zouden natrekken, want de ira is nog geslotener dan de kgb.'

'We kunnen "een bekende van de politie" in Engeland van hem maken. Een paar keer aangehouden en ondervraagd over bomaanslagen van de ira en heengestuurd bij gebrek aan bewijs.'

'We kunnen zelfs een paar korte berichtjes in de persarchieven invoeren over die aanhoudingen.'

'Dit biedt geweldige mogelijkheden,' zei de voorzitter, met uitpuilende ogen van enthousiasme. 'Wat vind jij, Martin?'

'Ik zie er wel wat in,' zei Martin. 'Ik denk dat Crystal Quest er ook wel wat in zal zien. Dante Pippen is precies zo'n personage voor wie deuren zullen opengaan.'

1989: DANTE PIPPEN ZIET DE MELKWEG IN EEN NIEUW LICHT

Toen de afgeragde Ford het vruchtbare dal bereikte dat bekend-staat als de Beka'a-vallei, bonden de Palestijnen een blinddoek voor Dantes ogen. Twintig minuten later reden de beide auto's door een poort in een omheining en kwamen tot stilstand bij de rand van een verlaten steengroeve. De Palestijnen trokken Dante van de ach-terbank en leidden hem door smalle onverharde straatjes naar de moskee aan de rand van een Libanees dorp. In de hal moest hij zijn schoenen uittrekken, de blinddoek ging af en hij moest naar een kaal geworden bidkleed lopen en gaan zitten. Tien minuten later glipte de imam door een getraliede deur naar binnen. Hij was gezet maar bewoog zich opvallend soepel, zoals veel corpulente mannen, en ging tegenover Dante op het kleed zitten. Nadat hij zijn gewaad om zich heen had gedrapeerd als een Noh-speler, haal-de hij een snoer van jade gebedskralen tevoorschijn en ging met de stompe vingers van zijn linkerhand de kralen af. De imam was be-gin veertig, met kortgeknipt haar en een verzorgde korte baard, en wiegde onder het bidden op en neer. Ten slotte sloeg hij zijn ogen op en zei in het Engels, met een duidelijk Brits accent: 'Ik ben dr. Izzar al-Karim.'

'Ik vermoed dat u weet wie ik ben,' antwoordde Dante.

Het mollige gezicht van de imam plooide zich tot een grijnsje. 'Jazeker. U bent de explosievendeskundige van de IRA over wie we al zoveel hebben gehoord. Ik mag wel zeggen dat uw reputatie u vooruit is gesneld...'

Dante woof het compliment weg. 'Net als uw schaduw als de zon achter u staat.'

De vlezige wangen van de imam trilden in een geluidloze lach. Hij haalde een pakje Iraanse Bahman-sigaretten tevoorschijn en hield het zijn bezoeker voor.

'Ik ben gestopt,' liet Dante zijn gastheer weten.

'Ach, kon ik uw voorbeeld maar navolgen,' zei de imam zuchtend. Hij tikte met een van de dunne sigaretten op een metalen dienblad op een laag tafeltje om de tabak aan te drukken en stak de sigaret tussen zijn lippen. Met een Zippo met een foto van Mohammed Ali erop gaf hij zichzelf vuur en inhaleerde langzaam. 'Ik bewonder uw sterke karakter. Welk geheim heeft u in staat gesteld op te houden met de sigaret?'

'Ik heb mezelf overgehaald een ander mens te worden, bij wijze van spreken,' legde Dante uit. 'Op een gegeven moment rookte ik twee blikjes Ganaesh Beedies per dag. Toen ik de volgende ochtend wakker werd, was ik iemand anders. En die ander rookte niet.'

De imam liet het op zich inwerken. 'Ik draag de zwarte tulband van de *sayyid*, die aangeeft dat ik afstam van de profeet Mohammed en zijn neef Ali. Ik heb twee vrouwen en binnenkort zal ik er drie hebben. Veel mensen – mijn vrouwen, mijn kinderen, mijn strijders – rekenen op mij. Het zou bezwaarlijk zijn om iemand anders te worden.'

'Als ik zoveel vrouwen had als u,' merkte Dante op, 'zou ik waarschijnlijk weer gaan roken.'

'Of iemand nu rookt of niet,' antwoordde de imam, wiens stem zo zacht klonk als het koeren van een duif, 'hij leeft maar zo lang als God hem laat leven. In elk geval is een lang leven niet de inspiratie van een vroom man zoals ik.'

'Wat inspireert een vroom man zoals u?' hoorde Dante zichzelf vragen, hoewel hij het antwoord kende; Benny Sapir, de spionagechef van de Mossad die Dante Pippen in een safehouse in Washington had voorbereid, had zelfs de stem van de imam nagedaan die de vaste antwoorden op religieuze vragen gaf.

'Ik ontleen inspiratie aan de gedachte aan de engel Gabriel die de profeet de verzen van de heilige Koran in het oor fluistert,' zei de imam. 'De beschrijving van Mohammed in wat u Het Boek van de Ladder noemt en wij de *Miraj*, van zijn opstijgen naar de negen kringen van de hemel en zijn afdaling naar de hel, geleid door de engel Gabriel, houdt me 's nachts uit mijn slaap. De Schepper, de Maker, de Al-Barmhartige, de Al-Genadige, de Al-Sublieme, de Al-Machtige inspireert me. De enige ware God inspireert me. Allah inspireert me. De gedachte van het verspreiden van het woord onder de ongelovigen en het doden van degenen die het niet aanvaarden, dat is mijn inspiratie.' Hij hield zijn sigaret parallel aan zijn lippen om hem te bestuderen. 'En wat inspireert u, meneer Pippen?'

Dante grijnsde. 'Het geld dat uw organisatie op mijn rekening op de Caymaneilanden heeft gestort inspireert me, dr. al-Karim. Het vooruitzicht van maandelijkse stortingen in ruil voor bewezen diensten inspireert me. U hoeft niet afkeurend uw hoofd te schudden. Het verbaast me niet dat u onze respectieve bronnen van inspiratie slecht bij elkaar vindt passen, terwijl u de uwe natuurlijk verhevener vindt en de mijne in vergelijking buitengewoon decadent. Omdat ik niet in uw God geloof, of in welke God ook – ik ben wat u een zeer afvallige katholiek zou noemen – beschouw ik uw inspiratie als net zo weinig tastbaar als de condensstrepen die ik op de rit vanuit Beiroet aan de hemel zag. Het ene ogenblik waren ze er nog, strak en recht, elk met een zilverkleurige Israëlische straaljager ervoor die door de strak blauwe Libanese lucht vloog, het volgende ogenblik uitvloeiend en daarna verwaaid door de wind op die hoogte.'

De imam dacht erover na. 'Ik kan wel zien dat u geen bange man bent, meneer Pippen. U zegt wat u denkt. Een moslim die zich zou permitteren te zeggen wat u zojuist hebt gezegd, zou zijn ledematen, misschien zelfs zijn leven niet zeker zijn. Maar we moeten ruimhartig zijn tegenover een zéér afvallige katholiek, zeker als het iemand is die helemaal hierheen is gekomen om onze fedajien te leren hoe zij bommen moeten maken om de Israëli's op te blazen die Libanon en Palestina bezetten.' Hij boog zich naar Dante toe. 'Onze vertegenwoordiger in Parijs die u heeft benaderd zegt dat u geboren bent in een Ierse stad met de merkwaardige naam Castletownbere.'

Dante knikte. 'Het is een vlekje op de kaart aan de zuidkust van het schiereiland Beara in County Cork. Ik heb op een van de zalmtreilers gewerkt voordat ik mijn heil zocht waar de straten met goud geplaveid zijn.'

'En waren ze geplaveid met goud, meneer Pippen?'

Dante lachte zacht. 'In elk geval waren ze geplaveid, wat meer is dan je kunt zeggen van bepaalde delen van het schiereiland Beara. Of de Beka'a-vallei, trouwens.'

'Is het juist dat er in Castletownbere een duur restaurant is dat The Warehouse heet?'

'Er was een duur restaurant voor toevallige toeristen, maar dat heette niet The Warehouse. Het heette The Bank omdat het in de oude bank was gevestigd, op een bovenverdieping in Main Street. Achterin zat nog de oude bankkluis toen ik er kwam. Ik meen dat het in de jaren zestig door Mary McCullagh werd bestierd. Ik heb op school gezeten met een van haar dochters, een knap meisje dat we "Deirdre van de smarten" noemden omdat we allemaal tot onze smart moesten constateren dat we haar niet konden versieren.'

'U bent aangehouden door Scotland Yard na een explosie in een bus bij Bush House, het bbc-gebouw in Londen.'

'Is dat een vraag of een constatering?'

'Een constatering waarop ik van u graag een bevestiging wil horen, meneer Pippen.'

'Ik was in Londen de tijd aan het doden toen die bus in de lucht vloog,' zei Dante en knipperde onschuldig met zijn ogen. 'De dienders deden een inval in een inrichting met vergunning en hielden zowat iedereen aan die Engels sprak met een Ierse tongval. Na achtenveertig uur moesten ze me vrijlaten wegens gebrek aan bewijs. Een excuus kon er bij die schoften niet af.'

'Had u die bus opgeblazen, meneer Pippen?'

'Dat niet. Maar de twee mannen die het wel hadden gedaan, hadden de eerste beginselen van mij geleerd.'

De imam glimlachte flauwtjes. Hij keek even naar een wandklok met het silhouet van ayatollah Khomeini op de wijzerplaat, kwam overeind en wilde weglopen. Bij de deur draaide hij zich om. 'Ik ben niet vaak in de gelegenheid met een westerse ongelovige te spreken, meneer Pippen, zeker niet met iemand die niet tegen me opkijkt. Met u spreken zal tot inzicht leiden. Men moet de vijand kennen voordat men hem kan verslaan. Ik nodig u uit me in mijn studeerkamer te bezoeken, elke weekdag behalve vrijdag, na uw middagcollege. Ik zal u muntthee en cake met honing aanbieden en u kunt dan uw aandeel leveren door mij in te wijden in de seculiere mentaliteit.'

'Het genoegen zal…' begon Dante, maar de imam was al verdwenen achter de getraliede deur, die nog knerpend heen en weer zwaaide.

Dante werd naar zijn onderkomen gebracht, een vertrek in een van de lage bakstenen huizen met platte daken aan de rand van het dorp, in de nabijheid van het Hezbollah-kamp. Bij zonsopgang verscheen een vrouw van middelbare leeftijd met half gesluierd gezicht, die hem bracht wat voor ontbijt moest doorgaan: een dampende pot groene thee om de droge crackers besmeerd met een olieachtige pasta van gemalen olijven weg te spoelen. Dantes lijfwacht, die overal met hem meeging, ook naar het toilethuisje, bracht hem over het zandpad naar de toegang tot de groeve. Een paar jongens in stoffige gestreepte gewaden gooiden al stenen naar een kudde geiten om ze te verjagen van het hek en de helling op te drijven. Een gele Hezbollah-vlag, getooid met een hand die een geweer opstak, klapperde aan de mast op het bakstenen gebouw waarin de springstof en de lonten waren opgeslagen. Hoog aan de hemel hingen in een kriskraspatroon de condensstrepen van Israëlische straaljagers op ochtendverkenning. Dantes studenten, negentien fedajien van rond de twintig in dezelfde kaki broeken en blouses en dikke koppels onder hun traditionele gewaden, wachtten op de bodem van de groeve. Een wat oudere man met een oranje-witte kaffiya over zijn schouders gedrapeerd hurkte op de stenige grond om dozen klaar te zetten met pentaerythritoltetranitraat, beter bekend als PETN, met latex, stukken elektriciteitskabel en ontstekers die werkten op accu's. 'Ik, Abdullah, zal voor u vertalen,' liet de man Dante weten toen hij op de bodem van de groeve was aangekomen. 'Alstublieft langzaam praten, want mijn Engels is zo zuur als geitenmelk van vorige week.'

Dante inspecteerde de dozen en schopte tegen de kabels en de ontstekers. 'We moeten moderne ontstekingen hebben die van grote afstand op een uitgezonden signaal reageren,' liet hij Abdullah weten.

'Hoe groot zal de afstand dan zijn?' vroeg Abdullah.

Dante wees naar de geiten die over de kruin van de heuvel verdwenen. 'We gaan de PETN met de latex vermengen op de manier die ik zal voordoen,' zei hij, 'en de ladingen hier in de groeve opslaan. Daarna gaan we die heuvel op en vandaar brengen we dan de explosieven tot ontploffing.' Dante wees naar de heuvel en deed het geluid van een explosie na. Abdullah vertaalde ten behoeve van de fedajien en ze richtten allemaal hun blik op de heuvel. Ze praatten opgewonden onder elkaar en keken naar hun instructeur met een knikje van respect voor zijn vakkennis.

Tijdens de eerste lessen richtte Dante zich op de PETN en de latex; hij liet de Hezbollah-strijders zien hoe ze die twee moesten vermengen en vervolgens de op boetseerklei lijkende lading in de gewenste vorm konden kneden. Op een dag stopte hij springlading in een draagbare radio en zette die vervolgens aan om te demonstreren dat hij het nog deed, wat belangrijk was als je ermee door een militaire controle of een detectiepoortje op een vliegveld moest. Een andere keer verstopte hij de springstof in een hypermoderne satelliettelefoon en legde uit, terwijl Abdullah vertaalde, wat de voordelen waren: als je het goed aanpakte, kon je het doelwit opbellen en zijn stem herkennen voordat je de lading tot ontploffing bracht en hem onthoofdde.

In het begin durfden de jongemannen de springstof nauwelijks aan te raken, tot ze zagen hoe Dante een kluit van zijn ene hand in de andere overgooide om te demonstreren hoe stabiel het spul was. Abdullah gaf intussen Dantes met de hand geschreven lijst door aan dr. al-Karim en reisde in de Ford af naar Beiroet, met een beurs vol kostbare Amerikaanse dollars van de imam voor de aankoop van zenders en ontvangers om op afstand een lading mee te laten ontploffen.

De eerste middag dat Dante bij dr. al-Karim langsging, trof hij de imam in zijn studeerkamer waar hij, met gestrekte armen om zijn embonpoint de ruimte te geven, met twee vingers typte op een elektrische IBM-schrijfmachine. Van achter het gebouw klonk het gebrom van het benzineaggregaat. '*Assalamu aleikum* – vrede zij met u. Ik zou u een sigaret aanbieden als u rookte,' zei de imam, die zich op zijn stoel naar zijn bezoeker toe draaide en hem een houten keukenstoel wees. 'U vindt het zeker wel goed als ik er zelf een opsteek?'

'Natuurlijk, doe alsof u thuis bent.'

De imam keek hem bevreemd aan. 'Hoe kan ik in míjn huis anders doen?'

'Het is een uitdrukking zonder betekenis,' gaf Dante toe.

'Het is me opgevallen dat Amerikanen vaak aankomen met zinloze clichés als ze niet weten wat ze moeten zeggen.'

'Ik zal die vergissing niet nog eens maken.'

De vrouw die Dante zijn ontbijt bracht, kwam uit de andere kamer en zette borden neer met kleine in honing gedrenkte cakejes, en twee glazen met muntblaadjes erin en kokend water. Dante nam een hap van een cakeje en wachtte tot de thee wat zou zijn afgekoeld; intussen bekeek hij de spartaanse inrichting van de studeerkamer: ingelijste foto's van afgestudeerden (de foto's hingen een beetje scheef, alsof degene die ze had afgestoft wilde aangeven dat ze waren schoongemaakt) en een poster van de moskee van Omar in Jeruzalem met de gouden koepel; de kalasjnikov in de hoek met aangeklikt magazijn, een glazen bol met een enkele goudvis erin die kringetjes zwom alsof hij de uitgang zocht, een stapel oude nummers van *Newsweek* op de vloer bij de deur. Dr. al-Karim schoof zijn stoel om de tafel zodat hij tegenover zijn gast zat, steunde zijn buik erop en warmde zijn handen aan het glas thee.

Met zachte stem en zorgvuldig formulerend zei de imam: 'Er is een tijd geweest dat ik veel respect van de mensen kreeg.'

'Te oordelen naar wat ik heb gezien is dat nog steeds zo.'

'Hoe lang zal het duren, meneer Pippen? Hoe lang kan iemand volgens u doorgaan met verkondigen dat de vernietiging van de vijand onvermijdelijk is, zonder dat het gebeurt; zonder de geloofwaardigheid te verliezen die onmisbaar is voor een geestelijk leider van een gemeenschap? Dat is de hachelijke situatie waarin ik mij bevind. Ik moet de hoop bieden dat de offers die wij brengen niet alleen worden beloond met het martelaarschap, maar ook met de zekere overwinning op de Israëli-bezetters van Libanon en Palestina en de Joden die samenzweren om zich meester te maken van de wereldheerschappij. Maar na verloop van tijd constateert zelfs de eenvoudigste van de fedajien, die erop uit wordt gestuurd om tegen de vijand te vechten, door zijn kijker observeert dat de Israëli's nog altijd hun met zandzakken beschermde forten in het zuiden van Libanon bezetten, dat hun patrouilleboten nog altijd golven maken in de wateren voor onze kust, dat de condensstrepen van hun jachtvliegtuigen nog de hemel boven ons hoofd bevuilen.'

'Denkt ú dat de overwinning onvermijdelijk is?' vroeg Dante.

'Ik ben ervan overtuigd dat de Joden eens zullen worden beschouwd, zoals vroeger de kruisvaarders, als een voetnoot in de lan-

ge stroom van de Arabische geschiedenis. Zal ik het zelf nog beleven? Zullen mijn kinderen het beleven?' Dr. al-Karim nam een slokje muntthee en likte genietend zijn lippen af. Hij boog naar voren.
'Ik kan tijd winnen, meneer Pippen, als uw talenten mij een zekere mate van succes opleveren. Onze Hezbollah-strijders kunnen met
hun conventionele wapens geen verliezen toebrengen onder de beter bewapende Israëli-soldaten in Zuid-Libanon. Wij vallen aan met
mortiergranaten of artillerie vanuit het hart van een Libanees dorp,
zodat de Israëli's niet kunnen terugslaan. Een heel enkele keer doden wij er een of twee. Voor iedereen die wij doden, verliezen wij
twintig of dertig fedajien wanneer onze vijanden, die opvallend goed
geïnformeerd zijn, uit hun forten komen om onze bases hier in de
Beka'a aan te vallen, of die bij de frontlinies. Ze lijken altijd te weten waar we zijn en met welke aantallen.' De imam schudde zijn
hoofd. 'Wij zijn als golven die rotsblokken aan de kust omspoelen
– ik kan niet genoeg mensen opleiden en naar het front sturen door
te verkondigen dat de rotsblokken over een eeuw of twee rondge-
slepen en kleiner zullen zijn.'

'Ik neem aan dat u daarom mij hebt ingeschakeld,' zei Dante.

'Is het waar dat u uw explosieven vrijwel elke vorm kunt geven?'

'Absoluut.'

'En is het ook waar dat u ze van grote afstand tot ontploffing
kunt brengen door middel van een radiosignaal, in plaats van met
een lange elektriciteitskabel over de grond?'

Dante knikte nadrukkelijk. 'Een kabel over de grond is be-
trouwbaarder, maar explosies door middel van een radiosignaal zijn
creatiever.'

'Hoe werkt dat dan precies met dat radiosignaal?'

'Je hebt een zender nodig: een draadloze telefoon, een draadloze
intercom, een walkietalkie, en een ontvanger, die op dezelfde golf-
lengte is afgestemd. De zender verstuurt niet alleen een signaal maar
ook een radiotoon, elektronische pulsen die gemoduleerd worden
door de zender en gedemoduleerd door de ontvanger. De ontvanger pikt het signaal op en moduleert de audiotoon, waardoor een
stroomstoot naar het slaghoedje gaat dat vervolgens de lading tot
ontploffing brengt.'

'Zouden we met uw vakkennis de explosieven kunnen verstoppen in normaal uitziende stenen langs de weg, en die dan van een

heuvel een kilometer verderop tot ontploffing kunnen brengen wanneer er een Israëli-patrouille langskomt?'

'Kinderspel,' verklaarde Dante.

De imam sloeg zich verheugd op zijn knieën. 'Als God het wil zullen we de Israëli's verpletteren, meneer Pippen. Als God het wil zullen de golven aan de kust nog bij mijn leven de rotsblokken rondslijpen. En wanneer wij klaar zijn met de vijand in onze nabijheid, zullen wij onze aandacht richten op de vijand in de verte.'

'De Israëli's zijn natuurlijk de vijand in de nabijheid,' zei Dante. 'Maar wie is de vijand in de verte?'

Dr. al-Karim keek Dante in de ogen. 'Dat bent u, meneer Pippen: de vijand in de verte. U en uw Amerikaanse beschaving, die roken als een gevaar beschouwt terwijl al het andere, van buitenechtelijke seks tot pornografie, vleselijk secularisme en materialisme, is toegestaan. De Israëli's zijn een voorpost van uw corrupte beschaving. De Joden zijn door u gezonden om ons land te stelen, onze ziel te krenken en onze godsdienst te vernederen. Wanneer wij de Joden eenmaal hebben verslagen, zullen wij onze aandacht richten op de ultieme vijand.'

'Ik begrijp wel hoe u de vijand in de nabijheid wilt aanvallen,' antwoordde Dante. 'Maar hoe wilt u oorlog voeren tegen een verre vijand die u kan wegvagen zoals u een muskiet zou pletten die u in flagrante delicto op uw pols betrapte?'

De imam leunde naar achteren in zijn stoel, met een leep lachje op zijn mollige gezicht. 'Wij zullen de gigantische bedragen gebruiken die wij verdienen door u brandstof te verkopen voor uw benzineslurpende auto's om over de talenten te kunnen beschikken van mensen zoals u, meneer Pippen. De Amerikaanse hoofden worden al vergiftigd door Hollywood-films en tijdschriften als *Playboy* en *Hustler*. Wij zullen hun lichaam vergiftigen. Wij zullen hun vliegtuigen kapen en tegen hun gebouwen te pletter laten vliegen. Met uw hulp zullen we de bom van de arme ontwikkelen: koffers vol ziektekiemen of chemicaliën, en die in hun steden tot ontploffing brengen.'

Dante pakte zijn glas muntthee en bracht het even aan zijn lippen. 'Dan kan ik beter weer in Ierland gaan wonen,' zei hij luchtig.

'Ik merk wel dat u me niet serieus neemt. Het geeft niet.' De imam schoof zijn mouw op om op zijn horloge te kijken en kwam overeind. 'U zult vannacht onrustig slapen terwijl u blijft denken aan wat ik u heb verteld. Er zullen vragen bij u opkomen. Ik nodig u uit morgen terug te komen om uw vragen voor te leggen. Als God het wil, kunnen we dan ons gesprek voortzetten.'

Dante stond op. 'Ja, ik kom weer langs. Dank u.'

In de dagen daarna gebruikte Dante wat Abdullah in Beiroet had gehaald om zijn studenten te leren op afstand bedienbare ontstekingsmechanismen in elkaar te zetten en vanaf een nabije heuveltop springladingen in de groeve tot ontploffing te brengen. Toen de mensen van dr. al-Karim de eerste steen van gips ter beschikking stelden, vulde Dante hem met PETN en stelde de van een afstand te bedienen ontsteker in. De studenten legden de gipssteen langs de kant van de weg en bonden tien meter verderop een geit vast. Daarna ging iedereen de heuvel op. De imam had gehoord over het experiment en verscheen zelf aan de rand van de groeve om te kijken. Dante zwaaide naar hem en dr. al-Karim, die vier lijfwachten om zich heen had, stak zijn hand op. Een van de jonge fedajien verbond het zendertje met een autoaccu. 'Goed, Abdullah,' zei Dante. 'Laat maar knallen.' Abdullah pakte de kleine radio, draaide aan de knop tot er een duidelijke klik te horen was en drukte hem in. In de diepte klonk een doffe explosie en er steeg een stofwolk op. Toen die was weggetrokken, was de geit verdwenen. Waar het dier had gestaan was de bodem doordrenkt met bloed en ingewanden.

'God is groot,' murmelde Abdullah.

'PETN is groter,' merkte Dante op.

Toen Dante die middag de studeerkamer van de imam binnenkwam, liep dr. al-Karim haastig om zijn bureau heen om hem te feliciteren. 'U hebt uw loon verdiend, meneer Pippen,' zei hij en legde een vlezige arm om Dantes schouder. 'Mijn strijders willen uw afstandsbediening graag inzetten tegen de Joden.'

Ze gingen op keukenstoelen zitten. Dr. al-Karim haalde zijn gebedskralen tevoorschijn en liet die geroutineerd door zijn vingers gaan terwijl Dante uitlegde dat hij nog tien dagen nodig zou hebben, niet meer en niet minder, om de fedajien van de imam voor te bereiden op de strijd.

'Wij wachten al zo lang,' zei de imam. 'Nog eens tien dagen, dat maakt ons niet uit.'

Het gesprek kwam op de Syrische bezetting van gedeelten van Libanon, die al twee jaar duurde; de maand voor Dantes komst had Damascus luchtdoelraketten geïnstalleerd in de Beka'a-vallei, een initiatief dat Hezbollah niet kon waarderen, omdat hierdoor de aandacht van de Israëli's op de vallei zou worden gevestigd. Dr. al-Karim wilde weten of president Bush de Israëli's onder druk zou zetten om zich uit de bufferzone in het zuiden van Libanon terug te trekken. Dante zei dat hij in de verste verte geen deskundige was, maar dat hij het betwijfelde. Op zijn beurt vroeg hij zich af of de Iraniërs de Syriërs onder druk zouden zetten om hun activiteiten in Libanon, die aan een bezetting grensden, te staken nu de burgeroorlog was afgezwakt. De imam antwoordde dat er door het overlijden, een week eerder, van ayatollah Khomeini een vacuüm in de islamitische wereld was ontstaan, en hij voorspelde dat het lange tijd zou duren voordat de sjiieten iemand met voldoende charisma zouden hebben gevonden om zijn plaats in de nemen. Dante vroeg voor de grap of de imam ambities had in die richting. Dr. al-Karim vatte de vraag serieus op. Hij liet zijn gebedskralen rusten en legde een vinger naast zijn neus. 'Ik ambieer God te dienen en mijn volk te leiden naar de overwinning op de Joden,' zei hij. 'Meer niet.'

'Vertelt u eens, dr. al-Karim…' Dante aarzelde.

Het hoofd van de imam ging op en neer. 'U hoeft maar te vragen, meneer Pippen.'

'Het valt me op dat u vaak spreekt over de Joden, niet over de Israëli's. Ik wil graag weten of Hezbollah beide begrippen niet door elkaar haalt. Wat ik bedoel is dit: bent u tegen de Israëli's of tegen de Joden?'

'Omdat de staat Israël een vijandelijke staat is,' antwoordde de imam zonder aarzelen, 'zijn wij natuurlijk anti-Israël.' Hij ging weer verder met zijn gebedskralen. 'Maar vergis u niet, wij zijn ook anti-Joods. Onze gemeenschappelijke geschiedenis gaat terug tot de profeet Mohammed. De Joden hebben nooit de legitimiteit van de islam als de ware godsdienst erkend, of de Koran als het woord van God.'

'Uw critici zeggen dat u door die opvatting min of meer hetzelfde standpunt inneemt als Adolf Hitler.'

De imam schudde energiek zijn hoofd. 'Geen sprake van, meneer Pippen. Die critici zien een essentieel onderscheid over het hoofd.

Hitler was een antisemiet. Er is een gigantisch verschil tussen anti-Joods zijn en antisemiet zijn.'

'Ik vrees dat ik u niet kan volgen...'

'Antisemieten, meneer Pippen, zeggen: eens een Jood, altijd een Jood. Voor Hitler bleef zelfs een Jood die zich tot het christendom had bekeerd een Jood. Daaruit volgt dat er voor de nazi's geen andere oplossing was dan wat zij de Eindoplossing noemden, namelijk de uitroeiing van de Joden. Anti-Joods zijn daarentegen impliceert dat er een andere oplossing mogelijk is dan uitroeiing, een manier waarop Joden zichzelf voor uitroeiing kunnen behoeden.'

'En wat is die oplossing dan?'

'De Jood kan zich tot de islam bekeren, waarna de islam geen bezwaar meer tegen hem zal hebben.'

'Juist ja.'

'Wat is er juist, meneer Pippen?'

'Ik begrijp nu dat ik niet over dit onderwerp had moeten beginnen. Ik ben ingeschakeld vanwege mijn wapenkennis. U betaalt me voor bewezen diensten, niet voor mijn mening over uw mening.'

'Zeer juist, zeer juist. Maar hoewel mijn antwoorden u niet interesseren, moet ik toegeven dat uw vragen mij wel interesseren.'

Abdullah verscheen voor het raam en tikte met zijn nagel tegen het glas. Toen de imam naar het raam liep, wees Abdullah naar een auto die over de zandweg omhoogreed naar het Hezbollah-kamp.

'Dat zou ik bijna vergeten,' zei dr. al-Karim tegen Dante. 'Ik verwacht een bezoeker. De Syrische commandant in de Beka'a komt van tijd tot tijd langs om te kijken waar wij mee bezig zijn. Hij blijft tot morgen na het gebed en de avondmaaltijd. Het zou verstandig kunnen zijn als u zolang uit het zicht blijft, aangezien ik hem niet op de hoogte heb gesteld van uw aanwezigheid hier, en de Syriërs het niet begrepen hebben op buitenlanders in de vallei.'

'Zal ik dan maar verkassen naar Beiroet?' vroeg Dante. 'Ik ben hier nu bijna drie weken. Aangezien het morgen vrijdag is en mijn studenten die dag in de moskee doorbrengen om te bidden, wilde ik u een vrije dag vragen.'

'En wat gaat u dan doen op uw vrije dag?'

'Ik heb het mijn hele leven nog nooit zo lang zonder bier moeten doen. Ik denk dat ik met mijn warme lijf naar een bar ga om een vat bier leeg te drinken.'

'Waarom niet? Het is weer rustig in Beiroet. En u hebt een dag rust verdiend. Ik zal Abdullah en een van mijn lijfwachten meesturen om te zorgen dat u niets overkomt.'

'Een Ier gaat niet naar de kroeg om niets te beleven, dr. al-Karim.'

'Niettemin moeten we zorgen dat u ongedeerd blijft tot u uw werk hier hebt kunnen afronden. Wat u daarna doet, moet u zelf weten.'

De volgende dag bracht de afgeragde Ford die Dante drie weken eerder naar zijn bestemming in de Beka'a had gebracht hem terug over achterweggetjes in de richting van Beiroet. De lijfwacht, die een wijde kaki broek droeg en een kalasjnikov op schoot had met kepen in de kolf voor al zijn voltreffers, zat voorin in het Arabisch te kletsen met de chauffeur, een pikzwarte Saoedi met vervilte dreadlocks. Dante, die gehuld was in een bruine boernoes van grove stof met een zwart-witte kaffiya om zijn hoofd en een donkere zonnebril, deelde de achterbank met Abdullah, die bij elke Syrische controlepost uitstapte om met een hooghartig gebaar de brief van dr. al-Karim met diens handtekening en stempel te laten zien aan de soldaten die (beweerde Abdullah) niet konden lezen of schrijven. In gedachten verzonken staarde Dante naar zijn weerspiegeling in het raam; hij had nauwelijks oog voor de op blote voeten voetballende jongetjes in de stoffige dorpen, de drukke markten waar aan de ene kant satellietschotels te koop werden aangeboden en aan de overkant ezels en kamelen die aan een hek waren vastgebonden, of de betegelde slagerijen waar jongens de vliegen verjoegen van aan haken opgehangen karkassen. In de buitenwijken passeerde de Ford de eerste barricaden van de milities, maar de puisterige jongemannen daar hadden (zoals Abdullah in moeizaam Engels uitlegde) meer belangstelling voor de biljetten van twintig dollar die hij in dr. al-Karims brieven stak, dan voor de brief zelf of de inzittenden van de auto.

Na de verschijning van het Syrische leger waren de splintergroeperingen die elkaar vanaf de tweede helft van de jaren zeventig in de straten van Beiroet hadden afgeslacht min of meer ondergronds gegaan; er gingen geruchten over besprekingen tussen christenen en moslims in Taif, in Saoedi-Arabië, over de voorwaarden voor een staakt-het-vuren, maar er werd nog altijd door gewapende milities gepatrouilleerd in de stad, die zich als een verminkte femme fatale uitstrekte aan de Middellandse-Zeekust: kapotgeschoten gebouwen waren stille getuigen van vijftien jaar burgeroorlog. Terwijl de zon in zee verzonk en de duisternis over Beiroet neerdaalde, weerklonk het vinnige geknetter van schoten in de verte; zichtbaar nerveus mompelde Abdullah iets over oude conflicten die werden uitgevochten voordat het officële staakt-het-vuren van kracht zou worden. Voorzichtig loodste Abdullah de chauffeur door het moslimgebied naar de havenwijk, waar Dante op een hoek werd afgezet tegenover de uitgebrande ruïne van een buurtmoskee. Een smalle hellende straat boog af naar de kade. 'Wij zullen hier wachten,' zei Abdullah tegen Dante. 'Wilt u om tien uur weer hier zijn, dan kunnen we voor middernacht terug zijn in het kamp.'

In de smalle straat flakkerde haperende neonverlichting boven een handvol bars voor de zeelieden van de schepen die in de haven afgemeerd lagen aan de kade of in de baai aan reusachtige boeien. Dante zwaaide vrolijk naar zijn begeleiders, ontweek een loshangende neonbuis die aan een snoer bungelde en schoof langs het dikke vloerkleed dat dienst deed als deur de eerste bar in, in een bedrijvenpand dat door een mortiervoltreffer was geraakt. De geblakerde balken die het provisorisch gestutte dak steunden waren witgekalkt, maar ze stonken nog naar de brand. Dante vond een plaatsje tussen twee Turkse zeelieden die elkaar overeind hielden en een Portugese purser in een gekreukt blauw uniform.

'Wat mag het wezen?' vroeg de barman nors, met een herkenbare Ierse uithaal.

Met zijn vuist maakte Dante een gat in het gordijn van sigarettenrook om daardoorheen antwoord te geven. 'Bier, veel bier,' riep hij terug, 'hoe warmer hoe beter.'

De barman, een gezette figuur met warrige rode krullen die voor zijn ogen vielen en een tot aan de hals dichtgeknoopt priesterhemd, tilde een grote fles Bulgaars bier uit een krat aan zijn voeten. Hij wipte de kroonkurk los, sloot de hals af met de muis van zijn hand en schudde het bier om het te laten schuimen, en zette de fles voor Dante neer. 'En wil meneer daar ook een kroes bij om uit te drinken?' vroeg hij grinnikend.

'Kost dat extra?' vroeg Dante.

'Ach Jezus, waarom zouden we dat doen? Je betaalt al belachelijk veel voor je bier, dus een kroes leveren we er gratis bij.' Hij schoof Dante over de tap een net omgespoelde kroes toe. 'En van welk schip zei je dat je was?'

'Ik heb niets gezegd,' kaatste Dante terug. '*Harer Majesteits Pinafore.*'

Het gezicht van de barman verstrakte. '*Harer Majesteits Pinafore*, zeg je?'

Dante schonk zijn kroes vol, veegde met een vinger het schuim eraf, legde zijn hoofd in zijn nek en dronk in één lange teug de kroes leeg. 'Ah, dat verandert iemands kijk op de wereld,' verklaarde hij en schonk de kroes weer vol. '*Harer Majesteits Pinafore*, dat zei ik.'

Met een korte knik liep de barman naar het uiteinde van de bar om met zijn vinger in zijn ene oor een telefoongesprek te voeren. Dante was halverwege zijn tweede fles Bulgaars bier toen de vrouw verscheen op de bovenste tree van de beschadigde houten trap die leidde naar wat er over was van de kantoren in het gebouw. Een zeeman die zijn gulp dichtknoopte, volgde haar naar beneden. De vrouw, die lang donker haar had dat in losse lokken om haar pokdalige gezicht viel, droeg een strakke rok met een hoge zijsplit en een dun bloesje waarin haar borsten even duidelijk zichtbaar waren als wanneer ze was betrapt op naakt wandelen in de ochtendnevel. Alle gesprekken verstomden toen ze beneden kwam en haar hoge hakken op de houten vloerplanken tikten. Ze bleef staan en keek zoekend om zich heen, tot ze Dante zag en naast hem aan de bar ging zitten.

'Bied je me een whisky aan?' vroeg ze met hese stem.

'Welzeker,' zei Dante opgewekt en stak zijn vinger op om de aandacht van de barman te trekken en naar de vrouw te wijzen. 'Whisky voor mijn toekomstige vriendin.'

'Chivas Regal,' instrueerde de vrouw de barman. 'Een dubbele.'

Dante bevestigde de bestelling met een knikje toen de barman hem aankeek en bestudeerde de vrouw vervolgens zoals hem was geleerd naar mensen te kijken die hij misschien ooit zou moeten aanwijzen in een contraspionagesmoelenboek. Zoals gewoonlijk vond hij het moeilijk haar leeftijd te schatten. Ze was Arabisch, dat was duidelijk, ondanks de dikke laag mascara en felrode lippenstift, en waarschijnlijk de veertig gepasseerd, al zou hij niet kunnen zeggen hoe lang dat geleden was. Hij bedacht dat ze een christen moest zijn, omdat moslims hun vrouwen liever doodsloegen dan ze als prostituee te laten werken.

'Vertel eens, schatje, hoe heet je?' vroeg Dante.

Afwezig haalde ze haar hand door haar haar om het uit haar gezicht te strijken; twee grote zilveren oorringen lichtten even op. 'Ik ben Djamillah,' antwoordde ze. 'En jij?'

Dante nam een flinke slok bier. 'Ik ben een Ier.'

'Zo te zien ben je lang op zee geweest.'

'Waarom denk je dat?'

'Je vergaat van de dorst. Dat zie ik aan de manier waarop je dat smerige Bulgaarse bier naar binnen slaat. Waar heb je nog meer behoefte aan, Ier?'

Dante keek even naar de barman, die een eindje verderop glazen stond te spoelen en die hen net niet kon verstaan. 'Nou, Djamillah, de godsgruwelijke waarheid is dat ik in een eeuwigheid niet heb geneukt. Zou je daarin kunnen voorzien?'

De Portugese purser, die met zijn rug naar Dante toe zat, gnuifde zachtjes. Djamillah vertrok geen spier. 'Het antwoord op je vraag, Ier, is: dat kan ik inderdaad.'

'Wat zou ik daarvoor moeten neerleggen?'

'Vijftig Amerikaanse dollar of hetzelfde bedrag in Europees geld. Ik neem geen geld van hier aan.'

'Proost,' zei Dante. Hij raakte haar glas aan met zijn kroes en dronk hem leeg, greep de halflege bierfles bij de hals (voor het geval hij een wapen nodig zou hebben) en liep achter haar aan naar de trap. Boven duwde ze een houten deur open en ging Dante voor in wat de directiekamer van een bedrijf moest zijn geweest. Bij de ovale, dichtgetimmerde ramen stond een groot bureau met een glazen plaat waaronder kinderfoto's waren geplet, en een grote leren bank stond onder een gescheurd schilderij van Napoleons nederlaag bij Accra. Langs een van de muren waren tien of twaalf kartonnen dozen zonder nadere aanduiding opgestapeld. Djamillah deed de deur op slot, ging op de bank zitten, voelde door een opening in de bekleding in een kussen en haalde een map tevoorschijn met luchtfoto's van 20 bij 25 centimeter. Dante kwam naast haar zitten, gebruikte zijn zakdoek om de foto's aan te pakken en bekeek ze een voor een. 'Ze moeten op grote hoogte zijn genomen,' merkte hij op. 'De resolutie is uitstekend. Mooi.'

De vrouw gaf Dante een viltstift en hij zette pijlen bij verschillende gebouwen in het kamp en lichtte die toe. 'De rekruten, negentien fedajien, wonen in deze twee lage gebouwen binnen de omheining,' zei hij. 'Explosieven en ontstekingsmateriaal worden opgeslagen in dit stenen gebouwtje met de vlag van Hezbollah op het dak. Dr. al-Karim woont en werkt in het huis achter de moskee. Het is veruit het grootste in het dorp, dus het zal je mensen geen moeite kosten het te vinden. Ik weet niet waar hij slaapt, maar zijn werkkamer heeft uitzicht op de moskee, dus die moet hier zijn.' Hij tekende weer een pijl en zette er 'K's werkkamer' bij. 'Ik ben ondergebracht bij een gezin in het dorp.'

'Hoe wordt het kamp 's nachts bewaakt?'

'Ik heb een paar keer in het donker door het kamp gewandeld; ze hebben een controlepost, bemand door twee rekruten en een van de instructeurs, op de weg waar die omhoog afbuigt naar het dorp en het kamp. Er is een bunker met een zware mitrailleur op de heuvel boven de groeve die overdag wordt bemand. Daar ben ik in het donker nooit geweest, omdat de poort in de omheining op slot gaat en omdat ik geen argwaan wilde wekken door om de sleutel te vragen.'

'We moeten aannemen dat die post 's nachts wordt bemand. Ze zouden wel gek zijn om dat niet te doen. Die mitrailleur moet een belangrijk doelwit zijn. Wat hebben ze voor communicatiemiddelen?'

'Dat weet ik niet precies. Nooit een radiohut gezien of zelfs maar een radio. Ik dacht op het dak van de moskee HF-antennes te zien, dus wat ze hebben, zal daar wel ergens zijn.'

'We willen geen moskee bombarderen, dus die verbinding moeten we handmatig uitschakelen. Heeft dr. al-Karim een satelliettelefoon?'

'Nooit gezien, maar daarmee is niet gezegd dat hij er geen heeft.'

'Wanneer is de opleiding afgelopen?'

'Ik heb tegen dr. al-Karim gezegd dat ik nog tien dagen nodig heb.'

'En daarna?'

'Dan gaan de ex-cursisten naar het front om tegen de Israëlische soldaten te vechten die de bufferzone in Libanon bezet houden. En er verschijnt een nieuwe groep om de cursus te volgen.'

'Hoeveel instructeurs en personeelsleden telt het kamp?'

'De transportmensen meegerekend, de wapeninstructeurs en de mensen die lesgeven in vechtsporten, en de lijfwachten van dr. al-Karim, daar heb ik er vier van gezien, achttien tot twintig man, schat ik.'

Djamillah bekeek de foto's opnieuw om de afstanden tussen de gebouwen te schatten, te zien waar de poort in de omheining was en de voetpaden te bestuderen die kriskras door het dorp en het kamp van Hezbollah liepen. Ze haalde een stafkaart van de Beka'a-vallei tevoorschijn om te kijken over welke andere versterkingen Hezbollah in de nabijheid van het kamp zou kunnen beschikken. 'Wanneer de aanval begint, moet je zorgen dat je hier komt...' Ze wees naar een punt tussen het dorp en het kamp van Hezbollah. Ze gaf Dante een doek van witte zijde die hij in zijn broekzak stopte. 'Doe die om je hals om gemakkelijk herkenbaar te zijn.'

'Hoe weet ik wanneer ik de aanval kan verwachten?'

'Precies zes uur tevoren zullen twee Israëlische straaljagers zo hoog overvliegen dat ze condensstrepen achterlaten. Ze zullen naderen vanuit het noorden, koers noord-zuid. Als ze recht boven het kamp zijn, zullen ze negentig graden afbuigen naar het westen.'

Djamillah schoof de foto's en de kaart weer in de map en verstopte die weer in het kussen.

'Het noodzakelijke lijkt me wel afgehandeld,' zei Dante.

'Nog niet helemaal.' Ze stond op en begon zich zakelijk uit te kleden; het was voor het eerst dat Dante een vrouw dat zag doen zonder dat het iets zinnelijks had. 'Je wordt geacht hier met me te seksen. Het lijkt me nuttig als je mijn kleding en mijn lichaam kunt beschrijven.' Ze trok haar blouse, rok en slipje uit. 'Ik heb een klein litteken aan de binnenkant van mijn dij, hier. Mijn schaamhaar is geschoren in een bikinilijn. Ik heb een verbleekte tatoeage van een nachtvlinder onder mijn rechterborst. En op mijn linkerarm zie je het litteken van een inenting tegen de pokken die me niet tegen pokken heeft beschermd, zoals je aan mijn gezicht nog kunt zien. Toen we hier aankwamen, heb ik de deur op slot gedaan en jij hebt vijftig dollar op het bureau neergelegd – twee biljetten van twintig en een van tien – en er die granaathuls op gezet die je daar op de vloer ziet staan. We hebben ons allebei uitgekleed. Je vroeg me je te pijpen en toen je een erectie had, deed ik er een condoom om en kwam op je zitten. Let wel: ik bedrijf de liefde met mijn schoenen aan.' Ze begon zich weer aan te kleden. 'Nu moet jij je uitkleden, Ier, zodat ik als het moet je lichaam kan beschrijven. Waarom treuzel je? Je bent een vakman. Dit is een kwestie van professionaliteit.'

Dante haalde zijn schouders op en liet zijn broek zakken. 'Zoals je ziet ben ik besneden. Mijn eerste Amerikaanse vriendin heeft me daartoe overgehaald; ze dacht dat ze minder kans liep op een geslachtsziekte als ik besneden was.'

'Besneden en zwaar geschapen, zoals dat heet. Heb je littekens?'

'Lichamelijk of geestelijk?'

Ze dacht niet dat hij een grapje maakte. 'Ik analyseer mijn klanten niet, ik neuk ze alleen.'

'Geen littekens,' zei hij droog.

Ze bekeek zijn lichaam van top tot teen, en zijn kleren, en gebaarde toen dat hij zich moest omdraaien. 'Je kunt je weer aankleden,' zei ze ten slotte. Ze bracht hem naar de deur. 'Je doet gevaarlijk werk, Ier.'

'Ik ben verslaafd aan angst,' mompelde hij. 'Ik moet elke dag scoren.'

'Ik geloof je niet. Als je niet ergens in geloofde, was je hier niet.' Ze bood hem haar hand aan. 'Ik bewonder je moed.'

Hij pakte haar hand en hield die iets langer vast. 'En ik sta versteld van de jouwe. Een Arabische die het risico loopt...'

Ze trok haar hand los. 'Ik ben geen Arabische,' zei ze fel. 'Ik ben een Libanese aleviet.'

'Wat is dat nou weer, verdomme?'

'We zijn een splinter van een volk in een zee van Arabische moslims die ons als ketters beschouwen en ons bloed wel kunnen drinken. Ooit hadden we een eigen staat – dat was onder het Franse mandaat na het uiteenvallen van het Ottomaanse rijk na de Eerste Wereldoorlog. De alevietenstaat heette Latakia; mijn grootvader had een ministersfunctie. In 1937 werd Latakia bij Syrië ingelijfd. Mijn grootvader werd vanwege zijn verzet daartegen vermoord. Tegenwoordig hebben de meeste Libanese alevieten zich in de burgeroorlog verbonden met de christenen in hun strijd tegen de moslims. Ons doel is de moslims verslaan, ook Hezbollah, in de hoop dat er weer een christelijk bewind komt in Libanon. Wij dromen van een alevietenstaat, een nieuw Latakia aan de door de Middellandse Zee omspoelde kust van de Levant.'

'Ik wens je veel geluk toe,' zei Dante vormelijk. 'Waarin geloven de Alevieten waar de moslims niet in geloven?'

'Dit is niet het ogenblik om daarop in te gaan...'

'Je bent een vakvrouw. Dit is een kwestie van professionaliteit. Er kan me worden gevraagd waar we na afloop over hebben gepraat.'

Djamillah glimlachte bijna. 'Wij geloven dat de Melkweg bestaat uit de zielen van goddelijk geworden alevieten die naar de hemel zijn gegaan.'

'De rest van mijn leven zal ik aan je denken als ik de Melkweg zie,' verklaarde hij.

Ze maakte de deur open en ging opzij. 'In een andere incarnatie,' merkte ze ernstig op, 'zou het aangenaam zijn geweest de liefde met je te bedrijven.'

'Misschien als dit allemaal achter de rug is...'

Nu glimlachte Djamillah echt. 'Het zal nooit achter de rug zijn,' merkte ze bitter op.

Twee dagen na zijn terugkeer uit Beiroet hurkte Dante in het zand op de bodem van de groeve om zijn negentien aspirant-bommenleggers voor te doen hoe ze de lichaamsholte van een dode hond met PETN konden vullen, toen er iets gebeurde bij de toegang tot het hek boven hen. Verscheidene lijfwachten van dr. al-Karim trokken aan het scheermesjesgaas. Toeterend reden twee auto's en een pick-up het kamp in en wierpen een stofwolk op. Terwijl het stof neerdaalde, was te zien dat gewapende mannen die de kenmerkende Hezbollah-hoofddoeken droegen iemand uit de tweede auto versleepten die een wijde gestreepte pyjama droeg en een kap over zijn hoofd had. Vrouwen uit het dorp stroomden toe en lieten hoge jubelkreten van triomf horen. Adbullah tilde de zoom van zijn boernoes op om over het pad omhoog te draven tot hij binnen gehoorsafstand was van de gewapende mannen die waren achtergebleven om hun auto's te bewaken en schreeuwde hen iets toe. Iemand riep een antwoord op zijn vraag terug en schoot met zijn kalasjnikov in de lucht. Abdullah draaide zich om naar de groeve, hield zijn handen voor zijn mond en riep: 'Allah is groot. Ze hebben een spion van de Israëli's gevangengenomen.'

De bommenleggers in opleiding begonnen opgewonden door elkaar te praten. Dante snauwde hen toe dat ze moesten opletten. Abdullah kwam bij de groep terug en vertaalde wat hij had gezegd. Dante, die een rubber handschoen over zijn rechterhand had getrokken, trok de ingewanden door de snee die hij in de buik van de hond had gemaakt en begon de in doeken gewikkelde brokken PETN in de holte te duwen, en de ontsteking die door een radiosignaal kon worden geactiveerd. Met een dikke naald naaide hij de opening met slagerstouw dicht. Hij kwam overeind, trok de handschoen uit en richtte zich tot Abdullah. 'Zeg dat ze de dode hond zo moeten neerleggen dat de buik de andere kant op wijst dan de richting waaruit de vijand nadert.' Een van de studenten stak zijn hand op. Abdullah vertaalde zijn opmerking. 'Hij zegt dat een dode hond passender is dan de stenen van papier-maché die we tot nu toe hebben geleerd langs de weg neer te leggen!'

'Zeg tegen hem dat de Grieken de truc met het paard van Troje geen twee keer hadden kunnen gebruiken,' zei Dante. 'Zeg dat hetzelfde geldt voor de Israëli's. Ze zullen heel snel doorhebben dat er nepstenen worden gebruikt om bommen mee te camoufleren. Een dode hond midden op de weg is zoiets gewoons dat de Israëlische jeeps gewoon zullen doorrijden. Op dat ogenblik…'

Dr. al-Karim verscheen boven hen aan de rand van de groeve. Hij gebruikte een megafoon om te roepen: 'Meneer Pippen, ik wil u even spreken.'

Dante stak loom zijn hand op en liep over het pad naar boven. Halverwege merkte hij op dat enkele gewapende mannen van de Hezbollah zich bij de imam hadden gevoegd. Ze hadden allemaal hun zwart-witte hoofddoeken voor hun gezicht getrokken, zodat alleen hun ogen zichtbaar waren. Licht hijgend bereikte Dante het hoogste punt en liep naar dr. al-Karim toe. Twee van de gewapende mannen laadden hun kalasjnikovs door. Zodra Dante het metaalgeluid hoorde, bleef hij stokstijf staan. Hij forceerde een lachje. 'Uw strijders lijken me vandaag wat nerveus,' merkte hij op. 'Wat is er aan de hand?'

Zonder antwoord te geven draaide dr. al-Karim zich om en liep met grote stappen terug naar zijn huis. Twee mannen begonnen

Dante met de loop van hun wapen te duwen. Hij protesteerde. 'Als jullie willen dat ik achter hem aan loop, hoeven jullie het alleen beleefd te vragen.'

Hij sjokte achter de imam aan naar het grote huis naast de moskee. Bij de achterdeur zag hij dat de deur van dr. al-Karims kamer op een kier stond. Een van de gewapende mannen achter hem gebaarde met zijn kalasjnikov. Schouderophalend schopte Dante de deur open en ging naar binnen.

In de kamer leek de tijd tot stilstand gekomen. De corpulente dr. al-Karim zat roerloos achter zijn bureau naar de Israëlische spion te staren, die midden in het vertrek met wit snoer op een keukenstoel was vastgebonden. Van onder de zwarte kap klonk gesmoord gekreun van de gevangene. Dante merkte op hoe smal diens polsen en enkels waren en trok de overhaaste conclusie dat Hezbollah een minderjarige had aangehouden. De imam gebaarde dat Dante op de andere keukenstoel moest gaan zitten. Vier gewapende mannen gingen achter hem tegen de muur staan.

'Waar waren we bij ons laatste gesprek gebleven?' vroeg dr. al-Karim stijfjes.

'We spraken over de Grieken en Aristoteles. U veroordeelde de Grieken omdat zij stelden dat de rede toegang tot de waarheid geeft, in tegenstelling tot het geloof.'

'Precies. Wij weten wat wij weten door ons geloof in Allah en Zijn profeet, dat ons de juiste weg wijst, de enige weg. Het kan als een vergrijp worden beschouwd als een afvallige katholiek zoals u dit niet aanvaardt; normaal gesproken zou een gelovige zoals ik pogingen in het werk stellen u te bekeren of, als dat niet lukte, u wegsturen.' Hij keek even naar de spion. 'Als iemand van onze mensen het geloof zijn of haar rug toekeert, is het een doodzonde, waarop de doodstraf staat.'

De imam mompelde een bevel in het Arabisch. Een van de gewapende mannen ging achter de Israëlische spion staan en trok de kap weg. Dante hield geschrokken zijn adem in. Djamillahs lange donkere haar lag in pieken met geronnen bloed tegen haar schedel geplakt. Een van haar ogen zat dicht en haar lippen lagen open; een paar tanden ontbraken. Aan haar ene oorlel bungelde een grote ring; haar andere oorlel was ingescheurd, alsof de ring was afgerukt zonder hem los te maken.

'U ontkent niet dat u haar kent?' vroeg dr. al-Karim.

Dante had moeite met spreken. 'Ik ken haar in vleselijke zin,' zei hij ten slotte, nauwelijks verstaanbaar. 'Ze heet Djamillah. Ze is de prostituee die werkte in de kroeg die ik in Beiroet heb bezocht. Ze heeft me mee naar boven genomen, naar wat wij Ieren de intensive care noemen.'

'Djamillah is een schuilnaam. Ze beweert dat ze zich haar echte naam niet kan herinneren, maar dat is natuurlijk een leugen; ze beschermt haar familie tegen represailles. Ze gaf zich voor prostituee uit om voor de Joden te spioneren. Luchtfoto's van verschillende opleidingskampen, ook dat van ons, zijn aangetroffen in de ruimte die ze gebruikte. Op sommige foto's stond een toelichting in het Engels, een beschrijving van de indeling van het kamp. Wij vermoeden dat u haar aan die aantekeningen hebt geholpen toen u haar in Beiroet bezocht.'

Een schor gefluister kwam over Djamillahs beurse lippen; ze sprak langzaam en deed haar best bepaalde medeklinkers met open mond uit te spreken. 'Ik heb ze verteld... degenen die me hebben verhoord... dat de Ier een klant was.'

'Wie heeft dan de aantekeningen op de foto's gemaakt?' wilde de imam weten.

'De aantekeningen... stonden op de foto's... toen ik ze kreeg.'

Dr. al-Karim knikte kort. De gewapende man achter Djamillah stak twee vingers in de overgebleven oorring en gaf een ruk. De ring schoot los en het bloed spoot uit het oor. Djamillah wilde gillen, maar viel flauw voordat ze de gil had kunnen slaken.

Een kan water werd in haar gezicht gesmeten. Haar wimpers weken trillend uiteen en de gesmoorde gil klonk alsnog, met dierlijke kracht. Dante wendde zich pijnlijk getroffen af. Dr. al-Karim liep om zijn bureau heen en posteerde zich voor Dante. 'Wie ben jij?' gromde hij.

'Pippen, Dante. Freelance vrijdenker en vrije geest, explosievendeskundige van Ierse komaf, tot uw dienst zolang de cheques op mijn rekening in een belastingparadijs blijven binnenkomen.'

De imam liep om de gevangene heen, keek naar de vrouw maar sprak tegen Dante. 'Ik wil graag geloven wat u zegt, voor uw eigen bestwil, en dat van mij.'

'Kom zeg; ze moet tientallen en misschien wel honderden mannen hebben ontvangen in de ruimte boven de bar. Elk van die mannen kan haar contactpersoon zijn geweest.'

'Hebt u intieme omgang met haar gehad?'

'Ja.'

'Heeft ze bijzondere lichaamskenmerken?'

Dante beschreef het kleine litteken aan de binnenkant van haar dij, het vaccinatielitteken op haar linkerarm, of was het haar rechterarm, dat wist hij niet zeker meer. O ja, en ze had een verbleekte tatoeage van een nachtvlinder onder haar rechterborst. Dr. al-Karim richtte zich tot de gevangene, greep haar wijde blouse bij de voorpanden en rukte hem open. Hij staarde naar de verbleekte tatoeage onder haar borst en stopte de losse stof weer onder het witte snoer waarmee ze was geboeid.

'Hoeveel hebt u haar betaald?' vroeg de imam.

Dante dacht even na. 'Vijftig dollar.'

'In welke coupures?'

'Twee twintigjes en een tientje.'

'U hebt haar twee briefjes van twintig en een tientje gegeven?'

Dante schudde zijn hoofd. 'Ik heb het geld op het bureau gelegd. Ik heb er een granaathuls op neergezet.'

'Wat had ze aan toen u seks met haar had?'

'Haar schoenen.'

'En u?'

'Een condoom.'

Dr. al-Karim keek strak naar Dante. 'Zij zegt ook dat u een condoom droeg – om uw besneden penis. Ik neem aan dat u kunt uitleggen waarom een Ierse katholiek uit Castletownbere besneden is?'

Dante rolde met zijn ogen van ongeduld. 'Natuurlijk kan ik dat uitleggen. In een vlaag van grote stompzinnigheid heb ik me daartoe laten overhalen door mijn eerste Amerikaanse vriendin, die dat min of meer als voorwaarde stelde om met haar te kunnen slapen. Ze had zichzelf wijsgemaakt dat ze minder gevaar liep om een geslachtsziekte op te doen als ik mijn voorhuid liet afhakken.'

'Hoe heette dat meisje?'

'Jezus nog aan toe, u denkt toch niet dat ik alle namen kan opnoemen van meisjes met wie ik naar bed ben geweest?'

'Waar is het gebeurd?'

'O, dat weet ik nog wel. Op de derde verdieping van een naar ether ruikende kliniek.' Dante noemde de naam en het adres van de kliniek.

De imam ging weer achter zijn bureau zitten. 'U krijgt huisarrest,' zei hij tegen Dante. 'Het is duidelijk dat u deskundig bent op het gebied van explosieven. Maar ik vrees dat u voor een andere opdrachtgever werkt dan Hezbollah. Wij zullen uw levensloop uitvoerig moeten natrekken. We zullen iemand naar Castletownbere op het schiereiland Beara moeten sturen, we zullen beginnen bij Mary McCullagh en het restaurant The Bank en dan verder het spoor volgen. We zullen nagaan of de kliniek in New York uw besnijdenis heeft geregistreerd. Als u ook maar over het minste of geringste hebt gelogen...' Hij maakte zijn zin niet af.

Terwijl Dante overeind kwam, liet de gevangene een gesmoord gekreun horen. Iedereen in de kamer keek naar haar. Met openhangende mond hyperventileerde Djamillah met scheef gehouden hoofd; snakkend naar adem keek ze met haar ene oog op naar Dante. Met moeite slaagde ze erin uit te brengen: 'Je bent... belazerd in bed, Ier.' Toen toonde ze een scheef grijnsje en er klonk een gesmoord gelach dat diep uit haar keel kwam.

In zijn lage kamer, waar gewapende mannen de deuropening bewaakten, ging Dante op zijn veldbed liggen en staarde naar het witgesausde plafond; hij vroeg zich af of de vlekken van doodgeslagen vliegen bulletins van het front konden uitdrukken. En hij luisterde weer naar haar stem in zijn hoofd; hij hoorde terug wat ze met heel veel inspanning over haar gekneusde lippen had gekregen: *je bent belazerd in bed, Ier.*

Bij zonsondergang verscheen Abdullah bij de deur van zijn kamer. Zijn houding was omgeslagen; het was aan zijn ogen te zien dat hij Dante niet langer als strijdmakker beschouwde. 'U moet mee,' zei hij, draaide zich om en liep meteen weer weg. Twee gewapende mannen met hun kaffiya voor hun gezicht, zodat alleen hun ogen onbedekt waren, sloten zich achter Dante aan die Abdullah door het dorp volgde naar de omheining van het Hezbollah-kamp. De poort in de omheining was opengezet en Abdullah gebaarde naar Dante dat hij mee moest komen naar de rand van de groeve. De negentien aspirant-bommenleggers stonden in een rij opgesteld, met het vaste personeel, en de gewapende mannen van Hezbollah die de gevangene uit Beiroet hadden overgebracht. Aan de andere kant van de groeve werd Djamillah met haar rug naar de zon door twee van de gewapende mannen aan een paal vastgebonden. Een van de mannen hing een kleine kaki tas om haar hals en stak zijn hand erin om het elektrische circuit op scherp te zetten. Djamillahs benen konden haar niet meer dragen en ze hing in de touwen waarmee ze aan de paal was vastgebonden. Terwijl de gewapende mannen bij haar wegliepen en de kaki tas aan de riem om haar hals hing, verscheen dr. al-Karim naast Dante. Hij had een zendertje in zijn hand dat hij de Ier aanbood. 'Wilt u de eervolle taak op u nemen?'

Dante keek naar het zendertje. 'Ze is niet mijn vijand,' zei hij.

Hoog boven de Beka'a-vallei kwamen vanuit het noorden geruisloos twee Israëlische straaljagers over; op de condensstrepen viel het laatste zonlicht. Toen de toestellen recht boven het Hezbollah-kamp vlogen, bogen ze negentig graden af naar het westen. Terwijl ze doorvlogen naar zee, werd het kamp omgeven door het gieren van de motoren.

De imam staarde naar de vrouw in de groeve die aan de paal was gebonden. Met een abrupt gebaar hief hij de zender en draaide aan de knop tot er een holle klik te horen was; toen drukte hij hem in. Gedurende een ogenblik dat een eeuwigheid leek te duren, gebeurde er niets. Met gefronste wenkbrauwen hief dr. al-Karim nogmaals de zender om opnieuw een signaal te geven, toen met een doffe klap opeens een wolk mosterdkleurige damp opsteeg. Nadat die was opgetrokken, bleek de vrouw verdwenen; van de paal was alleen een stomp over. Aan de rand van de groeve liepen de fedajien weg in de duisternis die in dit jaargetijde snel over de Beka'a viel. De imam haalde zijn snoer van jade kralen tevoorschijn en liet ze tussen zijn vingers door glijden. De beweging scheen Dante een vorm van afreageren toe. Hij merkte op dat de vingers en lippen van dr. al-Karim trilden. Had hij misschien voor het eerst eigenhandig een vrouw gedood?

'Wanneer iemand uit ons midden het geloof verwerpt,' mompelde de imam voor zich heen, 'is dat een doodzonde, waarop de doodstraf staat.'

Tegen middernacht wakkerden de koude rukwinden aan die meestal 's nachts over de Golan-hoogvlakte trokken, waardoor het geluid werd overstemd van de helikopters die op grote hoogte naderden en zich als stootvogels lieten vallen op strategische punten rond het Hezbollah-kamp. De controlepost op de plaats waar de weg naar Beiroet zich omhoogslingerde naar het dorp en het kamp werd overmeesterd zonder dat er een schot werd gelost. De fedajien zagen dat de mannen die naar hen toe kwamen kaffiya's droegen en maakten de fatale fout hen voor Arabieren aan te zien. '*Assalamoe aleikoem*,' riep een van de mannen met een kaffiya naar de schildwacht bij de controlepost, en die riep terug: '*Wa aleikoem salaam.*' Het waren zijn laatste woorden. In de bunker op de heuvel boven de steengroeve begonnen de fedajien met hun zware automatische wapens te schieten op het donker toen ze gedaanten zagen die de helling op renden; de aanvallers, uitgerust met nachtzichtbrillen, beantwoordden het vuur pas toen ze dichtbij genoeg waren om granaten over de zandzakken rond de bunker te gooien. Andere teams uit de helikopters, die hun gezicht met houtskool zwart hadden gemaakt, renden door het dorp om de twee gebouwen aan te vallen waarin de cursisten sliepen. De meeste cursisten, personeelsleden en bezoekende fedajien werden neergeschoten terwijl ze door ramen en deuren probeerden te vluchten. Met springladingen die tegen de achtermuur van het stenen gebouwtje waren geplaatst werd de Hezbollah-vlag weggeblazen, waarna een reeks lichtere explosies volgde toen de houten munitiekisten vlam vatten.

Dante, die bij de deur van zijn kamer gehurkt zat, hoorde de beide bewakers over hun portofoon om instructies roepen. Toen antwoord uitbleef, haastten ze zich allebei naar het huis van de imam achter de moskee, maar werden op weg daarheen gedood door een Israëlisch team dat de smalle straat blokkeerde. De eerste slachtoffers onder de overvallers vielen toen enkelen de achterdeur van dr. al-Karims werkruimte forceerden. Een van dr. al-Karims lijfwachten kwam met de handen boven zijn hoofd naar hen toe en blies zichzelf op, waardoor twee overvallers om het leven kwamen en nog eens twee overvallers gewond raakten. De andere overvallers, die door ramen en deuren binnenstroomden, doodden bij hun bestorming van kamer tot kamer lijfwachten, personeel, een van de echtgenotes van de imam en twee van zijn tienerzoons. Ze vonden dr. al-Karim, die zich in een grote klerenkast op de bovenste verdieping had verstopt, terwijl zijn tweede vrouw en twee andere kinderen hun heil hadden gezocht in de aangrenzende badkamer met vergulde kranen boven de badkuip en de wasbak. De imam kreeg handboeien om en werd geblinddoekt en door de straten naar een van de wachtende helikopters afgevoerd.

Toen de salvo's afnamen, knoopte Dante Djamillahs witzijden doek om zijn hals en draafde in de richting van de waterput tussen het dorp en het Hezbollah-kamp. Toen hij in de smalle straten een hoek om kwam, bevond hij zich plotseling in een kruisvuur tussen fedajien, die zich op de begane grond in de school hadden verschanst, en de aanvallers, die achter een muurtje aan de overkant hurkten. Dante dook weg achter een pick-up zodra de fedajien met granaten begonnen te schieten. Een ervan ontplofte vlak bij de pick-up en Dante voelde het schroeien van een granaatscherf, laag in zijn rug. Het schieten leek van verder weg te komen terwijl hij op de weg bleef liggen, starend naar de dofwitte streng aan de nachthemel terwijl hij wachtte op de pijn die zeker zou komen. Licht koortsig probeerde hij de Melkweg scherp te zien om te kunnen bepalen welke ster de goddelijk geworden ziel van Djamillah, de alevitische prostituee, vertegenwoordigde, tot de verzengende pijn in zijn rug zo fel werd dat hij het bewustzijn verloor.

Dante werd wakker in het verblindende wit van een ziekenhuiskamer. Zonlicht viel door twee ramen naar binnen en boven het verband voelde hij de warmte op zijn schouders. Hij wendde zijn gezicht van het zonlicht af en ontwaarde Crystal Quest die op het bed ernaast zat en op ijsklontjes kauwde terwijl ze een cryptogram oploste. Benny Sapir, de spionagechef van de Mossad die hem in Washington zijn instructies had gegeven, keek naar hem vanaf het voeteneinde.

'Verdomme Fred, waar ben ik?' vroeg Dante hees.

'Hij leeft weer,' merkte Benny op.

'Het zal tijd worden,' bromde Quest; ze wilde niet dat Dante haar aanwezigheid als een teken van sentimentaliteit zou opvatten. 'Ik heb wel wat anders te doen dan zijn hand vasthouden. Hé Dante, als Ier moet jij dit weten: "Joyce's stilzwijgen, ballingschap en…" Acht letters, begint met een S.'

'Sluwheid. Dat was Stephen Daedalus' overlevingsmechanisme in *Portrait of an Artist*.'

'Sluwheid. Ha! Dat past precies.' Fred tuurde over de rand van de krant en richtte haar bloeddoorlopen ogen op de gewonde agent. 'Je bent in Haifa, Dante, in een Israëlisch ziekenhuis. De artsen hebben metaalsplinters uit je rug moeten verwijderen. Het slechte nieuws is dat je er een lelijke deuk in je rug aan overhoudt en een matig functionerend linkerbeen. Het goede nieuws is dat de schade beperkt is gebleven en dat je voortaan een pistool op je rug kunt verbergen, zonder dat het aan je kleding te zien is.'

'Is de imam gepakt?'

'De man die zich uitgaf voor imam, ja, die hebben we opgepakt. Nakomeling van de Profeet, me hoela! Ik denk niet dat het kwaad kan hem bij te praten,' zei ze tegen Benny.

'Izzar al-Karim was een pseudoniem. In werkelijkheid heette die imam van je Aown Kikodze; hij was de enige zoon van een Afghaanse vader en diens derde vrouw, een meisje van onder de twintig uit Kazachstan, dat een schoonheidswedstrijd in Alma Ata had gewonnen. Kikodze heeft tandheelkunde gestudeerd in Alma Ata en werkte daar begin jaren tachtig als assistent-tandarts, toen hij *hegira* deed in Mekka, waar hij werd ontdekt door scouts uit Iran die hem bij Hezbollah haalden. Hij viel ons op toen hij een moskee begon boven een opslagruimte in Zuid-Libanon en over de nabije vijand en de verre vijand begon te preken; niemand kon zijn warrige betoog volgen, maar het klonk als een islamversie van wat jullie Amerikanen hel-en-verdoemenispreken noemen en hij maakte er naam mee. Een tijdje later bleek hij de zwarte tulband van een sayyid te dragen en een opleidingskamp van Hezbollah te leiden. Op ditzelfde ogenblik proberen mijn collega's hem aan de praat te krijgen over de activiteiten van Hezbollah in de Beka'a.'

'Ik vermoed dat dat wel zal lukken,' zei Fred. 'De Israëli's zijn in oorlog, Dante, dus zij hebben niet van die slappe mensenrechtenactivisten die in hun nek hijgen, zoals wij. Als hij nog compos mentis is wanneer ze met hem klaar zijn, krijgen wij de povere resten.'

Dante keek naar Benny. 'Waarom heb je me dat niet verteld toen je me in Washington op de hoogte bracht?'

'Als je was gepakt, had je gepraat. We wilden niet dat de zogenaamde imam te weten zou komen dat wij wisten dat hij een zogenaamde imam was.'

'Ja, nou, het heeft ons Djamillah gekost,' zei Dante bitter.

Crystal Quest liet zich van het bed glijden en kwam naar Dante toe. 'Er zijn overal in de Levant meisjes die Djamillah heten. Wie bedoel je?'

'Djamillah uit Beiroet, god nog aan toe, de alevitische die zich uitgaf voor prostituee. Ze is zes uur voor de komst van de helikopters geëxecuteerd. Ik verwed er wat onder dat jullie niet willen weten hoe.'

Fred snoof. 'O, die Djamillah! Jezus, Dante, voor iemand in jouw branche ben je soms vreselijk naïef. "Djamillah" was een alias. In werkelijkheid heette ze Zineb. Ze gaf zich niet uit voor prostituee, ze werkte als prostituee in Dubai toen ze werd ingeschakeld. En ze was geen aleviet, ze was een soenniet uit Irak. Dankzij ons raffinement meende ze dat ze voor Saddam Hoesseins Mukhabarat werkte. Die valse vlag berustte op een elegante logica, al zeg ik het zelf. Saddam heeft een bloedhekel aan de sjiieten en hun mentoren uit Iran, en dus heeft hij een bloedhekel aan Hezbollah, een sjiitische cliënt van de moellahs in Iran.'

Dante hoorde Djamillahs stem in zijn oor. *Je bent belazerd in bed, Ier.* 'Wie ze ook was, ze heeft geprobeerd me te redden, terwijl ze had kunnen gebruiken wat ze wist om haar eigen leven te redden.' Hij zag de witzijden doek aan een haak aan de deur hangen. 'Doe me een lol, Fred, geef me dat ding even aan.'

Crystal Quest pakte het zijden vierkant en legde het in Dantes hand. 'Dat is niet zomaar een souvenir,' zei Benny aan het voeteneinde. 'Aan dat ding heb je je leven te danken. Toen je niet bij de waterput kwam opdagen, besloot ons team je af te schrijven. Een van de groepjes die een laatste inspectie in het kamp uitvoerde, kon melden dat hij een man met een witte halsdoek bij een pick-up had zien liggen. Daardoor ben je gered.'

'Mijn personage als Dante Pippen is onbruikbaar geworden.'

'Dat is geen enkel probleem,' zei Fred grinnikend. 'In Langley grossieren we in personages. Voordat jij weer aan de slag kunt, hebben we een splinternieuwe voor je klaar.'

'Dankzij jou is de operatie een groot succes geworden, Dante,' zei Benny.

'Het was om te huilen,' zei Dante heftig, en dat bedoelde hij letterlijk.

1997: MARTIN ODUM KOMT TE WETEN DAT *SHAMUS* EEN JIDDISJ WOORD IS

Doezelig door het gedreun van de straalmotoren was Martin, met zijn rechterbeen tot op het gangpad gestrekt en zijn linkerknie tegen de rugleuning van de stoel voor hem, halverwege de vlucht in slaap gesukkeld, waardoor hem de aanblik was ontgaan van de branding voor de kust van Israël, die zich als een verblindend tapijt onder de vleugel van het toestel ontrolde. Hij schrok wakker toen het landingsgestel werd uitgeklapt. Hij keek even naar Stella, die in de stoel naast de zijne in een diepe slaap was gevallen.

Hij raakte even haar schouder aan. 'We zijn er bijna.'

Ze knikte somber; hoe dichter ze bij Israël kwamen, des te minder raakte ze ervan overtuigd dat ze de verdwenen man van haar zuster moesten opsporen. Stel dat ze hem vonden? Wat dan?

Volgens de elementaire regels van veiligheid waren ze via verschillende routes naar Israël gekomen. Zij had het vliegtuig genomen naar Londen, vandaar de trein naar Parijs en dan het vliegtuig naar Athene, waar ze was overgestapt op de nachtvlucht van twee uur naar Tel Aviv. Hij was naar Rome gevlogen en enkele uren ondergedoken in de mensenmenigte bij het Colosseum, waarna hij in de trein naar Venetië was gestapt en met de nachtferry naar Patras was overgestoken, waar hij de bus had gepakt naar het vliegveld van Athene en in het vliegtuig naar Israël was gestapt. Martin, die achter Stella in de rij had gestaan, had de grondstewardess aan de balie met een knipoogje gevraagd om een stoel naast het knappe meisje dat net had ingecheckt.

'Kent u haar?' had de vrouw gevraagd.

'Nee, maar ik wil haar graag leren kennen,' had hij gezegd.

De vrouw had gelachen. 'Jullie blijven het proberen, hè?'

Nadat het vliegtuig in de motregen op Ben-Gurion was geland, taxiede het naar de slurf en de gezagvoerder vroeg de passagiers over de intercom in het Engels te blijven zitten voor controle. Twee slanke jonge mannen met over de broek hangend overhemd om de vuurwapens aan hun riem te camoufleren kwamen over het middenpad gewandeld om pasfoto's met gezichten te vergelijken. Een van de jongemannen, die een spiegelende zonnebril droeg, bereikte Martins rij.

'Paspoort,' snauwde hij.

Stella haalde haar paspoort uit haar handtas onder haar stoel. Martin pakte het zijne uit zijn binnenzak en gaf beide passen aan de veiligheidsman. Die bladerde ze door met zijn duim. Terwijl hij de passen teruggaf, vroeg hij: 'Reist u samen?'

'Nee,' zeiden ze allebei tegelijkertijd.

De jongeman stak de passen in zijn zak. 'Mee,' zei hij kortaf. Hij ging opzij zodat Martin zijn handbagage uit het vak kon halen. Daarna dirigeerde hij Stella en Martin over het middenpad voor zich uit. De andere passagiers vergaapten zich aan de man en vrouw die werden weggesluisd en vroegen zich af of het om terroristen of beroemdheden ging.

Een olijfgroene Suzuki met een dik plastic schot tussen voorbank en achterbank stond op de vochtige landingsbaan te wachten en Martin en Stella moesten achterin gaan zitten. Martin hoorde de sloten van de achterportieren dichtklikken en stelde zich in op wat een korte rit bleek te zijn. Stella wilde iets zeggen, maar hij legde haar met een vingerbeweging het zwijgen op door te impliceren dat er afluisterapparatuur kon zijn. Omdat hij zag dat ze zich slecht op haar gemak voelde, lachte hij haar geruststellend toe.

De eerste schaduwen van de aanbrekende dag slopen over de baan en het terrein ten oosten van het vliegveld terwijl de auto naar een verre hangar terzijde van de hoofdbaan reed en bij een metalen trap parkeerde die naar een groene deur hoog in de hangar leidde. De sloten in de achterportieren van de Suzuki klikten open en de bestuurder wees met zijn kin naar de trap.

'Ze willen zeker dat we naar boven gaan,' merkte Stella op.

Martin bromde instemmend.

Steunend op zijn goede been liep hij voor haar uit de trap op. Boven trok hij aan de zware stalen deur, hield hem open voor Stella en liep achter haar aan de ruime bovenverdieping op, waar het plafond opvallend laag was. Her en der zaten zo'n twintig mensen te werken aan computerterminals; ondanks het bord met 'Streng verboden toegang' aan de buitenkant van de deur keek niemand op toen de twee bezoekers binnenkwamen. Vrouwelijke soldaten in kaki uniform met minirok stuurden karretjes door de ruimte om links en rechts diskettes op te halen en uit te delen. Een man met kortgeknipt grijs haar verscheen vanachter een dik gordijn dat de afscheiding vormde van een hoek van de ruimte. Hij droeg een pak met das (een zeldzaamheid in Israël) en had een ambtenarenglimlach op zijn diep gebruinde gezicht.

'Kijk eens aan wie we hier hebben: Dante Pippen in eigen persoon.'

'Ik wist niet dat de mandarijnen van de Shabak zo matineus waren,' repliceerde Martin.

Het gezicht van de Israëli verstrakte. 'De mandarijnen van de Shabak slapen nooit, Dante. Vroeger wist je dat.' Hij keek even naar Stella, die het elastiekje lostrok van de vlecht op haar rug zodat het haar, vochtig van de motregen, zou drogen zonder te gaan kroezen. 'Wijk eens af van je vaste gewoonten,' zei de Shabak-mandarijn tegen Martin, terwijl hij bleef kijken naar diens slanke gezellin in haar strakke broek en op sportschoenen, 'wees zo galant ons voor te stellen.'

'Vroeger heette hij Asher,' liet Martin Stella weten. 'Heel goed mogelijk dat hij naar een ander stadium is geëvolueerd. Toen we elkaar tegen het lijf liepen, was hij een rus bij de Shabak, wat de korte aanduiding is van Sherut ha-Bitachon ha-K'lali. Spreek ik dat redelijk goed uit, Asher? De Shabak is min of meer vergelijkbaar met de FBI.' Martin keek de Israëli grijnzend aan. 'Ik heb geen flauw idee wie zij is.'

De Israëli spreidde zijn hand. 'Ik ben niet van eergisteren of gisteren, Dante.'

'Als jullie haar uit het vliegtuig hebben gehaald, moeten jullie weten wie ze is. Zeg op, Asher. Wie heeft jullie getipt?'

'Een spraakzaam vogeltje.' Asher hield het gordijn open om zijn bezoekers toe te laten tot de plek die hij als werkruimte gebruikte. Hij wees naar een bank en ging op een hoge stoel tegenover hen zitten.

'Zou dat spraakzame vogeltje een wijfje kunnen zijn dat Fred heet?' informeerde Martin.

'Hoe kan een wijfje nou Fred heten?' vroeg Asher onschuldig.

'Fred is Crystal Quest, chef vuile trucs bij de CIA.'

'Heet ze echt zo, Dante? Wij kennen de adjunct-chef Operaties van de CIA onder een andere naam.'

Stella keek naar Martin. 'Waarom noemt hij je Dante?'

Asher gaf het antwoord. 'Toen uw reisgenoot ons acht jaar geleden een gunst bewees, werkte hij onder het alias Dante Pippen. Hij verdween van onze radar voordat we zijn werkelijke identiteit hadden kunnen achterhalen. Dus u kunt zich voorstellen hoe verbaasd we waren toen we tot de ontdekking kwamen dat Dante Pippen met de vlucht van Olympus uit Athene hierheen zou komen, reizend onder de naam Martin Odum. Is Martin Odum je echte naam of is dat weer een ander alias?'

'Ik zou het niet meer weten.'

'Mensen zoals jij zouden niet zomaar Israël komen binnenvallen zonder contact op te nemen met de Shabak. Dat lijkt mij gewoon een kwestie van professionele beleefdheid. En dat geldt des te meer als je samen reist met iemand die voor de KGB heeft gewerkt.'

Martin zakte onderuit tegen de rugleuning van de bank en keek strak naar Stella. 'De Israëli's vergissen zich niet als het om zulke bijzonderheden gaat,' zei hij zacht. 'Straks zeg je nog dat je niet echt Stella heet.'

'Ik kan het uitleggen,' zei ze.

Een van de vrouwelijke soldaten in een opvallend korte kaki minirok kwam achteruit langs het gordijn tevoorschijn met een pot hete thee en twee mokken. Ze zette ze neer. Asher mompelde iets tegen haar in het Ivriet. Het meisje keek even over haar schouder naar het bezoek en giebelde.

'Als je het kunt uitleggen, leg het dan uit,' zei Asher tegen Stella. Hij schonk de mokken vol en schoof ze over de tafel naar de bezoekers toe.

'Wat heb je voor de KGB gedaan?' vroeg Martin aan Stella.

'Ik was geen spion of zo,' antwoordde ze. 'Kastner was adjuncthoofd van het Zesde Hoofddirectoraat voordat hij overliep. Het directoraat hield zich voornamelijk met economische criminaliteit bezig, maar het moest ook onderdak bieden aan afdelingen die niet bij andere directoraten waren ondergebracht. De vervalsers werkten bijvoorbeeld op het Zesde Hoofddirectoraat en hun begroting zat verstopt in de algemene begroting. Hetzelfde gold voor de afdeling die blauwdrukken maakte voor wapens die de Sovjet-Unie niet van plan was te ontwikkelen, maar doorspeelde naar de Amerikanen in de hoop dat zij hun middelen zouden uitputten in de concurrentie met ons. Ik gaf Engelse les aan basisscholieren toen Kastner me een baan aanbood bij een afdeling die zo geheim was dat alleen een handjevol partijmensen buiten het Kremlin van het bestaan wist. Intern werd de aanduiding onderafdeling Marx gebruikt; maar dat sloeg op Groucho, niet Karl. U moet zich voorstellen dat vijfentwintig man aan een lange tafel artikelen uit kranten en tijdschriften knipten en anti-Sovjetgrappen verzonnen...'

Ashers hele gezicht drukte ongeloof uit. 'Ik heb heel wat sterke verhalen gehoord, maar dit slaat alles.'

'Laat haar uitspreken.'

Stella zette door. 'De KGB beschouwde de Sovjet-Unie als een snelkookpan en onderafdeling Marx als het metalen ventieltje waardoor je soms stoom kon laten ontsnappen. Op vrijdag ging ik erheen met nog een paar jonge vrouwen om de moppen uit ons hoofd te leren die de onderafdeling de afgelopen week had verzonnen. We konden onkosten declareren; in het weekend gingen we naar restaurants of Komsomolclubs of fabriekskantines of poëzievoordrachten om de grappen door te vertellen. Er is een keer onderzoek naar gedaan, waaruit bleek dat een goede grap die in Moskou werd verteld in zesendertig uur het schiereiland Kamtsjatka kon bereiken, aan de Pacifische kust.'

'Geef eens een paar voorbeelden van grappen die je hebt doorverteld,' beval Asher.

Stella deed haar ogen dicht om na te denken. 'Toen er in Polen demonstraties waren tegen het legeren van Sovjetmilitairen, hielp ik het verhaal verspreiden over de Poolse jongen die een politiebureau in Warschau binnenstormt en roept: "Gauw gauw, u moet me helpen. Twee Zwitserse soldaten hebben mijn horloge gestolen." De politieman kijkt verbaasd en zegt: "Je bedoelt zeker dat twee

Russische soldaten je horloge hebben gestolen." En de jongen zegt: "Ja, natuurlijk, maar dat hebt u *mij* niet horen zeggen!'"

Toen Martin en Asher niet lachten, zei Stella: 'Dat werd indertijd erg grappig gevonden.'

'Weet je er nog een?' vroeg Martin.

'Een van onze succesvolste grappen was die over twee apparatsjiks van de communistische partij die elkaar in Moskou op straat tegenkomen. De een zegt tegen de ander: "Heb je het al gehoord? Onze Sovjet-geleerden zijn erin geslaagd miniatuurkernkoppen te maken. Nu hebben we geen dure intercontinentale raketten meer nodig om Amerika van de kaart te vegen. We kunnen een kernkop in een koffer verstoppen en die koffer in een bagagekluisje in Grand Central Station in New York achterlaten en als we dan last hebben van de Amerikanen, leggen we New York in de radioactieve as." De andere Rus antwoordt: "*Njevozmozjno*. Onmogelijk. Hoe komen we in Rusland aan een koffer?"'

Stella's grap deed Martin denken aan een gebeurtenis in verband met een oude dekmantel: Lincoln Dittman in gesprek in een terroristenkamp bij het drielandenpunt van Paraguay, Argentinië en Brazilië, met de Saoedi die een Sovjet-kofferbom wilde aanschaffen. Stella's grap leek hem niet echt om te lachen. Asher was het kennelijk met hem eens, want hij knauwde op de binnenkant van zijn wang, uit frustratie.

Geïrriteerd herhaalde Stella: 'Hoe komen we in Rusland aan een koffer? Dat is de clou, god nog aan toe. Is het in Israël verboden om te lachen?'

'Asher lacht al heel lang niet meer, net als zijn collega's bij de CIA en de KGB,' zei Martin. 'Ze dienen hun tijd uit in een wereld die ze niet meer begrijpen. Als ze het lang genoeg volhouden, krijgen ze een overheidspensioen en gaan draadloze sperziebonen verbouwen in hun tuintje in een buitenwijk. De voornaamste emotie hier is nostalgie. Bij de zeldzame gelegenheden dat ze zich ontspannen, beginnen ze elke zin met: "Weet je nog..." Zo is het toch, Asher?'

Asher leek pijnlijk getroffen door Martins uithaal. 'Nou goed,' zei hij tegen Stella, 'laten we maar even aannemen dat je voor onderafdeling Marx zouteloze anti-Sovjetgrappen hebt verspreid waardoor het land stoom kon afblazen. Waar jij en Dante ook voor naar het heilige land zijn gekomen, niet om grappen te vertellen.'

'Toerisme,' zei Martin effen.

'Absoluut. Toerisme,' herhaalde Stella met nadruk. Ze pakte de mok thee, doopte er haar pink in en bevochtigde haar lippen met haar vingertop. 'We komen voor de Tempelberg, we willen Masada en de Dode Zee zien, we willen de Kerk van het Heilige Graf zien...' Haar stem stierf weg.

'Ben je van plan bij je zuster langs te gaan in de nederzetting op de Westelijke Jordaanoever?'

Stella keek even naar Martin en weer naar Asher. 'Dat natuurlijk ook.'

'En in welke hoedanigheid houdt Dante je gezelschap?'

Stella stak haar kin naar voren. 'Ik ken hem als Martin. Hij is mijn minnaar.'

De Israëli keek naar Martin. 'Dus als het moet, kun je haar lichaam beschrijven.'

'Geen probleem. Tot en met de verbleekte tatoeage van een Siberische nachtvlinder onder haar rechterborst.'

Uit zijn ooghoek zag Martin dat Stella de bovenste knoopjes van haar bloes losmaakte; opnieuw was er geen lingerie te zien, alleen een driehoek bleke huid. Asher schraapte uit verlegenheid zijn keel. 'Dat hoeft echt niet, juffrouw Kastner. Ik heb reden om aan te nemen dat Dante als particulier detective werkzaam is en dat u hem om zijn diensten hebt gevraagd. Wat u in uw vrije tijd doet, moet u zelf weten.' Asher keek naar Martin. 'Dus dat is wat spionnen gaan doen wanneer ze uit de kou zijn gekomen: ze ondergaan een metamorfose tot detective. Lijkt me onderhoudender dan sperziebonen verbouwen. Vertel eens, Dante, hoe pak je het aan om detective te worden?'

'Naar oude detectivefilms kijken.'

'Hij is een enorme fan van Humphrey Bogart,' verklaarde Stella, zonder Martin aan te zien.

Asher observeerde haar terwijl ze haar thee dronk. Toen hij weer het woord nam, was zijn stemming omgeslagen; Martin vond hem ineens meer op een uitvaartondernemer lijken dan op een rechercheur. 'Ik heb slecht nieuws voor u, juffrouw Kastner,' begon Asher. Hij liet zich van zijn kruk glijden, liep naar een tafel en sloeg het bovenste dossier open dat op een stapel mappen lag. 'Het spijt me dat ik u dit moet vertellen,' zei hij en las voor: 'Het volgende is een mededeling van het Amerikaanse minsterie van Buitenlandse Zaken, doorgestuurd door de Amerikaanse ambassade in Tel Aviv. "Wilt u Estelle Kastner hiervan op de hoogte stellen: haar vader, Oskar Alexandrovitsj Kastner, heeft vijf dagen geleden in zijn huis in Brooklyn een hartaanval gehad." '

Pijnlijk getroffen kneep Stella haar ogen dicht. 'O mijn god, ik moet Kastner direct bellen,' fluisterde ze.

Martin zag aan de sombere uitdrukking op Ashers gezicht dat opbellen geen zin had. 'Hij is dood, hè?'

'Ik vrees dat Dante gelijk heeft,' zei Asher tegen Stella. Zijn blik viel op Martin. 'Dat spraakzame vogeltje wilde dat ik je iets zou doorgeven, Dante. Het lijk van een Chinees meisje is op het dak van je etage gevonden. Haar baas in het Chinese restaurant ging haar zoeken toen ze niet op haar werk verscheen. Ze was doodgestoken door bijen uit een van je kasten. Beroerde manier om dood te gaan, vind je niet?'

'Ja,' zei Martin grimmig. 'Dat vind ik zeker.'

Martin noch Stella zei een woord in de gemeenschappelijke taxi uit angst dat de bestuurder of een van de andere passagiers voor de Shabak werkte; beiden waren ook bang dat hun gevoelens hun te veel zouden worden als de troostende stilte werd verbroken. Vijftig minuten na het verlaten van het vliegveld stonden ze op een straathoek in het centrum van Jeruzalem. Om hen heen was druk ochtendverkeer. Groepjes militairen met groene kogelvrije vesten en groene baretten, onder wie Ethiopiërs met een donkere huid, surveilleerden op straat en controleerden de papieren van jongemannen die, naar het uiterlijk te oordelen, Arabieren konden zijn. Martin liet zes taxi's passeren voordat hij de zevende aanhield. Ze lieten zich naar het Eastern Colony-hotel in Oost-Jeruzalem brengen, waar een rij Palestijnse taxi's voor de ingang stond. Een jonge Rus, in Israël voor een schaaktoernooi, stond over een schaakbord gebogen dat op een motorkap rustte, waarbij hij met een tv-camera werd gefilmd. Hij speelde tegen zichzelf en liet de stukken hard op het bord neerkomen in twaalf snelle zetten, terwijl hij mompelend commentaar gaf op de zwakke stee in de zwarte stelling of de dwaasheid van de witte aanval. Hij zag een opening, bracht genietend de witte stukken in stelling voor de eindaanval, keek toen op en verklaarde in het Engels dat zwart opgaf na de briljante opmars van wit.

'Hoe kan hij tegen zichzelf spelen zonder gek te worden?' vroeg Stella.

'Het voordeel van tegen jezelf spelen is dat je, anders dan in het echte leven, weet wat de volgende zet van je tegenstander zal zijn,' antwoordde Martin.

Hij wachtte tot de eerste drie Palestijnse taxi's met passagiers waren weggereden voordat hij de vierde wenkte. 'Mustaffah, om u te dienen,' verklaarde de jonge Palestijn en legde hun koffers in de achterbak van een gele Mercedes die zo te zien ouder was dan hij. 'Waarheen?'

'Kiryat Arba,' zei Stella.

Het enthousiasme verdween uit Mustaffahs ogen. 'Dat kost honderdtwintig shekel of dertig Amerikaanse dollar,' zei hij. 'Ik ga niet verder dan de hoofdingang. De Joden laten geen Arabische taxi's binnen.'

'De hoofdingang is prima,' zei Martin terwijl hij en Stella zich installeerden op het gebarsten leer van de achterbank.

Mustaffahs plastic gebedskralen aan de binnenspiegel tikten tegen de voorruit terwijl de taxi in hoog tempo op forten lijkende wijken van Jeruzalem passeerde en bushaltes met grote groepen orthodoxe Joden. Mustaffah nam de nieuwe snelweg die in zuidelijke richting de heuvels van Judea doorsneed. Over de rotsige hellingen aan weerskanten van de autoweg waren ploegjes Palestijnen op weg over onverharde paadjes (om de Israëlische controleposten te ontwijken) naar Joods Jeruzalem, waar ze los werk hoopten te vinden. In de wadi's waren jongetjes te zien die in de bomen waren geklommen om olijven te plukken, die ze onder hun open hemd stopten.

'Je hebt daar op het vliegveld wel het lot getart,' merkte Martin op. 'Ik bedoel toen je op het punt stond je blouse open te knopen om Asher de tatoeage onder je borst te laten zien. Wat had je gedaan als hij je niet had tegengehouden?'

Stella schoof naar Martin toe tot haar dij de zijne raakte; ze had veel behoefte aan troost. 'Ik vind dat ik wel aardig wat kijk op mensen heb,' zei ze. 'Mijn instinct gaf me in dat hij me zou tegenhouden, of op zijn minst zijn blik zou afwenden.'

'En ik dan?' vroeg Martin. 'Dacht je dat ik ook zou wegkijken?'

Stella staarde door de groezelige ruit naar buiten en bedacht hoe stevig ze Kastner bij het afscheid had omhelsd; hij had abrupt zijn rolstoel weggedraaid, maar ze had toch de tranen in zijn ogen gezien. Ze keek opzij naar Martin. 'Sorry. Ik was er niet bij. Wat zeg je?'

'Ik vroeg of je dacht dat ik ook niet zou kijken, als je Asher de beweerde tatoeage onder je borst liet zien.'

'Ik weet het niet,' gaf ze toe. 'Ik heb je nog niet in de peiling.'

'Wat valt er te peilen?'

'Mijn instinct is niet zo sterk dat ik je kan doorgronden. Je kern gaat schuil achter zoveel stemmingen dat het bijna is alsof je een paar verschillende mensen bent. Ik kom er bijvoorbeeld niet achter of je interesse hebt in vrouwen. Ik weet niet of je me wilt verleiden of niet. Vrouwen moeten op dat punt zekerheid hebben voordat ze een werkende relatie met een man kunnen hebben.'

'Niet,' zei Martin zonder aarzelen. 'Het probleem met vrouwen in het algemeen en jou in het bijzonder is dat je niet in staat bent hoffelijkheid te accepteren zonder aan te nemen dat daar de bedoeling te verleiden achter steekt.' Martin dacht aan Minh die op hun weinige avonden samen zijn onwillige lichaam een erectie had ontlokt; hij vroeg zich af of haar dood op het dak van het huis echt een ongeluk was geweest. 'Het zit zo, Stella: ik heb het gehad met verleiding. Wie mij tegen de muur dwingt kan oorlog verwachten, geen liefde.'

'Daar klinkt pijn in door,' fluisterde Stella, denkend aan haar eigen pijn. 'Je zou moeten overwegen dat intimiteit de pijn misschien kan verzachten.'

Martin schudde zijn hoofd. 'In mijn ervaring word je intiem om tot seks te komen. Na de seks geeft de intimiteit alleen nog meer pijn.'

Stella schoof bij hem vandaan en zei kribbig: 'Echt iets voor een man om te denken dat je intiem wordt met seks als doel. Vrouwen benaderen het onderwerp subtieler: die beseffen dat seks een manier is om intimiteit te bereiken, dat intimiteit het ultieme orgasme is, dat je in staat stelt te ontsnappen uit de gevangenis van je eigen ik; in de huid van een ander te kruipen, in de psyche van een ander mens. Seks die tot intimiteit leidt, is uitbreken uit de gevangenis.'

Mustaffah remde af voor een Israëlische controlepost, maar mocht doorrijden zodra twee naar binnen kijkende soldaten de passagiers hadden aangezien voor Joodse kolonisten op weg naar huis. De taxi reed snel langs karren vol sinaasappels of courgettes en restaurants waar kebab van het spit op het menu stond en garages met auto's op blokken waar monteurs op hun rug onder lagen. De taxi minderde weer vaart voor een schaapskudde die zich haastig verspreidde toen Mustaffah toeterde. Jonge Arabische vrouwen met baby's in een doek op hun rug en oudere vrouwen in lange gewaden met bundels op het hoofd sjokten langs de kant van de weg en wendden hun gezicht af tegen het stof dat de Mercedes opwierp.

Na een halfuur rijden kwam de taxi tot stilstand voor Kiryat Arba bij een bord waarop stond: 'Zionistische nederzetting – hoe erger hij wordt belaagd, des te sterker wordt hij.' Martin zag de twee bewakers bij de poort in de omheining argwanend kijken. Ze waren allebei gewapend met een uzi en droegen een kogelwerend vest waar de kwastjes van hun gebedsriemen onderuit kwamen. Terwijl Stella de koffers uit de achterbak tilde, liep Martin om de taxi heen om met Mustaffah af te rekenen. Van een van de minaretten in de laagte drong een opname van de oproep aan de gelovigen tot het middaggebed door in de Joodse nederzetting. Terwijl Martin drie biljetten van tien dollar door het raampje naar binnen stak, merkte hij op dat er op de gelamineerde vergunning op het handschoenenkastje wel een foto van Mustaffah zat, maar dat zijn naam vermeld stond als Azzam Khouri.

'Waarom noem je je dan Mustaffah?' vroeg hij.

'Mustaffah was mijn broer, hij is tijdens de intifada doodgeschoten door soldaten van de Israëli's. We gooiden stenen en zij werden kwaad en schoten met kogels op ons. Sindsdien noemt mijn moeder me Mustaffah alsof mijn broer nog leeft. Soms noem ik mezelf Mustaffah om diezelfde reden. Soms weet ik niet wie ik ben. Zoals vandaag.'

De bewakers bij de poort controleerden de passen van de bezoekers. Toen Stella uitlegde dat ze haar zus wilde bezoeken, Ya'ara Oegor-Zjilov, belden ze naar de nederzetting, een verzameling flatgebouwen en eengezinswoningen die lukraak verspreid leek over kaal aangetroffen heuvels bij de Arabische stad Hebron. Na een paar minuten verscheen een gedeukte pick-up op de heuvel die traag, met haperende motor, langs een kinderspeelplaats vol moeders en kinderen naar het hek reed. Een ogenblik later klampten Stella en haar zuster zich aan elkaar vast. Martin zag Stella zachtjes praten bij het oor van haar zuster. Elena, of Ya'ara zoals ze zich nu noemde, ging een stap achteruit, schudde haar hoofd en liet zich huilend in de armen van haar zus vallen. De bestuurder van de pick-up, een gezette man van rond de vijftig met een baard, met zwarte sportschoenen, een zwart pak met een zwarte das en zwarte vilthoed, kwam naar Martin toe. Hij bekeek hem schattend door dikke dubbelfocusglazen in een metalen montuur.

'Sjalom, meneer Martin Odum,' zei hij en aan zijn stem was te horen dat hij uit Brooklyn kwam. 'Ik ben rabbijn Ben Zion. U bent een vriend van Stella, een detective. Zo is het toch?'

'Het klopt allebei,' zei Martin. 'Ik ben detective en ik ben een vriend van Stella.'

'Ik ben de rabbijn die Ya'ara en Samat heeft getrouwd,' verklaarde Ben Zion. 'Als u gaat proberen om Samat op te sporen zodat die arme Ya'ara een religieuze scheiding kan krijgen, ga ik met u in gesprek. Anders niet.'

'Hoe weet u dat ik detective ben? Of dat ik Samat wil opsporen?'

'Dat heeft een vogeltje aan de Shabak verteld en die heeft mijn persoontje verteld dat wij toeristen konden verwachten die alleen Kiryat Arba willen bezoeken. Wonder boven wonder zijn jullie er nu.' De rabbijn bracht zijn hand bij zijn ogen om ze tegen de middagzon te beschermen en bekeek de detective uit Brooklyn die naar Kiryat Arba was gekomen. 'Dus u bent geen Jood, meneer Odum.'

Achter hen liepen de beide zusters met de armen om elkaars middel de heuvel op. 'Hoe weet u dat?' vroeg Martin.

Rabbijn Ben Zion wees met zijn hoofd in de richting van Hebron, zichtbaar in de vallei onder een kolom van hitte trillende lucht. 'Je woont niet midden in een zee van Arabieren zonder iemand van je eigen mensen te herkennen als je hem tegenkomt.'

'Dus het is een kwestie van instinct.'

'Overlevingsinstinct, ontwikkeld in de loop van tweeduizend jaar.' De rabbijn tilde de beide koffers in de laadbak van de pick-up. 'Dus stapt u maar in,' vervolgde hij. 'Ik breng u naar Ya'ara's flat. Dan zijn we er eerder dan de meisjes, dus we kunnen vast theewater opzetten en een rouwkaars voor haar vader aansteken; het vogeltje heeft me ook verteld over het sterfgeval in de familie, maar het leek me beter als Stella haar zus het slechte nieuws zou overbrengen. Als u het vriendelijk vraagt, zal ik u vertellen wat ik weet van de verdwenen echtgenoot.'

De rabbijn schakelde en reed met wapperende slaaplokken de heuvel op, langs het winkelcentrum vol vrouwen met rokken tot op de enkels en jongens met gehaakte keppeltjes. Ya'ara bleek te wonen in een kleine tweekamerflat op de begane grond in een van de flatgebouwen met uitzicht over Hebron. 'Toen haar man haar in de steek liet, had ze geen eigen middelen, dus heeft onze synagoge zich over haar ontfermd,' legde de rabbijn uit. Hij zocht de juiste sleutel aan een volle ring en deed de deur van het slot. De flat was spartaans ingericht. Er stond een smal bed in de ene kamer, met een gebarsten spiegel in een lijst met plastic zeeschelpen erboven, en een omgekeerde houten kist die als nachtkastje fungeerde. In de huiskamer stond een kleine vierkante klaptafel met een geplastificeerd kleedje en op een van de onderling verschillende klapstoelen was een zwart-wit-tv neergezet. Op de een meter hoge boekenkast die de afscheiding met het keukentje vormde stonden bloempotten met plastic geraniums. Martin deed de deur van de kleine badkamer open. Katoenen damesondergoed en enkele paren lange wollen kousen hingen aan een lijn boven de badkuip. Ben Zion merkte Martins blik op toen hij in de huiskamer terugkwam. 'We hebben de meubels gekocht van Arabieren van wie de huizen tussen hier en Hebron zijn gebulldozerd zodat wij veilig naar de grot van Machpela kunnen lopen.'

Martin liep naar het raam, trok de zonwering op en keek naar de wirwar van straten en gebouwen die Hebron vormden. 'Wat is de grot van Machpela?' vroeg hij over zijn schouder.

De rabbijn stond in de keukennis en probeerde met een lucifer het gasstel aan te steken om een ketel water op te zetten. 'Hoor ik dat goed? Wat is de grot van Machpela? Dat is niet minder dan de op een na belangrijkste heilige plaats voor Joden op de planeet aarde, onmiddellijk na de Tempelberg of wat daarvan over is, de Klaagmuur. Hebron, dat in bijbelse tijden ook Kiryat Arba heette, is waar aartsvader Abraham zijn eerste 'doenams' land in Kanaän kocht. De grot is waar Abraham begraven ligt; zijn zoons Izaak en Jacob en zijn vrouw Sara. Het is ook een heilige plaats voor de Palestijnen, die onze Abraham als een van hun profeten hebben gecoöpteerd; zij hebben er een moskee gebouwd en wij zijn genoodzaakt om beurten in de grot te bidden.' De rabbijn ontstak het gas en zette de ketel erop. Ongelovig zijn hoofd schuddend streek hij nog een lucifer af om een rouwkaars voor de dode aan te steken die hij naar de kamer droeg. 'Wat is de grot van Machpela?' vroeg hij retorisch, terwijl hij de kaars op de kleine tafel neerzette. 'Zelfs een goj zou dat moeten weten. Wij gaan elke vrijdagavond te voet naar de grot om op deze heilige plaats de sabbat te verwelkomen. U en Stella kunnen gerust mee; dan kunnen jullie de Shabak vertellen dat jullie een echte bezienswaardigheid hebben bezocht.'

Martin vond dat er wel genoeg was gebabbeld. 'En Samat?' vroeg hij weer.

Rabbijn Ben Zion hield zijn hand voor zijn mond om een boertje te onderdrukken. 'Wat wilt u weten?'

'Is hij er met een andere vrouw vandoor?'

'Ik zal u eens iets vertellen, meneer de detective uit Brooklyn die denkt dat mannen hun vrouw alleen verlaten voor een andere vrouw. Samat hoefde zijn vrouw niet te laten zitten om een andere vrouw te krijgen; hij betaalde voor alle dames die zijn libido behoefde. Als hij voor een paar dagen in zijn Honda verdween, waar ging hij dan heen, dacht u? Dat was een publiek geheim. Hij ging daarheen waar veel mannen naartoe gaan als ze een dame willen die dingen doet waartoe hun vrouw niet bereid is. In Jaffa, in Tel Aviv, in Haifa zijn wat mijn moeder, zij ruste in vrede, poelen des verderfs noemde, waar je aan je trekken kunt komen met hulp van vrouwen die zich naakt willen laten bekijken en die voor een zeker bedrag alle wensen van de cliënt vervullen.' De rabbijn gebaarde vaag naar de Middellandse Zee. 'Samat had seksuele behoeften, dat kon je aan zijn ogen zien, dat zag je aan de manier waarop hij naar zijn schoonzuster Estelle keek toen die op bezoek kwam in Kiryat Arba. Samat had ook nog andere obsessies dan zijn vleselijke verlangens. Wat ik bedoel is dat hij nog andere affaires had dan seksuele.'

In het keukentje begon de ketel te gillen. De rabbijn schoot overeind om het gas uit te draaien. Even later kwam hij terug met de ketel en vier porseleinen kopjes die hij op de vierkante tafel naast de rouwkaars neerzette. Over de tafel gebogen om beter te kunnen zien wat hij deed, hing Ben Zion Lipton-theezakjes in de vier kopjes en vulde het eerste met kokend water. Toen Martin een afwerend gebaar maakte, nam hij het kopje zelf en ging ermee op een van de klapstoelen te zitten, met gespreide benen en zijn voeten plat op de vloer; hij wipte ongeduldig met zijn ene voet. Martin trok een andere stoel bij en ging tegenover hem zitten.

'Waarom zou iemand als Samat, die poelen des verderfs moest bezoeken om zijn verlangens te bevredigen, met een vrome vrouw trouwen die hij nooit had ontmoet?'

'Kan ik in Samats hoofd kijken, dat ik daar antwoord op kan geven?' De rabbijn blies luidruchtig in zijn kopje en bracht het voorzichtig aan zijn lippen om de temperatuur te testen. Hij vond de thee nog te heet en zette hem terug op tafel. 'Hij was een vreemde vogel, die Samat. Ik ben Ya'ara's rabbijn. In de joodse godsdienstbeleving gaan we niet te biecht zoals katholieken doen. Maar we nemen onze geestelijke leiders wel in vertrouwen. Ik geloofde Ya'ara toen ze zei dat Samat haar in haar huwelijksnacht niet had aangeraakt, of daarna. Hij heeft nooit in het echtelijk bed geslapen. Misschien is ze nog maagd, dat zou ik niet weten. Toen Samat met haar onder hetzelfde dak leefde, was ze er echt van overtuigd dat er iets aan haar mankeerde. Ik probeerde haar ervan te overtuigen dat er iets aan hem mankeerde. Ik heb ook geprobeerd op hem in te praten.'

'Lukte dat?'

De rabbijn schudde vreugdeloos het hoofd. 'Zoals een oud Joods gezegde luidt: met Samat was geen land te bezeilen.'

'Wat deed hij hier?'

'Zich schuilhouden.'

'Waarvoor? Voor wie?'

De rabbijn voelde opnieuw of zijn thee voldoende was afgekoeld. Deze keer kon hij ervan drinken. 'Kan ik soms gedachten lezen? Hoe moet ik weten waarvoor of voor wie? Hoor eens, hier in een Joodse nederzetting komen wonen tussen al die Arabieren in is zoiets als tekenen voor het Vreemdelingenlegioen. Zodra je je handtekening hebt gezet, vraagt niemand meer naar je curriculum vitae, dan zijn we blij met je aanwezigheid. Wat ik wel weet, is dat Samat naar de chef veiligheid van Kiryat Arba is gegaan om een wapen te vragen. Hij zei dat hij zijn vrouw wilde kunnen beschermen als de terroristen van Hamas ooit een aanval zouden doen.'

'En heeft hij een wapen gekregen?'

De rabbijn knikte. 'Iedereen in een nederzetting die kan zien waarop hij schiet, kan een wapen krijgen.' Ben Zion herinnerde zich nog iets anders. 'Samat leek over een onbeperkte hoeveelheid geld te kunnen beschikken. Hij betaalde alles contant: een splitlevelhuis aan de kant van Kiryat Arba waar je van de zonsondergangen kunt genieten, een splinternieuwe Japanse auto met airco. Hij had geen vrienden met wie hij optrok, hij ging nooit mee met Ya'ara naar de synagoge, ook niet op hoogtijdagen, al bleef niet onopgemerkt dat ze altijd een envelop met bankbiljetten op de collecteschaal legde. Geeft u het maar toe, meneer de Amerikaanse detective: u weet vast niet eens dat *shamus* een Jiddisj woord is.'

'Ik dacht het een Iers woord voor speurneus was.'

'Iers!' De rabbijn sloeg zich op de knieën. 'De shamus was de synagogekever, de bijnaam voor het lid van de gemeente dat voor de sjoel zorgde.' Ben Zion schudde bevreemd zijn hoofd. 'Hoe is het mogelijk dat u een gevluchte echtgenoot kunt opsporen als u niet eens weet waar het woord shamus vandaan komt?'

Door de plotselinge binnenkomst van Ya'ara en Stella hoefde Martin geen uitleg te geven over die lacune in zijn ontwikkeling; bovendien kon hij nu voor het eerst naar Samats echtgenote kijken. Ze was een kleine, gezette vrouw met het mollige gezicht van een tiener en het lichaam van een matrone; haar zware boezem zette de knoopjes van haar bloes zo onder spanning dat Martin vreesde dat er elk ogenblik een af kon vliegen. In de ruimte tussen de knoopjes zag hij een glimp van de roze stof van een stevige beha. Ze droeg een rok tot op de enkels zoals de meeste Loebavitsjer vrouwen en een ronde vilthoed met platte rand die ze nerveus verdraaide op haar hoofd, alsof ze de voorkant probeerde te vinden. De weinige huidgedeelten die Martin kon zien, waren krijtwit omdat ze niet aan het zonlicht werden blootgesteld. Ze had betraande wangen. Stella, die niet zichtbaar had gehuild, toonde hetzelfde subtiele lachje dat Martin eerder in zijn biljartzaal had gezien.

De rabbijn schoot overeind toen de vrouwen in de deur verschenen; Ya'ara bleef staan om voor het binnenkomen de mezoeza te kussen. De rabbijn greep haar hand met zijn beide handen vast, boog zich haar haar toe zodat zijn hoofd op dezelfde hoogte kwam als het hare en bestookte haar met een stortvloed in het Hebreeuws die, in de oren van de shamus, meer naar Brooklyn dan de bijbel klonk. Martin concludeerde dat de rabbijn Ya'ara condoleerde, want ze begon weer te snikken; de tranen stroomden over haar wangen en drupten op haar hoog dichtgeknoopte blouse. Ben Zion voerde Ya'ara mee naar de rouwkaars en begon, deinend op zijn tenen en hakken, in het Hebreeuws te bidden. Ya'ara veegde haar tranen af met haar mouw en bad met hem mee.

'Bid jij niet voor je vader?' fluisterde Martin in Stella's oor.

'Ik bid alleen voor de levenden,' antwoordde ze verbeten.

Na het gebed vertrok de rabbijn om het sabbatsbezoek aan de grot van Machpela te gaan begeleiden en Martin kreeg zijn eerste gelegenheid met Stella's zus te praten. 'Gecondoleerd met je vader,' begon hij.

Ze aanvaardde zijn betuiging van medeleven door verlegen haar ogen neer te slaan. 'Ik had zijn dood niet verwacht, en zeker niet aan een hartaanval. Hij had het hart van een leeuw. Na alles wat hij had doorgemaakt...' Ze haalde zuchtend de schouders op.

'Je zus heeft me ingeschakeld om Samat te zoeken zodat je religieus kunt scheiden.'

Ya'ara keek Stella aan. 'Wat schiet ik op met een scheiding?'

'Het is een kwestie van trots,' benadrukte Stella. 'Je kunt het niet over je kant laten gaan.'

Martin bracht het gesprek terug op wat voor hem van praktisch belang was. 'Heb je iets van hem: een boek dat hij heeft gelezen, een telefoon die hij heeft gebruikt, een fles drank waaruit hij heeft gedronken, of zelfs een tandenborstel? Wat dan ook?'

Ya'ara schudde haar hoofd. 'Er was briefpapier met een adres in Londen erop, maar dat is verdwenen, en ik weet het adres niet meer. Toen Samat wegging, had hij al zijn bezittingen in een koffer gedaan en hij betaalde twee jongens om die naar de taxi te dragen. Hij nam zelfs onze trouwfoto's mee. De enige foto die er nog van hem is heeft Stella gemaakt na het officiële gedeelte en naar onze vader gestuurd.' Bij de gedachte aan haar vader rolden de tranen weer over haar wangen. 'Hoe kon Samat zijn vrouw dit aandoen?'

'Volgens Stella telefoneerde hij veel,' zei Martin. 'Belde hij zelf of werd hij door mensen gebeld?'

'Allebei.'

'Dus er moeten gegevens bestaan over de nummers die hij heeft gebeld.'

Ze schudde weer haar hoofd. 'De rabbijn heeft de veiligheidsdienst hier gevraagd de telefoonnummers na te trekken. Iemand is zelfs naar Tel Aviv geweest om navraag te doen bij het telefoniebedrijf. Hij kwam terug met de medeling dat de computerband waarop de telefoonnummers waren vastgelegd bij vergissing was gewist. Er viel niet meer na te gaan met welke nummers hij verbonden was geweest.'

'Welke taal sprak hij aan de telefoon?'

'Engels, Russisch. Soms Armeens.'

'Heb je hem ooit gevraagd waarmee hij zijn geld verdiende?'

'Eén keer.'

'Wat zei hij toen?' vroeg Stella.

'Eerst wilde hij geen antwoord geven. Toen ik bleef aandringen, zei hij dat hij een bedrijf had dat in het Westen gefabriceerde kunstledematen verkocht aan mensen die hun benen waren kwijtgeraakt aan Russische landmijnen in Bosnië, Tsjetsjenië, Koerdistan. Hij zei dat hij er goudgeld mee zou kunnen verdienen, maar tegen kostprijs leverde.'

'En jij geloofde hem?' vroeg Stella.

'Ik had geen reden hem niet te geloven.' Opeens gingen Ya'ara's ogen wijd open. 'Een keer belde iemand toen hij er niet was en gaf een nummer op dat hij moest terugbellen. Ik dacht dat het wel iets met die kunstbenen te maken zou hebben en noteerde het op wat er voor de hand lag, de achterkant van een recept, en schreef het daarna over op het notitieblokje bij de telefoon. Ik scheurde de pagina eraf en gaf die aan Samat toen hij thuiskwam, en hij ging er meteen mee naar de slaapkamer om het nummer te draaien. Ik kan me herinneren dat het gesprek hoog opliep. Samat schreeuwde in de hoorn en hij schakelde telkens van het Engels over naar het Russisch en weer naar het Engels.'

'Dat recept,' zei Stella. 'Heb je dat nog?'

Stella en Martin merkten allebei dat Ya'ara aarzelde. 'Het is geen verraad aan je man,' zei Martin. 'Als we hem vinden, gesteld dat we hem vinden, willen we alleen zorgen dat jij je get krijgt, zodat je verder kunt met je leven.'

'Dat is Samat aan je verplicht,' zei Stella.

Zuchtend, alsof haar ledematen waren verzwaard, hees Ya'ara zich overeind om een blikken doos uit een kast te pakken. Ze liep ermee naar de huiskamer, haalde het deksel eraf en begon te zoeken tussen de recepten die ze jarenlang uit de *Elle* had geknipt. Ze nam een recept voor apfelstrudel uit de doos en draaide het om. In potlood was er een telefoonnummer op genoteerd, te beginnen met 44, dan het kengetal 171. Martin diepte een viltstift op om het nummer in zijn boekje over te schrijven.

'Waar is dat?' vroeg Stella aan Martin.

'Vierenveertig is Engeland, 171 is Londen,' zei hij. Hij richtte zich weer tot Ya'ara. 'Ging Samat ooit ergens naartoe?' vroeg hij.

'Een of twee keer per week ging hij met de auto weg en dan duurde het soms een paar uur, soms een paar dagen voor hij terugkwam.'

'Enig idee waar hij heen ging?'

'De enige keer dat ik ernaar heb gevraagd zei hij dat het geen pas gaf voor een vrouw om zich met de zaken van haar man te bemoeien.'

Stella keek Martin levendig aan. 'Een keer zijn we met hem mee geweest, Martin.' Ze lachte even naar haar halfzusje. 'Weet je nog, Elena...'

'Ik heet nu Ya'ara,' zei Stella's zuster koel.

Stella liet zich niet uit het veld slaan. 'Het was toen ik over was voor de trouwerij,' zei ze opgewonden. 'Ik moest die avond om zeven uur op Ben-Gurion zijn voor mijn retourvlucht naar New York. Samat had ergens een lunchafspraak. Hij moest iemand aan de kust spreken, maar als wij ons zolang konden vermaken, kon hij mij op het vliegveld afzetten op de terugweg naar Kiryat Arba.'

'Dat weet ik nog,' zei Ya'ara. 'We pakten brood met worst in en namen een plastic fles appelsap mee.' Ze zuchtte weer. 'Dat was een van de gelukkigste dagen in mijn leven,' voegde ze eraan toe.

'Hij nam de snelweg naar het noorden, richting Tel Aviv,' zei Stella tegen Martin, 'en sloeg af bij Caesarea. In het labyrint van straten vond hij trefzeker de weg. Hij zette ons af bij de duinen voor een rij huizen met A-gevels. Verderop aan de kust konden we de hoge schoorstenen van de elektriciteitscentrale zien.'

Ya'ara's gezicht begon voor het eerst in Martins aanwezigheid te stralen; daardoor leek ze bijna knap. 'Ik had een enorme strohoed op om mijn gezicht tegen de zon te beschermen,' kon ze zich herinneren. 'We aten in de schaduw van een eucalyptusboom ons brood op en gingen toen in het zand naar Romeinse munten zoeken.'

'En wat deed Samat in de tussentijd?' vroeg Martin.

De meisjes keken elkaar aan. 'Dat heeft hij niet gezegd. Om halfzes haalde hij ons weer op bij die A-gevelhuizen en om tien over halfzeven zette hij me af bij het vliegveld.'

'Hm,' zei Martin fronsend, terwijl hij de eerste stukjes van de puzzel in elkaar probeerde te passen.

Martin haalde een aantekenboekje uit zijn zak (volgens voorschrift gevuld met bijnamen en eenvoudig gecodeerde telefoonnummers) en gebruikte zijn AT&T-card om Xings restaurant op te bellen (dat bij 'Vetsin' in het boekje stond) onder zijn poolzaal aan Albany Avenue in Crown Heights. Het tijdverschil in aanmerking genomen zou Tsou op dit ogenblik op zijn hoge kruk bij de kassa zitten en dreigend kijken naar Minhs opvolgster als zij verzuimde de duurste gerechten op het menu aan te prijzen. 'Pekingeend hangt twee dagen,' had hij eens tegen Minh gezegd, terwijl zijn gouden tand glom van het speeksel, 'is liefdesplikkel. Goed voor electie.'

'Xings lestaulant,' verkondigde een hoge stem, zo duidelijk alsof hij uit de kamer ernaast kwam. 'Geen lunchtafel vlij, vanavond ook niet. Wel tafel vlij zondag lunch.'

'Niet ophangen,' zei Martin. 'Tsou, ik ben het, Martin.'

'Yin shi, vanwaal bel je?'

Martin wist dat Fred zijn gangen liet nagaan door Asher en de Israëlische Shabak, dus hij dacht niet dat hij zijn mond voorbijpraatte als hij de waarheid zei.

'Ik ben in Israël.'

'Islaël het Joodse koninklijk of Islaël de Joodse delicatessenzaak aan Kingston Avenue?' Tsou wachtte het antwoord niet af. 'Je weet het van Minh?'

'Daarom bel ik. Vertel me wat er is gebeurd, Tsou.'

Het verhaal spoot eruit: 'Ze gaat kasten kijken zoals je had gezegd. Blijft weg. Gasten ongeduldig. Geen bediening, geen eten. Ik ga kijken, roep: "Minh." Blijft stil. Ik ga naal boven, vind Minh op haal lug, heel stil, kijkt niet, allemaal bijen die haal leven uit haal gezicht steken. Walgelijk. Moet bijna kotsen. Bel boven politie, Matin, hoop dat je het goed vindt, laat ze binnen als ze aanbellen, zij

doen maskels voor en spuiten bijen dood met spuitbus uit gootsteenkastje, nemen Minh mee naal ziekenwagen, gezicht zo gloot
als basketbal. Minh dood bij aankomst bij ziekenhuis, Matin. Dood
van Minh gloot nieuws in *Daily News*, vette kop: "Mooldbijen doden vlouw in Clown Heights."'

'Wat heeft de politie gezegd, Tsou?'

'Volgende dag komen twee mannen in bulgel, schoften betalen
niet vool hun eten, ik zwaai met lekening maar ze kijken niet. Ze
infolmelen naal jou en ik zeg wat ik weet, niets dus. Ze zeggen dat
de dielenbeschelming in witte pakken bijen heeft doodgemaakt. Ze
zeggen dat kasten zijn ontploft, dat bijen daalom Minh aanvallen.
Is nieuw vool mij dat honing kan ontploffen.'

Door het raam zag Martin de oranje strepen van de zonsondergang aan de hemel en de rabbijn die een groep kolonisten verzamelde voor de wandeling over de weg naar Hebron en de grot van
Machpela. 'Dat is voor mij ook nieuw,' zei hij zacht.

'Wat zeg je?' riep Tsou.

'Ik zeg: normaal ontploft honing niet.'

'Hmf. Nou. Politie zegt Minh heet niet Minh, zij is illegaal en
komt uit Taiwan en heet Chun-chian. Veel gasten in mijn lestaulant na stuk in *Daily News*, al staat er "Zing", niet Xing. Ik moet
zeggen: vieze smaak in mond. Geen goed gevoel bij.'

Martin nam aan dat Xing op de dood van Minh doelde. 'Zeg dat
wel,' zei hij.

Maar Tsou leek Minhs gebruik van een valse naam erger te vinden dan haar dood. 'Kan nou niemand meer veltrouwen, hè, yin
shi? Minh niet Minh. Matin misschien niet Matin.'

'Misschien had de *Daily News* het goed,' zei Martin. 'Misschien
is je echte naam wel Tsou Zing met een Z.'

'Misschien,' zei Tsou met een zuur lachje. 'Wie weet?'

Aangevoerd door rabbijn Ben Zion en Martin en met de gezusters
Kastner als hekkensluiters begaf de groep van zo'n dertig ultrana-
tionalistische orthodoxe kolonisten, de mannen met gebedsriemen
en geborduurde keppeltjes en de vrouwen in rokken tot op de enkels, blouses met lange mouwen en hoofddoeken, zich over de weg
naar de grot van Machpela om het begin van de sabbat te vieren op
de heilige plaats waar aartsvader Abraham begraven zou zijn. Twee

politieagenten in een blauw uniform met blauwe honkbalpet liepen met een handjevol jonge kolonisten aan weerskanten van de groep, met een geweer of uzi over de schouder.

De zon was achter de heuvels verdwenen en de duisternis be gon de schemering tussen de gebouwen te verdringen. Instinctief voelde Martin zich slecht op zijn gemak in deze onoverzichtelijke omgeving. Agenten die een opdracht uitvoerden werkten graag overdag omdat ze dan het gevaar konden zien aankomen, en 's nachts omdat ze zich ervoor konden verschuilen; de overgang tussen beide bood geen enkel voordeel. De logge fortificaties die voor de toegang waren gebouwd, doemden op als een schip uit de mist.

'Hoe denken de Palestijnen over jullie pelgrimsbezoeken aan de heilige plaats?' vroeg Martin aan de rabbijn, terwijl hij scherp uit-keek naar de ruimten tussen de Palestijnse huizen rechts van de weg of hij enig teken van activiteit zag. Martin verstrakte toen een licht-straal door een dak werd weerkaatst; terwijl zijn ogen zich instel-den op de schemering, besefte hij dat het niets anders was dan het laatste zonlicht dat op het dak van een meergezinshuis op de zon-nepanelen viel.

'De Palestijnen,' antwoordde de rabbijn met een gebaar naar de omliggende huizen, 'zeggen dat we op hun tenen lopen.'

'Dat is toch ook zo?'

De rabbijn haalde zijn schouders op. 'Hoor eens, we zijn niet on-redelijk. Degenen onder ons die geloven dat de Here God dit land tot in alle eeuwigheid aan Abraham en zijn nazaten heeft geschon-ken, zijn bereid de Palestijnen hier te laten wonen, zolang ze ac-cepteren dat het land van ons is.'

'En de anderen?'

'Die kunnen emigreren.'

'Zo blijft er niet veel bewegingsruimte over voor die anderen, of voor jullie zelf.'

'Het is maar gemakkelijk voor mensen van buitenaf om kritiek te spuien en dan weer het vliegtuig terug te nemen naar hun veilige land, stad, huis…'

'Mijn huis,' zei Martin, 'blijkt minder veilig dan ik dacht.' Hij nam zich voor uit te zoeken hoe Stella's vader precies was gestor-ven. Hij vroeg zich af of er sectie was verricht.

'U doelt op misdaad op straat. Dat is niets vergeleken bij wat wij hier meemaken.'

'Ik bedoel exploderende honing...'

'Wacht even, nu kan ik het niet meer volgen.'

'Privégrapje.'

Gespitst op mogelijk gevaar merkte Martin een vonk op in een steeg tussen twee Palestijnse huizen rechts van hem, wat hoger op de heuvel dan de weg waarover de kolonisten naar de grot liepen. Plotseling laaiden vlammen op en een brandende autoband, waar zwarte rook van afsloeg, rolde naar hen toe de helling af. Terwijl de kolonisten haastig een goed heenkomen zochten, weerklonk de korte holle kuch van een zwaar vuurwapen tegen de huizen en voor Martins voeten verscheen een stofwolkje op de weg. Zijn oude reflexen kregen de overhand; in een onderdeel van een seconde doorgrondde hij de situatie. De autoband was de afleidingsmanoeuvre; het geweerschot was van de andere kant van de weg gekomen, waarschijnlijk van de betonnen cisterne die honderdvijftig meter verder op een heuveltje stond. De beide politieagenten en de gewapende kolonisten hadden instinctief gereageerd en bestormden de helling waarover de autoband was komen aanrollen. Een van de agenten schreeuwde in een portofoon. Achter hen begon in Kiryat Arba een sirene steeds hoger en luider te loeien over de omgeving.

'Het schot kwam van achter ons,' schreeuwde Martin en hij dook achter een stenen muurtje om dekking te vinden terwijl een tweede schot een meter insloeg van de plaats waar hij had gestaan. Gehurkt achter het muurtje wreef Martin over de spieren van zijn stramme been en zag Stella en haar zuster, met opgeschorte rokken, de helling op rennen, terug naar de nederzetting waar overal priemende zoeklichten waren ontstoken. Enkele ogenblikken later kwamen twee Israëlische jeeps en een open vrachtwagen vol soldaten, afkomstig van een nabije legerbasis, over de weg aanscheuren. De soldaten sprongen op de grond en bestormden in gebogen houding de hellingen aan weerskanten van de weg. Van achter de cisterne klonken korte staccato salvo's uit automatische wapens. Martin vermoedde dat de Palestijnse schutter – als het een Palestijn was – allang verdwenen was en dat de soldaten op schaduwen schoten.

De rabbijn klopte het stof van zijn sabbatspak en kwam naar Martin toe. 'Alles goed?' vroeg hij buiten adem.

Martin knikte.

'Dat was wel erg dichtbij,' zei Ben Zion nog nahijgend. 'Als ik niet beter wist, had ik gedacht dat er op u werd geschoten, meneer Odum.'

'Waarom zouden ze dat doen?' vroeg Martin onschuldig. 'Ik ben niet eens Joods. Ik ben hier alleen op bezoek en binnenkort ga ik terug naar mijn veilige land, stad en huis.'

1997: MARTIN ODUM ONTMOET
EEN BEKEERDE OPPORTUNIST

Benny Sapir luisterde gespannen naar Martins verslag van het incident in Hebron. Toen hij ten slotte zijn stilzwijgen verbrak, was het om vragen te stellen die alleen een professional kon bedenken.

'Hoe weet je of het niet wat gedonderjaag van Arabische jongetjes was? Dat is heel gebruikelijk rond Kiryat Arba.'

'Door die afleidingsmanoeuvre. Het was een gesynchroniseerde aanval. Eerst kwam die autoband. Iedereen keek naar rechts. De twee agenten en de gewapende kolonisten renden rechts de helling op. Toen werd het eerste schot gelost. Dat kwam van links.'

'Hoe vaak is er geschoten?'

'Twee keer.'

'En beide keren was de inslag op de weg voor je voeten?'

'Het gebruikte geweer moet naar links hebben getrokken. De eerste kogel sloeg ongeveer een meter voor me in, wat betekent dat hij te kort en links van het doel zat. De schutter moet een correctie hebben toegepast waardoor het tweede schot in de roos was: de kogel sloeg achter me in, zodat ik in de borst was geraakt als ik niet over dat muurtje was gesprongen.'

'Waarom heeft hij niet nog eens geschoten?'

'Dat hij dat niet deed sterkt me in mijn overtuiging dat hij op mij schoot. Toen ik achter dat muurtje uit het zicht verdween, waren er nog zeker tien kolonisten die ineengedoken zaten of plat op de grond lagen. De zoeklichten van Kiryat Arba bestreken de omgeving, zodat hij de mensen gemakkelijk kon zien. Als hij erop uit was om Joden dood te schieten, had hij er heel wat kunnen raken.'

'Misschien is hij afgeschrikt door de zoeklichten en de sirene.'

'Hij is afgeschrikt door de soldaten. Maar dat gebeurde pas vijf of acht minuten later.'

'*Beseder*, oké. Dus waarom zou iemand jou dood willen hebben, Dante?'

'Je bent nog net zo scherp als vroeger, Benny. Je stelt de juiste vragen in de juiste volgorde. Eerst waarom, dan wie.'

Nadat hij van Kiryat Arba (waar Stella bij haar zuster was gebleven) was teruggekeerd naar Jeruzalem, had Martin de krachtige stank in een openbare telefooncel getrotseerd om bij inlichtingen het telefoonnummer van Benny Sapir op te vragen. Hij had bij die naam vijf nummers opgekregen. Het tweede, in een nederzetting op dertien kilometer van Jeruzalem, bleek van de Benny Sapir te zijn die Dante Pippen acht jaar terug in Washington had gebriefd voordat hij naar de Beka'a-vallei ging. Benny, eigenlijk Russenspecialist bij de Mossad, had indertijd een zieke collega vervangen. Aan de telefoon klonk Benny, die nu een jaar met pensioen was, kortademig. Hij herkende de stem van de beller direct. 'Hoe ouder ik word, des te meer moeite kost het me om gezichten en namen te onthouden, maar stemmen vergeet ik nooit,' zei hij. 'Eerlijk gezegd, Dante, had ik niet gedacht ooit meer iets van je te horen.' Voordat Martin iets kon zeggen, stelde Benny voor hem over een halfuur af te halen voor het Rashumu-restaurant in de Joodse *soek* aan de Ha-Eshkolstraat.

Precies op tijd reed een splinternieuwe Škoda voor en de bestuurder, een gespierde man met het lichaam van een worstelaar, toeterde twee keer. Benny's haar was grijs geworden en zijn beroemde lach had iets melancholieks gekregen sinds Martin hem de laatste keer had gezien: acht jaar eerder, aan de voet van zijn ziekenhuisbed in Haifa. 'Er is heel wat water naar de zee gestroomd sinds onze laatste ontmoeting, Dante,' zei Benny terwijl Martin naast hem kwam zitten. 'Weet je zeker dat het geen bloed was?' pareerde Martin, en ze lachten allebei omdat het geen grapje was. Bij de kruising voor hen uit fouilleerden twee Israëlische soldaten van Ethiopische komaf een Arabische jongen met een dienblad vol kopjes koffie. 'Dus tegenwoordig ga je als Martin Odum door het leven,' merkte Benny op, terwijl hij Jeruzalem uitreed in de richting Tel Aviv. De voormalige Mossad-man wierp een snelle blik op de Amerikaan. 'Sorry, Dante, maar ik moest wel contact opnemen met de Shabak.'

'Ik zou in jouw positie hetzelfde hebben gedaan.'

Het was duidelijk dat Benny ermee zat. 'Je moet je toch indekken,' mompelde hij op verontschuldigende toon. 'Tegenwoordig heeft een ander slag mensen de touwtjes in handen; als je die tegen je in het harnas jaagt, komt je pensioenuitkering opeens niet meer op tijd.'

'Alle begrip,' zei Martin nog maar eens.

'Kijk uit met wat je tegen me zegt,' waarschuwde Benny. 'Ze willen een rapport van me over mijn contact met je. Ze weten niet goed wat je hier komt doen.'

'Ik weet ook niet precies wat ik hier kom doen,' gaf Martin toe. 'Waar gaan we heen, Benny?'

'Har Addar. Daar woon ik. Je kunt meeëten, met wat de pot schaft. Je kunt blijven slapen als je een bed nodig hebt. Heeft Martin Odum een dekmantel?'

'Hij is privédetective en hij werkt in Brooklyn, in Crown Heights.'

Benny schudde waarderend zijn hoofd. 'Waarom niet? Detective is een uitstekende dekmantel. Ik heb in mijn tijd verschillende dekmantels gebruikt; mijn favoriete rol, die ik gebruikte toen ik agenten aanstuurde in de voormalige Sovjet-Unie, was die van een uit de kerk gezette Engelse priester die in zonde woonde in Istanboel. Het zondige aspect was het leukst. Voor mijn geloofwaardigheid moest ik de evangeliën zo ongeveer uit mijn hoofd kennen. Bij de bestudering van Johannes heb ik een trauma opgelopen. Als je naar de wortels van het christelijke antisemitisme zoekt, hoef je niet verder te kijken dan het evangelie volgens Johannes, dat trouwens niet door de volgeling Johannes is geschreven. Bij nader inzien kun je dat een voorbeeld noemen van een vroegchristelijke dekmantel.'

Benny ging de snelweg van Jeruzalem naar Tel Aviv af en nam een weg door de heuvels ten westen van Jeruzalem, richting Har Addar, toen Martin hem vroeg of de agenten die hij in de voormalige Sovjet-Unie had aangestuurd Joods waren geweest.

Met een snelle blik op zijn metgezel zei Benny: 'Sommigen wel, de meesten niet.'

'Wat was hun motief om voor Israël te werken?'

'Ze wisten niet allemaal dat ze voor Israël werkten. Als we meenden dat het een beter resultaat zou opleveren, voerden we een valse vlag. Hun motief? Geld. Rancune, terechte of onterechte grieven. Verveling.'

'Geen ideologische drijfveren?'

'Er moeten mensen zijn geweest die uit ideologische redenen overliepen, maar zelf heb ik nooit zo iemand ontmoet. Wat ze allemaal gemeen hadden was dat ze als mens behandeld wilden worden, niet als radertjes in een machine, en ze waren bereid hun leven te wagen voor een chef die dat begreep. Het opmerkelijkste van de Sovjet-Unie was dat niemand, echt niemand in het communisme geloofde. Dat betekende dat je, als je een Rus eenmaal had ingelijfd, een uitstekende spion aan hem had om de eenvoudige reden dat hij was opgegroeid in een samenleving waarin letterlijk iedereen, van de leden van het politbureau tot de gidsen van Intourist, huichelde om te overleven. Wanneer een Rus erin toestemde om voor je te spioneren, had hij al een opleiding voor een dubbelleven achter de rug.'

'Een drievoudig leven, toch? Een leven waarin hij zich naar buiten toe aanpast aan het Sovjetsysteem. Een tweede leven waarin hij het systeem veracht en op allerlei dubieuze manieren probeert erin op te klimmen. En een derde leven waarin hij het systeem verraadt en voor jou spioneert.'

'Drie levens, ja,' zei Benny peinzend. 'Het hoort erbij. Welbeschouwd leven alle mannen en sommige vrouwen met een verzameling dekmantels die elkaar gedeeltelijk overlappen. Sommige identiteiten vervagen met de jaren; andere worden merkwaardig genoeg scherper omlijnd en we brengen er meer tijd in door. Maar dat is een ander verhaal.'

'Denk eens aan de mogelijkheid dat het geen ander verhaal is... Is Benny Sapir je laatste dekmantel, of de dekmantel die je van je ouders hebt meegekregen?'

In plaats van antwoord te geven snoof Benny; de lucht werd kouder naarmate ze hoger in de heuvels kwamen. Martin verweet zichzelf dat hij de vraag had gesteld. Hij besefte wat voor beroepsondervragers vanzelfsprekend was: elke keer als je een vraag stelde, onthulde je wat je niet wist. Als je niet uitkeek, wist de ondervraagde naderhand meer over jezelf dan je van hem te weten was gekomen.

Tactvol ging Benny op een ander onderwerp over. 'Heb je nog veel last van je been?'

'Ik ben gewend geraakt aan de pijn.'

Benny vertrok zijn worstelaarsgezicht in een grimas die suggereerde dat hij een keer te vaak had gevochten. 'Ja, pijn is als een zoemtoon in je oor; je leert ermee te leven.'

Terwijl Benny schakelde en een smalle, steile weg opreed, ontstond de aangename stilte tussen twee veteranen die elkaar niets hoeven te bewijzen. Benny had de autoradio op een klassieke zender staan. Opeens werd het programma onderbroken en Benny zette de radio harder. De omroeper kondigde een nieuwsbulletin aan. Toen er opnieuw muziek klonk, zette Benny de radio zachter.

'Weer een *pigu'a*,' liet hij Martin weten. 'Een aanslag. Hezbollah in Libanon heeft een legerpatrouille aangevallen in de beschermde zone aan de grens die we bezet houden. Twee van onze jongens gedood, twee gewond geraakt.' Hij schudde vol weerzin zijn hoofd. 'Bij Hezbollah denken ze ten onrechte dat we allemaal in nachtclubs in Tel Aviv rondhangen of miljoenen opstrijken in ons eigen equivalent van Silicon Valley, dat we slap en vadsig zijn geworden en niet meer bereid zijn voor ons land te vechten. Binnenkort moeten we ze toch echt uit de droom helpen…'

Martin was verbaasd over zijn uitval. Hij wist niet goed hoe hij moest reageren en bromde maar wat.

Vijfentwintig minuten nadat hij Martin bij de soek had afgehaald, reed Benny een duur ogende wijk in met luxe woningen op ruime afstand van de weg. 'We bevinden ons hier op de Westelijke Jordaanoever, een kilometer over de grens,' merkte hij op terwijl hij de Škoda parkeerde voor een huis met een veranda eromheen. Martin volgde hem door het metalen hek en over de veranda naar de achterkant van het huis, waar Benny wees naar de laaghangende wolken in de verte, doorschenen met saffraankleurig licht. 'Daar ligt Jeruzalem, achter de horizon, van waaruit de wolken worden verlicht,' zei hij. 'Mooi gezicht, hè?'

'Nee,' liet Martin zich ontvallen. Toen Benny hem aankeek, voegde Martin eraan toe: 'Ik voel me er niet prettig bij.'

'Waarbij?' vroeg Benny. 'Steden achter de horizon? Beschenen wolken? Dat ik aan de Palestijnse kant van de grens uit zevenenzestig woon?'

'Alles,' zei Martin.

Benny haalde zijn schouders op. 'Ik heb dit huis in 1986 gebouwd, toen Har Addar werd gesticht,' zei hij. 'Niemand die hier toen kwam wonen had ooit gedacht dat we dit land aan de Palestijnen zouden teruggeven.'

'Het moet lastig voor je zijn om aan de verkeerde kant van de groene grens te wonen.'

Benny drukte een code in op een nummertoetsenbordje aan de muur om de alarminstallatie uit te schakelen. 'Als en wanneer we overeenstemming bereiken over de vorming van een Palestijnse staat,' zei hij, 'moeten we de grens aanpassen om Israëlische leefgemeenschappen zoals deze te accommoderen.' Hij ontsloot de deur en ging het huis binnen. De lampen gingen aan zodra hij over de drempel stapte. 'Moderne snufjes,' zei hij gnuivend. 'Alarminstallatie en automatische inschakeling van de verlichting zijn standaard voor gepensioneerden van de Mossad.'

Benny zette een fles importwhisky en twee dikke keukenglazen op een lage glazen tafel neer, met een plastic kom ijs en een kom zoutjes. Ze trokken allebei een stoel bij en schonken een stevige borrel in. Martin pakte een Beedie uit een blikje. Benny gaf hem vuur.

'Op jou en de jouwen,' zei Martin, die rook uitblies en zijn glas pakte om te proosten.

'Op dekmantels,' pareerde Benny. 'Op de dag dat ze naar de dump kunnen.'

'Daar drink ik op,' verklaarde Martin.

Martin keek om zich heen naar de ingelijste prenten van Hockney aan de muren, de bronzen menora op het buffet, de drie vergrote foto's, zwart omlijst, van jonge mannen in militair uniform aan de muur boven de haard. Benny volgde zijn blik. 'Die twee links zijn jeugdvrienden. Ze zijn allebei gesneuveld op de Golan, de een in zevenenzestig, de ander in drieënzeventig. De rechter is onze zoon Daniel. Hij is anderhalf jaar geleden in Libanon gedood in een hinderlaag. Een verstopte bom in een dode hond aan de kant van de weg ontplofte toen hij erlangs reed. Zijn moeder... mijn vrouw is vijf maanden later gestorven van verdriet.'

Nu begreep Martin de oorsprong van de pijn waarmee Benny had leren leven, en waarom hij zo melancholiek was geworden. 'Dat spijt me,' was het enige wat hij kon bedenken.

'Mij ook,' was alles wat Benny wilde zeggen.

Ze concentreerden zich allebei op hun glas. Ten slotte verbrak Benny de stilte. 'Wat brengt je naar het Heilige Land, Dante?'

'Jij was de Russenspecialist van de Mossad, Benny. Wie is Samat Oegor-Zjilov?'

'Waarom wil je dat weten?'

'Hij is ervandoor en heeft zijn vrouw in Kiryat Arba laten zitten zonder eerst van haar te scheiden. Ze is een vrome vrouw. Zonder scheiding kan ze niet hertrouwen. Haar zus, die in Brooklyn woont, heeft mij ingeschakeld om Samat te zoeken en hem over te halen tot een scheiding.'

'Als je wilt weten wie Samat is, moet je weten waar hij vandaan is gekomen.' Benny schonk zichzelf nog eens in. 'Hoeveel weet je van het uiteenvallen van de Sovjet-Unie?'

'Wat ik in de krant heb gelezen.'

'Dat is een begin. De Sovjet-Unie die we kenden en haatten, is in 1991 in elkaar gezakt. In de jaren daarna is het land in mijn opvatting een kleptocratie geworden. De politieke en economische instellingen werden geïnfiltreerd door de georganiseerde misdaad. Als je inzicht wilt krijgen in wat er is gebeurd, moet je beseffen dat het de Russische misdadigers, niet de politici, zijn geweest die de communistische structuur van de voormalige Sovjet-Unie hebben afgebroken. En daarbij moet je wel bedenken dat de Russische criminelen neanderthalers waren. In een vroeg stadium van het verval, toen bijna alles voor het grijpen lag, probeerde de Italiaanse maffia een vinger in de pap te krijgen. Je begrijpt de Russische maffia beter als je weet dat de Italianen om zich heen hebben gekeken en toen weer naar huis zijn gegaan; zij vonden de Russen te hard, te meedogenloos.'

Martin floot zacht. 'En de Cosa Nostra kan er toch ook wat van, zou je zeggen.'

'Toen de Sovjet-Unie instortte,' vervolgde Benny, 'kwamen duizenden misdadigersbendes bovengronds. In het begin hielden ze zich met de gebruikelijke activiteiten bezig; ze boden protectie aan...'

'Wat de Russen een "dakje" noemen.'

'Ik merk dat je je huiswerk hebt gedaan. Het Russische woord voor dak is *krysja*. Toen twee bendes hun cliënten krysja aanboden, werden de geschillen van de cliënten niet meer door de cliënten uitgevochten maar door de bendes. In de vroege jaren negentig was het oorlog op straat. Die periode wordt de tijd van de Grote Moskouse Bendeoorlogen genoemd. In 1993 alleen al werden er zo'n dertigduizend moorden gepleegd. Nog eens dertigduizend mensen verdwenen simpelweg. De slimme criminelen kochten legitieme bedrijven; het Russische ministerie van Binnenlandse Zaken schatte dat de helft van de particuliere bedrijven of bedrijven in staatshanden en vrijwel alle banken in het land connecties hadden met de georganiseerde misdaad. De beruchte Tzvetan Oegor-Zjilov, bijgenaamd de Oligarch na het omslagartikel over hem in *Time*, is als kleine boef begonnen. Toen hij problemen kreeg waar hij zich niet door omkoping uit kon redden, bracht hij acht jaar door in een werkkamp in de Goelag. Toen hij terugkwam in zijn geboorteland Armenië was Gorbatsjov op het toneel verschenen en de Sovjet-Unie kraakte in zijn voegen. Vanuit een overbevolkt meergezinsappartement in Jerevan, de hoofdstad van Armenië, begon Oegor-Zjilov krysja aan te bieden. Al snel had hij een kleine bank, en zijn krysja-cliënten werd te verstaan gegeven dat ze daar maar beter klant konden worden. Op een gegeven moment breidde de Oligarch zijn activiteiten uit; hij kocht zich in bij de handel in tweedehandsauto's in Jerevan. Maar een grote vis zijn in een kleine vijver bevredigde hem niet en hij zette zijn zinnen op Moskou; hij verhuisde naar de hoofdstad en werd daar in een paar maanden de belangrijkste man op de tweedehandsautomarkt.'

'Ik heb gehoord hoe hij die markt in Moskou in handen had gekregen. Hij kocht zijn concurrenten uit. Wie zich niet wilde laten uitkopen, kwam met betonnen schoenen aan in de Moskva terecht.'

'De handel in tweedehandsauto's was het topje van de ijsberg. Hoor eens, Dante, je hebt ooit je leven voor Israël gewaagd en daar wil ik je voor belonen. Wat ik je nu ga vertellen is niet algemeen bekend; zelfs het Zesde Hoofddirectoraat van de KGB, dat werd verondersteld de Oligarch in de gaten te houden, wist het niet. Voor Tsvetan Oegor-Zjilov was de handel in tweedehandsauto's niet meer dan een opstapje naar het grotere werk. Rusland is de op een na grootste producent van aluminium ter wereld. Toen het Sovjet-systeem instortte, ging Oegor-Zjilov in de aluminium. Op een of andere manier bracht hij voldoende beginkapitaal bij elkaar, en dan heb ik het over miljarden; de handel in tweedehandsauto's leverde wel contant geld op, maar geen kapitalen en het is nog altijd een raadsel hoe hij aan het geld kwam, maar hij heeft het gebruikt om lucratieve contracten af te sluiten met de smelterijen. Hij deed dat via een holding waarin hij de stille vennoot was. Hij kocht drie-honderd treinwagons en legde een haven aan in Siberië voor de over-slag van alumina, het bauxietextract dat het voornaamste bestand-deel van aluminium is. Hij voerde het bauxiet belastingvrij in uit Australië en liet het in de smelterijen verwerken tot aluminium dat hij belastingvrij exporteerde. Zijn winsten waren torenhoog. In het Westen bracht het aluminium vijf dollar per ton winst op, in Rus-land tweehonderd dollar per ton winst voor de mensen die het uit-voerden. In de vroege jaren negentig, toen Jeltsins privatisering als een storm door de Sovjetrepublieken trok om Rusland om te vor-men tot een markteconomie, heerste de Oligarch over een geheim imperium op basis van de gigantische winsten op aluminium. Zijn holding breidde uit naar andere grondstoffen: staal, chroom en steenkool, en kocht honderden fabrieken en bedrijven op. Hij richt-te banken op ten dienste van zijn imperium om de winsten in het buitenland wit te wassen. En natuurlijk deelde hij kwistig smeer-geld uit aan mensen op hoge posities. Er waren geruchten dat hij zelfs Jeltsin had omgekocht, maar dat hebben we nooit hard kun-nen maken.'

'Was de Sovjetafdeling van de CIA hiervan op de hoogte?'

'Wij waren degenen die in Moskou een informatievoorsprong hadden. We lieten genoeg los om ze te overtuigen dat we alles door-gaven.'

De telefoon ging. Benny hield hem bij zijn oor om te luisteren. Toen: 'Ja, hij is... Hij doet wat hij ook in Kiryat Arba deed, hij pro-beert Samat Oegor-Zjilov op het spoor te komen zodat zijn vrouw kan scheiden... Ja, ik geloof hem inderdaad. Laten we niet verge-ten dat Dante Pippen aan de goede kant staat... Sjalom, sjalom.'

Nadat Benny had opgehangen, zei Martin: 'Bedankt daarvoor.'

'Als ik het niet geloofde, zou je hier niet zitten. Waar was ik ge-bleven? O ja. Een aantal Russische maffiosi was Joods. Toen in 1993 de maffiaoorlog in Moskou uitbrak, werd Israël voor sommigen van die mensen een toevluchtsoord. Hier waren ze veilig voor de dagelijkse schermutselingen. Zelfs niet-Joodse gangsters kwamen hierheen in het kader van de terugkeerwet; ze knutselden een nieuwe identiteit in elkaar met een Joodse moeder of Joodse grootmoeder erin en glipten Israël binnen met de zevenhonderdvijftigduizend Russische Joden die hier in de jaren negentig binnenkwamen. Als nieuwe immigranten konden de gangsters grote sommen geld invoeren zonder dat naar de herkomst werd gevraagd. Toen onze mensen van de Shabak eindelijk oog kregen voor de gevaren, begonnen we hun telefoons af te luisteren, hun omgeving te infiltreren, te zoeken naar bewijs dat de Russen zich hier met criminele activiteiten bezighielden. Maar zij zorgden er wel voor niet op te vallen. Ze spuwden niet in hun eigen etensbord, zeg maar. We grapten dat ze niet eens door oranje durfden te rijden. Via Israëlische banken zetten ze hun illegale activiteiten voort, maar uitsluitend in het buitenland. Ze smokkelden uranium uit Nigeria en verkochten dat aan de hoogste bieder. Ze gingen in de diamanthandel en smokkelden ruwe diamant vanuit Rusland naar Amsterdam. Ze konden je voor maar vijf en een half miljoen dollar helpen aan een dieselonderzeeër in uitstekende staat, exclusief Baltische bemanning: daarvoor moest extra worden betaald. Ze verkochten Sovjettanks uit dumpvoorraden met of zonder munitie, jeeps, rupsvoertuigen, demontabele bruggen, luchtafweerraketten, allerlei soorten radarinstallaties. Betaling in Amerikaanse dollars of Zwitserse franken, te storten op een nummerrekening in Genève, gegarandeerde levering binnen een maand na ontvangst van de koopsom. Alle contracten werden afgesloten met zakenpartners in Liechtenstein.'

'Waarom Liechtenstein?'

Benny ontblootte zijn tanden. 'Daar gelden strenge bankwetten.'

'Hmf.'

'De broer van de Oligarch was een van degenen die naar Israël immigreerden. Hij heette Akim Oegor-Zjilov. Op een mooie dag in 1993 verscheen hij op het vliegveld Ben-Gurion met een echtgenote en drie kinderen; hij verklaarde dat hij een Joodse grootmoeder had en zich trouwens tot het joodse geloof had bekeerd; natuurlijk beschikte hij over beëdigde verklaringen om zijn beweringen te staven. Hij heeft een opvallend litteken boven zijn ene oog. Beweert dat hij in Afghanistan gewond is geraakt, hoewel uit niets blijkt dat hij ooit in het Sovjetleger heeft gediend. Hij installeerde zich in een zwaarbewaakte villa in Caesarea omgeven door een hoge muur die onder stroom stond en een stoet Armeens personeel met militaire ervaring. Degenen bij de Mossad die Russisch spraken, duidden hen aan als *tsjelovek nastroenija*: 'prikkelbare mensen'. Het ene ogenblik schold Akim de mensen die voor hem werkten uit voor rotte vis, het volgende ogenblik schepte hij innig tevreden op over zijn successen in de zakenwereld. Behalve dat fort in Caesarea heeft hij een duplex aan Cadogan Square in Londen en een huis aan de Grande Corniche in Nice.'

'Hoe knoopte hij in Israël de eindjes aan elkaar?'

'In de loop van de jaren bracht hij zo'n vijftig miljoen dollar binnen die hij belegde in staatsobligaties die zes of zeven procent rente belastingvrij opleveren. Hij heeft ook geld gestoken in een krantenbezorgdienst, een hotel in Eilat, een stuk of vijf benzinestations rond Haifa.'

'En hoe past Samat in dit beeld?'

'Akim en Tzvetan Oegor-Zjilov zijn broers. Er blijkt nog een derde broer te zijn geweest, een zekere Zoerab. Die was medicus, lid van de Armeense communistische partij en getrouwd met een jodin. Toen Tzvetan werd veroordeeld wegens het afpersen van de plaatselijke middenstand en naar Siberië werd gestuurd, werd zijn broer Zoerab opgepakt als volksvijand; onder het Sovjetsysteem trof familieleden gewoonlijk hetzelfde lot als de crimineel. Zoerab kwam in een kamp in Siberië terecht en is daar aan roodvonk bezweken.'

'En Zoerabs vrouw?'

'Na de aanhouding van haar man zijn we haar uit het oog verloren. Ze verdween spoorloos. De beide broers, Tzvetan en Zoerab, waren erg aan elkaar gehecht, wat op zijn minst ten dele Tzvetans afkeer van het Sovjetsysteem verklaart: dat hield hij verantwoordelijk voor de dood van zijn broer. Zoerab liet een zoon na die Samat heette.'

'Dus Samat was een neef van de Oligarch en Akim.'

'Oom Tzvetan ontfermde zich over Samat na zijn terugkeer uit Siberië; hij had zelf geen kinderen en werd een soort stiefvader voor Samat. In de poststalinistische Sovjet-Unie, en vooral na de komst van Gorbatsjov, werd het feit dat Samats vader in Siberië was omgekomen een voordeel, in plaats van een nadeel. Samat werd toegelaten tot het exclusieve Bosbouwinstituut, het niet zo geheime domein van het Russische ruimteprogramma, waar hij computerwetenschap studeerde. Zijn specifieke kennis moet de aandacht van de KGB hebben getrokken, want voor we het wisten werkte hij voor het Zesde Hoofddirectoraat, waar hij alles leerde wat er te weten viel over het witwassen van geld en belastingparadijzen. Toen de Oligarch, die protectie aanbood en in Armenië in de handel in tweedehandsauto's ging, zijn uitdijende rijk wilde ondersteunen door in het bankwezen te gaan, wendde hij zich tot zijn neef. Samat nam ontslag bij de KGB en zette de eerste bank voor Tzvetan Oegor-Zjilov in Jerevan op. En het was Samat, met zijn reputatie van genie als het ging om goochelen met rekeningen en het verhullen van de sporen van geldtransacties, die de witwasoperatie ontwierp door middel waarvan miljoenen dollars naar het buitenland werden gesluisd naar belastingparadijzen en brievenbusholdings. De holdings van de Oligarch schijnen financiële belangen te hebben gehad in een Spaans assurantiebedrijf, een Franse hotelketen, een Zwitsers onroerendgoedconsortium en een Duitse keten van bioscooptheaters. Dankzij Samats vernuft waren de onderlinge verbanden niet aan te tonen en God weet dat onze mensen hun uiterste best hebben gedaan. Net als jouw CIA, trouwens. Samats ondoordringbare labyrint van banken strekt zich uit van Frankrijk tot Duitsland, Monaco en Liechtenstein tot Zwitserland, de Bahama's en de Caymaneilanden, om nog maar te zwijgen van Vanuatu in de zuidelijke Pacific, het eiland Man, de Britse Maagdeneilanden, Panama, Praag, West-Samoa: op al die plaatsen bestaat het vermoeden dat er een gedeelte van de rijkdommen van de Oligarch is witgewassen. Uiteindelijk opende hij bankrekeningen in Noord-Amerika, waar een derde van het aluminium van het imperium werd afgezet. Er werden schillen om schillen om schillen aangebracht. Vanuit de afgelegen datsja van de Oligarch in een dorp op een halfuur van Moskou verschoof Samat voortdurend kapitaalsegmenten van de ene schil naar de andere. Telegrafische overmakingen van bank naar bank – in sommige gevallen is zo'n bank niet meer dan een kamer met een computer op een afgelegen eiland – zijn de gemakkelijkste manier om met grote bedragen te schuiven; een miljard in biljetten van honderd dollar weegt zo'n elf ton. En het schijnt dat de bankier van de Oligarch nooit iets op papier zette; de hele holdingstructuur van zijn oom zat in zijn hoofd.'

'Daarom werd het urgent dat hij Rusland zou verlaten toen de gangsteroorlog heftiger werd,' veronderstelde Martin.

'Precies. De connectie tussen Samat en zijn andere oom, Akim, werd ons pas duidelijk toen een van onze teams die de villa in Caesarea observeerden hen beiden op film had vastgelegd: Akim die uit zijn villa kwam en Samat omhelsde nadat die uit zijn Honda was gestapt. Op dat ogenblik kregen we belangstelling voor die nieuwe immigrant die zijn ruime huis in Kiryat Arba contant had betaald.'

Benny bood Martin aan hem nog eens in te schenken, maar die schudde zijn hoofd; hij nam zelf nog een bodempje en sloeg dat in één teug achterover. Het was bijna alsof het vertellen hem zijn energie had ontnomen.

'Samats vrouw,' zei Martin, 'heeft verteld dat hij haar een keer bij de duinen van Caesarea heeft afgezet toen hij een afspraak met iemand had. Nu weet ik bij wie hij is geweest.'

Benny's avondmaal bestond uit koude restjes die hij had meegenomen van maaltijden in een Arabisch restaurant in Abu Gosh en een fles rode wijn van de Golan-hoogvlakte. Martin, die geen vlees at, beperkte zich tot de vegetarische gerechten. Later haalde Benny een fles vijftien jaar oude Franse cognac tevoorschijn en schonk behoedzaam twee ballonglazen in. 'Cadeautje van kantoor bij mijn afscheid vorig jaar,' legde hij uit. 'Ik kreeg ook een medaille voor trouwe dienst.'

'Na hoeveel jaar?'

'Tweeënveertig.'

'Had Israël zonder de Mossad kunnen blijven bestaan?' vroeg Martin.

'Natuurlijk wel. We hebben ons net zo vaak vergist als we het bij het juiste eind hadden. In drieënzeventig zaten we er lelijk naast: we vertelden Golda Meir dat de Egyptenaren nog in geen tien jaar een oorlog zouden aandurven. Een paar weken later staken ze massaal het Suezkanaal over en liepen onze versterkingen aan de Israëlische kant onder de voet.'

'Wat was er misgegaan?' vroeg Martin.

'Ik denk hetzelfde als halverwege de jaren tachtig en de late jaren tachtig toen jouw CIA verzuimde de instorting van het Sovjetrijk en het einde van het communistische systeem aan te kondigen. Nu ik er van buitenaf tegen aan kan kijken, zoals ik tegenwoordig doe, besef ik dat de inlichtingendiensten aan een fataal manco lijden. Ze bepalen zelf hun taak. ze omschrijven de bedreigingen en proberen die dan te neutraliseren. Dreigingen die niet worden omschreven, glippen door het net en maken zich plotseling kenbaar als rampen op volle sterkte; in dat stadium beginnen buitenstaanders te mekkeren dat we niet waakzaam zijn geweest. We hebben niet zitten slapen. We hebben alleen een andere inschatting gemaakt.'

'Ze zeggen dat een kameel een paard is dat door een commissie is ontworpen,' zei Martin. 'Volgens mij is de CIA als inlichtingendienst een ontwerp van diezelfde commissie.'

Benny haalde zijn schouders op. 'Voor mij, Dante, komt het allemaal neer op die dode hond langs de weg in Libanon dic tot ontploffing kwam, waardoor mijn zoon is onthoofd. Als we hadden gedaan waarvoor we betaald werden, hadden we voorzien dat die dode hond was volgestopt met PETN en de terrorist ontmaskerd die erachter zat. Het kost me moeite… Het kost me moeite verder te kijken dan die realiteit.' Benny kwam moeizaam overeind. 'Ik ga nu maar naar bed, als je het niet erg vindt. In de kamer naast de badkamer beneden is een bed opgemaakt. Slaap lekker.'

'Ik slaap nooit lekker,' mompelde Martin; ook hem kostte het moeite verder te kijken dan de dode hond die Benny's zoon had onthoofd. 'Ik word midden in de nacht wakker, badend in het zweet.'

Een grimmig lachje vertrok Benny's lippen. 'Beroepsziekte. Voor zover bekend ongeneeslijk.'

De volgende ochtend bracht Benny Martin naar Jeruzalem en zette hem af bij het busstation. 'De bus naar Tel Aviv gaat om de twintig minuten,' zei hij en gaf hem een papiertje. 'Telefoonnummer van Akim in Caesarea. Het is een geheim nummer. Ik heb liever niet dat je hem vertelt hoe je eraan komt. Ik zal me verdiepen in de opnamen van de telefoonmaatschappij en je laten weten wat het oplevert. Samat is trouwens niet in Israël. Volgens de Shabak heeft hij twee dagen voordat de rabbijn in Kiryat Arba hem als vermist opgaf het vliegtuig naar Londen genomen.'

'Bedankt, Benny.'

'Tot je dienst, Dante. Ik hoop dat je vindt wat je zoekt.'

'Ik heb zeil geminderd, Benny. Ik ben dankbaar voor elk briesje.'

In de gemetselde bewakingspost op de hoge muur rond Akim Oegor-Zjilovs villa aan zee bij Caesarea, kon Martin bijna het gesis horen waarmee de zon zich in de westelijke Middellandse Zee stortte. 'Schitterend uitzicht,' zei Akim, hoewel hij er met zijn rug naartoe stond terwijl hij zijn bezoeker monsterde en zich afvroeg of diens pak maatwerk of confectie was. Het bleke sikkelvormige litteken dat boven zijn rechteroog over zijn hoge voorhoofd liep en in zijn lange bakkebaard verdween leek te gloeien. 'De Israëli's denken dat u een Ier bent die Pippen heet,' zei Akim, met zijn zware, lome Russische accent dat diep uit zijn keel kwam. 'Dan belt er ene Odum – de naam op het paspoort waarop u precies een week geleden het land in bent gekomen – me uit een telefooncel in Tel Aviv om zich bij me thuis uit te nodigen. Natuurlijk hoeft een naam in een paspoort niets te betekenen. Dus wat is het, vriend: Pippen of Odum?'

'Het antwoord is ingewikkeld...'

'Vereenvoudig het dan.'

Martin besloot dicht bij de waarheid te blijven. 'Pippen was een pseudoniem dat ik jaren geleden heb gebruikt toen ik werkte als freelance explosievenexpert. Sindsdien gebruik ik de naam Odum.'

Akims gezicht klaarde op. 'Het gebruik van pseudoniemen kan ik plaatsen. In Sovjet-Rusland hadden alle belangrijke mensen een pseudoniem. U hebt zeker wel van Vladimir Iljitsj Oeljanov gehoord? Hij stond bekend als Lenin, naar de rivier de Lena in Siberië. Josif Vissarionovitsj Dzjoegasjvili koos het alias Stalin, wat staal betekent, omdat hij wilde dat de mensen hem als man van staal zouden zien. Lev Davidovitsj Bronstein ontsnapte uit de gevangenis met behulp van een paspoort op naam van een van zijn bewakers, een zekere Trotski. Ik heb zelf kunnen voorkomen dat ik met mijn beide broers naar de goelag werd gestuurd door de identiteit aan te nemen van een illusionist die Melor Semjonovitsj Zjitkin heette. Kent u de goelag? Het kan er zo koud zijn dat alcohol bevriest en dat je voorzichtig aan wodkaijsjes likt om te voorkomen dat ze aan je tong vastvriezen. De naam Melor gebruiken was geniaal, al zeg ik het zelf. Melor is een Sovjetnaam, een acroniem van Marx-Engels-Lenin-Organisatoren van de Revolutie, waardoor de KGB meende dat ik een gestaalde communist was. Ik was inderdaad gestaald,' zei hij met een sinister lachje. 'Ze konden me niet kapot krijgen, dat heeft me gestaald.'

Zonder met zijn ogen te knipperen of zijn ogen toe te knijpen werd Akims gezichtsuitdrukking hard. Martin vroeg zich af hoe hij dat deed. Misschien kwam het door de schaduwen op zijn gezicht; misschien waren zijn pupillen kleiner geworden. Het effect was onthutsend.

Akims stem klonk niet loom meer. 'Pippen was een CIA-agent die in de Hezbollah in de Beka'a-vallei infiltreerde door zich uit te geven voor explosievendeskundige met connecties in de IRA. U en de CIA zouden hebben gebroken, hoewel ik tot mijn schaamte moet erkennen dat geen van mijn bronnen me kan vertellen waarom. Het verbaast u dat ik zo goed op de hoogte ben? Weet u, in Israël is net als in elk beschaafd land informatie even overvloedig verkrijgbaar als tandpasta. U beweert nu dat u detective bent, Odum uit Brooklyn in New York. Er zijn mensen die denken dat ook dat personage een verzinsel is. Er zijn anderen die zeggen dat u Odum was voordat u Pippen werd.'

'Ik heb inderdaad ooit voor de CIA gewerkt. Dat doe ik nu niet meer. Odum is voor zover ik weet wie ik werkelijk ben.'

Akim knikte bedachtzaam. 'Tijd voor mijn insuline,' zei hij. Hij wenkte met een pink waaraan hij een zware gouden ring met diamant droeg. Martin liep achter hem aan de smalle trap af en stak het gazon over, langs het zwembad waar drie vrouwen in doorzichtige, diep uitgesneden jurken mahjong speelden; hij verlangde opeens terug naar de dagen dat hij ongecompliceerde zaken uitzocht zoals mahjongschulden, ontvoerde honden en door Tsjetsjenen geleide crematoria in Little Odessa. Hij moest krankzinnig zijn geweest te denken dat hij een echtgenoot kon opsporen die de benen had genomen. Een naald in een hooiberg vinden was daarbij vergeleken kinderspel. Akim bereikte de beschaduwde veranda achter de villa en wees Martin een van de houten tuinstoelen. Twee van Akims Armeniërs, in colbertjes die de vuurwapens in hun schouderholsters niet verhulden, stonden even verderop. Een verpleegkundige in wit ziekenhuispak drukte lucht uit een injectiespuit. Akim liet zich in een van de stoelen vallen en trok de panden van zijn overhemd uit zijn broek om een bolle buik te ontbloten. Hij dronk vers sinaasappelsap met een rietje terwijl de verpleegkundi-ge de naald onder de droge huid drukte om de insuline in te spui-ten.

'Bedankt, Earl. Tot morgenochtend.'

'Niets te danken, meneer Zjitkin.'

Zodra de man hen niet meer kon verstaan zei Akim: 'Zoals u merkt gebruik ik de naam Zjitkin nog op gezette tijden. Gek hoe gehecht je raakt aan een alias dat je leven heeft gered.' Bij het zwem-bad slaakte een van de vrouwen een vreugdekreet en Akim viel uit: 'Niet zo luid, dames. Jullie zien toch dat ik bezoek heb?' Terwijl hij de plek op zijn buik masseerde waar hij de injectie had gekregen, zei hij: 'Dus wat denkt u dat ik voor u kan doen, meneer Pippen of meneer Odum of hoe u vandaag ook heet?'

'Ik ben echt detective,' zei Martin. 'Ik heb opdracht uw neef Sa-mat te zoeken, die bij zijn vrouw schijnt te zijn weggelopen. Ik had gehoopt dat u me kon vertellen waar ik moet beginnen met zoe-ken.'

'Wat wil die vrouw, alimentatie? Een deel van zijn bankrekening, aangenomen dat hij een bankrekening heeft? Nou?'

'Ik ben door de zuster van de echtgenote en haar vader inge-schakeld…'

'Die vader is nu dood.'

'U bent inderdaad goed op de hoogte. Zij hebben me gevraagd Samat op te sporen opdat hij zal toestemmen in een scheiding. Ze is orthodox. Zonder scheiding kan ze niet hertrouwen of kinderen krijgen van een andere man.'

Akim stopte zijn hemd weer in zijn broek. 'Hebt u de vrouw in kwestie ontmoet?' vroeg hij.

'Ja.'

'Hebt u gezien hoe ze zich kleedt? Wie zou met háár willen trou-wen? Wie zou haar willen neuken om kinderen te krijgen?'

'Ze is nog jong. Misschien is ze zelfs nog maagd. De rabbijn die het huwelijk heeft gesloten denkt dat zij en Samat nooit met elkaar hebben geslapen.'

Akim maakte een afwerend gebaar. 'Rabbijnen moeten zich bij de bijbel houden. Ik wil geen privédingen over mijn neef horen. Wie hij neukt en of hij neukt gaat me niets aan.'

Een andere Armeniër riep iets in een vreemde taal vanuit de bewakingspost. 'Mijn mensen willen na donker de schijnwerpers in-schakelen,' zei Akim, 'maar de buren hebben bij de politie geklaagd. Elke keer als we ze aanzetten, komt de politie zeggen dat ze uit moeten. Wat is dit voor land waar een man niet eens de muur rond zijn terrein mag verlichten? Het lijkt wel of ze me mijn rijkdom kwalijk nemen.'

'Misschien nemen ze u de manier kwalijk waarop u rijk bent ge-worden,' zei Martin.

'Ik begin u aardig te vinden,' gaf Akim toe. 'U praat met me zo-als ik met mensen praatte toen ik uw leeftijd had. Maar het is nu eenmaal zo dat als ik niet rijk was geworden, iemand anders in plaats van mij rijk was geworden. Geld verdienen was het enige wat no-dig was toen de Sovjet-Unie was ingestort; je moest wel om niet kopje onder te gaan in Gorbatsjovs perestrojka, want alleen de rij-ken konden het hoofd boven water houden. In elk geval is het al-lemaal de schuld van Amerika: de instorting, de gangsters, de maf-fiaoorlog, alles.'

'Ik weet niet of ik goed begrijp waar u naartoe wilt,' zei Martin.

'Ik heb het oog op de geschiedenis, meneer Odum. In 1985 liet de Saoedische minister van olie, een zwaargewicht in het oliekar-tel OPEC, de wereld weten dat Saoedi-Arabië niet langer de pro-ductie zou beperken om de olieprijs te ondersteunen. Wilt u be-weren dat de Amerikanen daarmee niets van doen hadden? Acht maanden later waren de olieprijzen maar liefst zeventig procent ge-daald. De Sovjet-Unie heeft tientallen jaren stand kunnen houden dankzij de uitvoer van olie en gas. Door de val van de olieprijs is het bergaf gegaan met de economie. Met zijn halfslachtige hervor-mingen heeft Gorbatsjov nog geprobeerd te redden wat er te red-den viel, maar het schip zonk onder zijn voeten. Toen het weer wat rustiger werd, waren de grenzen van Rusland gekrompen tot die van 1613. Het zijn mensen zoals mijn broer en ik geweest die in de puinhopen hebben gezocht naar wat nog bruikbaar was. Als de mas-sa er nu beter aan toe is, komt dat doordat geld doordruppelt naar beneden. Ha! Het is een economisch gegeven dat je rijke mensen aan de top nodig hebt om te zorgen dat geld kan doordruppelen naar beneden.'

'Als ik u goed begrijp, bent u bekeerd tot het kapitalisme.'

'Ik heb me bekeerd tot het opportunisme. Ik heb niet doorgeleerd zoals Samat; wat ik heb geleerd, heb ik in de goot geleerd. Ik besef dat het kapitalisme het zaad van zijn eigen vernietiging in zich draagt. Niet lachen, meneer Odum. De grote boef was die Genry Ford van u. Door de uitvinding van de lopende band, waardoor massaproductie van auto's mogelijk werd, kon hij zijn prijs zover laten zakken dat de arbeiders aan de lopende band hun eigen producten konden kopen. En door afbetaling en plastic kaartjes konden mensen geld uitgeven dat ze nog niet hadden verdiend. Door de onmiddellijke bevrediging van consumentenbehoeften is het protestantse arbeidsethos verdwenen, dat arbeid verheerlijkte en aanzette tot sparen. Onthoudt u maar goed dat u het hier voor het eerst hebt gehoord, meneer Odum: Amerika bevindt zich op een hellend vlak. De ineenstorting zal niet lang meer duren na die van de Sovjet-Unie.'

'Wat blijft er dan over?'

'Wij blijven over. De oligarchen.'

Een van Akims lijfwachten verscheen om de hoek van het huis op de veranda. Hij trok Akims aandacht en tikte op zijn Rolex. Akim zwaaide zijn korte benen naast de ligstoel en kwam overeind. 'Ik moet dineren met een lid van de Knesset in Peta Tikva,' zei hij. 'Laten we niet langer als worstelaars om elkaar heen draaien, meneer Odum. Daar slijten onze zolen maar van.' Hij gebaarde naar de mahjong spelende vrouwen en riep iets in het Armeens. Hij wenkte Martin dat hij mee moest gaan en liep naar de enorme suv die op de oprit geparkeerd stond; uitlaatgassen wolkten uit de zilverkleurige uitlaat. 'Hoeveel betalen ze om Samat te vinden?' wilde hij weten.

'Pardon?'

Akim bleef staan en keek schattend naar Martin. Weer kreeg zijn gezicht een dreigende uitdrukking, zonder dat hij een spier vertrok. 'Bent u op uw achterhoofd gevallen?' vroeg hij met een lage gromstem. 'Moet ik het uitleggen? Goed: ik vraag wat de vader van de zuster van de echtgenote, die dood is, u heeft geboden om Samat op te sporen. Ik zeg dat zijn aanbod in het niet valt bij wat ik voor u neertel als u me bij hem kunt brengen. Wat dacht u van een miljoen Amerikaanse dollars, contant? Of de tegenwaarde in Zwitserse francs of Duitse marken.'

'Ik begrijp het niet.'

Akim kreunde van ergernis. 'U hoeft het niet te begrijpen,' zei hij nadrukkelijk. Hij liep door naar de auto. 'Honderddertig miljoen dollar is verdwenen uit zes van mijn internationaal gevestigde holdings waarop Samat het toezicht had. Dat muizige mens in Kiryat Arba is niet de enige die een scheiding wil. Dat wil ik ook. Ik wil scheiden van mijn neef. Ik wil dat hij mijn ex-neef wordt. Dus zijn we akkoord, meneer Odum? U hebt mijn telefoonnummer. Als u Samat in handen krijgt voordat ik hem in handen krijg, pakt u de telefoon om me te bellen en dan wordt u een rijk man. Dan kunt u uw kapitaal laten doordruppelen naar het proletariaat zodat zij nog meer auto's van Genry Ford kunnen kopen.'

Stella en Martin tilden hun koffers op de tafel en maakten de sloten open. Een van de vrouwelijke militairen, die witte doktershandschoenen droeg, begon door de inhoud te woelen. Haar collega, die haar ogen zwaar met mascara had aangezet, stelde vragen en vulde hokjes in op een formulier op een klembord. Had iemand een pakje meegegeven om het land uit te voeren? Wie had hun koffers ingepakt? Waren de koffers na het inpakken uit hun ogen geweest? Wat was het doel van hun bezoek aan Israël? Hadden ze Arabische steden of dorpen of de Arabische wijken in Jeruzalem bezocht? Hoe waren ze naar het vliegveld gekomen? Hadden ze de koffers na het uitladen uit de taxi onafgebroken in het oog gehouden?

Ten slotte keek de jonge vrouw op. 'Reist u samen?'

'Ja,' antwoordde Martin.

'Pardon, maar u hebt niet dezelfde achternaam.'

'We zijn alleen bevriend,' zei Stella.

'Nogmaals mijn verontschuldiging, maar hoe lang kent u elkaar?'

'Een week of twee,' zei Martin.

'En u hebt besloten naar Israël te gaan, terwijl u elkaar pas veertien dagen kent?'

Stella protesteerde. 'Moeten mensen een verhouding hebben om samen te kunnen reizen?'

'Ik stel alleen de vragen die ik alle passagiers moet voorleggen.' Ze richtte zich tot Stella. 'Ik zie aan uw tickets dat u allebei vanuit Athene naar Israël bent gereisd. Maar uw vriend neemt het vliegtuig naar Londen en u naar New York. Als u samen reist, waarom reist u dan niet meer samen?'

'Ik ga terug naar New York om Kastner te begraven,' zei Stella.
'Wie is Kastner?'

'Mijn vader.'

'U noemt uw vader bij zijn achternaam?'

'Ik maak verdomme zelf wel uit hoe ik mijn vader noem.'

'Dus uw vader is dood,' zei de jonge vrouw. Ze noteerde iets in het vak voor opmerkingen.

'Ik was niet van plan hem levend te begraven, als u dat bedoelt.'

De vrouw bleef er stoïcijns onder. 'U reist op een Amerikaans paspoort, maar u spreekt Engels met een licht Oost-Europees accent.'

'Het is een Russisch accent. Ik ben negen jaar geleden van Rusland naar de vs geëmigreerd.'

'In die tijd waren de Sovjetgrenzen nog gesloten voor mensen die zich in het buitenland wilden vestigen. Hoe hebt u de Sovjet-Unie kunnen verlaten?'

Stella keek haar ondervraagster met bijna toegeknepen ogen aan. 'Mijn vader, zuster en ik zijn op vakantie naar de Zwarte Zee in Bulgarije gegaan. De Amerikaanse cia voorzag ons van Griekse paspoorten en wij gingen aan boord van een cruiseschip dat via de Bosporus terugvoer naar Piraeus.'

De vrouwelijke soldaten keken elkaar aan. 'Beveiliging van luchthavens is een serieuze zaak,' snauwde de vrouw die de bagage had gecontroleerd.

'Er is een tijd geweest dat ik betaald kreeg om leuk te zijn,' riposteerde Stella. 'Daar is nu geen sprake van.'

De jonge vrouw met het klembord bracht een portofoon aan haar lippen en mompelde iets in het Ivriet. 'Wacht hier even,' commandeerde ze. Ze liep naar twee mannen in burger toe en zei iets tegen hen, wijzend naar Martin en Stella. Een van de mannen trok een notitieboekje en bladerde naar de pagina die hij zocht. Hij keek even naar Martin en gaf de vrouwelijke militair een envelop. Het meisje haalde haar schouders op. Ze liep terug naar de tafel en gaf de envelop aan Martin. 'U kunt uw koffer dichtdoen en nu inchecken.'

'Waar was dat allemaal goed voor?' vroeg Stella nadat ze hun paspoorten en instapkaarten hadden laten zien en met de lift naar de wachtruimte waren gegaan.

Martin maakte met zijn wijsvinger de envelop open en vouwde het papier dat erin zat open. 'Hm,' mompelde hij.

'Hm?'

'Mijn oude vriend van de Mossad, bij wie ik heb gelogeerd, zegt dat de opnamen van het telefoonverkeer van Kiryat Arba zijn gewist, zoals de rabbijn zei. Maar niet bij vergissing. De Mossad heeft het gedaan als gunst voor de collega's van de CIA.'

'Zo!'

'We wisten dat de CIA niet wilde dat ik Samat zou vinden; dat heeft mijn vroegere chef me laten weten in ons gesprek in het restaurant beneden.' Martin dacht aan de exploderende honing waardoor Minh om het leven was gekomen en de twee kogels die een scherpschutter op hem had afgevuurd in Hebron. Hij liep met Stella naar een rij plastic stoelen buiten gehoorsafstand van de overige passagiers. 'Hoe ging het verder met je zus toen ik weg was?'

'Ze wilde me overhalen om in Israël te blijven. Wat zou ik hier moeten doen?'

'Israël is een snelkookpan,' zei Martin. 'Je zou de kost kunnen verdienen met het vertellen van anti-Israëlische grappen.'

'Haha. Ik ken trouwens een goeie. Van de rabbijn gehoord. Vraag: wat is antisemitisme? Antwoord: Joden meer haten dan nodig is.'

'Dat is niet leuk,' zei Martin.

'Wat er geestig aan is,' hield Stella gepikeerd vol, 'is dat het niet geestig is. Ik kan mezelf wel schoppen omdat ik probeer iemand zonder gevoel voor humor aan het lachen te krijgen.'

'Mijn vriend Dante had gevoel voor humor,' zei Martin met een peinzende blik in zijn ogen. 'Dat is hij kwijtgeraakt in een kamer boven een bar in Beiroet.'

Stella ging op een ander onderwerp over. 'Samats oom is zo te horen een echte Russische gangster.'

'Ik dacht dat hij me een suggestie aan de hand zou kunnen doen waar ik Samat moet zoeken. Hij zei dat hij mij niet nodig zou hebben als hij wist waar hij moest zoeken.'

'Denk je dat Samat er echt vandoor is met al dat geld? Wat zal zijn oom doen als hij hem te pakken krijgt?'

Een stem over de luidsprekers kondigde aan dat de passagiers met bestemming Londen moesten instappen. Martin kwam overeind. 'Wat hij met hem zal doen? Doodkietelen, denk ik.'

'Het is niets voor jou om iets geestigs te zeggen,' zei Stella. Ze bestudeerde Martins gezicht. 'Goed dan, het is niet geestig bedoeld.'

Om hen heen pakten passagiers hun handbagage en stonden op om naar de gate te lopen. 'Kon ik maar met je mee. Ik begin te wennen aan je gevoel voor humor.'

'Ik dacht dat ik dat volgens jou niet had.'

'Dat is juist waar ik aan begin te wennen.' Ze kwam overeind en haar hand streek even over zijn elleboog. 'Ik hoop tegen beter weten in dat je me vanuit Londen zult bellen.'

Hij keek naar de bleke driehoek huid op haar borst. 'Ik bewonder je vermogen tegen beter weten in te blijven hopen.'

Ze speelde nerveus met het bovenste knoopje van haar blouse dat dichtgeknoopt was. 'Misschien kan ik je ermee besmetten.'

'Onwaarschijnlijk. Ik ben ertegen ingeënt.'

'Afweer wordt met de jaren minder.' Ze ging op haar tenen staan en drukte een lichte kus op zijn lippen. 'Het beste voorlopig, Martin Odum.'

'Hm. Het beste.'

Crystal Quest was ziedend. 'Er is maar één ding walgelijker dan iemand van je eigen mensen als doelwit hebben,' verklaarde ze tegen de ondergeschikten in haar heiligdom, 'en dat is de uitschakeling verknallen. Waar halen we tegenwoordig onze scherpschutters vandaan, wil iemand zo vriendelijk zijn me daarover in te lichten? Schiettenten op Coney Island waar je een plastic pop wint als je de clown in de bak met sop laat vallen? Mijn God, het is gewoon pathetisch. Pa-the-tisch.'

'We hadden de opdracht aan Lincoln Dittmann moeten geven,' zei een van de nieuwere ondergeschikten. 'Die schijnt fenomenaal te kunnen schieten…'

Met scheefgehouden hoofd en starende ogen keek Quest de man aan alsof hij misschien de oplossing voor het probleem had aangedragen. 'Hoe kom je aan die waardevolle informatie?' vroeg ze op hese fluistertoon, de man aanmoedigend voordat hij de nekslag zou krijgen.

De jongeman besefte dat hij zich op drijfzand had begeven. 'Ik heb me verdiept in de 201-dossiers van de Centrale Registratie om meer kijk te krijgen op onze troeven in actieve dienst…' Zijn stem stierf weg. Hij keek zoekend om zich heen, maar niemand leek hem te hulp te willen komen.

Met opengezakte mond bleef Quest verbaasd knikken. 'Lincoln Dittmann! Dat is pas een briljante suggestie. Ha! Wil iemand dit groentje uit zijn lijden helpen?'

Quests stafchef, een bureaucraat met een olifantshuid die al menige storm op de zesde verdieping had doorstaan, zei op zakelijke toon: 'Dittmann en Odum zijn dezelfde persoon, Frank. Je had de verwijzing in het 201-dossier in de kleine lettertjes op de eerste pagina kunnen vinden.'

'Dat is één slag,' liet Quest Frank weten. 'Als je de kleine lettertjes van jouw contract hebt gelezen, weet je dat we hier het principe van "drie slag en je bent uit" hanteren.' Ze draaide om haar as op haar draaistoel alsof ze zichzelf opwond. 'Goed. Ik vat samen,' zei ze, en onderdrukte haar ergernis. 'We hebben een eerlijke poging gedaan Martin Odum uit zijn hoofd te praten Samat Oegor-Zjilov op te snorren. Martin is een grote jongen. Hij maakt zelf uit wat hij doet. En wij moeten doen wat wij moeten doen om te zorgen dat hij Samat nooit bereikt. De zaak heeft prioriteit, dus onze volle en onverdeelde aandacht. Waar is Martin Odum naartoe gegaan vanuit Israël? Welke aanwijzing trekt hij na? Met wie wil hij gaan praten? En over welke middelen kunnen we ter plaatse beschikken, wie staan ons ten dienste bij de uiteindelijke confrontatie – om te zorgen dat ik tijdig het boetekleed kan aantrekken als de hele zaak op een fiasco uitdraait?'

1997: MARTIN ODUM HOUDT ZICH VAN DEN DOMME

Over de dode hond gebogen haalde Martin de buik open met een scheermes, stak zijn gehandschoende hand in de opening om de organen los te snijden en maakte zo de buikholte leeg. Hij gebaarde naar een van de fedajien, die het raam uit de bijenkast tilde en heel omzichtig op de grond naast de dode hond neerzette. 'Honing is heel stabiel,' zei Martin grinnikend. 'Zeg maar tegen hem dat honing niet in zijn gezicht zal ontploffen zolang hij niet op scherp is gezet.' Met een spatel schraapte hij bijenwas van de raat tot hij een hoeveelheid ter grootte van een tennisbal had, sloot die aan op een kleine zelfgebouwde radio-ontvanger van plastic en schoof het geheel in de buikholte. Daarna naaide hij met een dikke naald en een stuk slagerstouw de opening dicht. Hij richtte zich op en bekeek het resultaat.

'Nog vragen?'

Een van de fedajien zei iets in het Arabisch, en de Rus met de zware gouden ring aan zijn pink vertaalde de vraag in het Engels. 'Hij vraagt van hoe ver we de lading tot ontploffing kunnen brengen.'

'Dat hangt ervan af wat voor middel je gebruikt,' zei Martin. 'Met een snoerloze telefoon of een walkman zo'n vijf-, zeshonderd meter. Met zo'n automatische pieper als artsen dragen acht tot tien kilometer. Met een kortegolfscanner of een mobiele telefoon zestien tot twintig kilometer ver, als het goed weer is en de frequentie niet wordt gestoord.'

Met zijn drie leerlingen en de vertaler achter zich aan liep Martin de helling op en ging liggen achter het verroeste wrak van een vn-jeep. Ze hoefden niet lang te wachten. De patrouille van de Israëli's, voorafgegaan door een soldaat die de onverharde weg controleerde met een magnetische mijndetector, kwam om de bocht. De soldaat die mijnen zocht, liet zijn detector over de hond gaan, kreeg geen uitslag en liep door. De officier achter hem bereikte de hond. Iets trok kennelijk zijn aandacht – de grove hechting van de buik, waarschijnlijk – want hij hurkte bij het dier om het beter te kunnen bekijken. Martin knikte naar de fedajien met de automatische pieper in zijn hand die was ingesteld om een signaal te verzenden naar de plastic ontvanger in de buik van de hond. Onder hen klonk een doffe knal en er steeg een wolk mosterdkleurige rook op. Toen die optrok, hurkte de officier van de Israëli's nog steeds bij de hond, maar zijn hoofd rolde langzaam naar de berm.

'Ik wist niet dat honing kon ontploffen,' fluisterde de Rus, met zijn zware Slavische accent dat loom uit zijn keel opsteeg.

De zwavelgeur van verbrande bijenwas drong in Martins neus en belemmerde zijn ademhaling. Snakkend naar lucht schoot hij overeind in zijn bed en depte het koude zweet van zijn voorhoofd met een punt van het laken. Zijn hart bonkte; migraine drukte tegen de achterkant van zijn ogen. Een verschrikkelijk ogenblik wist hij niet wie hij was of waar hij was. Hij loste het tweede probleem het eerst op toen hij de zware hoest van de oude man twee kamers verderop in het pension hoorde en besefte waar hij was: níét in het zuiden van Libanon. Nadat hij had bedacht welke dekmantel hij gebruikte, werd zijn ademhaling langzaam weer normaal.

Vier dagen eerder was Martin op Heathrow probleemloos door de paspoortcontrole gekomen. 'Komt u voor zaken of plezier?' had de vrouwelijke douanier gevraagd. 'Als het een beetje meezit: plezier, in de vorm van inrichtingen met drankvergunning en musea, in die volgorde,' had hij geantwoord. De vrouw had met een flauw lachje een stempel in zijn paspoort gezet. 'Als het u om pubs te doen is, kunt u hier uw hart ophalen. Prettig verblijf in Engeland gewenst.'

Nadat hij zijn koffer van de bagageband had gepakt, had Martin de verwijsbordjes naar de metro gevolgd tot er uit het niets een gezette jongeman met blozende wangen voor hem opdook. 'Meneer Odum?' had hij gevraagd.

'Hoe komt het dat u weet hoe ik heet?'

De jongeman, gehuld in een regenjas met ceintuur die hem een maat te groot was, had Martins vraag genegeerd. 'Mag ik u verzoeken met me mee te gaan?'

'Heb ik een keus?'

'Helaas niet.'

'Bent u van vijf of van zes?'

'MI5, gelukkig. MI6 denkt dat u radioactief bent; die willen u met geen vinger aanraken.'

Martin zag drie andere mannen in regenjassen die hem omsloten terwijl hij trekkebenend achter de jongeman aan de aankomsthal door liep en een trap beklom naar een balkon met uitzicht over de hal. Appelwang bleef staan voor een matglazen deur met het opschrift 'Beperkt houdbare goederen'. Hij klopte twee keer op het glas met zijn knokkels, deed de deur open en deed beleefd een stap opzij. Een vrouw van middelbare leeftijd in een herenpak met krijtstreep en das was bezig mappen op te halen in een computer. Zonder opkijken wees ze met haar hoofd naar een binnendeur waarop 'Chef beperkt houdbare goederen' stond. In dit kantoor ontdekte Martin een zwarte man met een kaalgeschoren hoofd die de bagagebanden beneden bestudeerde tussen de lamellen van een bijna dichtgetrokken zonwering door. De zwarte man draaide op zijn stoel naar hen toe en liet zijn rug tegen de leuning rusten. 'Ik moet toegeven dat u er niet uitziet als de doorsnee seriemoordenaar,' zei hij met een zachte, welluidende stem.

'Hoe ziet de doorsnee seriemoordenaar eruit?'

'Glazige blik, mijdt oogcontact, bijt nagels, kwijlt met openhangende mond, speeksel tussen de stoppels op zijn kin. Een rol voor Bela Lugosi.'

'Bent u rechercheur of filmcriticus?'

Grinnikend om Martins vraag begon de chef beperkt houdbare goederen een vergeelde archiefkaart voor te lezen. 'De laatste keer dat we u hebben gesignaleerd was u iemand met twee persoonlijkheden. De eerste was Pippen, Dante, een Ier die niet met ons onderzoek wilde meewerken nadat de IRA in het centrum van Londen een bus had opgeblazen. De tweede was Dittmann, Lincoln, een Amerikaanse wapenhandelaar die zijn koopwaar aan de hoogste bieder wilde slijten in het Triple Frontera-gebied in Latijns-Amerika.'

'U ziet me voor iemand anders aan,' zei Martin. 'U verwart me met de antihelden uit b-films.'

'Dat dacht ik niet,' zei de chef beperkt houdbare goederen. Hij trok zijn wenkbrauwen op en staarde naar Martin, die zijn gewicht van het ene op het andere been verplaatste. 'Als we stoelen hadden, zou ik u er een aanbieden. Sorry.'

'Ik heb van Tel Aviv naar hier gezeten,' zei Martin. 'Blij dat ik mijn benen kan strekken.'

'Ja, nu ja, in Israël gaf u zich uit voor Martin Odum, een particulier detective uit New York, met een adres in...' Hij raadpleegde de archiefkaart. 'Brooklyn. Dat is trouwens wel een vondst. Een onzinverhaal over een zoektocht naar een vermiste man om zijn vrouw aan een religieuze scheiding te helpen. Het spreekt vanzelf dat gezien uw reputatie noch onze antenne in Israël, noch onze afdeling beperkt houdbare goederen hier in Londen daarin is getrapt. Dus wat hebt u deze keer in de aanbieding, meneer Dittmann? Gebruikte kalasjnikovs, zo goed als nieuw? Dat in de Oekraïne gebouwde passieve radarsysteem waarmee, als het waar is wat ze beweren, Stealth-toestellen op achthonderd kilometer afstand kunnen worden gesignaleerd? Zenuwgas vermomd als talkpoeder? Smetstof voor het veroorzaken van een cholera- of kameelpokkenepidemie?'

'Niets van dat alles,' zei Martin met een onschuldig lachje. 'Ik zou niet weten waar u het over hebt.'

'Dan gaan we zoeken.' Hij drukte op een knop. De jongeman met de appelwangen en de vrouw die aan de computer had zitten werken kwamen binnen. 'Mogen wij het sleuteltje van uw koffer, meneer Dittmann,' zei de vrouw, 'en wilt u zich dan uitkleden?' De zwarte man kwam achter zijn bureau vandaan. Martin zag dat hij vaak genoeg in de sportschool trainde om te hopen dat de man tot wie het verzoek was gericht verzet zou bieden.

Martin keek even naar de vrouw. 'Ik ben nogal verlegen,' merkte hij op.

'Je heb niks wat zij niet eerder heb gezien,' snauwde Appelwang, quasi vulgair uit zijn rol vallend.

De beide mannen concentreerden zich op Martin, kleedden hem helemaal uit en bestudeerden elke vierkante centimeter van zijn driedelige pak, ondergoed en sokken. De chef besteedde vooral veel aandacht aan zijn schoenen, die hij een voor een inbracht in een toestel dat een röntgenbeeld op een glazen plaat projecteerde. De vrouw leegde de koffer op het bureau en boog zich over de inhoud. Tandpasta werd uit de tube geknepen in een plastic bakje met een Chinees opschrift. Capsules met *anti-grippine* werden opengesneden voor inspectie. Het potje scheercrème werd leeggemaakt en doormidden gezaagd. Terwijl hij poedelnaakt midden in het vertrek stond, vroeg Martin zich af welke anti-Britse grap Stella over dit voorval zou maken, maar hij kon geen clou verzinnen. 'Ik neem aan dat u mijn vernielde eigendommen zult vergoeden,' zei hij terwijl hij zich begon aan te kleden.

De chef ging er serieus op in. 'U kunt de eigendommen in kwestie vervangen en ons de rekening sturen,' zei hij. 'Als u de nota richt aan Heathrow, Beperkt houdbare goederen, zou hij moeten aankomen, nietwaar, dames en heren? Iedereen weet wie wij zijn. Mag ik u vragen hoe lang u in het land denkt te blijven, meneer Dittmann?'

'Dat mag u vragen.'

De chef glimlachte niet. 'Hoe lang denkt u in het land te blijven, meneer Dittmann?'

'Ik heet Odum. Martin Odum. Ik ben in Groot-Brittannië om anti-Britse grappen te vertellen die zich als een lopend vuurtje door het land zullen verspreiden en mensen afleiding zullen bieden in hun saaie alledaagse bestaan. Ik ben van plan net zo lang te blijven als de mensen blijven lachen.'

'Hij is wel origineel,' zei de zwarte man tegen de anderen.

Appelwang bracht Martin terug naar de aankomsthal. 'Even goeie vrienden?' Hij probeerde het ironisch te laten klinken.

Terwijl Martin de bordjes naar de metro volgde, merkte hij al snel de twee mannen op die hem in het oog hielden, de een vijftien passen achter hem, de ander tien passen achter de eerste. Ze verrieden zich door onmiddellijk naar de vitrines van boetieks te kijken zodra hij omkeek. Bij de roltrap naar het metrostation beneden boog de voorste man af, de tweede verkleinde de afstand en een derde man sloot zich achter hem aan. De middelen die werden ingezet om de gangen van Lincoln Dittmann na te gaan, gaven Martin het gevoel dat hij belangrijk was; het was lang geleden dat iemand hem interessant genoeg had gevonden voor een meervoudige achtervolging. Zoals altijd in dit soort situaties hielden de agenten die Martin niet zag hem meer bezig dan degenen die hij diende op te merken. Hij nam de Piccadillylijn naar Piccadilly Circus en de roltrap naar de straat. Daar leunde hij tegen een kiosk om zijn pijnlijke been te ontzien. Na een tijdje wandelde hij naar Tottenham Court Road, waar hij bij een drogisterij tandpasta en scheercrème kocht, en een pub binnenging met een knetterend neonbord boven de entree dat herinneringen opriep aan de haven van Beiroet en Dantes alevitische prostituee Djamillah. Hij ging op een kruk zitten aan het schemerige uiteinde van de bar en nam kleine slokjes van zijn halve pint lager, tot het glas halfleeg was. Hij maakte zijn koffer open, schoof het stapeltje valse papieren onder de witzijden halsdoek, depte er zijn voorhoofd mee en stopte hem in zijn colbertzak. Hij legde zijn koffertje op de bar, vouwde er zijn Burberry overheen en vroeg de barman een oogje op zijn spullen te houden terwijl hij naar de heren ging. Martin lette amper op de twee mannen die hem schaduwden, twee op straat en een aan een hoektafeltje in de pub; ze waren allemaal jong en dus onervaren, zodat ze in de oudste valstrik ter wereld zouden trappen. Strak kijkend naar zijn halfvolle glas en het koffertje met de jas erop zouden ze wachten tot hij terugkwam. Al naar gelang hun relatie met de chef beperkt houdbare goederen zouden ze wel of niet vermelden dat Martin door hun vingers was geglipt toen hij niet terug was gekomen.

Martin kende dit herentoilet van een eerder verblijf in Londen, lang geleden. Indertijd was hij op weg naar de Sovjet-Unie en had een bezoek gebracht aan de afdeling Oost-Europa van MI6. Welk personage had hij bij die gelegenheid gebruikt? Het moest het oorspronkelijke Martin Odum-personage zijn geweest, want Dittmann en Pippen waren later gekomen, meende hij. In een verre uithoek van zijn geheugen had hij zo'n brokje vakkennis opgeslagen dat de beroeps verzamelden alsof het zeldzame postzegels waren: dit herentoilet had een brandwerende deur die afgesloten was, maar bij een calamiteit kon worden geopend door een venstertje te breken en de sleutel te gebruiken die aan een haakje in het kastje hing. Hij brak het glas, pakte de sleutel en deed de deur open. Even later stond hij in een steeg die uitkwam op een zijstraat bij, dat was geluk hebben, een taxistandplaats.

'Paddington,' zei hij tegen de chauffeur.

Hij stapte nog twee keer over in een andere taxi en gaf pas de laatste bestuurder zijn werkelijke bestemming op. 'Golders Green,' zei hij, terwijl hij zich op de achterbank installeerde en kortstondig genoot omdat hij die lui van Vijf voor even had afgetroefd.

'Waar precies in Golders Green?' vroeg de taxichauffeur over de intercom.

'Zet me maar af bij de klok, dan loop ik het laatste stukje wel.'

'Komt voor elkaar. U bent zeker Amerikaan?'

'Hoezo?'

'Het accent, heer. Een Amerikaan, dat hoor ik zo.'

'Ik kom eigenlijk uit Polen,' zei Martin, 'maar ik heb in Amerika gewoond en dan neem je het over.'

De chauffeur grinnikte. 'Ik weet het gelijk als iemand me in de maling neemt, en als u een Pool bent, ben ik een Eskimo.'

Martin rekende af voor het metrostation Golders Green. Terwijl hij onder het woord 'Courage' stond, dat in het stenen monument aan het begin van Golders Green was gebeiteld, oriënteerde hij zich voordat hij de brede, zonnige straat in liep met de vele middagpassanten: Filippijnse dienstmeisjes achter de rolstoelen van oude dames, tieners met geborduurde keppeltjes die op mountainbikes langsscheurden, tientallen orthodoxe vrouwen met pruiken en lange rokken die etalages bekeken met bordjes in het Engels en het Ivriet. Martin vond een tweedehandswinkel van een Joodse liefdadige instelling waar hij een oude koffer kocht die een paar keer de wereld rond leek te zijn geweest. Hij maakte een snee in de rafelige zijden voering en schoof daar zijn documenten door; daarna vulde hij de koffer met draagbare tweedehands kleding. Hij vond een gedragen Aquascutum die weinig hoefde te kosten omdat de ceintuur ontbrak en de zoom gerafeld was. Bij een drogisterij kocht hij tandpasta, een scheerharkje en een tubetje scheercrème. Op Woodstock Avenue zag hij een sjofel pension naast een synagoge, met een bord op het verwaarloosde gazon waarop kamers te huur werden aangeboden. Hij betaalde de norse hospita een week huur, liet zijn bagage achter en liep naar de hoek om in een koosjere broodjeszaak tegenover een kerk wat te eten. Halverwege de middag liep hij naar het Centrum voor Chinese Geneeswijzen om zijn been met acupunctuur te laten behandelen. Toen hij na afloop klaagde dat zijn been juist meer pijn was gaan doen, zei de oude Chinees, die routineus de naalden uit Martins huid trok, dat algemeen bekend was dat het slechter moest worden voor het beter kon gaan. Martin beloofde dat hij dat zou onthouden. Terwijl hij terugliep naar het pension, merkte hij dat hij minder last had van zijn been, door de acupunctuurbehandeling of de macht van de suggestie. In een sigarenwinkel kocht hij een telefoonkaart en dook toen een brandweerrode cel in op de hoek van Woodstock en Golders Green, waar een verbrand telefoonboek aan een ketting hing. Hij zocht in zijn portefeuille naar het snippertje papier waarop hij het nummer had genoteerd dat Elena op de achterkant van haar strudelrecept had gevonden, stak zijn plastic kaart in de gleuf en toetste het nummer in.

Voor deze gelegenheid maakte Martin weer eens gebruik van Dante Pippens Ierse accent. 'En mag ik vragen met wie ik spreek?' vroeg hij, toen hij hoorde dat een vrouw had opgenomen.

'Mevrouw Rainfield.'

'Goeiemorgen, mevrouw Rainfield. U spreekt met Patrick O'Faolain van de telefoondienst. Ik ben in Golders Green met de kabel bezig en probeer wijs te worden uit de lijnen van de mensen hier. Wilt u zo vriendelijk zijn de vijf en de zeven op uw toestel in te drukken, in die volgorde?'

'Eerst de vijf en dan de zeven?'

'Heel graag, mevrouw Rainfield.'

'Hebt u het gehoord?'

'Heel duidelijk. Wilt u het voor de zekerheid nog een keer doen?'

'Zo goed?'

'Uitstekend. Zulke mensen als u zouden we bij het bedrijf goed kunnen gebruiken.'

'Wat is er eigenlijk aan de hand?'

'U moet me niet vragen hoe het komt, maar uw aansluiting schijnt in de krul te zitten met de lijnen van uw buren. Een van uw buren heeft geklaagd dat ze een gesprek hoorde toen ze wilde bellen. Hebt u zelf ook storing, mevrouw Rainfield?'

'Nu u het zegt: de verbinding leek vanochtend slechter dan anders.'

'U zou me nu kristalhelder moeten horen.'

'Dat is inderdaad zo.'

'Meestal moeten we knutselen aan lijnen waar helemaal niets mis mee is. Af en toe is het wel dankbaar om een storing te kunnen opheffen. Dat is voor de helft aan u te danken; het was kinderspel nadat u de vijf en de zeven had ingedrukt. Voor mijn bonnetje wil ik nog graag uw volledige naam en het adres van uw telefoon hebben.'

'Ik ben Doris Rainfield,' zei de vrouw en ze gaf een adres op aan de North End Road, in het verlengde van Golders Green, achter het station.

'Geweldig bedankt.'

'Tot uw dienst.'

Martin drukte op de zoemer opzij van de enorme stalen deur met een messing bord ernaast waarop 'Uitholling Overdwars' stond en keek omhoog naar een beveiligingscamera. De intercom kraakte. De nasale stem van een vrouw klonk door het gekraak heen.

'Bestellingen afgeven is achterom.'

'Ik ben Martin Odum,' riep Martin, 'ik kom voor de directeur.'

'Bent u de man die protheses naar Bosnië transporteert?'

'Sorry, nee. Ik ben gestuurd door een vriend van de directeur, meneer Samat Oegor-Zjilov.'

'Wacheffe.'

Na het gekraak werd het griezelig stil. Een ogenblik later klonk de vrouw, mevrouw Rainfield dacht Martin, weer over de intercom. 'Meneer Rabbani wil weten waar u meneer Oegor-Zjilov van kent.'

'Zeg maar,' zei Martin en gebruikte de uitdrukking die Kastner bij hun ontmoeting in President Street had gebruikt, 'dat we van hetzelfde slag zijn.'

'Hoe zegt u?'

'Ja, nou, zegt u maar tegen meneer Rabbani dat ik Samat ken uit Israël.'

Het werd opnieuw stil. Toen deed een discreet stroomstootje de deur van het slot, waarop die op een kier openging. Martin duwde hem verder open en betrad de loods. Hij hoorde dat de deur achter hem weer in het slot viel terwijl hij een betonnen looppad nam dat was versierd met kalenders uit de jaren tachtig, elk met een vrijwel naakt filmsterretje in een wulpse pose. In de glazen ruimte aan het einde van het looppad zat een jonge vrouw met puntborsten en kort stroblond haar aan een bureau haar nagels fuchsiakleurig te lakken. Martin duwde de openstaande deur verder open. 'U moet Doris Rainfield zijn,' ried hij.

De vrouw keek ervan op. 'Heeft Samat dan over mij verteld?' Ze wapperde met haar rechterhand om de lak te laten drogen. 'Ik mag hem wel, die Samat. Al heeft hij kapsones, met zijn jas over zijn schouders geslagen alsof het een cape is. Hij leek wel de sjeik in zo'n film van Rudy Valentino, als u dat iets zegt.'

'Inderdaad, mevrouw Rainfield.'

De vrouw dempte haar stem om iets vertrouwelijks te vertellen. 'Eigenlijk ben ik niet mevrouw Rainfield. Vroeger wel, maar zes weken en drie dagen geleden ben ik met Nigel Froth getrouwd, en dus ben ik nu mevrouw Froth, of niet soms? Kent u die naam? Mijn Nigel is een grootheid in de snookerwereld. Vorig jaar kwartfinale in het Britse kampioenschap, verloren van de gast die tweede werd, wat een klapper voor hem was, voor Nigel bedoel ik, niet voor die andere gast die tweede werd. Op kantoor heb ik mijn oude naam aangehouden omdat meneer Rabbani me zo noemt. Alle papieren hier staan op naam van Rainfield en het is te veel gedoe om dat te veranderen, zegt hij.'

Martin leunde tegen de deurpost. 'Gedraagt mevrouw Rainfield zich anders dan mevrouw Froth?'

'Nou u het zegt. Mijn meneer Froth ziet me graag in korte rokjes en strakke truitjes. Meneer Rainfield had me zo niet over straat laten gaan. Het is net zoiets als die cape van Samat, hè schat? Wat je draagt is wat je wilt zijn.' Knipperend met onnatuurlijk lange wimpers duidde mevrouw Rainfield met haar ogen de deur aan het bittere einde van het looppad aan. 'Daarachter, schuin de loods door en dan kom je in het rijk van meneer Rabbani. Zijn assistent, een Egyptenaar die Rachid heet – en die zie je niet over het hoofd – doet de deur open.'

'Heet hij echt Rachid of is dat ook een kwestie van meneer Rabbani's hekel aan gedoe?'

Mevrouw Rainfield giechelde waarderend.

'Bedankt,' zei Martin, en ging op weg tussen de hoge stapels kartonnen dozen, allemaal voorzien van de aanduiding 'Arm' of 'Been' met de afmetingen in duimen en centimeters, en in kleinere letters de vermelding dat het artikel in de Verenigde Staten van Amerika was gefabriceerd. Boven Martins hoofd viel diffuus zonlicht naar binnen door dakramen met groezelige aanslag en vogelpoep. Een zwaargebouwde man met ongeschoren wangen en slordig haar, kennelijk de lijfwacht, doemde op van achter de laatste dozen. Volgens een met de hand geschreven badge die op de brede revers van zijn double-breasted jasje was gespeld, heette hij Rachid.

'Wat bij u?' wilde hij weten, en hij monsterde Martin met een blik die onverschilligheid uitdrukte omtrent het lot van de bezoeker in het onwaarschijnlijke geval dat hij verzet zou bieden.

Martin speelde een rol waaraan hij niet gewend was: die van onschuldige. 'Of ik wat bij me heb?'

'Wat de politie voor een vuurwapen kan aanzien,' snauwde Rachid.

Grijnzend ging Martin in spreidstand staan en stak zijn armen in de lucht. De lijfwacht fouilleerde hem heel vakkundig en schoof zijn hand zo hoog langs zijn been dat hij met zijn knokkel Martins penis aanraakte, waardoor Martin even huiverde.

'Kan je niet tegen kietelen?' zei de lijfwacht met een vals lachje. Hij wees met zijn hoofd naar een deur met een keurig beletterd plastic bordje waarop stond: 'Taletbek Rabbani – Export'. Martin klopte aan. Even later klopte hij opnieuw en hoorde de hese stem van een oude man zachtjes roepen: 'Waar wacht je op, mijn zoon, een schriftelijke uitnodiging?'

Taletbek Rabbani zat gekromd op een hoge kruk en aan een hoge schrijftafel; een dikke sigaret bungelde tussen zijn droge lippen en rook bleef boven zijn kale hoofd hangen als een regenwolk. Hij was een oude man die tegen de negentig moest zijn en hij was niet veel dikker dan het potlood dat hij met reumatische vingers vasthield. Hij had een pluk grof wit haar onder zijn onderlip dat de as opving die van zijn sigaret viel. Warme lucht omgaf Martin zodra hij het kantoor betrad; er heerste bijna een saunatemperatuur in het kantoor van de oude man. Terwijl hij op een sleets bankje ging zitten met het label 'Import uit Sri Lanka' aan een dunne houten poot, hoorde Martin het water in de radiatoren gorgelen. 'Taletbek Rabbani klinkt als een Tadzjiekse naam,' merkte hij op. 'Als ik mag raden, bent u volgens mij een Tadzjiek uit de steppen van de Panjsir-vallei ten noorden van Kaboel. Ik meen me te herinneren dat ene Rabbani stamhoofd was en heerste over een aantal bergdorpen bij de grens met Oezbekistan.'

Rabbani verspreidde de sigarettenrook met zijn uitgemergelde vingers om zijn bezoeker beter te kunnen zien. 'In Afghanistan geweest?' informeerde hij.

'In een eerder leven heb ik bijna een jaar bij de Khyberpas door-gebracht.'

Rabbani probeerde meer inzicht te krijgen in Martins levensloop. 'Wat deed je daar, mijn zoon? Inkoop of verkoop?'

'Inkoop. Verhalen. Ik hoorde de verslagen aan van militanten die in Afghanistan waren geweest en schreef die op voor een persbureau.'

Een vluchtig lachje sloop in Rabbani's door ouderdom aangetaste ogen. 'Persbureau, dat is natuurlijk onzin. De enige mensen bij de Khyberpas waren van de Amerikaanse inlichtingendiensten. Wat betekent dat je aan dezelfde kant stond als mijn oudere broer, stamleider Rabbani.'

Dat had Martin al gedacht, nadat hij Rabbani's naam had weten te plaatsen; hij hoopte dat hij daardoor in de gunst zou raken bij de oude man die, dat viel hem nu pas op, zijn linkerhand onder het bureaublad hield. Ongetwijfeld had hij een pistool in zijn vingers.

'Wat is er met uw broer gebeurd nadat de Russen eruit waren getrapt?'

'Net als iedereen in de vallei raakte hij betrokken bij de burgeroorlog; hij vocht met Ahmed Shah Massoud tegen de Taliban toen die hun madrassa's in Pakistan in de steek hadden gelaten om in Afghanistan te infiltreren. Op een dag nodigden de Taliban mijn broer uit voor een ontmoeting onder een witte vlag, ergens in de buitenwijken van Kaboel.' Hetzelfde lachje verscheen weer in Rabbani's ogen, maar nu had het ook iets van verbittering. 'Ik heb hem afgeraden te gaan, maar hij was koppig, hij kende geen angst en hij wilde niet naar me luisteren. Hij ging. En dus keelden de Taliban hem, en zijn drie lijfwachten.'

'Ik meen me zoiets te herinneren.'

Rabbani's linkerhand werd zichtbaar, waaruit Martin opmaakte dat hij de proef had doorstaan.

'Als je bij de Khyber bent geweest en je Rabbani kunt herinneren,' zei de oude man, 'moet je voor de CIA hebben gewerkt.' Toen Martin dat niet bevestigde of ontkende, knikte Rabbani langzaam. 'Ik begrijp dat er dingen zijn die nooit hardop worden gezegd. Je moet een oude man zijn gebrek aan discretie vergeven.'

Martin hoorde treinen in het aangrenzende station binnenkomen en vertrekken met de ritmische cadans die bijna even bevredigend was als het reizen zelf. 'Mag ik vragen, meneer Rabbani, hoe u in Londen terecht bent gekomen?'

'Ik ben door mijn broer naar Engeland gestuurd om medicamenten te kopen voor onze gewonde strijders. Toen mijn broer was vermoord, profiteerde een neef van moederskant van mijn afwezigheid om de macht te grijpen over de stam. Mijn neef en ik zijn gezworen vijanden; het stamgebruik belet me over de reden van deze vete te spreken zonder dat een vertegenwoordiger van mijn neef aanwezig is om zijn kant van de zaak te belichten. Maar voor mij was het gezonder hier in Londen te blijven.'

'En u bent samen met Samat in zaken gegaan, de verkoop van protheses?'

'Ik weet niet hoe goed je Samat kent,' zei Rabbani, 'maar in zijn hart is hij een filantroop. Hij heeft het startkapitaal ter beschikking gesteld om deze bedrijfsruimte te huren en het bedrijf op te zetten.'

'De Samat die ik ken staat niet als filantroop bekend,' zei Martin bot. 'Hij heeft een schimmige handel in allerlei wapens die verlies van ledematen veroorzaken. Als hij actief is in de verkoop van prothesen aan door oorlog verscheurde landen, levert dat kennelijk een gezonde winst op.'

'Je beoordeelt Samat verkeerd, mijn zoon,' hield Rabbani vol. 'En je beoordeelt mij verkeerd. Samat is te jong om alleen op winst gericht te zijn, en ik ben daar te oud voor. De dozen met kunstledematen die je onderweg naar mijn kantoor hebt gezien worden tegen kostprijs verkocht.'

'Hm.'

'Kennelijk geloof je me niet.' Rabbani liet zich moeizaam van zijn kruk glijden, pakte twee houten krukken die uit het zicht achter het bureau hadden gelegen en begaf zich naar de andere kant van het kantoor. Toen hij voor de bank stond, tilde hij zijn linker broekspijp op zodat een huidkleurige plastic prothese zichtbaar werd met een loafer van Gucci aan de voet.

'Hoe bent u uw been kwijtgeraakt?' vroeg Martin ernstig.

'Ik heb gehoord dat het door een landmijn was.'

'Hebt u er dan geen herinnering aan?'

'Soms komen er 's nachts flitsen bij me op van wat er is gebeurd: een oorverdovende explosie, de smaak van zand in mijn mond, de kleverigheid van de stomp die ik betastte, het gevoel dat ik maandenlang heb gehad dat het been er nog was en dat het pijn deed. De beelden lijken uit het leven van iemand anders te komen, dus het lukt me niet goed de gebeurtenis te reconstrueren.'

'Psychiaters noemen dat het overlevingsmechanisme, meen ik.'

Beurtelings op de ene en de andere kruk steunend keerde Rabbani terug naar zijn hoge kruk en hees zich er weer op. 'Ik heb Samat in het begin van de jaren negentig in Moskou leren kennen toen ik Sovjet-dumpgoederen aankocht, wapens en munitie voor Massoud en mijn broer, om de Panjsir mee te verdedigen. De Russische legereenheden die zich na de val van de Berlijnse Muur terugtrokken van hun bases in de voormalige Duitse Democratische Republiek verkochten alles uit hun arsenalen: geweren, mitrailleurs, mortiergeschut, landmijnen, radio's, jeeps, tanks, munitie. Samat vertegenwoordigde de zakelijke belangen van iemand die zeer machtig moest zijn. In die periode in mijn leven had ik geen schuldgevoel over de aankoop en het gebruik van die wapens. Ik deed met de Taliban wat zij uiteindelijk met mij deden. Dat was voordat ik zelf op een landmijn stapte. Neemt u maar aan van iemand die het heeft meegemaakt, meneer Odum, dat het een sensationele ervaring is. Het ene ogenblik steun je op de grond, het volgende ogenblik vlieg je ondanks de zwaartekracht door de lucht. Wanneer je weer valt, ben je een been of voet kwijt en alles, zowel geestelijk als lichamelijk, is voorgoed anders geworden. Het was Samat die ervoor zorgde dat ik met het vliegtuig naar een ziekenhuis in Moskou werd overgebracht. Het was Samat die me mijn kunstbeen van Amerikaans fabrikaat bezorgde. Het is niet overdreven om te zeggen dat ik een ander mens ben geworden. En daarom treft u me aan in een loods vol prothesen die wij tegen kostprijs verkopen.'

'En waar komt de naam "Uitholling Overdwars" vandaan?'

'Samat en ik maakten eens een reis door de Verenigde Staten,' vertelde Rabbani. 'We reden in een grote Amerikaanse auto van Santa Fe in New Mexico naar New York, toen we op het idee kwamen om een bedrijf op te zetten voor de export van kunstledematen voor een prijs die haalbaar zou zijn voor oorlogsslachtoffers. We stopten langs de kant van de weg om te urineren en daarna bezegelden we ons besluit met een handdruk. Naast de auto stond een bord met "uitholling overdwars". We wisten geen van beiden waar dat op sloeg, maar het leek ons een geschikte naam voor ons bedrijf.'

De intercom zoemde. Rabbani gebruikte een kruk om de pal over te halen, en bromde: 'Wat nou weer, meisje?'

De stem van mevrouw Rainfield klonk uit de luidspreker. 'De wagen is er om de order uit Bosnië in te laden, meneer Rabbani. Ik heb ze achterom gestuurd. Ze hebben me een gegarandeerde bankcheque gegeven voor het juiste bedrag.'

'Bel de bank om de cheque te bevestigen. En zorg dat Rachid toezicht houdt op het inladen.' Rabbani wipte de pal weer op met zijn kruk. 'Je moet altijd waakzaam blijven,' klaagde hij. 'Allerlei louche types willen een slaatje slaan uit de handel in prothesen; die vinden het maar niets dat wij tegen kostprijs leveren.' Hij trok de peuk tussen zijn lippen vandaan en gooide hem in een metalen prullenbak. 'Wanneer was je in Israël, Odum?'

'Een dag of tien geleden.'

'Tegen mevrouw Rainfield zei je dat je Samat uit Israël kende. Waarom heb je gelogen?'

Martin besefte dat veel afhing van zijn antwoord op die vraag. 'Om binnen te komen,' zei hij. Met scheef gehouden hoofd vroeg hij: 'Waarom denkt u dat ik heb gelogen?'

Rabbani haalde een enorme zakdoek uit zijn zak en depte het zweet onder zijn boord in zijn nek weg. 'Samat is uit Israël vertrokken voordat jij daar aankwam, mijn zoon.'

'Hoe weet u dat?'

De oude man haalde zijn smalle schouders op. 'Ik zal jou niet vragen hoe jij weet wat je weet. Wees dan zo beleefd mij niet te vragen hoe ik weet wat ik weet. Samat is uit Israël gevlucht. Als je vandaag bij mij komt aankloppen, beschik je kennelijk over gegevens omtrent zijn telefoongesprekken, hoewel die vernietigd zouden worden, en dit adres in Londen. Ik zal je niet vragen hoe je dat hebt klaargespeeld, maar normaal gesproken wordt het telefoonbedrijf niet geacht adressen door te geven van geheime nummers.'

'Waarom hebt u me binnengelaten als u dacht dat ik loog over Samat?'

'Als je slim genoeg was om me te vinden, dacht ik, ben je misschien ook slim genoeg om me naar Samat te leiden.'

'Achteraan aansluiten, meneer Rabbani. Het lijkt wel of iedereen die ik tegenkom Samat wil vinden.'

'Anderen willen Samat vinden om hem uit te schakelen. Ik wil hem vinden om zijn leven te redden.'

'Weet u waarom hij uit Israël is gevlucht?'

'Zeker. Hij is uit Israël gevlucht om dezelfde reden als waarom hij erheen is gevlucht. Er zaten Tsjetsjeense huurmoordenaars achter hem aan. Dat is al zo sinds de Grote Maffiaoorlog in Moskou. Samat werkt voor de Oligarch; ik erken dat je slim bent, maar je bent vast niet zo slim dat je weet wie dat is.'

Martin kon de verleiding niet weerstaan. 'Samats oom, Tzvetan Oegor-Zjilov.'

De oude man grinnikte tot zijn lachen overging in scheurend hoesten. Speeksel drupte uit zijn mondhoek. Snakkend naar adem depte hij het op met zijn zakdoek. 'Je bent echt slim. Weet je wat er tijdens de Grote Maffiaoorlog is gebeurd?'

'De Slavische Alliantie vocht conflicten uit met Tsjetsjeense bendes. Een territoriumstrijd. Over wie wat in handen had.'

'Op het hoogtepunt van de oorlog hadden de Tsjetsjenen ongeveer vijfhonderd strijders die actief waren vanuit hotel Rossija, niet ver van het Kremlin. De leider van de Tsjetsjenen had een *nom de guerre*: de Ottomaan. De Oligarch liet hem en zijn toenmalige vriendin ontvoeren. Samat werd erop uitgestuurd om met de Tsjetsjenen te onderhandelen: als ze hun leider terug wilden hebben, moesten ze zich terugtrekken uit Moskou en genoegen nemen met een paar kleinere steden die de Oligarch bereid was af te staan. De Tsjetsjenen zeiden dat ze de zaak met anderen zouden moeten bespreken. Samat beoordeelde dat als tijdrekken; zelfs als ze op het voorstel ingingen, was er geen garantie dat ze Moskou zouden afstaan. Hij wist de Oligarch ervan te overtuigen dat de Tsjetsjenen een lesje moesten krijgen. De volgende ochtend vonden mensen op weg naar hun werk de lijken van de Ottomaan en zijn vriendin, die ondersteboven aan lantaarnpalen bij de muur om het Kremlin hingen; in kranten werd de vergelijking getrokken met de dood van Mussolini en zijn maîtresse, in de nadagen van de Grote Vaderlandse Oorlog.'

'En u noemt Samat een filantroop?'

'Wij hebben allemaal verschillende kanten, mijn zoon. Dat was maar één aspect van Samat. Een ander aspect was de verkoop van kunstbenen aan slachtoffers van landmijnen. Ik was een ander mens voordat ik op een landmijn stapte dan daarna. En jij, Odum? Heb jij maar één aspect of verschillende persoonlijkheden, zoals alle andere mensen?'

Martin drukte zijn hand tegen zijn voorhoofd tegen de bonzende migraine achter zijn ogen, even onontkoombaar als het geluid van de binnenkomende en vertrekkende treinen in het station. Tegenover hem haalde de oude man peinzend een sigaret uit een la en gaf zichzelf vuur met een houten lucifer, die hij met een snelle beweging afstreek. Opnieuw vormde zich een rookwolk boven zijn hoofd. 'Wie betaalt je om Samat te vinden, Odom?'

Martin vertelde over de echtgenote die Samat had laten zitten in Israël en die nu een religieuze scheiding wilde voor een rabbinale rechtbank. Rabbani trok aan zijn sigaret en dacht na. 'Het is niets voor Samat om een vrouw zo te laten zitten,' verklaarde hij. 'Als hij is gevlucht, moeten de Tsjetsjenen hem hebben opgespoord in die Joodse nederzetting bij Hebron. Tsjetsjenen hebben lange messen en het geheugen van een olifant; ik heb gehoord dat sommigen rondlopen met krantenfoto's van de Ottomaan en zijn dame, ondersteboven hangend aan lantaarnpalen. De Tsjetsjenen moeten bij wijze van spreken bij Samat hebben aangeklopt, waarna hij op de vlucht is geslagen.' Rabbani trok een andere la open en haalde er een metalen kistje uit, dat hij openmaakte met een sleuteltje dat aan de ketting van zijn gouden zakhorloge hing. Hij haalde er een dikke stapel Britse bankbiljetten uit en liet die voor Martin op het bureau vallen. 'Ik zou Samat graag willen vinden voordat de Tsjetsjenen hem te pakken krijgen. Ik wil hem helpen. Zelf heeft hij geen geld nodig; hij kan over meer geld beschikken dan hij ooit nodig zal hebben. Maar hij heeft wel vrienden nodig. Ik kan hem aan een nieuwe identiteit helpen, een nieuw bestaan. Dus wil je voor mij werken, Odum? Wil je Samat opsporen om tegen hem te zeggen dat Taletbek Rabbani klaarstaat om zijn vriend te helpen?'

'Als Samat door de Tsjetsjenen wordt opgejaagd, kan hem helpen u nog duur te staan komen.'

Rabbani pakte een van zijn krukken en tikte ermee op zijn kunstbeen. 'Ik heb mijn been aan Samat te danken. En mijn been is mijn leven geworden. Zo'n schuld zal geen Pansjiri ooit verloochenen, mijn zoon.'

Martin hees zich overeind, liep naar het bureau en liet de stapel bankbiljetten door zijn vingers gaan alsof het een pak speelkaarten was. Daarna stak hij ze in zijn binnenzak. 'Ik hoop dat u me zult vertellen waar ik moet zoeken.'

De oude man pakte een potlood, krabbelde iets op de achterkant van een envelop en gaf die aan Martin. 'Na zijn vertrek uit Israël is Samat hierheen gekomen; hij wilde zich op de hoogte stellen van projecten waarbij hij erg betrokken is. Hij is twee dagen gebleven en heeft toen het vliegtuig naar Praag genomen. Er is een divisie in Praag – weer zo'n favoriet project van Samat – die ook geheim werk voor hem doet. Ik heb een van de directeuren ontmoet toen ze hier bij Samat op bezoek kwam. Zij heeft me haar kaartje gegeven voor als ik een keer in Praag ben.'

'Wat voor geheim werk?'

'Weet ik niet precies. Ik heb die vrouw met Samat horen praten – iets over het ruilen van het gebeente van een Litouwse heilige voor Joodse thorarollen. Vraag me niet wat het gebeente van een heilige met schriftrollen te maken kan hebben. Geen idee. Bij Samat zat alles in een apart vakje. De Samat die ik kende exporteerde prothesen tegen kostprijs. Er waren andere Samats van wie ik niet meer dan een glimp heb opgevangen; een van die Samats voerde iets uit op het adres in Praag dat ik je heb gegeven.'

Martin keek naar de envelop en stak zijn hand uit. Rabbani's knokige handen, zacht en bleek, grepen de zijne vast alsof hij niet wilde dat Martin weg zou gaan. Uit de keel van de oude man borrelden woorden op die nauwelijks als menselijke spraak te herkennen waren. 'Ik zie alles vanuit het perspectief van iemand die de dood spoedig in de ogen zal zien. De apocalyps laat niet lang meer op zich wachten, mijn zoon. Je kijkt naar me alsof ik in een gekkenhuis hoor, Odum. *Ik bevind me in een gekkenhuis!* Jij trouwens ook. De westerse beschaving, of wat ervan over is, is één groot gekkenhuis. De weinige bevoorrechten die dat beseffen, worden vaak als krankzinnig beschouwd en in een gesticht opgeborgen.' Rabbani hapte naar adem. 'Vind Samat voordat zij hem vinden,' zei hij hijgend. 'Hij is een van de weinige bevoorrechten.'

'Ik zal mijn best doen,' beloofde Martin.

Toen hij tussen de opgestapelde dozen door terugliep naar de voordeur van de loods, kwam Martin langs drie mannen die dozen op een steekwagen neerzetten. Rabbani's lijfwacht Rachid stond er met zijn starre ogen naar te kijken. De drie mannen, allemaal keurig geschoren, droegen ieder een oranje overal met het geborduurde logo van een vervoersbedrijf boven de rits van de borstzak. Toen Martin langsliep, keken ze naar hem op om hem scherp te bezien; hun gezichten bleven strak. Iets aan die mannen verontrustte Martin, maar hij wist niet precies wat.

Mevrouw Rainfield stak haar hand op in haar hokje terwijl hij over het betonnen looppad naar de voordeur liep. Zodra hij die had bereikt, voer er een discreet stroomstootje door het slot en de deur klikte open. Op straat zwaaide Martin opgewekt naar de bewakingscamera aan de muur. Toen hij terugliep naar het pension in Golders Green, vroeg hij zich nog steeds af wat hem aan de drie mannen op de expeditie had gestoord.

De drie mannen stapelden de dozen zo hoog op dat de bovenste van de steekwagen dreigde te vallen. Rachid schoot toe om te voorkomen dat de doos op de grond zou belanden. 'Kijk toch uit...' snauwde hij. Toen hij zich omdraaide, keek hij in de loop van een met geluiddemper uitgeruste Italiaanse Beretta die op zijn voorhoofd was gericht.

Rachid knikte nauwelijks waarneembaar, als moslim die de dader veroorloofde een eind aan zijn leven te maken. De man in de oranje overal knikte terug om te erkennen dat Rachid zelf zijn lot bepaalde, en haalde de trekker over. Er klonk een gesmoord geluid uit het wapen, dat een terugslag gaf terwijl in Rachids voorhoofd een scherp omrand gaatje verscheen. De tweede man greep hem onder de oksels en liet het lijk op de betonvloer zakken. De derde man liep door de loods naar het kantoor van mevrouw Rainfield en klopte tegen het glas. Ze gebaarde dat hij binnen kon komen. 'Wat kan ik voor je doen?' vroeg ze.

Hij haalde een pistool met geluiddemper uit de ritszak van zijn overal en schoot haar door het hart. 'Doodgaan,' antwoordde hij terwijl ze over haar bureau zakte, met van verbijstering opengesperde, levenloze ogen.

In de loods klopten de twee andere mannen op de deur van Taletbek Rabbani's kantoor en gingen naar binnen. Een van de mannen had de laadbrief in zijn hand. 'Meneer Rabbani, er ontbreken twee dozen voetprotheses maat zes,' zei een van de mannen terwijl ze naar zijn bureau liepen.

'Dat is volstrekt onmogelijk,' zei Taletbek Rabbani, die zijn krukken greep om zich overeind te duwen. 'Hebt u Rachid gevraagd…' Hij zag het wapen met de geluiddemper op een handbreed van zijn hoofd. 'Wie zijn jullie?' vroeg hij schor. 'Wie heeft jullie gestuurd?'

'We zijn wie we zijn,' antwoordde de gewapende man. Hij wrong de krukken uit Taletbeks handen, greep hem bij de polsen vast en sleurde hem over de expeditie, waarbij de Gucci-loafer aan de prothese over de vloer sleepte, naar een paal bij het lijk van Rachid. De man die mevrouw Rainfield had doodgeschoten pakte een rol dik oranje paktouw om de polsen van de oude man vast te binden. Daarna gooide hij de rol over een buis onder het plafond en trok het touw strak tot Taletbeks armen, gestrekt boven zijn hoofd, uit de kom dreigden te scheuren en de teen van zijn goede voet nog net het beton raakte. De man die de leider leek te zijn ging voor de oude man staan.

'Waar is Samat?'

Taletbek schudde zijn hoofd. 'Hoe kan ik jullie te vertellen wat ik zelf niet weet?'

'Het kost je je leven als je weigert ons te helpen hem te vinden.'

'Wanneer je in de hel aankomt, zal ik je opwachten, mijn zoon.'

'Ben je moslim?' vroeg de leider.

Taletbek slaagde erin te knikken.

'Geloof je in de Schepper, de Almachtige? Geloof je in Allah?'

Taletbek maakte duidelijk van wel.

'Heb je de pelgrimsreis naar Mekka gemaakt?'

Met een van pijn vertrokken gezicht knikte Rabbani nogmaals.

'Zeg dan je gebed. Je staat op het punt naar de enige ware God te gaan.'

De oude man kneep zijn ogen dicht en murmelde: *'Ash'hadoe an la illahu ila Allah wa'ashadoe anna Muhammadan rasoeloe Allah.'*

Uit zijn werkschoen trok de leider een vlijmscherpe dolk met een groef in het dunne lemmet en een geel handvat, gesneden uit een bot van een kameel. Hij ging naast de oude man staan en zocht onder zijn dunne halsrimpels naar een bloedvat.

'Voor de laatste keer: waar is Samat?'

'Samat wie?'

De leider vond het bloedvat en duwde langzaam het lemmet in Taletbeks hals tot alleen het handvat nog zichtbaar was. Wegspuitend bloed trof de oranje overal van de dader voordat hij weg had kunnen springen. De oude man haalde met vochtige stootjes adem, steeds korter en oppervlakkiger, tot zijn hoofd naar voren viel en zijn gewicht aan het touw kwam te hangen, waardoor zijn armen uit de kom werden getrokken.

Vanuit de cel belde Martin Stella in Crown Heights en luisterde naar het overgaan van de telefoon. Hij besefte opeens dat hij zich erop verheugde haar stem te horen; het viel niet te ontkennen dat ze indruk op hem had gemaakt. 'Ben jij het echt, Martin?' riep ze voordat hij zijn eerste zin had kunnen afmaken. 'Goddorie, wat ben ik blij dat ik wat van je hoor. Ik heb je gemist, geloof het of niet.'

'Ik heb jou ook gemist,' zei hij voor hij het wist. In de daarop volgende gespannen stilte fantaseerde hij dat ze met het puntje van haar tong even haar afgebroken voortand aanraakte.

Ze schraapte haar keel. 'Zullen we eerst het zakelijke gedeelte afhandelen? Ja, er is sectie verricht. Het zal duidelijk zijn waarom een arts van de CIA dat moest doen. De man van de FBI met wie Kastner contact had als hij iets nodig had, heeft me het rapport toegestuurd, met een briefje erbij. Daarin schreef hij dat de politie geen sporen van een inbraak had gevonden. De arts die de sectie heeft gedaan concludeerde dat Kastner aan een hartaanval is gestorven.'

Martin dacht hardop. 'Misschien moet je een second opinion vragen.'

'Te laat.'

'Wat bedoel je?'

'De CIA heeft het lijk opgeëist en laten cremeren. Ik heb alleen zijn as teruggekregen. Ik ben de Brooklyn Bridge op gelopen en halverwege heb ik de clou gebruld van zo'n oude Sovjet-grap waar Kastner dol op was: "Kies je strijddoel zorgvuldig, want je zou het kunnen bereiken," en daarna heb ik de as in de rivier gestort.'

'Hm.'

'Ik vind het heel vervelend als je "hm" zegt, omdat ik niet weet wat je daarmee bedoelt.'

'Ik bedoel er niets mee. Ik wil alleen tijd winnen om na te denken. Heb je Xing gesproken in het Chinese restaurant?'

'Ja. Hij was erg argwanend, tot ik hem ervan kon overtuigen dat ik met je bevriend ben. Hij was boos dat je niet terug was gekomen voor de begrafenis van het Chinese meisje dat door bijen was doodgestoken.'

'Wat heb je tegen hem gezegd?'

'Ik heb gezegd dat je het druk had met speuren en daar leek hij genoegen mee te nemen. Het meisje...'

'Ze heette Minh.'

'Minh heeft erg veel pijn gehad voordat ze stierf, Martin. De recherche heeft geconcludeerd dat het een ongeluk was.'

Martin lachte kort. 'De honing is per ongeluk ontploft.'

'Wat bedoel je daarmee?'

'Niets. Ben je te weten gekomen wat ze aanhad toen ze door de bijen werd aangevallen?'

'In de *Daily News* stond dat ze een witte overal met opgerolde mouwen en pijpen droeg. Bij haar stoffelijk overschot is een tropenhelm met een muskietennet aangetroffen.' Een surveillance-wagen met gillende sirene scheurde langs Martin, waardoor praten even onmogelijk werd. Toen het weer rustiger werd, hoorde Martin Stella zeggen: 'O, nu begrijp ik het.'

'Wat begrijp je?'

'Die opgerolde mouwen en pijpen... Het was zeker jouw overal? Denk je... Zou het kunnen dat iemand... o hemel.' Stella dempte haar stem. 'Ik ben bang, Martin.'

'Ik ben ook bang. Het lijkt wel of ik altijd bang ben.'

'Heeft je reis iets opgeleverd?'

'Dat weet ik nog niet.'

'Kom je terug?'

'Nog niet meteen.'

'Zal ik het vliegtuig naar je toe nemen? Twee weten immers meer dan een. Twee harten ook.' Hij hoorde haar bijna een geschrokken geluidje maken. 'Volkomen vrijblijvend, Martin, dat spreekt vanzelf.'

'Waarom moeten vanzelfsprekende dingen worden gezegd?'

'Om verwarring te voorkomen. Wil je een leuke Russische grap horen?'

'Bewaar die maar tot we elkaar weer zien.'

'Graag.'

'Hoe bedoel je?'

'Ik wil je graag weer zien,' zei ze ernstig.

Er raasde weer een surveillancewagen over Golders Green, met jankende sirene. 'Dag hoor,' zei Martin snel.

'Ja. Dag hoor. Wees voorzichtig.'

'Hm.'

De politieauto was bijna ter hoogte van Martin en Stella moest schreeuwen: 'Nou doe je het weer.'

Martin vond een pub aan het begin van Golders Green en zocht een bankje achterin. De bediening bestond uit een mager meisje met een piercing in haar ene oor, ene neusvleugel, ene wenkbrauw en haar navel, zoals te zien was omdat ze een kort T-shirt droeg. Ze bracht hem een leitje met een menu in krijt. Martin bestelde de dagschotel en een halve pint lager. Hij nam een slokje en zat op zijn dagschotel te wachten toen er voor in de pub commotie ontstond. Bezoekers verlieten de bar of hun tafeltje om naar de tv te kijken die voorin op een hoge plank stond. Het toestel stond zo dat Martin niet kon verstaan wat er werd gezegd. Toen het meisje zijn pasteipunt en frites kwam brengen, vroeg hij haar wat er aan de hand was.

'Er zijn mensen vermoord in een loods een eindje verderop. Een hele sensatie in Golders Green, want hier gebeurt nooit wat. Daar waren al die politiesirenes voor.'

Martin liep naar voren en ving het laatste gedeelte van de nieuwsflits op. 'De lugubere omgeving van de meervoudige moord was een bedrijfsopslagruimte,' zei de presentator. 'De loods zou in gebruik zijn bij een liefdadigheidsinstelling die Uitholling Overdwars heet en hiervandaan protheses verstuurde naar door oorlog getroffen landen.' De vrouwelijke presentator viel in: 'Voor zover wij nu weten zijn er drie mensen dood uit de loods gehaald. Het zouden de achtentachtigjarige Taletbek Rabbani zijn, een Afghaanse vluchteling die de leiding over de humanitaire activiteiten had, en die is doodgebloed door een steekwond in de hals terwijl hij aan een buis onder het plafond was vastgebonden; een Egyptische medewerker van wie alleen de naam Rachid bekend is en die met een enkel schot in het hoofd is gedood; en een secretaresse, Doris Rainfield, die eveneens is doodgeschoten. Een vierde vrouw wordt vermist en de politie vreest dat zij door de daders is ontvoerd. Het zou gaan om mevrouw Froth, de echtgenote van de bekende snookerspeler Nigel Froth.'

Martin liep terug naar zijn bankje en merkte dat hij geen trek meer had in pastei. Hij stak zijn vinger op om de aandacht van het meisje te trekken. 'Whisky graag. Een dubbele.'

Hij zat langzaam zijn whisky te drinken en probeerde de schok te verwerken toen hem opeens inviel wat hem aan de drie mannen in oranje overals in de loods was opgevallen. Natuurlijk! Waarom had hij dat niet eerder beseft? Ze waren allemaal gladgeschoren. De bovenste helft van hun gezicht was blozend geweest, alsof ze de meeste tijd buiten doorbrachten. Maar de onderste helft van hun gezicht was bleek en grauw geweest; een van de mannen had snijwondjes gehad van het scheren. Dat wees erop dat ze kortgeleden hun baard en snor hadden afgeschoren om minder herkenbaar te zijn als moslim.

Martin deed zijn ogen dicht en stelde zich Taletbek Rabbani voor die aan een buis hing terwijl een moordenaar hem in de hals stak. De Tsjetsjenen op het spoor van Samat hadden met hun geschoren kaken in Londen de oude eenbenige Tadzjiekse strijder sneller uitgeschakeld dan hij had kunnen denken.

1994: HET ENIGE VOER WAS KANONNENVOER

'Toen we vorige week ophielden, Martin,' zei dr. Treffler, die in haar losbladige aantekenboek keek, 'had je net gezegd dat je sommige dingen meteen de eerste keer goed doet.'

De CIA-psychiater, die een strakke korte rok droeg, sloeg twee keer het ene been over het andere. Zodra haar dij even zichtbaar was, wendde Martin zijn blik af. Hij begreep dat ze een bedoeling had met alles wat ze deed; het gedoe met haar benen was haar manier om te peilen hoe het met zijn libido stond, aangenomen dat hij een libido had. Hij vroeg zich af hoe een andere psychiater zou oordelen over dr. Trefflers manier van aantekeningen maken, waarbij ze de losse vellen van onder tot boven zonder marges vulde met een petieterig gekrabbel dat zich tegen een niet-bestaande emotionele orkaan leek schrap te zetten. Solzjenitsyn had op die manier *Een dag in het leven van Ivan Denisovitsj* geschreven, maar die had acht jaar in Stalins goelag doorgebracht. Wat kon zij aanvoeren? Wat betekende het als je geen ruimte blanco kon laten?

'Ja, nu weet ik het weer,' zei Martin uiteindelijk. Door de glazen ruiten met groen gaas ervoor (om cliënten te beletten te springen?) kon hij een stukje landschap in Maryland zien, waar de laatste bruine blaadjes zich aan boomtakken vastklampten; instinctief voelde hij bewondering voor hun volhardendheid. 'Dat heeft me altijd geïntrigeerd,' vervolgde hij omdat ze dat van hem verwachtte; omdat ze daar zat met haar gekruiste benen en zichtbare dij en haar Mont

Blanc-vulpen boven het losse schrijfvel. 'Dat vond ik merkwaardig, dat je sommige dingen meteen de eerste keer goed doet.'

'Zoals?' vroeg ze, met zo'n toonloze stem dat er niet de minste nieuwsgierigheid naar het antwoord uit bleek.

'Zoals het pellen van een mandarijn. Of het afsnijden van een lont voor een kneedbom op de juiste lengte om tijdig uit de gevarenzone weg te kunnen komen. Of het tot stand brengen van een flitscontact in een drukke soek in Beiroet.'

'Welk personage gebruikte je in Beiroet?'

'Dante Pippen.'

'Was hij niet de man…' Bernice (al enkele gesprekken noemden ze elkaar bij de voornaam) had een andere pagina in haar losbladige aantekenboek opgezocht. 'De man die geschiedenis doceerde aan een kleine universiteit? De man die een boek over de Burgeroorlog had geschreven, dat hij in eigen beheer moest uitgeven omdat hij er geen uitgever voor kon vinden?'

'Nee, nu denk je aan Lincoln Dittmann, met dubbel t en dubbel n. Pippen was de Ierse explosievenexpert uit Castletownbere die als instructeur op de Boerderij was begonnen. Later gaf hij zich uit voor een explosievenman van de IRA om een Siciliaanse maffiafamilie te infiltreren, de moellahs van de Taliban in Peshawar en een afdeling van Hezbollah in de Beka'a-vallei in Libanon.'

Dr. Treffler knikte en voegde een aantekening toe. 'Het kost me moeite je verschillende identiteiten uit elkaar te houden.'

'Mij ook. Daarom zit ik hier.'

Ze keek op van haar losbladige aantekenboek. 'Weet je zeker dat je al je operationele personages helder hebt?'

'Degenen die ik me kan herinneren.'

'Heb je het gevoel dat je er misschien een paar verdringt?'

'Weet ik niet. Volgens jouw theorie is het mogelijk dat ik er minstens een verdring.'

'In de literatuur over het onderwerp is de consensus overwegend…'

'Ik dacht dat je er niet van overtuigd was dat ik precies pas in de literatuur over het onderwerp.'

Dr. Treffler glimlachte, wat ze zelden deed; meestal drukte haar gezicht helemaal niets uit. 'Je bent hors genre, Martin, dat is wel zeker. Niemand in mijn beroep heeft ooit iemand zoals jij meegemaakt. Het zal heel wat opschudding geven wanneer ik mijn artikel publiceer...'

'Waarin de namen gewijzigd zullen zijn om de onschuldigen te beschermen.'

'Waarin de namen ook gewijzigd zullen zijn om de schuldigen te beschermen.'

'Zo is het maar net, Bernice. De mensen die je betalen om mijn ziel te knijpen mogen tevreden over je zijn.'

'Een psychiater knijpt niet in zielen, Martin. We maken problemen hanteerbaar.'

'Dat is een hele opluchting.'

'Vertel eens wat meer over Lincoln Dittmann.'

'Wat dan?'

'Wat maar bij je opkomt.' Toen hij bleef aarzelen, zei ze: 'Hoor eens, Martin, je kunt mij alles vertellen wat je de directeur van de CIA kunt vertellen.'

'Alles?'

'Daarom ben je in deze kamer. Dit is een privékliniek. De medici die hier werken zijn gescreend en mogen staatsgeheimen aanhoren. Wij behandelen hier mensen die om een of andere reden hulp nodig hebben voordat ze hun gewone bestaan kunnen hervatten.'

'Als jij de directeur was en ik hier tegenover je zat, met onze knieën bijna tegen elkaar...'

Bernice knikte hem bemoedigend toe. 'Ga door.'

'Dan zou ik zeggen dat een kameel een paard is dat door een commissie is ontworpen. Dan zou ik je vertellen dat de CIA een inlichtingendienst is die door dezelfde commissie is ontworpen. En dan zou ik je eraan herinneren dat in elke beschaafde samenleving het aantal ezels groter is dan het aantal paarden.'

'Je bent boos.' Ze maakte een aantekening. 'Je hebt het volste recht boos te zijn. Je hoeft je boosheid niet te onderdrukken.'

Martin haalde zijn schouders op. 'Ik dacht dat ik alleen blijk gaf van een gezond cynisme.'

'Lincoln Dittmann,' zei ze om het gesprek weer op haar vraag te brengen.

'Hij groeide op in Jonestown, een stadje in Pennsylvania. Zijn moeder was een Poolse immigrante die na de Tweede Wereldoorlog naar Amerika was gekomen. Zijn vader had een aantal wit-goedzaken met een hoofdvestiging in Fredericksburg aan de Poto-mac, in Virginia. Hij bracht een paar maanden per jaar in Freder-icksburg door en nam zijn zoon mee als zijn zakenreizen in de vakanties vielen. In zijn vrije tijd zocht Lincoln op de slagvelden naar souvenirs; in die tijd kon je na zware regenval nog roestige ba-jonetten of kanonskogels vinden of de kolven van voorladers. Toen hij een puber was en de andere jongens van zijn leeftijd Batman-strips lazen, kon Lincoln tot in de kleinste bijzonderheden vertel-len hoe de slag bij Fredericksburg was verlopen. Op aandringen van Lincoln kocht zijn vader uitrustingsstukken uit de Burgeroorlog op van boeren tijdens zijn reizen langs de winkels; hij kwam thuis met geweren en bajonetten en kruithoorns en Federale medailles op de achterbank van zijn Studebaker...'

'Geen medailles van de Zuidelijken?'

'De Zuidelijken gaven geen medailles aan hun soldaten. Toen Lincoln ging studeren, had hij al een vrij grote verzameling. Hij had zelfs een zeldzame Engelse Whitworth in zijn bezit, het favoriete wapen van de Zuidelijke scherpschutters. De papieren hulzen wa-ren verdomd duur, maar een bekwame scherpschutter kon er alles mee raken wat hij kon zien.'

'Waar ging hij studeren?'

'Aan de Universiteit van Pennsylvania. Hoofdvak Amerikaanse geschiedenis. Schreef zijn afstudeerscriptie over de slag bij Freder-icksburg. Toen hij docent was geworden, bewerkte hij zijn scriptie tot een boek.'

'Dat was het boek dat hij in eigen beheer heeft laten verschijnen omdat hij geen uitgever kon vinden?'

'Het was een bittere teleurstelling voor hem dat hij geen erken-de uitgever kon vinden.'

'Wat was er zo bijzonder aan die veldslag?'

Martins klamme hand ging omhoog om zijn voorhoofd te mas-seren. Het onwillekeurige gebaar ontging dr. Treffler niet. 'De slag bij Fredericksburg vond plaats in december 1862,' begon hij, starend uit het raam terwijl hij wachtte op de flitsen uit de grote veldslag die daarachter was uitgevochten. 'Een nieuwe generaal had het com-mando over het leger aan de Potomac; hij heette Burnside, Ambrose Burnside. Hij dacht een einde aan de oorlog te kunnen maken met een snelle opmars door Virginia om Richmond, de hoofdstad van de Zuidelijken, te veroveren. Het plan was briljant. President Lincoln gaf zijn fiat en Burnside voerde zijn leger in een geforceerde mars langs de Potomac naar een punt tegenover Fredericksburg. Als hij de opstandelingen kon verrassen en de stad innemen, zou de weg naar Richmond openliggen, waarna de oorlog beslist zou zijn voordat hij goed en wel was begonnen. Burnside had een dringende bestelling voor brugpontons ingediend, maar toen hij bij Fredericksburg aankwam, moest hij constateren dat het ministerie van Oorlog de pontons niet had gestuurd. Het leger van de Unie moest god nog aan toe tien dagen lang aan zijn kant van de rivier bivakkeren om op die pontons te wachten, waardoor Robert Lee alle tijd kreeg om zijn strijdkrachten te verzamelen en op hoger gelegen terrein boven de stad samen te trekken. Toen de pontons eindelijk kwamen zodat Burnside de rivier kon oversteken, blokkeerde Bobby Lee inmiddels met vijfenzeventigduizend Zuidelijke soldaten de weg naar Richmond. Het was winters weer en de najaarsmodder in de uitgesleten zandwegen was hard geworden. De Federale opmars naar hoger gelegen gebied duurde de hele dag voort, golf na golf soldaten in splinternieuwe fabrieksuniformen. De Rebellen, in hun met plantaardige kleurstoffen geverfde uniformen van door huiswevers gemaakte stof, vochten van achter een lage stenen muur langs een holle weg aan de voet van Marye's Hill en sloegen alle aanvalsgolven af. De Zuidelijke scherpschutters, gewapend met Whitworths, pikten de Federale officieren er zo gemakkelijk uit dat velen hun distinctieven lostornden alvorens ze zich weer in de linies voegden. Groepjes Federale militairen probeerden dekking te zoeken achter een paar bakstenen huizen op de vlakte, maar de cavalerie van de Yankees gebruikte de blanke sabel om hen terug te drijven. Burnside volgde het verloop van de slag vanaf het dak van Chatham Mansion, een villa aan de overkant van de rivier. Van een heuvel in het hoogland was de Mansion goed zichtbaar; Bobby Lee wees Stonewall Jackson op de villa en vertelde hem dat hij daar dertig jaar eerder de dame het hof had gemaakt met wie hij was getrouwd. Op een helling speelde een militaire kapel van de Zuidelijken walsen voor de dames en heren uit het zuiden die uit Richmond waren toegestroomd om de veldslag te zien. Voor de commandopost van de Zuidelijken volgde de oude Pete Longstreet met een wijde vrouwen-

mantel om zijn schouders door een lange kijker op een houten drie-
poot het verloop van de strijd op het lager gelegen terrein. Het duurde enige tijd voordat hij ervan overtuigd raakte dat de actie van de
Noordelijken op de holle weg geen schijnaanval was; hij kon zich
niet voorstellen dat Burnside het bloed van zijn mannen verspilde
aan een kansloze frontale aanval. Op een gegeven ogenblik slaagde
een Ierse brigade erin door te dringen tot op vijftien passen van de
holle weg, en zelfs de Zuiderlingen die vanaf hun hogere posities
toekeken juichten om hun moed. Maar het 24e uit Georgia bleef van
achter de lage muur in zo hoog tempo schieten en laden en schieten dat hun tanden pijn deden van het afbijten van de papieren hulzen en ook die aanval werd afgewend. Veertien keer viel Burnside
de helling aan, eer de duisternis viel over het slagveld. Toen de Noordelijken zich de volgende dag ten slotte terugtrokken over de rivier
en de neuzen werden geteld, bleek dat de Noordelijken bij Fredericksburg negenduizend man hadden verloren.'

Martin zat nu voorovergebogen in de stoel, zijn ogen stijf dichtgeknepen en zijn vlakke hand tegen zijn voorhoofd gedrukt vanwege de migraine achter zijn ogen die steeds erger werd. 'Toen Lincoln Dittmann in Washington research deed voor zijn boek, vond
hij Burnsides originele order voor de levering van brugpontons in
de militaire archieven. Het woord 'dringend' was met inkt onlees-
baar gemaakt, waarschijnlijk door een sympathisant van de Zuidelijken die op het ministerie van Oorlog werkte. Je vroeg wat er bijzonder was aan Fredericksburg: Dittmann trok de conclusie dat de
oorlog, als de brugpontons wel op tijd waren geleverd, misschien al
in 1862 afgelopen had kunnen zijn, in plaats van zich voort te slepen tot 1865.'

Martin zweeg vermoeid. Gedurende enige tijd waren in het benauwde kamertje geen andere geluiden te horen dan het zoemen
van het opnameapparaat en het krassen van dr. Trefflers pen die
lange rijen petieterige letters neerschreef in het losbladige notitie-
boek. Toen ze ten slotte opkeek van haar aantekeningen vroeg ze
met zachte stem: 'Hoe weet Martin Odum dit allemaal? Het feit
dat de Zuidelijken geen medailles toekenden, het gebruik van de
blanke sabel om Federale militairen te verdrijven uit de dekking van
stenen huizen, Chatham Mansion, de militaire kapel op Marye's
Hill die walsmuziek speelde terwijl Longstreet, met een omslag-

doek om zijn schouders, keek naar naar de mannen uit Georgia in hun uniformkleding van door huiswevers vervaardigde stof, geverfd met plantaardige kleurstoffen, die veertien aanvallen op de holle weg afsloegen? Het is bijna alsof je erbij bent geweest!'

Martin had een droge mond en de woorden die hij uitsprak klonken dun en hol, als de tweede helft van een echo die aan schrilheid had verloren. 'Van Lincoln Dittmann,' zei hij. 'Die heeft me die bijzonderheden verteld.'

Dr. Treffler boog zich naar voren. 'Je hebt Lincoln Dittmanns stem de veldslag horen beschrijven?'

'Mja.'

'Heeft hij beweerd dat hij de veldslag zelf heeft meegemaakt? Heeft hij je verteld dat hij de slag met eigen ogen heeft gezien?'

'Niet met zoveel woorden...'

'Maar jij, als Martin Odum, ging van de veronderstelling uit dat hij ooggetuige bij Fredericksburg was geweest.'

'Hij moet erbij zijn geweest,' hield Martin op klaaglijke toon vol. 'Hoe kon hij anders al die dingen hebben geweten die hij wist? Lincoln heeft me nog veel meer verteld wat niet in boeken staat.' Martins woordenstroom was nu niet meer te stoppen. 'De avond van de slag daalde de temperatuur onder het vriespunt... Ondanks de winterse koude kwamen er aasvliegen op het bloed af dat uit wonden vloeide... De verminkte Federale militairen die nog leefden stapelden de doden op en wrongen zich onder de lijken om warm te blijven... Paarden zonder ruiter krabden met hun hoeven over de grond van de honger, maar er was geen voer op 13 december 1862, alleen kanonnenvoer.' Martin haalde diep adem. 'Dat was de laatste regel van Dittmanns boek. De titel kwam uit die zin. Het boek heette *Kanonnenvoer*.'

Dr. Treffler wachtte met spreken tot Martins ademhaling weer normaal was. 'Luister, Martin. Lincoln Dittmann is van jouw leeftijd. Hij bestond nog niet in 1862, dus hij kan niet bij de slag bij Fredericksburg zijn geweest.'

Martin reageerde niet. Dr. Treffler betrapte zichzelf erop dat ze naar hem staarde en wendde snel haar blik af; toen lachte ze en keek weer naar Martin. 'Wauw! Dit is echt heel bijzonder. Bij ons eerste gesprek heb je de stem van Lincoln Dittmann ook gehoord; van hem kreeg je de regels van Walt Whitman die je citeerde.'

'O ja. "Zwijgende kanonnen die dra uw stilte zullen verbreken, dra onbelemmerd de rode arbeid zullen verrichten." Het was niet voor het eerst dat ik Lincolns stem hoorde, hij fluistert al jaren in mijn oor. Overigens is het Walter Whitman, niet Walt. Lincoln heeft me verteld dat hij Whitman heeft ontmoet in een veldhospitaal van de Noordelijken nadat Burnside uit Fredericksburg was teruggekomen; de dichter maakte zich zorgen over zijn broer die aan de slag had deelgenomen en zocht hem overal. Lincoln vertelde dat de soldaten die Whitman kenden hem Walter noemden.'

'Lincoln heeft je verteld dat Whitman in een veldhospitaal was? Dat de soldaten hem Walter noemden?'

'Mja.'

'Wist hij dat omdat hij daar was geweest of omdat hij dat ergens had gelezen?'

Martin leek niet op de vraag in te willen gaan.

Dr. Treffler meende dat de spanning voor Martin wel genoeg was geweest. 'Voel je weer hoofdpijn opkomen?' vroeg ze.

'Ik kan nauwelijks uit mijn ogen kijken van de hoofdpijn.'

'Wat zie je als je je ogen zo stijf dichtknijpt?'

Martin dacht erover na. 'Een lange rij koplampen, alsof een camera op het viaduct is neergezet en de lens open is blijven staan, zodat de onderdoor rijdende auto's als lichte strepen te zien zijn. Of de kosmos, ja, de hele kosmos ten tijde van de big bang, uitdijend, krimpend als een ballon met kleine zwarte vlekjes erop, en elk vlekje op die ballon verwijdert zich van elk ander zwart vlekje.'

'En hoe loopt die big bang af?'

'Dat ik op zo'n zwart vlekje zit, alleen in het universum.'

1990: LINCOLN DITTMANN
GAAT EEN EIGEN LEVEN LEIDEN

Tot grote voldoening van de acht vaste leden was de Personage-commissie uit de raamloze opslagruimte in de kelder gepromoveerd naar een zonnig vergaderzaaltje op de derde verdieping. Dat was het voordeel. Het nadeel van het nieuwe onderkomen was dat het een niet te negeren uitzicht bood op het immense parkeerterrein voor het gewone volk bij de Firma. (De hotemetoten van de zesde verdieping, zoals Crystal Quest, de tegenwoordige adjunct-directeur Operaties en de onmiddellijke chef van de commissie, hadden allemaal een parkeerplaats in de kelder, met een lift die ze zonder op andere verdiepingen te stoppen naar hun werk op hun eigen etage bracht.) 'We kunnen niet alles hebben,' verzuchtte de voormalige *chef de poste* die de commissie voorzat de eerste keer dat hij de aangeboden ruimte betrad en naar het uitzicht keek; hij had op landelijk Virginia gehoopt, in plaats van asfalt. Hij maskeerde zijn teleurstelling door het aforisme te citeren dat hij in Caïro boven de ingang van het heilige der heiligen had laten aanbrengen: *Yom asal, yom basal...* De ene dag honing, de andere dag uien'.

'Waar zijn we, verdorie?' vroeg hij aan Maggie Poole, die middeleeuwse Franse geschiedenis had gestudeerd in Oxford en haar aangeleerde Britse accent nooit helemaal was kwijtgeraakt, waardoor haar stem nog geaffecteerder klonk als ze Franse woorden gebruikte.

'Op de derde *étage,*' zei ze nu, met opzet zijn vraag verkeerd begrijpend om hem te ergeren. 'Hier boven staan de waterkoelers op de gang, niet binnen.'

'Allemachtig, dat bedoel ik helemaal niet en dat weet je best. Je houdt je van de domme.'

'*Moi?*' liet Maggie Poole zich onschuldig ontvallen. 'Geen sprake van.'

'Wat hij wil weten,' zei de aversietherapeut die aan Yale had gestudeerd, 'is hoe ver we zijn met een nieuw personage voor Dante Pippen.'

Dante, die een zacht kussen in zijn rug had om de druk op de scherfwond te verlichten, beschouwde dit overleg als zaalsport. Het was een pijnloze manier om een middag door te brengen, hoewel hij vrijwel permanent last had van zijn been en zijn rug. 'Ik dacht dat we deze keer,' begon hij, en hij hoorde zowat de botten kraken van de veteranen in de Personagecommissie die hun nek draaiden om naar hem te staren, 'wel in Pennsylvania konden beginnen.'

'Waarom Pennsylvania?' wilde de door de Universiteit van Chicago uitgeleende lexicograaf weten die hier wel graag bij was; de dagvergoeding die de Firma op zijn rekening stortte, leek nooit te worden doorgegeven aan de belastingdienst.

De nestor van de commissie, een CIA-veteraan die aan het begin van zijn carrière in de Tweede Wereldoorlog nog personages had ontworpen voor OSS-agenten, zoals hij te pas en te onpas ophaalde, zette een metalen bril met volmaakt ronde glazen op en sloeg Martins oorspronkelijke 201-map van de centrale registratie open. 'Pennsylvania,' merkte hij op, turend om de kleine lettertjes van de biografie in het dossier te lezen, 'lijkt me een goed uitgangspunt. De voorganger van de heer Pippen, Martin Odum, heeft de eerste acht jaar van zijn leven in Pennsylvania doorgebracht in de kleine stad Jonestown. Zijn moeder was een Poolse immigrant, zijn vader had een fabriekje dat ondergoed leverde aan het Amerikaanse leger.'

'Jonestown lag niet ver van verschillende slagvelden uit de Burgeroorlog en voor zijn twaalfde had Martin er al heel wat bezocht,' vulde Dante vanuit zijn hoekje aan. 'Naar Fredericksburg was hij al twee of drie keer geweest.'

'Kan iemand door Fredericksburg te bezoeken Burgeroorlog-deskundige worden?' vroeg Maggie Poole gretig; ze had een idee hoe ze dit verder konden ontwikkelen.

'Martin wist in elk geval veel over Fredericksburg,' zei Dante lachend. Hij had zijn ogen nog stijf dicht en begon weer een plezier te krijgen in het werken aan een personage; het leek hem het schrijven van romans het dichtst te benaderen. 'Hij kon zo levendig vertellen over het verloop van de strijd dat de mensen hem voor de grap wel vroegen of hij zelf in de Burgeroorlog had gevochten.'

'Geef eens een voorbeeld?' vroeg de voorzitter.

'Hij beschreef hoe Bobby Lee op Marye's Hill even buiten Fredericksburg Stonewall Jackson wees op Burnsides commandopost in Chatham Mansion, aan de overkant van de Potomac, en hem vertelde hoe hij dertig jaar eerder zijn aanstaande vrouw onder dat dak het hof had gemaakt; Martin beschreef hoe de oude Pete Longstreet, met de omslagdoek van een vrouw om zijn schouders, naar de slag in de diepte keek door een kijker op een houten statief en iedereen die het horen wilde vertelde dat de Federale aanval op de holle weg een afleidingsmanoeuvre moest zijn, dat de hoofdaanval ergens anders zou plaatsvinden.'

De voorzitter van de Personagecommissie tuurde naar Dante over de rand van zijn bril. 'Was Bobby Lee de generaal die wij kennen als Robert E. Lee?' vroeg hij.

'Dezelfde,' zei Dante op zijn plaatsje aan de muur. 'De inwoners van Virginia noemden hem Bobby Lee – maar alleen achter zijn rug.'

'Dit biedt perspectief,' hield de voorzitter de anderen voor. 'Onze man mag dan geen Burgeroorlog-deskundige zijn, met wat hulp hier en daar kan hij daar toch wel voor doorgaan?'

'Dat brengt me op de naam,' zei Maggie Poole. 'En wat zou *plus logique* kunnen zijn voor een deskundige op dat gebied dan de naam Lincoln?'

'Ik neem aan dat je dan als voornaam aan Abraham denkt,' hoonde de aversietherapeut.

'*Va te cuire un oeuf*,' pareerde Maggie Poole. Ze keek vernietigend naar de aversietherapeut, kennelijk in de verleiding haar tong naar hem uit te steken. 'Ik overwoog Lincoln als *prénom* omdat die zijn geloofwaardigheid als deskundige op het gebied van de Burgeroorlog zou versterken.'

'Lincoln en nog wat vind ik wel elegant,' riep Dante vanuit zijn hoekje.

'*Merci*, meneer Pippen, dat u openstaat voor suggesties, wat meer is dan ik van sommige aanwezigen in deze kamer kan zeggen,' zei Maggie Poole.

'Ik heb een wapenverzamelaar in Chicago gekend die Dittmann heette, met dubbel t en dubbel n,' zei de lexicograaf. 'De suggestie was dat Dittmann niet zijn echte naam was, maar dat doet er verder niet toe. Hij was gespecialiseerd in wapens uit de Burgeroorlog. Zijn pronkstuk was een Engels scherpschuttersgeweer, een Whentworth of Whitworth, zoiets. Ik kan me nog herinneren dat de papieren hulzen peperduur waren, maar dat het wapen dodelijk was in de handen van een ervaren schutter.'

'Lincoln Dittmann is een naam met een zeker... gewicht,' besloot de voorzitter. 'Wat vindt u ervan, meneer Pippen?'

'Ik kan me er wel op instellen,' zei hij. 'En het is bepaald origineel om van een agent een deskundige op het gebied van de Burgeroorlog te maken.'

De leden van de Personagecommissie wisten dat ze een uitgangspunt hadden gevonden en nu kwamen de ideeën snel van alle kanten.

'Hij kan werken aan het personage door alle slagvelden te bezoeken.'

'Ik vind dat hij een *collection personelle* van vuurwapens uit de Burgeroorlog zou moeten hebben.'

'Ik vind het prettig om met wapens om te gaan,' verklaarde Pippen. 'Nu ik eraan denk zou een eigen verzameling wapens uit de Burgeroorlog een uitstekende dekmantel zijn voor een wapenhandelaar, want dat is wat Fred Astaire dit personage wil laten zijn.'

'Dus we moeten een personage voor een wapenhandelaar bedenken?'

'Ja.'

'Wie is Fred Astaire in godsnaam?'

'Dat is de bijnaam van mevrouw Quest hier.'

'O hemel.'

'In welk deel van de wereld wordt Lincoln Dittmann actief? Wie zouden zijn cliënten zijn?'

Dante hield zich op de vlakte om geen indiscreties te begaan. 'Zijn cliënten zouden een samenraapsel zijn van allerlei mensen die Amerika willen schaden,' zei hij.

'Het zal nogal wat voorstudie vergen om als Lincoln Dittmann door het leven te gaan.'

'Hebt u er bezwaar tegen u in een onderwerp te verdiepen, meneer Pippen?'

'Helemaal niet. Het lijkt me juist leuk.'

'Hij heeft wel een officiële achtergrond nodig.'

'Goed, tijd voor een samenvatting. Hij is opgegroeid in Jonestown in Pennsylvania, en als kind is hij zo vaak in Fredericksburg geweest dat hij de geschiedenis van de slag al op zijn duimpje kende toen zijn leeftijdsgenoten nog de strips van Batman lazen.'

'Zijn vader kan een aantal witgoedwinkels hebben gehad met een distributiecentrum in Fredericksburg; dan moet hij daar in elk willekeurig jaar langdurig zijn geweest. Het ligt voor de hand dat hij zijn zoontje dan zo vaak mogelijk meenam om met hem op te trekken...'

'Natuurlijk! Hij kan hem in de schoolvakanties mee naar Fredericksburg hebben genomen. De jonge Lincoln Dittmann kan een van de jongens zijn geweest die na zware regenval het slagveld afzochten naar spullen uit de Burgeroorlog die aan de oppervlakte waren gekomen.'

'Op een gegeven ogenblik kan Lincoln zijn vader hebben aangezet om bij het bezoeken van zijn winkels navraag te doen naar geweren en kruithoorns en medailles... laten we hem een Studebaker geven, dat was na de oorlog een populaire auto... De boeren daar hebben spullen uit de Burgeroorlog op zolder liggen en Lincolns vader kan van zijn reizen elke keer iets voor Lincoln hebben meegebracht.'

'Als ik medailles verzamelde,' merkte Pippen op, 'moeten die allemaal van Noordelijke militairen zijn geweest. Het leger van de Zuidelijken deelde geen medailles uit.'

'Hoe konden ze hun soldaten motiveren om te vechten als er geen onderscheidingen werden toegekend?'

'Ze vochten voor een zaak waarin ze geloofden,' zei Pippen.

'Ze verdedigden de slavernij, god nog aan toe...'

'De meeste Zuidelijke militairen bezaten geen slaven,' zei Pippen. (Dingen die Martin al die jaren terug bij zijn bezoeken aan Fredericksburg had geleerd vielen hem weer in.) 'Zij vochten omdat ze zich niet door het Noorden de wet wilden laten voorschrijven. Bovendien: aanvankelijk had Lincoln – ik bedoel Abraham Lincoln, de president – helemaal niet het voornemen de slavernij af te schaffen en de slaven te bevrijden. Niemand ten noorden of zuiden van de Mason-Dixon-lijn zou dat hebben geaccepteerd, omdat niemand ook maar een flauw idee had wat er zou moeten gebeuren met de miljoenen slaven in het Zuiden als die werden bevrijd. De Noordelijken hadden bezwaar tegen een stroom slaven uit de zuidelijke staten die tegen een lager loon in de fabrieken zouden willen werken. De bevolking in het Zuiden wilde niet dat de voormalige slaven zich als boer zouden vestigen en katoen zouden gaan verbouwen die goedkoper op de markt kon worden gebracht dan plantagekatoen. Of nog erger: dat ze stemrecht zouden krijgen bij plaatselijke verkiezingen.'

'Hij heeft zich echt al in de Burgeroorlog verdiept.'

'Onze Lincoln Dittmann moet op een zeker moment ergens *professeur* zijn geweest, vinden jullie ook niet?'

'Hij kan ergens docent geschiedenis van de Burgeroorlog zijn geweest.'

'Probleem: voor een vaste aanstelling is een afgeronde academische opleiding nodig. Zelfs als hij de Burgeroorlog bestudeert, zal hij misschien een echte deskundige er niet van kunnen overtuigen dat hij op dat onderwerp is afgestudeerd.'

'Hij kan toch docent aan een academische vooropleiding worden? Dan hoeft het niet zijn afstudeeronderwerp te zijn geweest.'

'Hij kan zijn geloofwaardigheid vergroten door er een boek over te schrijven.'

'Wacht even,' zei Pippen. 'Ik weet niet of ik wel genoeg uithoudingsvermogen heb om een boek te schrijven.'

'Daar is meer voor nodig dan uithoudingsvermogen. Ik kan het weten, want ik heb er drie geschreven. Je moet stevig in je schoenen staan om de juiste keuzes te kunnen maken.'

'We kunnen het boek uitbesteden. We kunnen het voor hem laten schrijven en het onder zijn naam laten publiceren door een kleine universiteitsuitgeverij die ons welgezind is.'

'Ik weet een uitstekende titel. *Kanonnenvoer*. Met een ondertitel: De slag bij Fredericksburg.'

'Laten we ons niet vastbijten in de titel, we moeten door.'

'Wat vindt u van wat er nu ligt, meneer Pippen?'

'Het is een uitstekende dekmantel. Niemand zal een wapenhandelaar die college heeft gegeven over de Burgeroorlog ervan verdenken dat hij voor de CIA werkt.'

'Er ontbreekt nog iets aan.'

'Wat dan?'

'Ja, wat dan?'

'De motivering. Hoe kan Lincoln Dittmann zo diep zijn gezonken? Waarom gaat hij om met het schuim der aarde, mensen die per definitie *l'Amérique* niet welgezind zijn?'

'Goed punt, Maggie.'

'Omdat hij kwaad is op Amerika.'

'Waarom? Waarom is hij kwaad op Amerika?'

'Omdat hij in een conflict verzeild is geraakt. Dat heeft hij als vernederend ervaren…'

Dante kon zich niet bedwingen. 'Ik maak geen bezwaar tegen vernedering, maar dan liever niet van seksuele aard. Jullie denken altijd aan seks als jullie een biografie willen inkleuren met iets ten nadele van het personage. Voor je het weet is Lincoln Dittmann in het diepste geheim travestiet of zo.'

'Dat nemen we ter harte, meneer Pippen.'

'Stel dat er een plagiaatkwestie is geweest.'

'Dat hij de kern van *Kanonnenvoer* heeft gepikt uit een verhandeling uit de jaren twintig of dertig die hij ergens in een bibliotheek heeft gevonden.'

'Dat zou de zaak voor ons eenvoudiger maken. Dan hoeven we niet iemand te betalen om een boek over Fredericksburg te schrijven; we kunnen zoeken naar een verhandeling, daar moeten er genoeg van liggen te verstoffen, en die overnemen.'

'Dat heb ik weer,' klaagde Dante. 'Heb ik eindelijk een boek geschreven, blijkt dat ik het van iemand anders heb gepikt.'

'Het is dat of deviant seksueel gedrag.'

'Dan maar plagiaat.'

'Een criticus bij een historisch tijdschrift kan na een tip in een door ons verstuurde anonieme brief met een onthulling over Dittmann komen, die hem zijn baan kost.'

'Zijn reputatie als historicus is daarmee weg.'

'Niemand in de academische wereld zou nog iets met hem te maken willen hebben.'

'Nu komt er schot in. Er wordt veel druk op academische docenten uitgeoefend om te publiceren, terwijl ze tegelijkertijd fulltime college moeten geven en in hun vrije tijd onderzoek moeten doen en schrijven.'

'Door die gang van zaken is Lincoln Dittmann verbitterd en cynisch geworden. Hij wil wraak op de academische wereld, op het systeem, op het land.'

'Volgens mij zijn we op de helft, heren en dames. We hoeven het voorstel alleen nog maar te laten toetsen door onze strenge gebiedster, Crystal Quest.'

Dante Pippen pakte zijn kruk die tegen de muur stond en gebruikte hem om zich overeind te hijsen. Hij voelde doffe pijn laag in zijn rug en in zijn been, maar hij was zo enthousiast dat hij het nauwelijks merkte. 'Ik denk dat Crystal Quest heel goed te spreken zal zijn over het personage Lincoln Dittmann,' hield hij de leden van de Personagecommissie voor. 'En voor mij geldt dat zeker.'

1991: LINCOLN DITTMANN

DOORGRONDT DE DRIEHOEK

'Hoe bent u in de wapenhandel terechtgekomen?' wilde de Egyptenaar weten.

'Als ik dat vertel, gelooft u het waarschijnlijk niet,' zei Lincoln Dittmann.

'Als hij je niet gelooft,' zei de kleine Amerikaan met de bewerkte cowboylaarzen, getailleerde Levi's en naar achteren gekamd en geplakt haar, 'ziet het er heel beroerd voor je uit.' Hij sprak met een Texaans accent waardoor de woorden zo ineenvloeiden dat Lincoln zich moest inspannen om hem te verstaan.

De Egyptenaar en de Texaan, een curieus duo in deze uithoek aan de Paraguayaanse grens met Brazilië, lachten allebei ingehouden, maar hun stemmen hadden niets vrolijks. Lincoln lag op een bank met zijn pijnlijke been languit, zijn stok onder handbereik en zijn handen achter zijn hoofd verstrengeld; hij lachte mee. 'Ik heb college over de Burgeroorlog gegeven aan een kleine universiteit,' zei hij. 'Mijn speciale vakgebied – ik heb er nog eens een boek over geschreven – was de slag bij Fredericksburg. Het aanleggen van een verzameling wapens uit de Burgeroorlog lag voor de hand. Mijn pronkstuk is een zeldzame Engelse Whitworth.'

'Dat is toch een scherpschuttersgeweer?' vroeg de Texaan.

Lincoln keek of hij onder de indruk was. 'Er lopen niet veel mensen rond die het verschil kennen tussen een Whitworth en een doodgewone Enfield.'

'Mijn pa had er een,' zei de Texaan trots. 'Ingepikt door de FBI toen hij was gepakt voor het afbranden van een nikkerkerk in Alabama.' Hij stak zijn kin naar voren en nam Lincoln schattend op. De Texaan, die zich had voorgesteld als Leroy Streeter toen hij Lincoln aansprak voor de moskee met het goudkleurige dak in Palestine Street, over de grens in Foz do Iguaçú, vroeg: 'Beschrijf je Whitworth eens?'

Lincoln verbeet een lachje. In Langley hadden ze van de FBI vernomen dat de vader van Leroy Streeter een Whitworth uit de Burgeroorlog had bezeten; ze hadden aangenomen dat de zoon vertrouwd was met het wapen. Als Leroys vraag bedoeld was als test voor wat in het Driegrenzengebied voor goede trouw doorging, was het een amateuristische poging; een undercoveragent liet geen namen vallen – ook niet de naam van een antiek geweer – als hij het antwoord op mogelijke vragen niet paraat had. Lincoln had werkelijk een Whitworth in zijn bezit; een verzameling wapens uit de Burgeroorlog maakte deel uit van zijn dekmantel als Lincoln Dittmann. Hij had zelfs hulzen gefabriceerd en was naar een afgelegen stortterrein in Jersey geweest om na te gaan of het wapen zo betrouwbaar was als werd beweerd. 'Het geweer van de heer Whitworth,' zei hij nu tegen Leroy, 'werd door de fabriek geleverd met een simpel messing vizier op de achthoekige loop. Weinig Whitworths die er nu nog zijn, ook in musea, hebben nog het oorspronkelijke vizier. Het mijne heeft ook nog de oorspronkelijke rager om vocht en vuil uit de loop te verwijderen. Met de gegraveerde wieltjes kan de instelling van het vizier worden verfijnd.'

Onder het praten bleef Lincoln naar de Egyptenaar kijken, die het hier kennelijk voor het zeggen had. Hij was niet aan hem voorgesteld, maar Lincoln wist vrij zeker wie hij was; in het smoelenboek van de FBI in Washington dat hij had ingezien had een onscherpe met een telelens gemaakte foto gestaan van een Egyptenaar, ene Ibrahim bin Daoud, in gesprek met een beweerde agent van Hezbollah, voor de ingang van het Maksoud Plaza Hotel in São Paulo. De foto was een jaar eerder genomen.

Op het onopgemaakte bed in een kamer boven een bar in Ciudad del Este aan de Paraguayaanse kant van het Driegrenzengebied drukte Leroy de modderige hakken van zijn laarzen in de matras en knikte heftig naar de Egyptenaar. 'Die man heeft een Whitworth, zeker weten,' bevestigde hij.

Lincoln hoopte dat uit een gemeenschappelijke voorliefde voor oude wapens een nuttige band tussen hem en de Texaan kon ontstaan. 'Verdomd jammer van die Whitworth van je pa,' zei hij. 'Maar die botteriken van de FBI hadden er natuurlijk geen idee van dat ze iets bijzonders in hun handen hadden toen ze er beslag op legden.'

'Die waren nog te stom om het verschil tussen pyriet en echt goud te kunnen zien,' bevestigde Leroy.

Lincoln keek weer naar de Egyptenaar. 'Ik moet nog antwoord geven op uw vraag. Van de Whitworth en mijn andere wapens was het maar een kleine stap naar kalasjnikovs en antitankwapens, met de bijbehorende munitie. Betaalt stukken beter dan lesgeven over de Burgeroorlog.'

'Hij heeft geen belangstelling voor AK-47s en antitankwapens,' verklaarde de Texaan. 'Nu het Rode Russenrijk op instorten staat, struikel je hier in het Driegrenzengebied over dat spul. Hij wil semtex of ammoniumnitraat, zeg vijfendertigduizend kilo, een flinke verhuiswagen vol. We betalen cash in het handje.'

Lincoln keek de Egyptenaar recht in de ogen. Hij was een broodmagere man met een rond door pokken geschonden gezicht en kromme schouders, waarschijnlijk tegen de zestig, maar misschien leek hij ouder dan hij was door zijn grijze baard. Een derde van zijn gezicht ging schuil achter een zonnebril met donkere glazen, die hij ook binnenshuis ophield in de smoezelige hotelkamer met de gesloten zonwering. 'Semtex in kleine hoeveelheden is geen probleem. Ammoniumnitraat in elke hoeveelheid is ook geen probleem,' zei hij. 'Jullie zullen wel weten dat ammoniumnitraat als kunstmest wordt gebruikt en dat het vermengd met diesel of stookolie zeer explosief is. Het zal de kunst zijn een grote hoeveelheid in te kopen zonder de aandacht te trekken, maar dat kan ik met mijn mensen organiseren. Waar moet de partij worden afgeleverd?'

Leroy toonde een scheef lachje. 'De juiste plek wordt meegedeeld aan de New Jersey-kant van de Holland Tunnel.'

Lincoln hoorde de oproep van de muezzin – geen opname maar live – die de gelovigen aanspoorde tot het middaggebed, wat betekende dat hij ergens mee naartoe was genomen binnen gehoorsafstand van de enige moskee in Ciudad del Este nadat Leroy hem benaderd had bij de moskee in Foz do Iguaçú. Hij was op de achterbank van een Mercedes geduwd waar een ondoorzichtige skibril lag die hij moest opzetten. 'Breng je me naar de Saoedi?' had hij Leroy gevraagd terwijl de Mercedes drie kwartier lang rondjes reed om hem te misleiden. 'Ik breng je bij de Egyptenaar van de Saoedi,' had Leroy gezegd. 'Als de Egyptenaar je goedkeurt, mag je naar de Saoedi, eerder niet.' 'En als hij me niet goedkeurt?' had Lincoln gevraagd. Op de voorbank naast de chauffeur had Leroy een snuivend geluid gemaakt. 'Als hij je afkeurt, voert hij je op aan de krokodil die hij in zijn vijver houdt.'

Nu voelde Lincoln dat Daoud hem kritisch bekeek door zijn donkere zonnebril. 'Waar heb je je been bezeerd?' vroeg de Egyptenaar.

'Verkeersongeluk in Zagreb,' zei Lincoln. 'Kroaten rijden als gekken.'

'Waar bent u behandeld?' Daoud wilde bijzonderheden horen die hij zou kunnen natrekken.

Lincoln noemde de naam van een ziekenhuis in een buitenwijk in Triëst.

De Egyptenaar keek even naar Leroy en haalde zijn schouders op. Er viel hem iets anders in. 'Hoe heet dat boek van u over Fredericksville?'

Leroy corrigeerde hem. 'Fredericksburg.'

'De titel heb ik niet genoemd,' zei Lincoln. 'De titel was het beste van het hele boek. Ik heb het *Kanonnenvoer* genoemd.'

Leroy had kennelijk nog moeite met de afloop van de Secessieoorlog, want hij brandde los: 'Dat waren ze verdomme dan ook: kanonnenvoer.' Zijn gewoonlijk slepende stemgeluid klonk opeens een halve octaaf hoger en de woorden klonken luid en duidelijk. 'Federaal kanonnenvoer. Als ratten gestorven om de negers te bevrijden, het huwelijk tussen mensen van verschillend ras te legaliseren en de ideeën van het Noorden op te leggen aan de mannen van het Zuiden.'

De Egyptenaar herhaalde de titel voor de zekerheid nog eens en mompelde toen iets in het Arabisch tegen de dikke jongen die in de nis op de met een linoleumblad afgewerkte tafel met een legpuzzel bezig was. De jongen, die een schouderholster droeg met een plastic pistool en elke keer zijn kauwgom liet klappen als hij een stukje op zijn plaats legde, schoot overeind en verliet haastig de kamer. De Egyptenaar liep achter hem aan. Lincoln hoorde hun stappen op de trap van het gehorige hotelletje: de jongen ging naar beneden, terwijl Daoud de trap op liep. Hij ging de kamer op de verdieping erboven binnen, liep naar de andere kant en trok een stoel bij, terwijl er een telefoon te horen was. Lincoln nam aan dat de Egyptenaar met zijn mensen in het buitenland belde om te laten natrekken wat hem door Dittmann was verteld.

De mensen van Operaties in Langley hadden dit voorzien en de basis gelegd. Als iemand navraag deed bij het ziekenhuis in Triëst, zou hij te horen krijgen dat Lincoln Dittmann drie dagen onder behandeling van een osteopaat had gestaan en zijn rekening contant had voldaan op de ochtend van zijn ontslag. Wat het boek betrof: *Kanonnenvoer* had een spoor van verwijzingen nagelaten. In *Publishers Weekly* zou de documentalist van de Egyptenaar een vermelding uit 1990 kunnen vinden van de publicatie van het boek. Als hij dieper groef, kon hij twee besprekingen vinden: de eerste in de studentenkrant van een kleine universiteit in Virginia, een lovende recensie van het geleerde werk over de Burgeroorlog dat een van de docenten van daar had geschreven, de tweede in een in Richmond (Virginia) verschijnende historische kwartaaluitgave gewijd aan de Secessieoorlog, waarin Lincoln Dittmann van plagiaat werd beschuldigd; hij zou hele lappen tekst hebben overgeschreven uit een privé-uitgave van 1932, een doctoraalscriptie over de slag bij Fredericksburg. Dan was er ook nog een stukje te vinden in een krant die in Richmond verscheen, waarin de beschuldiging van plagiaat werd herhaald en werd gemeld dat een commissie van historici de oorspronkelijke scriptie en Dittmanns *Kanonnenvoer* had vergeleken en lange gelijkluidende passages had aangetroffen. Het artikel vermeldde ook nog dat Dittmann op staande voet was ontslagen als docent geschiedenis aan een kleine plaatselijke universiteit. De boekhandelsbranche zou desgevraagd laten weten dat het boek in een bescheiden oplage was verkocht voordat het uit de handel was genomen. Als iemand er fanatiek naar zou zoeken, konden exemplaren van de eerste en enige druk (wat er over was van de oorspronkelijke oplage van vijfhonderd stuks) nog worden aangetroffen bij de Strand in Manhattan en verscheidene andere tweedehandsboekhandels, verspreid door het land. Op het stofomslag stond een foto van Dittmann met een forse Schimmelpenninck tussen zijn lippen, met een korte biografie: geboren en getogen in Pennsylvania, van jongsaf gefascineerd door de Burgeroorlog en de slagvelden die hij bezocht, expert inzake de slag bij Fredericksburg, nu docent geschiedenis aan een kleine universiteit in Virginia.

In afwachting van de terugkeer van de Egyptenaar haalde Lincoln een Schimmelpenninck uit het blikken doosje in zijn binnenzak en hield zijn aansteker bij het uiteinde. Hij inhaleerde diep en liet de rook door zijn neus opkringelen. 'Bezwaar als ik rook?' vroeg hij beleefd.

'Rook is gif voor de longen,' zei Leroy. 'Je kunt beter stoppen.'

'Het probleem,' zei Lincoln, 'is dat je alleen kunt ophouden met roken door een ander te worden. Heb ik een keer geprobeerd. Tijdje helemaal niet gerookt. Maar uiteindelijk is het niet gelukt.'

Na een poosje kwam de Egyptenaar terug en ging op de houten stoel zitten die haaks op de bank stond. 'Wat deed u precies in Kroatië?' vroeg hij aan Lincoln.

Kroatië was een bijdrage van Crystal Quest. Ze legde graag iedereen haar wil op, maar ze hield vast aan oude gewoonten: een goede dekmantel kon volgens haar niet volstaan met sporen op papier om als authentiek te worden aanvaard. 'Als hij wordt verondersteld in wapens te handelen,' had ze aangevoerd toen ze Lincoln in Langley op de zesde verdieping had ontboden voor het fiat van de directeur voor de operatie, 'moet er een spoor van echte transacties zijn dat de oppositie kan vinden.'

'Dus jij wilt hem in de echte wapenhandel invoeren?'

'Jawel.'

'Aan wie moet hij dan leveren?' had de directeur willen weten. Kennelijk had hij er moeite mee dat een agent van de Firma zijn authenticiteit zou onderbouwen door betrokkenheid bij de echte wapenhandel.

'Hij kan inkopen bij de Sovjet-Russen, die uitverkoop houden van hun arsenalen in Oost-Duitsland en leveren aan de Bosniërs. Aangezien het beleid van de vs neigt tot steun aan de Bosniërs zullen onze toezichthouders bij het Congres ons niet al te hard vallen als zij er lucht van krijgen, wat niet eens zal gebeuren als we het voorzichtig aanpakken. Het idee hierachter is Lincoln onder de aandacht brengen van ene Sami Akhbar uit Azerbeidzjan, die wapens aankoopt voor een al-Qa'ida-cel in Bosnië.'

'Zoals gewoonlijk heb je je aan alle kanten ingedekt, Fred,' had de directeur met een opvallend gebrek aan enthousiasme gezegd.

'Daar word ik voor betaald,' had ze kortaf gezegd.

Lincoln had vervolgens vier maanden in een bruikbare Buick langs de Dalmatische kust gezworven, waarbij hij de Servische undercoveragenten had gemeden als de pest en een fax had gebruikt om contact op te nemen met een schimmige grootheid in Frankfurt om vrachtwagens vol Russische dumpwapens op te kopen die werden aangeboden door Russische militairen die uit de DDR naar de Sovjet-Unie werden teruggeroepen; hij ontmoette de chauffeurs in het donker op achterafweggetjes bij hun terugkeer via Slovenië en regelde de aflevering aan de Dalmatische kust tussen Kroatië en Bosnië. Bij een van die nachtelijke ontmoetingen voelde hij voor het eerst de vis aan het aas knabbelen. 'Kun je springstof leveren?' had een handelaar langs zijn neus weg gevraagd. Hij was een moslim die zich Sami Akhbar liet noemen en die, nadat hij twee vrachtwagens vol bazooka's en granaatwerpers had overgenomen, Lincoln een schoudertas had gegeven vol nieuwe biljetten van honderd dollar, met een omslag van een Zwitserse bank.

In de achterliggende vier maanden had Lincoln vijf keer zaken gedaan met Sami. 'Wat had je in gedachten?' had hij gevraagd.

'Ik heb een Saoedische vriend met belangstelling voor semtex en ammoniumnitraat.'

'In wat voor hoeveelheden?'

'Heel grote hoeveelheden.'

'Wil je vriend het einde van de ramadan vieren met een flinke klap?'

'Zoiets.'

'De Russen hebben geen semtex of ammoniumnitraat in de aanbieding. Dat zou uit de vs moeten komen.'

'Wil je zeggen dat je wel een mogelijkheid ziet?'

'Mogelijkheden zijn er altijd, Sami, maar het gaat je wel wat kosten.'

'Geld is voor mijn Saoedische vriend geen probleem. Dankzij Allah en wijlen zijn vader is hij steenrijk.'

De moslim had een stukje papier uit het borstzakje van zijn overhemd gehaald en met de bumper van een vrachtwagen als ondergrond in potlood plaats en straatnummer van een moskee genoteerd, met een datum en tijdstip erbij. Lincoln had voor een parkeerlampje van de Buick gehurkt om het te kunnen lezen. 'Foz do Iguaçú? Verdomme, waar ligt dat?' had hij gevraagd, hoewel hij dat heel goed wist.

'In Brazilië, net over de grens met Paraguay, in het Driegrenzengebied waar Brazilië, Paraguay en Argentinië aan elkaar grenzen.'

'Waarom kunnen we niet ergens in Europa afspreken?'

'Als je niet wilt, zeg je het maar. Dan vind ik wel een ander.'

'Begrijp me niet verkeerd, Sami. Ik heb echt wel belangstelling. Ik vraag me alleen af of die verre reis wel wat zal opleveren.'

Sami had schor gegrinnikt. 'Ik moet altijd lachen om jullie wapenjongens. Ik vind tweehonderdvijftigduizend Amerikaanse dollars niet niks.'

Lincoln had naar het vodje papier gekeken. 'Weet je zeker dat je rijke Saoedi me benadert als ik over tien dagen om tien uur 's morgens voor die moskee in die straat sta?'

In het donker had Sami geknikt. 'Iemand komt naar je toe en die zal je bij hem brengen.'

In de kleine kamer boven de bar luisterde de Egyptenaar zwijgend naar Lincolns verhaal over zijn transacties in Kroatië. In de nis liet de puzzelende jongen zijn kauwgom tegen zijn vlezige lippen klappen. Leroy maakte de nagels van zijn linkerhand schoon met een nagel aan zijn rechterhand. Ten slotte zei hij: 'Leroy brengt u terug naar uw hotel in Foz do Iguaçú. Daar blijft u wachten tot u van me hoort.'

'Hoe lang gaat dat duren?' vroeg Lincoln. 'Elke dag dat ik niet op de Balkan zit kost me geld.'

De Egyptenaar haalde zijn schouders op. 'Als u zich verveelt, mag u gapen.'

'Hoe is het gegaan?' vroeg Lincoln aan Leroy toen ze samen terugreden naar de brug en Fox do Iguaçú.

'Dat je nog leeft kan alleen betekenen dat het goed is gegaan.'

Lincoln keek opzij naar de Texaan, wiens gezicht telkens even door een passerende auto werd belicht. 'Meen je dat nou?'

'Godverdomme nou. Of ik het meen. Laat dat maar eens goed tot je doordringen,' zei hij en tikte met zijn wijsvinger tegen zijn voorhoofd. 'Het zijn harde jongens hier.'

Lincoln moest een lachje bedwingen. Felix Kiick had bijna dezelfde woorden gebruikt aan het eind van het overleg in Washington. 'Kijk verdorie wel een beetje uit in het Driegrenzengebied,' zei hij. 'Die lui daar hebben machtig lange tenen.'

De briefing in Washington had op neutraal terrein plaatsgevonden, een anoniem vergaderzaaltje in Foggy Bottom dat door de stofzuigploeg van de Firma was uitgekamd en daarna onder surveillance gehouden tot de hoge gasten klokke twaalf verschenen. Vanaf het eerste woord had de sfeer onder hoogspanning gestaan. Lincoln Dittmann had het er die ochtend op gewaagd door er van zijn safehouse in Virginia naartoe te rijden. Het kwam niet zozeer door de zegsman van de FBI, Felix Kiick, een kleine, gedrongen contraterrorismeveteraan met het lage zwaartepunt van een footballverdediger; de CIA had een aantal keren met hem samengewerkt (met name toen hij de leiding had over het FBI-contraterrorismeteam van de Amerikaanse ambassade in Moskou) en beschouwde hem als een man op wie je kon bouwen. De spanning was te wijten aan het conflict tussen de verschillende culturen, aan het wantrouwen dat J. Edgar Hoover (die de FBI tot zijn dood in 1972 met ijzeren hand had geleid) gedurende de achtenveertig jaar van zijn directeurschap in alle bureaucratische geledingen had gezaaid. Het feit dat de FBI ingevolge een 'aanwijzing' van de president een operatie moest overdragen aan de aartsconcurrent in Langley, met alle daarbij betrokken contacten, of wat daarvan nog bruikbaar was, maakte het erger. Bij zijn inleidende opmerkingen probeerde Kiick zo beheerst mogelijk te blijven. 'Het Driegrenzengebied,' zei hij tegen Lincoln terwijl Crystal Quest en enkele van haar ondergeschikten toekeken, 'de bijnaam van de streek waar Brazilië, Paraguay en Argentinië aan elkaar grenzen, is een verzamelplaats voor allerlei uitschot van Hamas, Hezbollah, de Islamitische Broederschap uit Egypte, het Ierse Republikeinse Leger, de Baskische afscheidingsbeweging ETA en het FARC uit Colombia, allemaal opererend onder valse naam en valse vlag. De belangstelling van de FBI voor het gebied dateert van zo'n tien jaar geleden, toen een grote groep Libanezen op de vlucht voor de burgeroorlog daarheen trok. De plaatselijke autoriteiten, omgekocht of onder druk gezet, zagen de snelle toename van de criminaliteit in hun achtertuin door de vingers. Je kon er vrijwel alles kopen en verkopen: paspoorten voor tweeduizend dollar het stuk, compleet met tronie en officieel overheidsstempel, gestolen auto's, goedkope elektronica, en natuurlijk de gebruikelijke goederen in een bandietenstreek: wapens en drugs. Diverse terroristische organisaties richtten opleidingskampen voor guerrilla's op in de *mato graso*, de prairie, om jongemannen te leren autobommen te installeren of de wapens van Sovjetmakelij te gebruiken die in de steegjes van de grenssteden te koop waren voor geld dat bij de plaatselijke banken was witgewassen.'

'Zo te horen hebben jullie de problemen goed in de peiling,' merkte Lincoln Dittmann op. 'Waarom trekken jullie je terug?'

'Ze trekken zich terug,' zei Crystal Quest, 'omdat de directeur het Witte Huis ervan heeft overtuigd dat de Amerikaanse belangen er het best mee worden gediend als de CIA de actie in het Driegrenzengebied voor zijn rekening neemt.' Quest viste wat ijsschilfers uit een kom en begon erop te kauwen. 'Drugs, autosmokkel, zwarte handel in software of Hollywoodfilms: allemaal kruimelwerk. Wij hebben reden om aan te nemen dat het Driegrenzengebied een steunpunt is voor moslimfundamentalisten op het westelijk halfrond. In het Driegrenzengebied kunnen ze naar hartenlust wapens kopen en geld witwassen om ervoor te betalen. En de fedajien kunnen zich ontspannen in de plaatselijke bars, uit het zicht van de mullahs die kuisheid van de mannen verwachten en vijf gebeden per dag. De moskeeën in Foz do Iguaçú aan de Braziliaanse kant en in Ciudud del Este in Paraguay zitten vol sjiieten en soennieten die elkaar in een ander werelddeel geen blik waardig zouden keuren. Wij vermoeden dat zij in dit gebied een aanval beramen op de Verenigde Staten en de levens van Amerikanen.'

Kiick liet zich horen. 'Hoe de CIA ook mag denken over onze collectieve vermogens, de FBI is er wel in geslaagd een handjevol contacten in het Driegrenzengebied in te zetten. Na enig aandringen heeft iemand een treffer gescoord, in de vorm van de Egyptenaar Ibrahim ibn Daoud die de leiding heeft over een fundamentalistisch opleidingskamp dat Boa Vista heet. Daoud, die in werkelijkheid Khalil al-Jabarin heet, heeft een strafblad; al-Jabarin is veroordeeld als geestelijk leider van de Moslimbroederschap en heeft een langdurige straf in een militaire gevangenis in Caïro uitgezeten. Hij heeft er lichamelijke en geestelijke littekens aan overgehouden; Egyptische cipiers schijnen een voorkeur hebben voor het verbinden van elektroden met testikels. Het staat vast dat Daoud zelf in koelen bloede heeft gedood: we weten niet of dat een gevolg is van de mishandeling of een kwestie van aanleg. Wat we wel weten is dat hij een maand geleden een krokodil in een zwembad in São Paulo heeft binnengesmokkeld en daarna een man die ervan was beschuldigd een politiespion te zijn in het water heeft geduwd, terwijl plaatselijke hoeren toekeken met ontdooide partyhapjes op een papieren bordje in de hand. Er werd geld uitgedeeld en de moord werd verzwegen. We weten dat het geen apocrief verhaal is, omdat een van de hoeren een plaatselijk contact was. De dode spion was ons voornaamste contact in het Driegrenzengebied.'

'Dus de FBI is daar blind geworden?' vroeg Dittmann.

'Zogoed als.'

'Het voornaamste contact had geen invaller?'

'Daar waren we niet snel genoeg mee,' gaf Kiick toe.

'Wat kan ik in het Driegrenzengebied nog meer verwachten dan uitgehongerde krokodillen?'

Kiick – die Lincoln oppervlakkig kende omdat hij met hem bij enkele van de zeldzame coördinatiebesprekingen van CIA en FBI had gezeten – schoof een FBI-document over de vergadertafel. 'Alles wat we weten staat erin,' zei hij. 'Waarschijnlijk loop je een Texaan tegen het lijf die zich Leroy Streeter laat noemen. Hij is wat wij een spagaatfiguur noemen: in zijn geval een getikte neonazi die gemene zaak maakt met de moslimfundamentalisten. Dat is een levensgevaarlijke combi. Als en wanneer de moslimterroristen de Verenigde Staten aanvallen, kunnen de neonazi's infrastructurele steun bieden en huurmoordenaars leveren, omdat een Amerikaan gemakkelijker toegang krijgt tot openbare gebouwen dan een Arabier uit het Midden-Oosten. Niet duidelijk is trouwens of Leroy Streeter zijn echte naam is. De man die je zult tegenkomen is nog geen een meter zestig, zestig kilo, praat traag met een Texaans accent, en hij reist op een paspoort op naam van Leroy Streeter jr. Leroy Streeter senior was de Führer van een racistische splintergroep in Texas, het Nationalistische Congres; hij is aan kanker gestorven in Huntsville, waar hij een veroordeling uitzat voor het opblazen van een zwarte kerk in Birmingham. Ons consulaat in Mexico City heeft vier jaar geleden een paspoort op naam van Leroy Streeter jr. verstrekt, maar volgens het Argentijnse secretariaat voor Staatsveiligheid is hij twee jaar geleden voor het strand van Rio verdronken;

voor zover wij weten is het lijk niet geborgen. Dus of Leroy Streeter jr. is uit de dood opgestaan, of iemand anders gebruikt zijn paspoort. In elk geval staat hij hoog op de lijst van mensen die de FBI aan de tand wil voelen.'

'Laat je niet afleiden,' zei Crystal Quest tegen Lincoln. 'Leroy Streeter is niet het doelwit van deze operatie. Het is ons om de Saoedi te doen.'

'Heeft de Saoedi een naam?' vroeg Lincoln.

'Iedereen heeft een naam,' snauwde Quest. 'Alleen weet de FBI die niet.'

'Uit wat ons voornaamste contact ons voor zijn vroegtijdig overlijden heeft laten weten,' vervolgde Kiick, zonder zich door Quests sneer op de kast te laten krijgen, 'maken we op dat de Saoedi de sleutelfiguur is in een groep fundamentalisten die onlangs als vlekje op onze radar is verschenen. Sinds de Russen twee jaar geleden uit Afghanistan zijn gegooid, opereren ze vanuit dat land en ze noemen zich al-Qai'da oftewel "De basis". De Saoedi schijnt al-Qai'da-cellen in Europa en Azië te organiseren en aan te sturen vanuit Khartoum in de Sudan.'

'Hoe kom ik bij die Saoedi terecht?'

'Met een beetje geluk komt hij naar jou toe,' zei Quest. 'Hij wil springstof kopen, in grote hoeveelheden. Het contact van de FBI heeft het gerucht gehoord dat de Saoedi een vrachtwagen vol wil hebben en hij biedt een klein vermogen voor aflevering van de partij op een adres in de Verenigde Staten. De springstof is misschien nog maar het topje van de ijsberg; misschien wil de Saoedi nog meer hebben om het effect van de springstof te vergroten.'

'Een vuile bom,' veronderstelde Lincoln.

'Hij praat over een geschenkverpakking voor de springstof van plutonium of radioactief afval van verrijkt uranium,' zei Quest, 'waardoor een groot gebied door de explosie besmet zou raken. Honderdduizenden zouden worden getroffen. Dat is de dreiging waardoor de president de CIA in beeld heeft gebracht.'

'Bedenk wel, Lincoln,' zei Kiick, 'ik begrijp dat je nu die naam gebruikt – dat die kwestie van een vuile bom een worstcasescenario is, en zuivere speculatie.'

Quest negeerde de afgevaardigde van de FBI. 'We gaan de Saoedi indirect benaderen,' zei ze tegen Lincoln. 'We weten dat er een al-Qa'ida-cel op de Balkan actief is die wapens en munitie aan de moslims in Sarajevo levert, in de overtuiging dat oorlog tussen de Serviërs en de Bosniërs onvermijdelijk is. De man die de leiding heeft, is een Azerbeidzjani die de naam Sami Akhbar gebruikt. Ons plan is jou neer te zetten aan de Dalmatische kust, waar Sami actief is, zodat hij je toevallig kan tegenkomen. Wanneer je eenmaal je betrouwbaarheid hebt bewezen en hem lekker hebt gemaakt, kun je de Saoedi bereiken door op te klimmen in de hiërarchie. In het Driegrenzengebied schijnt hij Daoud als slot op de deur te gebruiken; niemand kan bij de Saoedi komen als hij niet eerst bij de Egyptenaar is geweest.'

Crystal Quest, zoals gebruikelijk in broekpak met brede revers en een overhemd met ruches langs de sluiting, schoof haar stoel naar achteren en stond op. Haar ondergeschikten in de Personagecommissie volgden haastig haar voorbeeld. 'Je moet wel beseffen dat het Driegrenzengebied geen Club Med is,' hield Quest Lincoln voor. 'De groep waarvan we het minst weten – de groep die ons het meest interesseert – is die al-Qa'ida-groepering. Als het je lukt die in kaart te brengen, Lincoln, zal ik er persoonlijk voor zorgen dat je een van de schertsmedailles van de CIA krijgt.' En grijnzend voegde ze eraan toe: 'Ik zal hem graag persoonlijk opspelden.' Haar contingent lachte. Terwijl Quest naar de deur liep, strekte Kiick zijn hand uit, en Lincoln kwam half overeind om hem die te drukken. 'Ons contact zal zich aan je bekendmaken doordat ze iets zegt over Giovanni da Varrazano en de brug die naar hem is genoemd.' En Kiick voegde eraan toe: 'Kijk wel verdomd goed uit wat je doet in het Driegrenzengebied. Die lui daar hebben machtig lange tenen.'

Crystal Quests stem zweefde voldaan over haar morbide gevoel voor humor over haar schouder: 'Wat je ook doet, Lincoln, blijf uit de buurt van zwembaden.'

Op zijn tweede opeenvolgende avond in het gezelschap van Leroy Streeter achter in de Kit Kat Club aan de hoofdstraat van Foz do Iguaçú at Lincoln zijn bord steak met frites leeg, spoelde het eten weg met goedkope whisky in een borrelglas en lauw bier uit de fles en keek naar de hoeren die muntjes in de jukebox stopten en in elkaars armen deinden op de maat van 'Don't Worry, Be Happy' dat, te oordelen naar het feit dat het keer op keer werd gedraaid, ofwel nummer één op de Braziliaanse hitparade stond, of de enige plaat in de machine was die het nog deed. Leroy was net teruggekomen over de smalle trap die leidde naar een donkere gang en twee kamers aan weerskanten waar hij voor de tweede keer die avond, zoals hij het uitdrukte, loos was gegaan. Het spichtige meisje met het rood geverfde haar in een knotje op haar hoofd om ouder en langer te lijken kwam achter hem aan naar beneden en streek met haar handen haar dunne jurkje glad terwijl ze op schoenen met stilettohakken naar de bar liep. 'Ik heb ze het liefst bloedjong,' vertrouwde Lerory zijn nieuwe vriend toe terwijl hij met een gebaar nog een fles bier bestelde. 'Die zijn nog lekker strak in de snee en ze doen wat je zegt, zonder moeilijk te doen of een andere prijs te vragen dan je hebt afgesproken. Ik snap niet wat jij tegen wippen hebt, Lincoln. Ik heb toch al gezegd dat de meiden hier brandschoon zijn.'

'Dat hangt ervan af met wie ze het laatst hebben gewipt,' zei Lincoln. 'Op een druiper zit ik echt niet te wachten. Dure wip als je daarna naar de dokter moet.'

'Daar zit wat in,' zei Leroy. Hij keek naar de dansende vrouwen op de brede grenenhouten vloerdelen voor de jukebox; een jongeman, die hij kende als een Pakistani uit Daouds opleidingskamp in de rimboe, omhelsde het spichtige meisje met het rood geverfde haar en danste met haar zonder van zijn plaats te komen, door op de maat van de muziek zijn gewicht van de ene voet op de andere te verplaatsen. 'Ik vind het niks als vrouwen met elkaar dansen,' zei de Texaan tegen Lincoln en wees met zijn kin naar de hoeren die indolent in elkaars armen hingen, met hol getrokken rug en scheefgezakt hoofd, alsof hun hals te zwak was om het gewicht te dragen. 'Volgens mij is het niet normaal, want lesbische liefde is niet normaal. Als God had gewild dat vrouwen vrouwen neuken, had hij de helft een lul gegeven. Wat is dat trouwens voor shitnummer? Geen zorgen, happy zijn is wat ik de rest van mijn leven ga doen als dit allemaal achter de rug is.'

Lincoln besloot dat het ogenblik was gekomen om te zien of zijn pogingen een band met de Texaan te smeden waren geslaagd. Hij boog zich over de tafel, dempte zijn stem zodat de Brazilianen aan het tafeltje ernaast hem niet konden verstaan en vroeg: 'Wat bedoel je met wat er eerst achter de rug moet zijn? Het heeft zeker met het ammoniumnitraat te maken? Vertel eens, Leroy: wat moet iemand in jezusnaam met een verhuiswagen vol van dat spul?' Hij slaagde erin de vraag op achteloze toon te stellen, alsof het antwoord hem niet echt kon schelen.

Leroy, een klein mannetje dat graag groot wilde lijken, kon het niet laten om op te scheppen. 'Onder ons gezegd en gezwegen ga ik daar hoogstpersoonlijk mee door de Holland Tunnel,' antwoordde hij, zo ver voorovergebogen dat hun voorhoofden elkaar bijna raakten. 'Dan de hens erin in Manhattan en een vierkante mijl Wall Street platleggen, dat is wat ik ermee ga doen.'

Lincoln richtte zich op en floot tussen zijn tanden. 'Jullie pakken het niet lullig aan, jullie willen het hart treffen.'

'Godverdomme nou,' zei Leroy innig tevreden.

Lincoln bracht de bierfles aan zijn lippen en slikte een teug warm bier door. 'Wat heb je tegen Wall Street, Leroy? Ben je geld kwijtgeraakt op de aandelenmarkt?'

Leroy snoof de lucht op in de Kit Kat Klub, waar het rook naar bier en marihuana en zweet. 'Ik haat de federale overheid,' zei hij, 'en Wall Street is een filiaal van de federale overheid. Wall Street is waar al die Joden het land runnen vanachter hun glimmende mahoniehouten bureaus en plannen smeden om de hele wereld over te nemen. Of je het toegeeft of niet, je weet dat ik gelijk heb, anders zou je niet doen wat je doet. Jij bent net als ik een soldaat in deze bevrijdingsoorlog. Verdomme, misschien is het wel nodig om Amerika te vernietigen om het te bevrijden, maar we gaan hoe dan ook de klok terugdraaien naar de tijd dat verstandige mensen hun leven konden inrichten zonder zich de wet te laten voorschrijven door een opgeblazen idioot in Washington. We gaan de Burgeroorlog overdoen, Lincoln. De federale overheid probeert ons te vertellen wat we wel en niet kunnen doen. Als het zo doorgaat, zullen ze verdomme nog de grondwet in de vuilnisbak gooien en beslissen dat je een vergunning moet hebben om een vuurwapen te dragen.' Leroy bleef op gedempte toon spreken, maar hij werd steeds bozer. 'Een vergunning om een vuurwapen te mogen kopen! Over mijn lijk! Hoor eens, Lincoln, jij hebt doorgeleerd, dus jij ziet ook wel dat dit land naar de kloten gaat. Als je de smouzen en de nikkers een vinger geeft, pakken ze je hele hand en meer. Als we nu niet een streep in het zand zetten, brengen ze de nikkers binnenkort met de bus naar alle scholen in het land, tot er geen blanke school meer overblijft tussen de Stille en de Atlantische Oceaan.'

Leroy leek uitgeraasd toen het jonge mulatmeisje hem zijn bier kwam brengen. Routineus wipte ze de kroonkurk op met de opener die tussen haar borsten hing aan een lange gouden ketting. 'Nog eentje?' vroeg ze aan Lincoln.

Het bierflesje dat hij voor zich had staan was halfvol. 'Ik heb nog,' zei hij.

'Hij heeft zijn verstand nog,' bevestigde Leroy.

Tegen Leroy zei het meisje: 'Mijn vriendin Paura, die met het donkere haar en de toreadorbroek die daar in haar eentje danst, die valt op je vriend.'

'Je meent het,' zei Leroy. Hij wierp Lincoln een wellustige blik toe. 'Bied Paura maar een biertje aan, Lincoln. Als jij geen zin in haar hebt, pak ik haar wel.'

'Ik heb toch gezegd...' begon Lincoln, maar Leroy had de dienster al bij de pols gepakt. 'Zeg maar tegen die chick, die Paura, dat we op haar zitten te wachten.'

Het meisje van de bediening zei lachend iets tegen haar vriendin terwijl ze terugliep naar de bar. Paura, die een forse joint tussen twee vingers van haar linkerhand hield, draaide langzaam haar hoofd om de twee mannen achterin te bekijken en ging door met dansen, maar kwam met elke schuifelstap verder naar hen toe. Ze danste door nadat de plaat was afgelopen en deinde als een blad in een lichte bries toen ze achterin aankwam, terwijl 'Don't Worry, Be Happy' weer begon. Ze nam een haal, inhaleerde de rook en zei: 'Ze heeft vast gezegd dat ik Paura heet.'

'Klopt,' zei Leroy.

'Ze doet het altijd fout.' Het meisje sprak Engels met, dacht Lincoln, een Italiaans accent. 'Op sommige dagen ben ik Paura. Op andere dagen ben ik Lucia. Vandaag is een Lucia-dag.'

Lincoln, een liefhebber van dekmantels en vuurwapens, vroeg: 'Zijn dat twee verschillende namen of twee verschillende mensen?'

Lucia keek onderzoekend naar Lincoln om te bepalen of hij haar in de maling nam. Toen ze zag dat het niet zo was, ging ze serieus op zijn vraag in. 'Ze verschillen als dag en nacht. Lucia is de dag. Haar Italiaanse naam betekent licht. Ze heeft een hart vol zonneschijn en daglicht, ze is dankbaar voor het leven en ze leeft bij de dag, zonder te denken aan morgen. Wie niet afdingt is ze bereid te pijpen, en ze voelt zich verplicht de cliënt waar voor zijn geld te geven. De helft van wat ze verdient staat ze af aan haar pooier, en ze houdt zijn deel niet achter als ze een fooi mocht ontvangen.'

'En Paura? Hoe is die?'

'Paura is de nacht. Haar naam is Italiaans voor angst. Alles aan haar is tot angst terug te voeren; overdag schrikt ze van haar eigen schaduw, 's avonds is ze bang voor het donker na het verdwijnen van het laatste licht, bang voor de klanten die hun riem afdoen voordat ze hun broek uittrekken. Ze is bang voor zwembaden. Ze is bang dat het leven op aarde afgelopen zal zijn voordat de komende dag zal aanbreken, bang dat de nacht eeuwig zal duren.' Ze keek Lincoln met schrikogen aan. 'Zal ik je hand lezen? Ik kan je vertellen op welke dag van de week je leven voorbij zal zijn.'

Lincoln wees het aanbod beleefd af. 'Ik heb geen zichtbare levenslijn,' zei hij.

Het meisje gooide het over een andere boeg. 'Onder welk teken ben je geboren?'

Lincoln schudde zijn hoofd. 'Ik ben astrologisch atheïst. Weet mijn teken niet, wil het ook niet weten.'

'Dan blijft ons weinig anders over dan dansen,' zei Lucia en ze bewoog haar lichaam weer op de muziek. Ze bewoog haar schouder zo dat haar dunne blouse over haar ene arm gleed, zo ver dat haar ene tepelhof zichtbaar werd. Ze hief haar hand.

'Volkomen geschift,' mompelde Leroy. 'Maar ze tippelt wel op je.'

'Ik kan mijn been niet goed gebruiken,' zei Lincoln tegen het meisje.

'Help haar toch uit haar lijden,' drong Leroy aan. 'Jezus Christus, van dansen kun je niets oplopen.' Toen Lincoln bleef aarzelen, gaf Leroy hem onder de tafel een zachte schop. 'Godverdomme nog aan toe, Lincoln, je gedraagt je niet bepaald hoffelijk.'

Lincoln vertrok zijn gezicht in een grimas en kwam traag overeind. Het Italiaanse meisje greep een van zijn grote handen in de hare en hij werd strompelend naar het midden van de ruimte getrokken, waar ze zich omdraaide, haar joint op de vloer uittrapte en haar lichaam tegen het zijne drukte, met haar blote armen om zijn hals en zijn oorlel tussen haar tanden.

Op zijn plaats sloeg Leroy vermaakt met zijn vlakke hand op tafel.

Lincoln kon goed dansen. Zijn pijnlijke been ontziend en met het meisje tegen zijn lange, slanke lichaam geplakt gaf hij een demonstratie van zijn kunnen waar de andere meisjes aan de bar met bewondering naar keken.

Na een poosje fluisterde Lucia in zijn oor: 'Je hoeft niet te zeggen hoe je heet, als je dat niet wilt. Maakt niet uit: iedereen heeft hier een schuilnaam.'

'Ik heet Lincoln.'

'Is dat je voornaam of je achternaam?'

'Voornaam.'

'Heet je overdag zo of als het donker is?'

Lincoln moest lachen. 'Allebei.'

Zonder aarzelen zei Lucia: 'Giovanni da Varrazano, die zijn overdagnaam heeft gegeven aan de brug die Brooklyn verbindt met een eiland dat Staten heet, is door indianen gedood op zijn expeditie naar Brazilië in 1528. Een vogeltje heeft in mijn oor gefluisterd dat je dat graag zou willen weten.'

Lincoln verstarde en duwde haar een eindje van zich af. Zijn glimlach leek een masker. 'Dat is inderdaad zo.'

Tevreden wipte Lucia met een schouderbeweging haar borst terug in haar blouse en vlijde zich weer in zijn armen, en ze dansten verder. Lincoln was opeens gespannen. 'Dus jij bent het contact,' fluisterde hij in haar oor. Hij dacht aan Djamillah in de kamer boven de bar in Beiroet, met de verbleekte tatoeage van een nachtvlinder onder haar rechterborst; hij herinnerde zich dat hij had gezegd: *ik ben verslaafd aan angst – ik moet elke dag mijn shot hebben.* Je moest verslaafd zijn aan angst om in de spionage te werken, dat had hij met het Italiaanse meisje Paura gemeen; zij moest het contact zijn dat had gezien hoe de FBI-man aan de krokodil was gevoerd. Lincoln besefte waar zijn spanning vandaan kwam: hij hoopte tegen beter weten in dat haar niet hetzelfde lot zou treffen. 'Heb je een goed geheugen?' vroeg hij haar nu. Zonder op antwoord te wachten, zei hij: 'Voor wat het waard is: ik ben benaderd door de Texaan aan mijn tafeltje, ik geloof dat hij echt Leroy Streeter heet omdat hij heeft verteld dat zijn vader een zwarte kerk in Alabama in brand heeft gestoken. Hij heeft me meegenomen naar een bar in

Ciudad del Este. De Egyptenaar die Daoud wordt genoemd was daar.'

'Ik vind het best als je geen seks wilt,' zei Lucia. 'Ik heb genoeg seks gehad voor vandaag. Mijn poesje en mijn mond hebben overgewerkt.'

'Daoud heeft navraag naar me gedaan; ik heb hem naar boven horen gaan om op te bellen. Ik denk hij zijn mensen heeft laten natrekken dat ik in een ziekenhuis in Triëst heb gelegen, dat ik het boek heb geschreven dat ik heb geschreven. Ik moet door de eerste controle zijn gekomen, want hij heeft me weer hierheen gestuurd en gezegd dat ik bij Leroy moest blijven tot er weer contact met me zou worden opgenomen, en dat doe ik dus nu.'

'De reden dat we voortdurend dezelfde plaat draaien,' fluisterde Lucia en prikte even haar tong in zijn oor, 'is dat "Don't Worry, Be Happy" het tegenovergestelde is van ons leven hier. Met uitzondering van Lucia tobben we allemaal omdat we niet happy zijn.'

'Als het meezit, wordt de volgende stap dat ik word meegenomen naar de Saoedi.'

'De meisjes die hier werken,' zei Lucia, 'gebruiken abortus als geboortebeperking. Als je hier ooit terugkomt, wordt het gewaardeerd als je een pak condooms meeneemt.'

'Leroy heeft me verteld waarom ze ammoniumnitraat willen kopen,' vervolgde Lincoln. 'Ik weet niet of het opschepperij of een verzinsel is, maar hij is van plan een verhuiswagen vol springstof in Wall Street te laten ontploffen.' Hij liet zijn ene hand omlaagglijden over haar toreadorbroek en omvatte een bil. 'Wat ga jij doen als het allemaal achter de rug is?'

Lucia schoof haar ene hand onder het rugpand van Lincolns overhemd. 'Het gaat altijd maar door,' fluisterde ze.

Haar antwoord schokte Lincoln; het was wat de alevitische prostituee tegen Dante Pippen had gezegd toen hij een personage eerder de kamer boven de bar in Beiroet uit wilde. 'Eens zal het afgelopen zijn,' beloofde Lincoln haar. 'Waar ga je dan heen? Wat ga je dan doen?'

'Dan wil ik terug naar Toscane,' zei ze en drukte zich tegen hem aan, zodat haar woorden gesmoord klonken. 'Een boerderijtje kopen en kleine polyesters fokken en die twee keer per jaar scheren en het haar verkopen om een zijdezachte stof van te maken.'

'Polyester is een synthetisch weefsel,' zei Lincoln.

Lucia's hand kwam in aanraking met het leer van de holster die Lincoln in het komvormige litteken op zijn rug droeg. Ze liefkoosde het koude metaal aan de kolf van het lichte automatische wapen in de holster. 'Dan ga ik acryltjes fokken,' zei ze, geërgerd door zijn kritiek. Haar vingers voelden onder de holster; toen ze het gladde litteken van de genezen wond bereikten, hield ze plotseling op met dansen. 'Hoe kom je daaraan?' vroeg ze.

Maar Lincoln sprak alleen zachtjes haar nachtnaam uit, Paura, en ze herhaalde haar vraag niet.

De volgende avond danste Lincoln in de Kit Kat Club met twee andere meisjes en nam het tweede meisje mee naar boven, om te voorkomen dat er verdenking op Paura zou vallen als hij in de problemen kwam. In de kamer noemde het meisje, een peroxideblonde die zich Monroe Marilyn noemde, haar prijs. Lincoln telde de bankbiljetten af en legde ze neer. Monroe waste zich in een beschadigd bidet en drong erop aan dat hij zich ook zou wassen, en keek naar hem om zich ervan te vergewissen dat hij dat deed. Ze kleedde zich verder uit en hield alleen een beha van zwarte kant aan, die had ze in Parijs gekocht, beweerde ze. Ze ging op de met een laken vol vlekken bedekte matras liggen, spreidde haar benen en richtte haar blik op de gloeidraad van het peertje dat aan het plafond bungelde. In de bar beneden begon de jukebox weer aan 'Don't Worry, Be Happy'. Lincoln deed zijn ogen dicht en fantaseerde dat hij met Paura naar bed ging. Onder hem kreunde Marilyn en schreeuwde het uit van genot; op Lincoln maakte haar misbaar de indruk van een keer op keer afgedraaid bandje, net zo vaak afgespeeld als het 45-toerenplaatje in de jukebox beneden. Hij was eerder klaar dan 'Don't Worry, Be Happy'.

'Dus je hebt toch maar een wip gemaakt,' zei Leroy toen Lincoln trekkebenend terugkwam naar het tafeltje en zich op de bank liet zakken. 'Je hebt vast een snelheidsrecord gebroken. Je moet elke dag minstens één wip maken, anders kom je tekort. Het is juist de bedoeling er zo lang mogelijk over te doen. Dan krijg je meer waar voor je poen.'

'Je moet zo'n rubriek over liefdesproblemen voor de krant gaan schrijven,' zei Lincoln. 'Goede raad voor mannen op seksueel gebied.'

'Misschien doe ik dat wel wanneer ik te oud ben geworden om het tegen de federale overheid in Washington op te nemen.'

'Wanneer denk je dat je te oud zult zijn voor de goede strijd?'

'Op mijn dertigste, misschien. Misschien op mijn dertigste.'

Om een uur of elf kwam er een oude man in een lange, sleetse regenjas met een dunne sjaal om zijn dunne hals binnen om loten te verkopen. Sinds Lincoln zijn avonden in de Kit Kat Club doorbracht, was hij elke avond op hetzelfde tijdstip binnengekomen. Zodra hij in de deuropening verscheen, hielden de hoeren op met wat ze deden en verdrongen zich om de oude man, belust op geluksnummers op het klembord in zijn hand. Nadat ze allemaal hun voorkeurslot hadden gekocht, liepen de meisjes terug naar de tafels of gingen door met dansen. De lotenverkoper schuifelde naar een leeg tafeltje niet ver bij Lincoln en Leroy vandaan. Het mulatmeisje vulde een hoog glas met kraanwater en zette dat voor hem neer. De oude man maakte zittend een lichte buiging voor haar; de vorm van zijn reactie leek afkomstig uit een andere wereld en een andere tijd. Een nieuw meisje dat Lincoln niet eerder had gezien kwam de trap af achter een corpulente Libanese klant; zodra ze de oude man zag zitten, haastte ze zich naar hem toe om een lot te kopen. Toen de muziek ophield, kon Lincoln hun stemmen horen; hij kon zelfs verstaan wat ze zeiden. Het meisje vroeg wanneer de trekking was en hoe ze zou weten of ze iets had gewonnen. De oude man zei dat hij de souches van de loten maandenlang op zijn klembord liet zitten. Elke ochtend scheurde hij de lijst van de winnende loten uit de krant, zei hij, om persoonlijk de winnaars op te zoeken die loten bij hem hadden gekocht.

Het idee dat een hoer rijk hoopte te worden door een lot te kopen bleef Lincoln bezighouden. Hij vroeg zich af of haar pooier de helft zou afnemen als ze inderdaad won.

Leroy luisterde ook mee. Hij stak zijn hand uit om op Lincolns pols te tikken. 'Verdorie, wat is dat nou weer voor taal?' wilde hij weten.

Lincoln had niet beseft dat ze een vreemde taal spraken tot Leroy er zijn aandacht op vestigde. 'Weet ik niet,' antwoordde hij, hoewel hij tot zijn verbazing constateerde dat hij het heel goed wist. De oude lotenverkoper en de hoer spraken Pools, de taal waarin Martin Odums moeder hem in een eerder leven verhaaltjes voor het slapen gaan had verteld, in Jonestown in Pennsylvania.

Hij hoorde het meisje vragen: '*Ile kosztóje bilet?*' Toen de oude man had gezegd wat een lot kostte, telde ze zorgvuldig munten uit een beursje af en scheurde een lot van het klembord.

'Volgens mij is het buitenlands,' zei Leroy. 'Ik moet niets hebben van buitenlanders met hun buitenlandse talen. Snap niet waarom buitenlanders geen Amerikaans leren. De wereld zou er een stuk eenvoudiger op worden als iedereen Amerikaans sprak. Zo denk ik erover.'

Lincoln kon de verleiding niet weerstaan Leroy op de kast te jagen. 'Moeten ze dan Amerikaans praten met zo'n langgerekt Texaans accent als jij of zo kortaf als in Boston, zoals John Kennedy?'

Leroy vatte de vraag serieus op. 'Dat kan me niet schelen. Elke vorm van Amerikaans is gewoon stukken beter dan die buitenlandse talen.'

Tegen middernacht, toen de meisjes naar de bar gingen om hun kamerhuur af te rekenen, kwam opeens de mollige Arabische jongen binnen die in Ciudad del Este met een legpuzzel bezig was geweest. Hij droeg nog steeds de schouderholster waaruit de plastic kolf van zijn speelgoedpistool stak. Toen hij de twee Amerikanen achterin zag zitten, slofte hij op zijn Reeboks naar hen toe en legde een dichtgevouwen briefje bij hen neer. Leroy keek het in en riep opgewonden: 'Bingo, Lincoln. Daoud wacht op ons achter de bar.'

Daouds gitzwarte Mercedes stond met stationair draaiende motor aan de straatkant van de steeg toen de twee Amerikanen, de man met de stok die met zijn been trok en de kleine man met de cowboylaarzen, uit de Kit Kat kwamen en op de achterbank gingen zitten. De dikke Arabische jongen schoof naast Daoud voorin. 'Waar gaan we naartoe?' vroeg Lincoln, maar Daoud gaf geen antwoord. Hij gebaarde naar de chauffeur en de auto zoefde weg, langs de halal slagerij op de hoek naar de slecht verlichte hoofdstraat, in de richting van de Kleine Beer en de Poolster die boven de daken aan de nachtelijke hemel hingen. Twintig minuten buiten Foz do Iguaçú werd de verharde weg een karrespoor en de chauffeur moest vaart minderen om te voorkomen dat de inzittenden met hun hoofd tegen het dak stootten. In het stikdonker waren Indianen onderweg met zwaar beladen ezeltjes. 'In de rimboe,' zei Leroy tegen Lincoln, 'wordt in het donker van alles gesmokkeld.' Na een flinke schok legde Daoud zijn arm om de schouders van de jongen en zei iets tegen hem in het Arabisch. '*Insj'Allah*,' zei de jongen.

Lincoln boog naar voren om te vragen of de jongen zijn zoon was. Daoud keek opzij en antwoordde: 'Hij is de zoon van mijn zoon.'

'En waar is zijn vader?'

'Zijn vader, mijn zoon, is omgekomen bij de aanval op de Amerikaanse mariniers op het vliegveld van Beiroet in 1983.'

Lincoln hield zichzelf voor dat hij een personage moest uitdragen; hij moest de Egyptenaar zijn medeleven tonen. 'Het moet een bron van groot verdriet zijn dat u uw zoon hebt verloren…'

'Het is een bron van grote trots om een zoon aan de jihad te hebben geschonken. Met mijn zoon zijn honderdeenenveertig Amerikaanse mariniers en marinemensen om het leven gekomen bij de aanval op Beiroet, waarna jullie president Reagan niet verder durfde en zich uit Libanon terugtrok. Elke vader zou zo'n zoon moeten hebben.'

Ongeveer een uur later beschenen de koplampen van de Mercedes de eerste van twee wegversperringen. Kort na de tweede, voorbij een scherpe bocht in het karrenspoor, remde de auto voor drie gewapende mannen met rood-wit geblokte kaffiyas voor hun gezicht die een hek openduwden. Een van de schildwachten zei iets in een portofoon terwijl hij de Mercedes doorzwaaide. De chauffeur reed heuvelaf naar een groep houten legerbarakken die in een droge rivierbedding leken neergezet en stopte bij een gebouw dat lager en breder was dan de barakken. Op een vlak onverhard terreingedeelte achter de barakken waren in het licht van een benzineaggregaat, waarvan het gepruttel in de stille nachtlucht goed te horen was, tien of meer mannen in kaki overals aan het penalty schieten; de keeper droeg een gele Hertz-overal. Toen een van de mannen scoorde, hoorde Lincoln hoe de andere mannen de keeper uitjouwden.

Daouds kleinzoon stapte haastig uit de Mercedes om een smalle deur opzij van het gebouw open te doen. Een jonge Pakistaan die Lincoln in de Kit Kat had zien dansen met Leroys veel te jonge hoertje stond in de gang achter de deur, met een Israëlische uzi met reservepatroonhouder onder zijn arm en zijn vinger aan de trekker. Hij verstrakte toen hij de twee Amerikanen zag en mompelde iets tegen Daoud, die vertaalde. 'Hij wil weten of jullie wapens hebben.' Lachend voelde Lincoln op zijn rug om het lichte pistool te pakken uit de aangepaste holster op zijn rug. De Pakistani nam het wapen aan en liet het gezelschap door.

De gang gaf toegang tot een laag, vierkant vertrek. Lincolns ogen moesten even wennen aan het schemerige licht. Ongeveer dertig mannen zaten op stromatten op de vloer, met hun rug tegen dunne muurkussens. Daoud wees Lincoln en Leroy een plaats bij de muur en liep door naar een lege plek bij de man die kennelijk de leiding had. Lincoln legde zijn stok op de betonvloer neer en liet zich zakken, met zijn ene been voor zich uit en zijn andere enkel onder zijn dij. Naast hem nam Leroy met enige moeite in kleermakerszit plaats. Lincoln wilde zijn blik Schimmelpennincks aanspreken, maar een magere jonge Arabier legde licht maar beslist een hand op zijn pols. Lincoln besefte dat niemand in de ruimte rookte. Hij knikte en grijnsde naar de jonge Arabier, die zijn uitdrukkingsloze gezicht afwendde.

Lincoln probeerde het gezicht te onderscheiden van de man tegenover hem. De man, die een jaar of vijfendertig leek, had een markant knap gezicht, met een dunne askleurige baard en donkere, peinzende ogen die een innerlijke kalmte uitstraalden die voor arrogantie kon worden aangezien. Hij was opvallend lang en droeg een kraagloos ecru gewaad tot op de enkels, met wat Lincoln een dik Afghaans vest van geitenhaar leek eroverheen. Hij was blootshoofds, met sokken en dikke wandelsandalen aan zijn voeten, en hij zat soepel en elegant in kleermakerszit, licht naar voren gebogen zonder steun van de muur in zijn rug, terwijl hij iets van een vel papier voorlas aan degenen die hem konden verstaan, waarbij hij soms met zijn lange rechterwijsvinger een woord aantikte om het belang ervan te benadrukken. Het enige wat Lincoln kon horen was het welluidende zachte stemgeluid van iemand die zijn stem niet hoefde te verheffen om te worden gehoord.

Er scheen een soort wachtrij te zijn, want de twee mannen die tussen Daoud zaten en de man die Lincoln aanzag voor de Saoedi namen achtereenvolgens het woord, stelden problemen aan de orde die opgelost moesten worden, of kwamen met nieuwe informatie die moest worden afgewogen tegen wat al bekend was. Ten slotte was Daoud aan de beurt. Voorovergebogen sprak hij minutenlang zachtjes tegen de Saoedi. Eenmaal tilde hij zijn hoofd op om met zijn kin naar de beide Amerikanen aan de overzijde van het vertrek te wijzen. Toen pas bleef de blik van de Saoedi op de bezoekers rusten. Hij krabde aan zijn borst en sprak een enkel woord. Daoud keek naar hen en gebaarde dat Lincoln dichterbij moest komen. Leroy nam aan dat hij ook werd gewenkt, maar Daoud vermaande hem met zijn vinger en hij liet zich in zijn ongemakkelijke houding terugzakken. Steunend op zijn stok hees Lincoln zich overeind, liep naar de Saoedi toe en ging voor hem op zijn hurken zitten. De Saoedi begroette hem door zijn hand op zijn hart te leggen en Lincoln maakte hetzelfde gebaar. Een magere man met vettig grijs haar in een middenscheiding en een bril met dikke glazen zat naast de Saoedi met een opengeslagen gelinieerd schrijfboek op zijn schoot; Lincoln nam aan dat hij de secretaris was. De Saoedi mompelde iets wat de secretaris met luide stem herhaalde. Ogenblikkelijk kwamen alle zittende mannen overeind en liepen naar de deur. Leroy bleef zitten en probeerde een gemakkelijke houding te vinden, maar aan de kleermakerszit zou hij nooit wennen. Lincoln keek van Daoud naar zijn gastheer en weer naar Daoud, die een korte rede in het Arabisch hield. De Saoedi luisterde geconcentreerd en knikte af en toe, instemmend leek het; zijn blik schoot zo nu en dan naar Lincoln en een enkele keer naar Leroy aan de overkant van het vertrek. Ten slotte krabde de Saoedi opnieuw over zijn borst en begon vragen te stellen. De secretaris met het vettige haar vertaalde in het Engels.

'Hij heet u welkom in Boa Vista. Hij vraagt hoe u hier vanuit Kroatië bent gekomen.'

'Met Lufthansa van Zagreb naar München en Parijs gevlogen, dan met Air France naar New York, dan met PanAm naar São Paulo. Daar heb ik een vliegtuigje gecharterd waarmee ik naar Foz do Iguaçü ben gekomen.'

Nadat de secretaris dat had vertaald, stelde de Saoedi, die strak naar Lincoln bleef kijken, een volgende vraag. De secretaris viel weer in. 'Hij vraagt hoe het staat met de strijd in Bosnië. Hij vraagt of de Bosniërs, in geval van oorlog, Sarajevo kunnen verdedigen als de Serviërs de omliggende heuvels veroveren.'

'De Servische strijdkrachten zijn volgens alle berichten veel sterker dan de Bosniërs aankunnen,' zei Lincoln. 'Wat de Bosniërs in geval van oorlog sterker zal maken is dat ze nergens naartoe kunnen; ze staan met hun rug naar Kroatië en door de Kroaten worden ze net zo gehaat als door de Serviërs.'

'Hij is het eens met uw analyse. Hij vertelt het verhaal over de Griekse bevelhebber die zijn officieren waarschuwde tegen het aanvallen van een zwakker leger in een kloof zonder mogelijkheid tot terugtrekken, omdat het zwakkere leger dan het sterkere leger zou overwinnen.'

De Saoedi sprak opnieuw; de secretaris vertaalde weer. 'Hij vraagt hoe u van plan bent grote hoeveelheden ammoniumnitraat in te slaan zonder de aandacht van de politie te trekken.'

Bijna tegen zijn wil merkte Lincoln hoe hij in de ban van de Saoedi raakte. In diens nabijheid kon hij zien dat de huid van het gezicht en de hals van de Saoedi een gelige tint had, maar hij nam aan dat dat door de zwakke verlichting van de ruimte kwam. De stijl van de man beviel hem wel; geen wonder dat jonge mannen zich in groten getale aansloten bij zijn al-Qa'ida-cellen in Afghanistan en Jemen. Kijkend naar zijn zelfbewuste ogen voelde Lincoln de magnetische aantrekkingskracht van zijn persoonlijkheid; de Saoedi sprak ingetogen, maar oefende onmiskenbaar grote invloed uit. Omdat hij zag dat het zijn gast moeite kostte om op zijn hurken te blijven zitten, bood de Saoedi hem een kussen aan. Lincoln ging erop zitten met zijn pijnlijke been gestrekt voor zich uit en diste de verklaring op die in Langley was voorbereid: zijn medewerkers zouden zich over Amerika verspreiden om, zogenaamd in opdracht van agrarische coöperaties in verschillende staten in het zuiden en oosten, zo veel mogelijk ammoniumnitraat op te kopen en naar New Jersey te vervoeren, waar de hele voorraad in een verhuiswagen zou worden overgeladen. Op een nog aan te wijzen locatie zou Leroy Streeter de voorraad overnemen en contant voldoen.

'Hij vraagt of u graag wilt weten wat meneer Streeter met het ammoniumnitraat gaat doen.'

'Ik veronderstel dat hij het ergens tot ontploffing wil brengen. Eerlijk gezegd kan het me geen fluit schelen.'

'Hij vraagt waarom het u niet kan schelen.'

'Naar mijn mening is Amerika zo rijk en zo zelfvoldaan en zo brutaal geworden dat het land eens goed op zijn falie moet krijgen.'
Aan het gezicht van de secretaris was te zien dat het woord 'falie'

hem niet bekend was. 'Amerika moet een lesje in nederigheid krijgen.'

'Hij vraagt wat u op de Balkan voor wapens hebt verkocht.'

'Van alles. Ik kreeg een lijstje van het gewenste en deed mijn best daaraan te voldoen.'

'Het gewenste?'

'Een lijstje van de wapens en munitie die ze wilden hebben.'

'Hij wil weten of u zich tot conventionele wapens hebt beperkt.'

'Mijn operatie is beperkt gebleven tot de verkoop van wat het Sovjetleger in voorraad had. Tot nu toe heb ik vrijwel alle wapens en munitie gekocht van eenheden van het Rode Leger in Oost-Duitsland. Veel Russen met wie ik zaken heb gedaan zijn naar de Sovjet-Unie teruggegaan en zouden me andere artikelen kunnen leveren uit het Sovjet-arsenaal. Hebt u iets bepaalds in gedachten?'

'Hij vraagt of u plutoniumafval of verrijkt uranium kunt leveren.'

Lincoln dacht even na. 'Plutoniumafval of verrijkt uranium kunnen worden verkregen bij kernreactoren zoals die in Tsjernobyl, ten noorden van Kiev in de Oekraïne...'

De Saoedi viel Lincoln in de rede en de Saoedi vertaalde wat hij zei. 'Hij vindt het vreemd dat u Tsjernobyl noemt, omdat die reactor vijf jaar geleden is ontploft en het kernafval is afgedekt met een enorm dikke laag beton.'

'De ontploffing was in reactor vier. Twee andere reactoren zijn nog altijd in gebruik. Het radioactieve afval wordt overgebracht naar verschillende opslagplaatsen voor kernafval in de Sovjet-Unie. Er is nog een bron van afgewerkt plutonium: van de nucleaire onderzeevloot in Archangelsk en Moermansk wordt uit geldgebrek een gedeelte afgestoten. De nucleaire aandrijving wordt uit de onderzeeërs gesloopt en naar dezelfde opslagplaatsen afgevoerd. Waar het op neerkomt is dat er geen gebrek is aan plutonium voor wapengebruik voor wie bereid is de risico's van het onderhandelen over de aanschaf te accepteren.'

De Saoedi aanvaardde de vertaling met een peinzend knikje. Hij bromde iets tegen de secretaris, die zei: 'Hij vraagt hoe groot.'

'Hoeveel radioactief afval is er nodig?'

'Hij zegt tegen u: om te beginnen een tiende van een Amerikaanse ton.'

'Waar wil hij het afgeleverd hebben?'

'Op een plaats in Afghanistan.'

'Ik zou met mijn mensen moeten overleggen voordat ik een prijs kan noemen. Voor de vuist weg zou ik zeggen: iets in de buurt van een miljoen Amerikaanse dollars, een contante aanbetaling wanneer ik het afgewerkte materiaal heb gelokaliseerd, de rest te storten op een nummerrekening bij een eilandbank.'

'Hij vraagt of het zo is dat een kernbom in een gewone koffer past.'

'Hij bedoelt wat de Amerikanen de MK-47 hebben genoemd. De Russen zouden er een paar honderd hebben gebouwd. U kunt zich zoiets voorstellen als een veldfles, maar dan groter, ongeveer zo groot als een flinke propvolle koffer, met een tankdop aan de bovenkant en twee metalen handvaten aan beide zijkanten. Door de geringe omvang en goede vervoerbaarheid kan het kernwapen gemakkelijk naar de beoogde stad worden overgebracht en met behulp van een geïmproviseerd tijdmechanisme tot ontploffing gebracht. De MK-47's bevatten tien kilo uranium; dat is bij een explosie het equivalent van duizend ton conventioneel TNT, een twintigste van de omvang van de eerste atoombom van Hiroshima.'

'Hij vraagt naar de houdbaarheid van die kofferbommen.'

'Vanaf halverwege de jaren tachtig hebben de Russen gewerkt aan het miniaturiseren van hun nucleaire ladingen. Wat zij nu in voorraad hebben kan naar verwachting nog tien tot vijftien jaar mee.'

'Hij wil weten of zo'n kofferbom te krijgen is.'

'Het ligt voor de hand dat de Russische strijdkrachten deze wapens achter slot en grendel bewaren, met een hoge mate van controle en verantwoordelijkheid voor de betrokkenen. Maar als iemand de verkoper een enorme som geld en een vrije aftocht uit Rusland aanbiedt, is het denkbaar dat er iets te regelen valt.'

'Hij vraagt hoeveel geld u bedoelt met een enorme som.'

'Het is natuurlijk een schatting, maar ik zou zeggen: iets in de buurt van drie tot vijf miljoen Amerikaanse dollars per kofferbom.'

De Saoedi liet zich terugzakken tegen het aan de muur bevestigde kussen achter hem en krabde afwezig aan zijn bovenarm en ribben. Lincoln merkte op dat de Saoedi zweette, ondanks de koelte in het vertrek; het zweet op zijn voorhoofd leek een fijn wit poeder te vormen.

'Hij zegt tegen u dat wij ons voorlopig zullen concentreren op plutonium- of uraniumkernen. Hij zegt dat niemand kan zeggen wat de toekomst zal brengen. Misschien zal hij op een dag opnieuw met u spreken over kofferbommen.'

Lincoln glimlachte en knikte. 'U zegt het maar.'

Er stonden een grote glazen schaal vol fruit en een overvolle schaal met noten bij de Saoedi. Hij wees eerst naar de ene en toen naar de andere met een opgestoken gestrekte hand om zijn gast iets te eten aan te bieden. Lincoln nam een handje noten.

'Hij merkt op dat het hier 's nachts koud wordt,' vertaalde de secretaris. 'Hij vraagt of u en uw vriend kruidenthee willen.'

Lincoln keek over zijn schouder naar Leroy en zei: 'Hij biedt ons hete kruidenthee aan.'

'Vraag of ze niet iets hebben met meer alcohol,' zei Leroy.

'Leroy, deze mensen drinken geen alcohol. Dat is in strijd met hun godsdienst.'

'Goddorie. Hoe kunnen ze denken dat mensen zich tot een godsdienst zullen bekeren zonder drank?'

De Saoedi begreep kennelijk wat Leroy had gezegd, want hij reageerde in het Arabisch zonder de vertaling van zijn secretaris af te wachten. De secretaris zei: 'Hij vertelt het verhaal van de tsaar die Rusland tot het christendom heeft bekeerd – dat was tegen het einde van het eerste millennium. Vladimir de Eerste werd aangetrokken door de islam, maar wees die af omdat hij dacht dat de Russen hun strenge winters niet door konden komen zonder wat Arabische scheikundigen hadden ontwikkeld, de destilleertechniek die zij *al-kuhl* noemden. De geschiedenis zou misschien anders zijn verlopen als de Profeet zich niet van alcohol had onthouden; dan was de lange Koude Oorlog tussen christendom en islam geweest.'

'Misschien,' zei Lincoln, 'zal op de ineenstorting van de Sovjet-Unie nog een koude oorlog volgen: een nieuwe strijd om Jeruzalem tussen de geestelijke nakomelingen van Richard Leeuwenhart en de erfgenamen van sultan Saladin.'

Luisterend naar de vertaling pakte de Saoedi een glas water, liet twee grote ovale pillen in zijn mond vallen en slikte ze met een flinke slok door. Nadat hij zijn mond had afgeveegd met de stof die zijn pols bedekte zei de Saoedi, in moeizaam Engels: 'Een nieuwe strijd is zeker mogelijk.'

'U spreekt Engels?' vroeg Lincoln rechtstreeks aan hem.

De Saoedi gaf antwoord in het Arabisch en de secretaris vertaalde. 'Hij zegt tegen u dat hij even goed Engels spreekt als u Arabisch.'

Lincoln grijnsde. 'Ik versta vier woorden Arabisch: Allah akbar en Insj'Allah.'

'Hij maakt u een compliment. Hij zegt dat iemand die alleen die vier woorden begrijpt het hart van de heilige Koran doorgrondt. Hij zegt dat er vrome mannen zijn, afstammelingen van de Profeet, die uit het hoofd alle honderdveertien soera's kunnen opzeggen, maar in hun hart niet de betekenis van die vier woorden hebben.'

Lincoln keek naar de Saoedi. 'Bent u vroom? Praktiseert u uw godsdienst?'

'Hij zegt tegen u dat hij zijn godsdienst praktiseert voor zover nodig is om een trouwe moslim te zijn. Hij zegt tegen u dat hij verblijft in wat moslims *dar al-harb* noemen, het huis van de oorlog; bovenal praktiseert hij de *jihad*. Hij laat u weten dat oorlog voeren uit naam van de islam en Allah tegen de ongelovige een koranplicht is.'

Lincoln knikte naar de Saoedi, die zijn hoofd boog als teken van waardering voor de buitenlander die hem leek te respecteren.

'En wat gebeurde er toen?' wilde Crystal Quest weten toen Lincoln terug in Washington de ontmoeting beschreef die hij in het opleidingskamp in de Braziliaanse mato graso had gehad.

'Hij bleef me nog twintig minuten uithoren, maar ik hield me op de vlakte. Het bleef allemaal heel rustig. Op een gegeven moment raakte hij in een lange discussie met Daoud, de Egyptenaar; vijf of tien minuten lang was het alsof we niet bestonden. Toen kwam de Saoedi zonder nog een woord tegen me te zeggen overeind en vertrok. Ik hoorde drie of vijf auto's achter het gebouw wegrijden en zag het licht van de koplampen door de kamer schijnen toen ze keerden en wegreden, dieper de mato graso in. Daoud maakte met een gebaar duidelijk dat de bijeenkomst afgelopen was en nam Leroy en mij mee naar de Mercedes om terug te rijden naar Foz do Iguaçú. De Egyptenaar zei dat ik een goede indruk op de Saoedi had gemaakt. Hij zei dat ik terug moest gaan naar de vs om de aankoop te organiseren en het ammoniumnitraat halverwege de maand moest afleveren bij een leegstaande hangar aan de Pulaski

Skyway in New Jersey.' Lincoln haalde een stuk papier tevoorschijn dat uit een gelinieerd notitieboekje was gescheurd. 'Het adres staat hier.'

Quest griste het stukje papier uit zijn hand. 'En de Saoedi en zijn radioactieve afval?' vroeg ze.

'Daoud heeft me uitgenodigd om op de avond van de nieuwe maan terug te komen in Boa Vista voor overleg met de Saoedi om met hem de levering te organiseren van honderd kilo afgewerkt plutonium.'

'Beschrijf de Saoedi nog eens, Lincoln.'

'Het staat allemaal in mijn verslag. Een naam is niet genoemd. Niet door Daoud, niet door de secretaris die als tolk fungeerde tijdens het gesprek in Boa Vista. Ik schat hem op twee meter, een jaar of vijfendertig...'

'Leeftijden schatten is nooit je sterke punt geweest,' viel Quest hem in de rede. 'Hoe oud denk je dat je contactvrouw was?'

'De hoer in de Kit Kat? Rond de veertig, denk ik.'

'Dat wil ik maar zeggen,' zei Quest tegen haar ondergeschikten die naar haar kantoor waren gekomen om te horen wat Lincoln te zeggen had. 'Dat meisje, de jongste dochter uit een oude Romeinse familie, is zevenentwintig. In werkelijkheid heet ze Fiamma Segre. Ze gebruikt al jaren harddrugs; daarom lijkt ze ouder dan ze is. Ga door met je beschrijving van de Saoedi.'

Lincoln liet zijn ellebogen rusten op zijn stok, die hij op de armleuningen van de stoel had gelegd. Hij deed zijn ogen dicht en probeerde een beeld van de Saoedi op te roepen. 'Het is een charismatische figuur...'

'Dat is gelul, Lincoln. Wat moeten we boven het bericht aan onze bureaus zetten? "Gezocht, dood of levend, een charismatische Saoedi?"'

Lincolns geduld raakte op. Hij was doodmoe; de autorit terug naar São Paulo en de vlucht terug naar Amerika hadden veel van hem gevergd. De ondervraging door Fred en haar mannetjes zou heel goed de laatste druppel kunnen zijn. 'Ik doe echt mijn uiterste best...'

'Je best moet beter.'

'Misschien moet hij eerst uitslapen,' waagde een van de anderen.

Quest werd niet graag tegengesproken. 'Misschien kun jij beter naar een andere afdeling,' snauwde ze terug. 'Kom op, Lincoln. We hebben iets concreets nodig. Zoek eens goed in je geheugen. Ik zoek naar wat je niet in je verslag hebt opgenomen.'

Uit een verre uithoek van zijn onderbewuste diepte Lincoln een paar kleinigheden op die hij niet in zijn verslag had vermeld. 'Er is iets mis met de Saoedi…'

'Medisch of geestelijk?'

'Medisch. Hij bleef maar krabben: zijn bovenarm, zijn borst, zijn ribben. Hij leek overal jeuk te hebben. Hij had een vale huid; eerst dacht ik dat het door het slechte licht zo leek, maar toen hij was opgestaan, liep hij onder een lamp door en toen kon ik zien dat hij echt een gelige huid had. En nog iets: hij transpireerde, hoewel het niet warm was in de ruimte. Het zweet op zijn voorhoofd leek te kristalliseren tot een fijn wit poeder.'

Crystal Quest leunde naar achteren in haar stoel en wisselde een blik met de arts van haar afdeling die psychologische en medische profielen van wereldleiders opstelde. 'Wat maak je daaruit op, Archie?'

'Er zijn verschillende mogelijkheden. Het begin van een chronisch nierlijden is daar een van. Dat kan vijf of tien jaar duren zonder levensbedreigend te zijn.'

'Hij nam pillen in,' herinnerde Lincoln zich nu.

'Kleine? Grote? Weet je de kleur of de vorm nog?'

'Ovaal. Behoorlijk groot, het zou mij moeite kosten ze weg te krijgen. Het licht was zo slecht dat ik niet zeker weet welke kleur. Misschien geel. Geel of oranje.'

'Hmmm. Als het inderdaad een chronisch nierlijden is, kan de aanpak verschillen. Het kan calciumcarbonaat of calciumacetaat zijn geweest: dat zijn allebei grote gelige pillen, ovaal van vorm, die een paar keer per dag worden ingenomen om het fosforgehalte van het bloed te verlagen wanneer de nieren niet naar behoren functioneren. Het is van levensbelang om het juiste dieet te volgen; zuivelproducten, lever, groente en noten zijn rijk aan fosfor en moeten worden gemeden.'

Lincoln kon zich nog iets anders herinneren. 'Er stond een schaal noten op de vloer tussen ons in; hij bood ze mij wel aan, maar at er niet zelf van.'

Quest keek verheugd, voor de verandering. 'Dat zou een uitgangspunt kunnen zijn. Een Saoedi die vanuit Khartoum actief is en misschien een chronische nierkwaal heeft; als hij pillen inneemt, moet hij ergens bij een dokter zijn geweest, of zelfs in een ziekenhuis een onderzoek hebben gehad. Wanneer je je slaap hebt ingehaald, Lincoln, wil ik dat je naar een van de tekenaars op de tweede verdieping gaat om een portret te laten samenstellen. Intussen zullen wij onze mensen inschakelen om genoeg ammoniumnitraat in te zamelen om een verhuiswagen mee vol te stoppen zodat jij je afspraak in New Jersey kunt nakomen met Leroy Streeter, de man die Wall Street plat wil leggen.'

'Moet ik terug naar Boa Vista om op de avond van de nieuwe maan plutoniumkernen aan de Saoedi te slijten?' vroeg Lincoln.

'Dat lijkt me niet noodzakelijk,' zei Quest. 'We hebben een goede werkrelatie met de SIDE. We kunnen para's sturen om de mensen van de Argentijnse inlichtingendienst bij te staan. Zij kunnen Boa Vista op de avond van de nieuwe maan omsingelen...'

'Dat is de vierde van de volgende maand,' zei een van de ondergeschikten.

'Dan laten we de Saoedi door de SIDE oppakken en onder handen nemen.' Ze lachte schor. 'Hun verhoormethoden zijn minder verfijnd dan de onze, maar ook minder kostbaar. Wanneer ze klaar zijn met hun verhoor, kunnen ze hem aan een van Daouds alligators voeren en dan hoeft Amerika zich over die vijand geen zorgen meer te maken.'

'Ik wil zekerheid dat we het Italiaanse meisje weghalen voordat de hel losbreekt in het Driegrenzengebied,' zei Lincoln. Hij speelde met zijn stok en legde de punt op Crystal Quests bureau. 'Ik wil niet dat het met haar zo afloopt als met Djamillah in Beiroet.'

'Je bent een vulgaire romanticus,' klaagde Crystal Quest. 'We halen haar weg op de middag van de dag waarop we de Saoedi insluiten.'

'Ik wil je woord erop.'

De plotselinge stilte in de kamer raasde in Lincolns oren. De ondergeschikten hadden nog nooit iemand op die toon tegen de adjunct-directeur Operatiën horen spreken. Ze keken strak naar hun chef om de uitbarsting niet te missen; de zoveelste explosie in het kleurrijke bestaan van Crystal Quest zou een uitstekend onderwerp zijn voor het borreluur, wanneer het onderwerp ter sprake kwam, zoals onvermijdelijk zou gebeuren. De kleur trok weg uit haar met blusher bewerkte wangen, haar ogen puilden uit en ze zag eruit alsof ze zou stikken in een visgraat in haar keel. Toen ontsnapte er een griezelig geblaat aan haar vuurrood gestifte lippen. Het duurde even voordat de aanwezigen beseften dat ze lachte. 'We halen je meisje weg, Lincoln,' zei ze snakkend naar adem, 'mijn woord erop.'

Een uur voor het aanbreken van de dag kwamen ze bij elkaar in een gigantische leegstaande hangar onder een bocht in de Pulaski Skyway, twintig minuten van de monding van de Holland Tunnel naar Manhattan. Achter in de hangar hingen doorgeroeste golfplaten af tot op de grond, waardoor een geïmproviseerde muur was ontstaan die de vlagerige kustwind tegenhield. Achter de hangar brandde een vuurtje op een braakliggende akker die bezaaid lag met duizenden lege plastic flessen; een stuk of twintig dakloze migranten die als losse arbeiders in de haven van Hoboken werkten, zaten met hun rug tegen de verveloze vrachtwagen met oplegger die ze als verplaatsbare slaapplaats gebruikten en dronken koffie die ze op het vuurtje hadden gezet. De vochtige wind voerde flarden blikkerige muziek van een Mexicaans mambobandje mee uit de autoradio in de cabine. Binnen nam Ibrahim bin Daoud het smalle metalen trapje naar de laadruimte van de verhuiswagen om de grote jute zakken te inspecteren waarop in zwarte letters AMMONIUMNITRAAT stond. Daoud had een potje ammoniumnitraat meegenomen en begon de inhoud van de zakken daarmee te vergelijken.

Leroy keek toe vanaf de grond en riep ongeduldig: 'Nou?'

'Het is inderdaad ammoniumnitraat,' bevestigde de Egyptenaar.

Met een scheef lachje op zijn gezicht tilde Leroy een grote koffer uit de achterbak van Daouds gehuurde Toyota, legde hem op de motorkap en maakte hem open. Steunend op zijn stok zag Lincoln een doorzichtige plastic zak vol stapeltjes biljetten van honderd dollar met gele omslagen. In de koffer zaten verder een zesvolts autoaccu, een rol elektrisch snoer, een kleine tas met gereedschap en diverse slaghoedjes, militair dumpmateriaal. 'Tellen,' zei hij tegen de pezige man die de verhuiswagen hierheen had gereden van Pensauken bij Camden, het verzamelpunt voor de wagens waarmee het ammoniumnitraat van diverse punten aan de oostkust was aangevoerd. Lincoln keek toe, tegen een roestige pilaar geleund; hij voelde de holster met het lichte pistool in zijn rug prikken. In de laadruimte maakte Daoud alle jutezakken in de voorste twee rijen open om de inhoud te keuren. Hij scheen met een zaklantaarn in de wagen en telde de zakken hardop in het Arabisch. Tevreden kwam hij het trapje weer af en liep naar Lincoln toe.

'U bent kennelijk iemand met wie we zaken kunnen doen,' zei hij.

De man die de stapeltjes telde, droeg een corduroy jasje met een schouderholster waaruit goed zichtbaar een pistoolkolf stak. Hij keek op. 'Als er in elk stapeltje honderd biljetten zitten, zoals ze zeggen, klopt het bedrag,' zei hij tegen Lincoln.

'Wij zouden u nooit bedriegen,' zei Daoud. 'Wij hebben nog zaken te regelen in Boa Vista op de avond van de nieuwe maan. Bent u al gevorderd met het probleem van het nucleaire afval?'

'Ik heb drieëntwintigduizend plutoniumkernen kunnen lokaliseren in twee loodsen op een geheim militair terrein. De beveiliging stelt weinig voor: prikkeldraad om de loodsen en hangsloten aan de deuren.'

Daoud was iemand die niet gauw zijn gevoelens toonde. Maar nu kon hij zijn opwinding niet bedwingen en maakte een dansje op de betonnen vloer van de hangar. 'Mijn Saoedische vriend zal verheugd zijn. Waar in Rusland staan die loodsen?'

Lincoln glimlachte alleen.

Snel zei Daoud: 'Het was niet mijn bedoeling een indiscrete vraag te stellen. Ik probeer te bepalen hoe moeilijk het zal zijn om een zekere hoeveelheid van die kernen op te halen en over de verschillende grenzen naar Afghanistan te vervoeren.'

'Het is te doen. Ik zal een aanbetaling nodig hebben van tweehonderdvijftigduizend Amerikaanse dollars in gebruikte biljetten van honderd dollar, te betalen wanneer ik de Saoedi in Boa Vista spreek op de avond van 4 februari.'

Daoud zei net dat de aanbetaling in Boa Vista zou klaarliggen toen iedereen werd afgeleid door wat er achter in de hangar gebeurde. Daouds dikke kleinzoon wurmde zich door een opening in de verzakte golfplaten die het dak hadden gevormd. Schreeuwend in het Arabisch kwam hij haastig op zijn grootvader af. Daoud stak zijn hand in de diepe zak van zijn regenjas; met een pistool met geluiddemper kwam de hand weer tevoorschijn. 'Mijn kleinzoon zegt dat de mannen buiten bij het kampvuur automatische geweren hebben; hij is erheen geslopen en heeft gezien dat ze vanuit de oplegger werden uitgedeeld. Het lijkt erop dat we in een val zijn gelopen...'

De koplampen van tien auto's schenen door de ochtendlijke grondmist boven de afrit van de Pulaski Skyway, zevenhonderd meter verderop. De auto's vormden een linie en reden op de hangar af.

'Geef me de ontsteking,' schreeuwde Leroy, 'dan laat ik de zakken in de lucht vliegen.' Maar voordat hij iets kon doen greep de pezige man die het geld had geteld de koffer en holde weg in de schemering. Daoud trok zijn kleinzoon onder de verhuiswagen. Leroy greep Lincolns arm en trok hem mee naar de verzakte stukken golfplaat terwijl de koplampen van de auto's het interieur van de hangar begonnen te beschijnen. 'Godverdomme,' zei Leroy binnensmonds terwijl hij zijn glanzende Webley & Scott met houten beslag onder zijn riem vandaan trok en woedend de kamers liet draaien. 'Je hebt iemand achter je aan gehad, Lincoln,' zei hij halfluid, met schorre stem.

'Jij of Daoud zul je bedoelen,' snauwde Lincoln terug.

Achter hun rug was in de verte geschreeuw te horen van mannen die uit de richting van het kampvuur over de akker kwamen.

Leroy hurkte achter een stuk golfplaat. 'Mijn pa is in een van hun gevangenissen gestorven,' zei hij. 'Hoor eens, Lincoln, het is nog donker. We hoeven er maar een paar neer te schieten; zodra de anderen in paniek op hun buik gaan, kunnen wij ertussen uitknijpen.'

De auto's met de brandende koplampen omringden de hangar. Er waren silhouetten van hollende mannen te zien die rond de hangar posities innamen. Sommigen waren gewapend met geweren, anderen hadden een plastic schild. Een stem die Lincoln meende te herkennen klonk door een megafoon. 'Hier de FBI. We weten dat jullie binnen zijn. Jullie zijn volledig omsingeld. Jullie hebben twee minuten om met je handen op je hoofd naar buiten te komen.'

Midden in de hangar rolde Daoud onder de verhuiswagen vandaan en krabbelde overeind. Hij gebruikte zijn ene hand om zijn ogen te beschermen tegen het licht van de koplampen en begon in de richting van de megafoon te lopen. Toen hij halverwege was, kwam zijn andere hand tevoorschijn, met het pistool erin. Lincoln hoorde het suizen van twee gedempte schoten voordat hij door automatisch vuur uit de geweren werd neergemaaid. De Egyptenaar, die naar achteren sloeg door de kogels, zakte in elkaar op de betonvloer. Snikkend als een kind kroop de dikke Egyptische jongen van onder de verhuiswagen naar het lijk van zijn grootvader en sloeg zijn armen om hem heen. Toen kwam de jongen overeind, tuurde met betraande ogen naar de koplampen en trok het pistool uit zijn schouderholster. Voordat hij het kon richten, boorden hogesnelheidskogels zich in zijn borst.

Met schijnwerpers in de hand naderde een rij mannen in zwarte anoraks de hangar. Toen een van hen zich omdraaide om een bevel te roepen, kon Lincoln in grote witte letters FBI op zijn rug zien staan. 'Wacht tot we het wit van hun ogen kunnen zien,' fluisterde Leroy Lincoln toe, die achter een pilaar stond naast de hurkende Texaan. 'Ik pak de leider.'

De FBI-agenten kwamen langzaam om de verhuiswagen heen en hun schijnwerpers doorboorden het duister voor hen uit terwijl ze dichter bij de golfplaatdelen kwamen die achterin afhingen van het dak. Lincoln meende de gedrongen gestalte van Felix Kiick vooraan te herkennen; hij bewoog zich in elkaar gedoken, met een megafoon in de ene hand en een pistool in de andere. Toen Kiick tot op vijftien meter was genaderd, bracht hij de megafoon aan zijn lippen. 'Dit is jullie laatste kans: Leory Streeter, Lincoln Dittmann, jullie kunnen niet meer weg. Laat je zien, met je handen op je hoofd.'

Terwijl hij het zei kwam Kiick nog een paar stappen dichterbij. Leroy ondersteunde zijn schietarm met zijn linkerhand en drukte zijn linkerelleboog tegen zijn buik, hief de Webley & Scott en richtte zorgvuldig op Kiicks hoofd. Lincoln had gehoopt dat ze zonder bloedvergieten gevangen zouden worden genomen, maar het tijdstip van de overval op de hangar was enorm vertraagd. Het was de bedoeling geweest dat de agenten bij het kampvuur op de akker zouden aankomen zodra de koplampen op de afrit van de Pulaski Skyway zichtbaar werden. Leroy en Daoud moesten afgeleid worden door de naderende auto's en gemakkelijk overmand worden voordat ze verzet konden bieden. Nu kon Lincoln niets anders doen dan Kiick de kogel besparen. In een vloeiende beweging hief hij zijn stok en liet hem neerkomen op Leroys arm, zodat diens pols werd verbrijzeld. Kiick schrok toen hij het bot hoorde kraken. Leroy keek op met meer haat in zijn starende ogen dan Lincoln ooit bij een mens had gezien. Hij bewoog zijn lippen, maar eerst kwamen er geen woorden, tot hij erin slaagde uit te brengen: 'Jij hoort erbij!'

'Felix, we zijn hier,' riep Lincoln en ging een stap opzij om zich te laten zien.

Kiick bescheen Leroy, die verbijsterd naar zijn hand keek, die los aan zijn pols hing. De Webley & Scott met houtbeslag lag op de betonvloer. Twee FBI-agenten grepen Leroy onder zijn oksels en sleepten hem naar de auto's. Met behulp van een zakdoek raapte Kiick Leroys wapen op en hield het bij de loop vast. 'Ik geloof dat ik je moet bedanken,' zei hij.

Lincoln en Kiick liepen naar de plek waar Daoud en zijn klein-zoon lagen. Twee hulpverleners luisterden naar hun stethoscoop, keken op hetzelfde ogenblik op en schudden het hoofd. Iemand be-scheen de lijken met een schijnwerper terwijl een ander foto's uit verschillende hoeken begon te maken. Weer andere agenten legden lappen van zilverkleurig plastic over de lijken heen. Een agent met medische handschoenen aan liet het wapen zien dat onder het lijk van de dikke Egytische jongen vandaan was gehaald. Hij hield het Kiick aan de loop voor, zodat hij het beter kon bekijken.

'Jezus nog aan toe,' zei Kiick. Vol afkeer schudde hij zijn hoofd. 'Ik had kunnen zweren dat het een echte was.'

Bij de formele nabespreking op de zesde verdieping in Operaties in Langley, voorgezeten door Crystal Quest, deed ze geen enkele poging de feeks in haarzelf te temmen. Alles wat mis kon gaan was misgegaan, tierde ze. De volwassenen die zichzelf FBI-agen-ten beliefden te noemen waren op de akker achter de hangar op-gemerkt door een kind – een kind! – nog voordat de overval was ingezet. Daoud was tegen een kogelregen aan gelopen, in plaats van levend gevangengenomen. Lincoln Dittmanns personage was ontmaskerd toen hij Kiicks leven redde. En het toppunt was wel dat de clowns van de FBI onder leiding van Felix Kiick een min-derjarige met een speelgoedpistooltje hadden afgeschoten. Godal-lemachtig, dat ding was niet eens geladen met water. Leroy Stree-ter junior, die levenslang zou krijgen voor zijn poging een vierkante mijl van Wall Street in de lucht te laten vliegen, wist akelig wei-nig van de al-Qa'ida-cellen en nog minder over de Saoedi die de organisatie had; Streeters wetenschap beperkte zich tot een groepje getikte blanke racisten in Texas dat al door zoveel overheidsorganisaties was geïnfiltreerd dat ze al voor de helft uit de staatskas werden gesubsidieerd. Alsof dat niet al genant genoeg was, was er ook nog de vernedering omdat de Saoedi afgelopen nacht spoorloos was verdwenen toen die idioten van de Argentijnse staatsveiligheidsdienst de overval op Boa Vista hadden verprutst. In plaats van behoedzaam te werk te gaan, waren de Argentijnen de Braziliaanse mato graso in gegaan met zes loeders van legerhelikopters die boven de boomtoppen hadden gevlogen *met hun complete verlichting aan*, god nog aan toe, en hadden bij het landen in het opleidingskamp zo'n zandstorm veroorzaakt dat de helft van de rekruten in de chaos een goed heenkomen had gezocht. Natuurlijk was de Saoedi die de bijeenkomst in het lage gebouw had geleid nergens te bekennen toen de agenten van de SIDE, gesteund door een handjevol paramilitairen van de Firma die inmiddels een nieuwe werkgever zochten, daar binnenstormden. Dus wat heeft de overval al met al opgeleverd? Bent u er klaar voor, heren en dames? Ik zal u vertellen wat de netto-opbrengst is. Twee grappenmakers van Hamas, nog eens twee van Hezbollah, zeven van de Egyptische Islambroederschap, een dronken Ier van de IRA en twee jonge vrouwen van de Baskische ETA die op de vraag naar hun beroep mannequin hebben ingevuld. Mannequin, jawel! Een van de twee was zo plat dat ze haar beha moest opvullen om iets te kunnen laten zien dat uitstak, jezus nog aan toe. Ik meen het: we hadden het dubbele aan terroristen kunnen oppakken door vliegenpapier op te hangen aan de balken van alle kroegen in de hoofdstraat van Foz do Iguaçú.

Quest leek naar adem te moeten happen. In de seconden die de stilte duurde kon Lincoln iets zeggen. Nou ja, zei hij, in elk geval weten we nu wie de Saoedi is.

De speculatie over een mogelijke nierziekte was het uitgangspunt geweest. Uit een terloopse opmerking van Leroy Streeter ('Dankzij Allah en wijlen zijn vader is hij steenrijk') viel op te maken dat hij was behandeld door een dure privéarts en dus hadden de inlichtingendiensten in Riad gezocht in de klinieken die werden gefrequenteerd door de koninklijke familie en vermogende zakenlieden. Als ze daarbij iets te weten waren gekomen, hadden ze het voor zichzelf gehouden. Geconfronteerd met onwil aan Saoedische zijde was de Amerikaanse minister van Buitenlandse Zaken overgehaald de zaak met zijn Saoedische tegenhanger op te nemen. Al na enkele dagen waren de inlichtingendiensten in Riad op de proppen gekomen met een dik dossier voor Langley met honderden foto's en bijbehorende biografische gegevens. Lincoln had zich in het dossier verdiept in het vergaderzaaltje naast de kamer van de adjunctdirecteur, terwijl Quest gespannen over zijn schouder meekeek. Hij kwam er een paar tegen waarover hij moest nadenken. Nee, nee, dat is hem niet, zei hij dan uiteindelijk, ónze Saoedi had ongelofelijk indringende ogen die eerder in je keken dan naar je. Toen Lincoln de stapel nogmaals doornam, gebruikte hij een vergrootglas om de groepsfoto's te bestuderen. Opeens boog hij zich over de tafel om een bepaalde man beter te bekijken.

Ik denk dat hij misschien...

Wat denk je? Jezus, zeg het nou!

Misschien is dit onze Saoedi. Ja, beslist. Moet je die ogen zien, godverdomme.

De groepsfoto was jaren geleden gemaakt op de bruiloft van een zeventienjarige Saoedi met een Syrisch meisje dat verre familie van hem was. De naam van de bruidegom, zoals vermeld in het onderschrift van de inlichtingendienst in Riad, luidde Osama bin Laden. Hij bleek een CIA-dossier te hebben uit de tijd dat hij zich met de jihad tegen de Sovjets in Afghanistan had beziggehouden. Osama, geboren in Jemen als zoon van de bouwmagnaat Muhammed Awad bin Laden, die in Saoedi-Arabië een vermogen had verdiend, werd als het zwarte schaap beschouwd onder de drieënvijftig broers en zusters in de extreem vermogende familie Bin Laden, deels door zijn afkeer van de regerende Saoedische koninklijke familie, deels omdat hij sinds kort een felle voorvechter was van het islamitische fundamentalisme.

Nou goed, we hebben een naam en een smoel, gaf Quest toe, maar de feeks in haar was nog niet voldaan. Het is godverdomme wel heel jammer dat we hem niet ook in de bak hebben zitten.

Wat we moeten doen, suggereerde een van de ondergeschikten, is druk uitoefenen op de Sudanezen om hem aan ons uit te leveren of hem op zijn minst het land uit te zetten.

Ik heb Bin Laden boven aan ons wensenlijstje gezet, verklaarde Quest. We willen hem dood hebben. Ik heb zo'n gevoel dat wij

Osama in handen moeten krijgen voordat hij de hand heeft gelegd op radioactief afval en een vuile bom laat bouwen.

Amen, zei Lincoln.

Zes weken later nam Lincoln, twee weken met verlof in Rome, een taxi naar de villa van Hadrianus bij Tivoli en bracht de middag trekkebenend in de voorjaarsregen door met pogingen mythe en werkelijkheid van elkaar te scheiden. Wie was de ware Publius Aelius Hadrianus geweest, wie het personage uit de overlevering? Was hij de keizer die in het jaar 132 meedogenloos de Joodse opstand had neergeslagen en de overwonnenen geketend door Rome had meegevoerd in zijn triomftocht? Of de begunstiger van de kunsten onder wiens toezicht dit uitgestrekte landgoed met villa was ingericht, en met name de verrukkelijke ronde bibliotheek waar hij de middagen doorbracht met het bestuderen van zijn verzameling manuscripten? Of was iets van de ware Hadrianus aanwezig in beide belichamingen?

Was de waarheid niet de wervelkolom van elk personage?

Aan het begin van de avond liet Lincoln zich door de bestuurder afzetten aan de overkant van de Tiber, op de Janiculus. Hij controleerde het adres op het papiertje en liep heuvelop, niet te snel om zijn been te sparen, tot hij bij een luxe appartementenflat met drie etages kwam bij de fontein waar wat Romeinen zich te goed deden aan de negatieve ionen van het spetterende water. Hij ging op het stenen muurtje bij de fontein zitten, zodat Rome aan zijn voeten lag, en ademde zelf de negatieve ionen in. Die kon hij goed gebruiken, meende hij. Tegenwoordig liep hij zonder stok en zijn been werd gauw moe; de artsen in de kliniek van de Firma in Maryland hadden hem gewaarschuwd dat hij er altijd wel pijn aan zou houden. Hij zou ermee leren leven, beloofden ze; dat was wat iedereen met pijn deed.

De klokken van een kerk hoger op de heuvel luidden het uur en Lincoln keek op zijn horloge. Of zijn horloge, of het luiden zat er vier minuten naast, maar wat maakte het uit? Tijd was uiteindelijk iets wat je doodde. Aan de overkant nam een portier in een lange blauwe jas met gouden biezen zijn pet af om de hoogst elegant geklede vrouw te groeten die naar buiten kwam. Met haar ene in een handschoen gehulde hand hield ze de riem van een hondje vast, met de andere de hand van een jongetje in korte broek en een tot aan de hals dichtgeknoopte overjas tot op de knie. Met het hondje voorop staken de vrouw en het jongetje over naar de fontein om heuvelaf naar de muziekschool te lopen. Lincoln liet zich van het muurtje glijden toen ze op gelijke hoogte waren.

'Hallo,' zei hij.

De vrouw bleef staan. 'Ken ik u?'

'Ken je me niet meer?'

De vrouw, die Engels sprak met wat Lincoln een Italiaans accent leek, keek hem bevreemd aan. 'Sorry, nee. Zou ik u moeten kennen?'

Lincoln merkte een klein zilveren crucifix op dat de vrouw aan een fijn zilveren kettinkje om haar hals droeg. 'Ik heet Dittmann. Lincoln Dittmann. We hebben elkaar ontmoet in een grensstadje in Brazilië, in Foz do Iguaçú. Je heette... Overdag heette u Lucia.'

'Mama, che dice?'

Een nerveus lachje speelde om de mondhoeken van de vrouw. 'Overdag heet ik net zoals 's nachts. Fiamma. Fiamma Segre.'

Lincoln merkte dat hij met grote nadruk sprak, alsof het erg belangrijk was haar ervan te overtuigen dat een dagnaam nooit dezelfde was als een nachtnaam. 'Ik heb tegen je gezegd dat er een eind aan zou komen. Je zei dat je op een boerderij in Toscane kleine polyesters wilde fokken. Ik ben dolblij dat je iets interessanters hebt gevonden om je leven aan te wijden.'

Het nerveuze lachje bereikte nu ook de ogen van de vrouw. 'Polyester is een synthetisch weefsel,' zei ze zacht. Ze trok even aan de hand van het jongetje. 'We moeten door. Het was me een genoegen, Lincoln Dittmann. Vaarwel.'

'Vaarwel,' zei Lincoln. Hoewel het hem moeite kostte, lachte hij haar toe.

1997: MARTIN ODUM
LUISTERT GEBOEID

Het verkeersvliegtuig werkte zich omlaag door de torenhoge wolken en kwam terecht in een luchtruim dat zo vreugdeloos was als een hemel zonder zon kan worden. Donkere hobbelige akkers, doorsneden met irrigatiegeulen, ontplooiden zich onder het toestel. Op zijn stoel bij het raampje zag Martin Odum het omlijste Praag scheef hangen als op het hoge uiteinde van een wip. In zijn verbeelding zag hij de gebouwen toegeven aan de zwaartekracht en de helling afglijden naar de Moldau, de brede modderkleurige rivier die zich door het centrum van de stad slingerde − een stad die in Martins cynische ogen leek op een mooie vrouw die haar gezicht een keer te vaak had laten liften. De vleugel zakte, Praag kwam recht te liggen en de heuvels om de stadskom verschenen aan de horizon, met de blokkendozen van de prefab-hoogbouw uit de communistische tijd die tot over de kam van de heuvels reikten. Een ogenblik later kwam de landingsbaan omhoog en scheerde langs de wielen van het vliegtuig. 'Welkom in Praag,' zei een stem op een bandje over de intercom. 'Wij hopen dat u een prettige vlucht hebt gehad. De captain en zijn bemanning danken u voor het vliegen met Česka Airlines.'

'Graag gedaan,' hoorde Martin Odum zichzelf zeggen. De mollige Engelse in de stoel naast de zijne had het blijkbaar gehoord, want ze wierp hem een blik toe die bestemd was voor passagiers die tegen bandjes praatten. Martin voelde zich geroepen zijn opmerking toe te lichten. 'Elke luchtvaartmaatschappij die me heelhuids op mijn bestemming aflevert, verdient mijn welgemeende dank,' liet hij haar weten.

'Als u vliegangst hebt, moet u toch eens aan de trein denken,' zei ze snibbig.

'Ik heb ook treinangst,' zei Martin mismoedig. Hij dacht aan het Italiaanse meisje Paura dat Lincoln Dittmann had ontmoet in Foz do Iguaçú, dat bang was voor haar eigen schaduw. Hij vroeg zich af wat er van haar was geworden. Nog altijd was hij er niet honderd procent zeker van dat de vrouw die Lincoln op de Janiculus had aangesproken en het hoertje uit Brazilië dezelfde waren. Er was een uiterlijke gelijkenis, had Lincoln beweerd, maar qua stemming en optreden was er tussen beide vrouwen een wereld van verschil. 'Bang om ergens aan te komen waar ik niet eerder ben geweest,' zei Martin tegen zijn buurvrouw. 'Bang voor beweging en overgang, bang om ergens heen te gaan en bang voor de aankomst daar.'

De Engelse had het gesprek graag met een vernietigende opmerking afgerond en die voor zichzelf onder woorden gebracht. Maar ze bedacht dat ze misschien met een echt geschifte kerel in gesprek was geraakt en hield haar mond.

Terwijl Martin door de drukke aankomsthal liep, koersend op lichtbakken met icoontjes van bussen en met een dunne Beedie aan zijn onderlip gekleefd, werd hem de doorgang belemmerd door een slanke jongeman met een ironische glimlach om zijn vlezige lippen. Hij droeg een kaki rijbroek met knoopjes bij de enkels en een groen Tiroler jasje met dof geworden messing knopen. Even dacht Martin dat hij door de plaatselijke politie eruit was gepikt, maar de jongeman maakte snel duidelijk dat hij een freelancer was. '*Mister*, maakt niet uit of u voor zaken of vakantie in Praag bent, in beide gevallen hebt u een 'fixer' nodig wiens honorarium opvallend veel lager zal zijn dan wat u aan hotels en vervoer en maaltijden moet besteden als u afziet van mijn diensten.' De jongeman nam gedienstig zijn Sherlock Holmes-pet af en hield een van de oorkleppen met duim en wijsvinger voor zijn borst. 'Radek om u te dienen voor het geringe bedrag van dertig kronen per uur, omgerekend één luizige Amerikaanse dollar.'

Martin kwam in de verleiding. 'Waarom spreek je mij aan?' wilde hij weten.

'U ziet er tamelijk Amerikaans uit en ik moet mijn Engels oppoetsen voor het eindexamen dat met vlam en wimpel moet worden behaald om medicijnen te kunnen gaan studeren.'

'Vlag en wimpel, niet vlam en wimpel.'

De jongeman straalde. 'Vlag en wimpel zal het zijn, van deze seconde in de tijd tot ik ga dementeren.'

Martin wist dat hij niet goed was in het schatten van leeftijden, maar Radek leek hem een beetje te oud om nog medicijnen te gaan studeren en dat zei hij dan ook.

'Ik ben een late bloeier,' zei de jongeman met een ontwapenende grijns.

Tijd besparen was belangrijker voor Martin dan geld besparen. Zijn instinct zei hem dat hij zijn verblijf in Praag zo kort mogelijk moest houden, voordat Crystal Quest, wier mensen hem op de hielen zouden zitten, de plaatselijke veiligheidsdienst zou inlichten over zijn aanwezigheid en voordat de Tsjetsjenen die Taletbek Rabbani hadden vermoord hem vonden. Hij pakte een biljet van tien dollar uit zijn borstzak. 'Goed, Radek, ik betaal je tien uur vooruit. Ik wil met de bus naar de stad. Ik wil een kamer in een goedkoop hotel in de Vysěhrad-wijk met een brandtrap naar de personeelsingang. Dan wil ik telefoneren op het hoofdpostkantoor, waarna ik copieus wil dineren in een goedkoop vegetarisch restaurant...'

'Ik weet zeker het goedkope hotel. Het is voormalig slaapzaal van de geheime dienst, nu studentenpension na dood van communisme. Nadat u daar gelogeerd bent, neem ik u mee naar een Joegoslavisch restaurant, pieperkleine familiezaakje, helemaal vegetarisch behalve het vlees.'

Martin moest lachen. 'Uit de kunst.'

Radek proefde de uitdrukking. 'Uit de kunst. Ik begrijp wat dat bedoelt. En na het eten meisjes? Ik weet een kroeg waar studenten bedienen in minirok voor klein extra op beursgeld. Sommigen hebben geen bezwaar tegen aanvullen van klein extra.'

'De meisjes bewaren we voor mijn volgende bezoek aan Praag, Radek.' Martin nam nog een laatste trek van zijn Beedie en plantte de brandende peuk in een staande asbak. 'Na de pieperkleine familiezaak wil ik naar...' Hij haalde de envelop tevoorschijn die Taletbek Rabbani hem in Londen had gegeven en keek wat de oude man had geschreven. 'Naar station Vysěhrad in de Svobodastraat.'

'Station Vysěhrad is door communisten afgesloten. Treinen rijden er doorheen maar stoppen niet. Een tijd was het leegstaand gebouw waar je drugs kon kopen. Ik hoor dat Tsjechen het hebben gehuurd die kopen en verkopen.'

'Wat kopen en verkopen ze?'

Radek haalde zijn schouders op. 'God mag het weten en tot nu toe Hij deelt zijn kennis niet met mij.'

'Ik wil het weten. Ik wil te weten komen wat ze kopen en verkopen.'

Radek zette zijn *deerstalker* weer op, een beetje scheef. 'Gaat u dan alstublieft met mij mee, mister.'

Het hotel in de Vyšehrad-wijk bleek smetteloos schoon en zeker niet duur, als je je niet inschreef en twee nachten vooruitbetaalde in Amerikaanse dollars, wat Martin prompt deed. En de smalle brandtrap leidde beneden naar de keuken en een achterdeur die toegang gaf tot een binnenplaats met een deur naar een zijstraat. Het centrale postkantoor, bereikt na een korte rit in een rood-met-crème trolley, had een loket voor internationale gesprekken. Martin schreef het nummer in Crown Heights op een formulier, wachtte op zijn beurt en wrong zich, nadat zijn nummer was afgeroepen, in de lege cel die rook naar verschaalde aftershave.

'Hallo,' riep hij in de hoorn toen hij Stella's ademhaling door het gekraak heen hoorde.

'Waarom schreeuw je zo?' wilde ze weten.

Hij dempte zijn stem. 'Omdat ik verder weg ben dan toen ik de vorige keer belde.'

'Zeg maar niet waar je bent; ik heb al een paar dagen een rare galm op de lijn.'

'Geeft niet,' zei Martin. 'Ze hebben twee of drie minuten nodig om te bepalen dat het een internationaal gesprek is. Dan nog eens twee of drie dagen om te weten te komen uit welke stad het komt. En nog eens een week om de collega's ter plaatse te laten uitzoeken dat ik uit het hoofdpostkantoor in Praag bel.'

'Nou heb je het ze zelf verteld.'

'Ze geloven me toch niet. Ze denken dat ik verkeerde aanwijzingen geef om ze op een dwaalspoor te brengen. Wat heb je vandaag uitgevoerd?'

'Net terug van de tandarts; hij maakt een nieuwe voortand voor me.'

'Zonde van het geld. Ik vond die tand juist mooi. Daarmee leek je...'

'Maak in godsnaam je zin af. Elke keer als je iets persoonlijks wilt zeggen, laat je het los en dan zweeft het weg als een heteluchtballon.'

'Breekbaar. Dat is het woord dat ik wilde gebruiken.'

'Ik weet niet hoe ik dat moet opvatten. Wat is er zo geweldig aan breekbaar lijken?'

'Het betekent om te beginnen dat je niet gebroken bent. Mensen die gebroken zijn, hebben verschillende ikken. In werkelijkheid heet je toch Estelle?'

'De achternaam Kastner is ons toegewezen toen we in Amerika kwamen. Ze wilden me ook een andere voornaam geven, maar dat wilde ik niet. Ik ben Estelle.' Toen hij niets terugzei, vroeg ze: 'Ben je daar nog?'

'Ik denk na over wat je hebt gezegd. Ik weet dat ik mensen moet hebben ontmoet die niet in een personage leefden, ik kan me alleen niet herinneren wanneer.'

'Met personages bedoel je zoiets als verschillende namen?'

'Veel meer dan verschillende namen; het gaat om verschillende biografieën, verschillende instellingen, verschillende visies op de wereld, verschillende manieren om te genieten en genot te schenken. Het heeft te maken met op zo'n manier gebroken zijn dat je net als Humpty Dumpty hopeloos aan stukken ligt.'

'Hoor eens, Martin...'

'Geweldig! Nu weten ze dat ik het ben die opbelt.'

'Hoe kunnen ze weten of ik niet een schuilnaam gebruik om verwarring te zaaien?'

'Daar zit wat in.'

'De vorige keer heb ik tegen je gelogen. Ik zei dat er niets aan vast zou zitten als ik bij je kwam in Europa. Als je me laat overkomen, zit er zeer zeker wel wat aan vast.'

Martin wist niet wat hij moest zeggen. Hij hield zijn 'hm' binnen en liet de stilte voortduren.

'Je weet niet wat je moet zeggen,' veronderstelde Stella.

'Marionetten zitten ergens aan vast,' zei Martin ten slotte. 'Dat is geen beeld van jou waar ik veel in zie.'

'Wat eraan vastzit zou niet aan jou of mij vastzitten, maar aan mijn overkomst. Weet je nog dat we Israël in wilden en dat ik tegen die politieman zei dat je mijn minnaar was?'

Martin glimlachte voor zich heen. 'En ik zei dat je een tatoeage van een Siberische nachtmot onder je rechterborst had.'

'Heb ik,' verkondigde Stella.

Hij begreep het niet. 'Wat heb je?'

'Een tatoeage van een Siberische nachtmot onder mijn rechterborst. Gezet door een Jamaicaanse tatoeagekunstenaar aan Empire Boulevard. Dat is wat eraan vastzit wanneer we elkaar terugzien. Ik zal hem je moeten laten zien om te bewijzen dat hij er echt zit, want het is niets voor jou om me op mijn woord te geloven als het om zoiets belangrijks gaat. Dan kunnen we zien of het een tot het ander leidt.'

Martin dacht aan de hoer die Dante in Beiroet was tegengekomen. 'Ik heb van een meisje gehoord dat inderdaad een tatoeage van een mot onder haar borst had. Ze heette Djamillah. Heb je dat echt laten doen?'

Hij hoorde de lach in haar stem. 'Mja.'

'Je pikt mijn stopwoordje in,' zei Martin.

'Ik ben van plan nog meer te pikken,' zei ze prompt.

Hij ging gauw op een ander onderwerp over. 'Ik was vandaag bang.'

'Waarvoor?'

'Wat ik nu meemaak, ken ik niet. Daar ben ik bang voor.'

'Goed, ik doe je een voorstel. Je moest maar liever wennen aan wat je nog niet kent. Ik houd je hand wel vast. Afgesproken?'

'Het moet maar.'

'Als dat jouw manier is om je enthousiasme te tonen, wat doe je dan als je ergens geen zin in hebt?'

'Ik weet gewoon niet goed waar ik aan toe ben.'

'Ooit gehoord wat de Russische boer zei toen hem werd gevraagd of hij viool kon spelen? *Dat weet ik niet,* zei hij, *nooit geprobeerd.*' Ze grinnikte om haar eigen grap. 'Je moet het proberen, Martin, om te weten te komen of je het kunt of niet.'

'Ik zie wel in dat je gelijk hebt. Ik heb alleen niet het gevoel dat je gelijk hebt.'

Dat moest ze verwerken. 'Waarom bel je?'

'Wou je stem horen. Wou zekerheid dat je er nog bent.'

'Nou, dan heb je nu mijn stem gehoord en ik de jouwe. Waar staan we nu, Martin?'

'Dat weet ik niet.' Ze moesten er allebei om lachen. 'Ik bedoel: ik moet nog altijd degene zien te vinden die bij zijn vrouw is weggelopen.'

'Laat Samat maar zitten. Kom terug, Martin. Kom terug naar huis.'

'Als ik dat zou doen, zou degene die thuiskomt niet ik zijn. Afgezien daarvan moeten allerlei vragen nog worden beantwoord.'

'Als de antwoorden onvindbaar zijn, moet je met de vragen leren leven.'

'Ik moet ophangen. Stella?'

'Ja, goed, hang maar op. Ik zal het gesprek in mijn hoofd afdraaien. Zoeken naar wat me niet direct is opgevallen.'

'Don't worry. Be happy.'

'Don't worry. Be happy? Waar slaat dat nu weer op?'

'Het is een toptienliedje uit de late jaren tachtig. Ik moest er vandaag weer aan denken; dat draaiden ze eindeloos op een jukebox in Paraguay toen ik daar was.'

'Die "ze", is dat een meisje?'

'Een heel stel meisjes. Prostituees in een bar die loten kochten van een oude heer uit Polen.'

'Ik word moedeloos van je, Martin. Er is zoveel dat ik niet van je weet.'

'Ik word ook moedeloos van mezelf. Om dezelfde reden.'

De dagschotel in de familiezaak bleek een soepbord kruidige Joegoslavische gehaktballetjes met groenten die zo lang waren gekookt dat ze onherkenbaar waren geworden. Martin ruilde zijn gehaktballetjes met Radeks groente en at de helft van de gekookte aardappels op. De wijn was nauw verwant aan Griekse ouzo, die naar anijs smaakte, en heel goed te drinken was nadat de eerste slokken je keel hadden verlamd. Radek zat tegenover Martin aan het tafeltje, doopte broodkorsten in zijn saus en spoelde ze weg met wijn. 'Mijn droom is naar mooi Amerika gaan voor ik dement word,' vertrouwde hij Martin toe, terwijl hij aan een kies zoog om zijn tandvlees van etensresten te ontdoen. 'Is het waar dat ze straten plaveien met Sony-walkmans als de keien versleten zijn?'

Martin leunde naar achteren en trakteerde zichzelf op een Beedie na het eten. 'Hoe kom je aan dat interessante weetje?'

'Dat stond in een satirisch studentenblad.'

'Je moet niet alles geloven wat je in satirische studentenbladen leest. Wil je de rekening vragen?'

Radek bestudeerde de rekening en ging toen in debat met de eigenaar, die uiteindelijk twee dingen schrapte en de wijn goedkoper maakte. 'Ik heb u zestig kronen bespaard, wat twee luizige Amerikaanse dollars is,' merkte Radek op. 'Dat is nog eens honorarium voor twee uur, mister. Wat nu?'

'Een trolley naar de Svobodastraat.'

Misprijzend rolde Radek met zijn ogen. 'Alle mensen hier die met het openbaar vervoer gaan dromen van privévervoer. U wilt naar station Vyšehrad?'

'Ik wil honderd meter eerder uitstappen en te voet verder, voor mijn spijsvertering.'

Radek legde zijn wijsvinger naast zijn neus. 'U wilt vooraf verkennen.'

'Hoe kom je aan die uitdrukking?'

'Ik ben gek op oude Amerikaanse films.' Hij maakte een pistool met duim en wijsvinger en ramde hem in de zak van zijn Tiroler jasje. 'Ik heb een wapen in mijn zak, mister.'

'Uit welke film is dat?'

'*Take the Money and Run*, Woody Allen.'

'Hm. Ga mee.'

Terwijl Martin in de trolley zat en naar de knetterende vonken van de bovenleiding luisterde, bestudeerde hij de gezichten om zich heen en vroeg zich af of iemand nadrukkelijk geen belangstelling voor hem toonde. Normaal beroemde hij zich erop dat hij in de menigte opging, zelfs als er geen menigte was. Maar nu had hij te veel haast voor zijn gebruikelijke voorzorgen. Met zijn Amerikaanse kleren en vooral zijn schoenen viel hij op tussen de Tsjechen en natuurlijk trok hij nieuwsgierige blikken, openlijke en steelse. Martin nam aan dat iemand die hem schaduwde helemaal niet naar hem zou kijken. Tijdens de lange rit van het restaurantje naar Mala Strana en in de rij voor een trolley op een andere lijn had Martin, met zijn gespecialiseerde ervaring, niet het gevoel dat hij werd geschaduwd. Hij wist dat dat kon betekenen dat degenen die hem schaduwden daar erg goed in waren. Radek merkte op dat hij de passagiers om hem heen opmerkte. 'Als u geen meisjes wilt, wat wilt u dan?' Hij boog zich naar Martin toe zodat de afgetobde vrouw die aan de andere kant van het gangpad de Amerikaan zat te bestuderen hem niet kon verstaan. 'Cannabis, ganja, hennep, hasjiesj, bhang, *sinsemilla*, cocaïne, crack, *angel dust*, *hero*, methadon, lsd, PCP, uppers, downers, pep? Zeg het maar, Radek zal het vinden voor minder luizige Amerikaanse dollars dan u me per dag betaalt.'

'Van de helft van die dingen heb ik nog nooit gehoord,' zei Martin. 'Wat ik wil is mijn benen strekken zodra we in de buurt van dat station zijn.'

'Volgende halte,' zei Radek, kennelijk teleurgesteld dat zijn talenten voor het verkrijgen van verboden waar niet op de proef werden gesteld. Hij trok aan het koord dat door de hele trolley boven de ramen was gespannen, als een gitaarsnaar. Vooraan klonk een belletje. Terwijl de trolley afremde, klapten de deuren krakend open. Op de stoep duidde Radek met zijn neus de richting aan. In de verte zag Martin aan de overkant van de brede straat een vervallen gebouw in communistisch-gotische stijl dat het laatste kwartier zonlicht vasthield dat schuins over de Moldau op het vervallen dak scheen en op een menigte duiven. Hij keek Radek aan en bood hem zijn hand. 'Ik heb je diensten niet meer nodig.'

Radek keek ontgoocheld. 'U hebt voor tien uur betaald, mister, ik moet nog zeveneneenhalf uur.'

'Beschouw ze maar als een bonus.' Toen Radek hem nog altijd geen hand gaf, bracht Martin zijn hand bij zijn ogen en salueerde vriendelijk. 'Veel geluk op de medische faculteit, Radek. Ik hoop dat je een middel tegen dementie ontdekt voordat het te laat is.'

'Ik schop mezelf omdat ik iemand als u maar dertig luizige kronen per uur heb gevraagd,' mompelde Radek, draaide zich om en liep in tegenovergestelde richting weg.

Zuigend aan een Beedie wandelde Martin over de Svobodastraat in de richting van de rivier. Hij passeerde een rij woonhuizen, een met het jaartal 1902 boven de entree en een Engels 'Flat for Sale' bordje achter een raam. Aan de overkant verhief het Vysěhrad-station zich in al zijn communistische decadentie. Het station bestond uit een centraal geraamte met twee gebroken vleugels. Vuilwit stuc bladderde van de gevel als een door de zon verbrande huid, zodat de smoezelige rode baksteen eronder zichtbaar werd. De ramen aan de Svoboda-kant waren dichtgetimmerd, hoewel op de bovenverdieping hier en daar neonlicht door kieren scheen. De duiven op het dak vlogen met twee of drie tegelijk op om het laatste zonlicht op te zoeken terwijl Martin terugliep door de Svoboda-straat, nu aan de stationszijde. Voorbijrammelende trolleys lieten de drong trillen. Achter het station raasde een forensentrein door naar het centrum. Krullende affiches voor Hongaarse stofzuigers en advertenties voor gereviseerde Duitse Trabantjes waren met punaises op het triplex geprikt dat de ramen op straatniveau afdekte. Bij het hek voor een pad naar de zijkant van de linkervleugel had iemand grafitti op de muur gekalkt: *Met de bom in Oklahoma City is WO III begonnen.* Martin duwde het hek met de roestige scharnieren open, besteeg de bakstenen trap en liep naar de achterkant van het station. Het pad werd kennelijk geregeld gebruikt, want de brandnetels en klimplanten die aan weerskanten groeiden waren van het klinkerpad verwijderd. Op wat een perron was geweest toen het station nog werd gebruikt, keek Martin de vleugel in door een vuil raam met roestige tralies ervoor. Binnen waren twee mannen die hij voor zigeuners aanzag, gekleed in vesten en met hun broekspijpen in hun leren laarzen gestopt, grote dozen aan het leeghalen en zo te zien verpakte medicamenten aan het uitstallen op een grote schraagtafel. Twee jonge vrouwen in kleurige rokken pakten de medicamenten over en plakten de kleinere dozen af met tape. Een van de jongemannen merkte Martin op en wees met zijn duim naar de hoofdingang verderop aan het perron. Martin knikte en duwde even later een klapdeur open naar de krullerig versierde stationshal, die nu vervallen was en stonk naar natte mortel, het bewijs dat iemand had geprobeerd de ergste wonden van het gebouw te verzorgen. *Vychod* stond er op een scheef hangend bordje boven de deur: Uitgang. De vele kapotte tegels gaven mee onder zijn voeten. Een brede gebogen trap voerde naar de bovenverdieping. Op de muur boven de trap stonden de woorden 'uitholling' en 'overdwars' geschilderd. Een plomp gebouwde hond met een stompe neus stond op de bovenste tree schor te blaffen naar de indringer. Een knappe, elegant geklede vrouw van rond de vijftig keek vanaf de overloop naar beneden. 'Als u bij Uitholling Overdwars moet zijn, kunt u boven komen,' riep ze. 'Let maar niet op de hond. Hij bijt harder dan hij blaft, maar ik zal hem opsluiten.' De vrouw greep de hond bij zijn riem en trok hem mee naar een kamer waar hij jankend werd ingesloten. Terwijl de hond achter de deur bleef blaffen, draaide ze zich weer om naar Martin, die de leuning gebruikte om zijn pijnlijke been te ontzien terwijl hij naar haar toe klom. Haar zes dunne Indiase armbanden rinkelden aan haar smalle pols toen ze hem een hand gaf. 'Ik ben Zuzana Slánská,' zei ze terwijl Martin haar de hand drukte.

Hij merkte op dat ze dunne vingers had, met afgebeten nagels, en haar ogen traanden. Aan haar rimpelige dunne lippen te zien lachte ze niet vaak. 'Ik heet Odum,' zei hij. 'Martin Odum.'

'Voor welk Afrikaans land koopt u in?'

Martin meende dat hij niets te verliezen had en zei het eerste wat bij hem opkwam: 'Ivoorkust.'

'Wij hebben niet vaak persoonlijk contact met onze afnemers, meneer Odum. De bestellingen gaan meestal per post. Mag ik vragen wie u naar ons toe heeft gestuurd?'

'Een zakenrelatie van Samat, Taletbek Rabbani.' Hij liet haar de envelop zien met Rabbani's bijna onleesbare krabbel erop.

Er trok een schaduw over haar gezicht. 'Het bericht van het overlijden van de heer Rabbani heeft ons eerder deze week bereikt. Waar en wanneer hebt u hem ontmoet?'

'Waar u hem ook hebt gezien: in zijn loods achter het station in Golders Green in Londen. Ik ben waarschijnlijk de laatste geweest die hem in leven heeft gezien, afgezien van de Tsjetsjenen die hem hebben vermoord.'

'In het berichtje in de Britse krant stond niets over Tsjetsjenen.'

'Misschien weet Scotland Yard dat niet. Of misschien weten ze het wel, maar houden ze het achter.'

Met een zenuwachtig lachje voerde de vrouw Martin mee naar een groot ovaal vertrek waar diverse kale neonbuizen aan het plafond hingen. De drie ramen van het kantoor waren dichtgetimmerd, waardoor Martin moest denken aan de keer dat Djamillah Dante Pippen had meegenomen naar het handelskantoor boven de bar; daar waren de ramen ook dichtgetimmerd. Hij keek om zich heen om het vertrek te bekijken. Grote dozen met DEZE KANT BOVEN erop waren tegen een muur gestapeld. Een jonge vrouw in een wijde trui en vale spijkerbroek zat aan een bureau met twee vingers te tikken op een antiek tafelmodel Underwood. Aan de rand van het bureau krulde papier van het faxapparaat in een doos op de vloer. Een losbladig register lag opengeslagen op een lage glazen tafel vol koffievlekken en volle asbakken. De vrouw gebaarde dat Martin kon gaan zitten op een autobank die tegen de muur stond en nam zelf plaats op een lage kruk tegenover hem, zodat haar gekruiste benen zichtbaar waren onder de glazen plaat van de tafel. 'Ik neem aan dat meneer Rabbani heeft uitgelegd hoe we hier te werk gaan. We proberen onze prijzen zo laag mogelijk te houden, daarom werken we vanuit dit leegstaande stationsgebouw om de bedrijfskosten te drukken, en we verkopen onze generieke middelen alleen en gros. Zoekt u iets bepaalds, meneer Odum? We verkopen het meest van onze merkloze Tylenol: acetaminofeen, onze merkloze Valium: diazepam, onze merkloze Sudafed: pseudo-efedrine, onze merkloze Kenacort: triamcinoloon. Kijkt u gerust onze losbladige catalogus in. De labels van onze generieke geneesmiddelen zijn op de pagina's geplakt. Ik zou niet direct weten door welke epidemie Ivoorkust wordt bedreigd, afgezien van hiv; helaas hebben we nog geen merkloze middelen tegen aids, maar we hopen dat de overheden de farmaceutische bedrijven verder onder druk zullen zetten...' Ze staarde de bezoeker aan met een vraag in haar ogen. 'U hebt nog niet verteld over welke bevoegdheid u beschikt, meneer Odum. Bent u arts of volksgezondheidsdeskundige?'

Er raasde weer een forensentrein door het station. Toen de trein voorbij was, zei Martin: 'Geen van beide.'

Zuzana Slánská's vingers voelden aan de kleine davidster aan een kettinkje om haar hals. 'Ik weet niet of ik u wel goed begrijp.'

Martin boog zich naar voren. 'Ik moet u iets opbiechten. Ik ben hier niet om merkloze geneesmiddelen te kopen.' Hij keek recht in haar tranende ogen. 'Ik ben hier om meer te weten te komen over Samats project in verband met de ruil van het gebeente van de Litouwse heilige voor de joodse thorarollen.'

'O!' De vrouw keek naar de secretaresse die een eindje verderop bonnen zat te tikken. 'Dat is een lang verhaal,' zei ze zacht, 'en ik zal cognac en een paar sigaretten nodig hebben om erdoorheen te komen.'

Zuzana Slánská boog zich naar Martin toe zodat hij haar vuur kon geven met een lucifer uit een boekje met reclame voor Praags kristal. 'Ik heb nog nooit een Beedie gerookt,' zei ze en ontspande zich om de smaak van de Indiase sigaret te savoureren. Ze haalde hem uit haar mond om hem belangstellend te bekijken. 'Is de tabak vermengd met marihuana?' vroeg ze.

Martin schudde zijn hoofd. 'Wat u ruikt is eucalyptusblad.'

Ze nam nog een trek aan haar Beedie. 'Ik vertrouw de deskundigen niet erg die zo nadrukkelijk beweren dat roken gevaarlijk is voor je gezondheid,' merkte ze op en haar woorden kwamen samen met de rook uit haar mond. Terwijl ze even opzij keek naar de twee dikke mannen met sigaren aan een ander tafeltje, besefte Martin dat ze het profiel had van iemand die in haar jeugd een beeldschone vrouw moest zijn geweest. 'Heel veel dingen zijn gevaarlijk voor je gezondheid,' zei ze. 'Vindt u ook niet?'

Martin concentreerde zich op zijn eigen sigaret en vroeg: 'Bijvoorbeeld?'

'Bijvoorbeeld: onder een hoogspanningsleiding wonen. Of fastfood eten met kunstmatige smaakstoffen. Of gelijk hebben terwijl je regering het bij het verkeerde eind heeft.' Ze wierp de oude kelner een stroeve glimlach toe terwijl hij voorzichtig twee ballonglazen neerzette, half vol driesterrenbrandy uit Jerez, en een porseleinen schaaltje pinda's met een kop erop. 'Ik spreek uit bittere ervaring,' voegde ze eraan toe, 'maar dat had u vast al uit mijn toon opgemaakt.'

Ze had hem te voet meegenomen naar een *salon de thé* aan de overkant van de rivier op de hoogste verdieping van een smakeloos ingericht hotel dat pas open was. Uit het raam naast de tafel achter in de enorme zaal kon Martin zien wat hij vanuit het vliegtuig had gezien: de heuvels rond Praag vol Plattenbau-flats. 'Mijn man,' zei de vrouw, die helemaal opging in haar verhaal, 'had als arts een praktijk in Vinohrady, de Praagse wijk achter het museum. Ik was zijn assistente. We sloten ons allebei aan bij een literaire kring die eenmaal per week bijeenkwam om boeken te bespreken. Ik kan u wel vertellen dat het een geweldige tijd was voor ons. Mijn man kende geen angst; hij zei altijd dat ouderdom niet voor angstige mensen was.' Ze nam een slokje brandy en trok verwoed aan haar Beedie, alsof de tijd drong; alsof ze haar levensverhaal moest vertellen voordat er een einde aan haar leven kwam. 'Wilt u het zeggen als u dit allemaal doodsaai vindt, meneer Odum?'

'Integendeel,' verzekerde Martin haar. 'Ik luister zeer geboeid.'

Zuzana Slánská trok haar ene smalle schouder op in het getailleerde Parijse jasje. 'Wij waren vurige marxisten, mijn man en ik. Wij waren ervan overtuigd dat de grote Russische beer het communisme had verstikt, en niet andersom. Onze Tsjechische held, Alexander Dubček, was nog een brave apparatsjik die zich aan de partijlijn hield toen wij al petities ondertekenden voor hervormingen. De door het Sovjetregime aangestelde proconsuls die het hier voor het zeggen hadden zagen geen onderscheid tussen dissidenten die anticommunistisch waren en voorstanders van het communisme, zoals wij, die vonden dat het zich verkeerd had ontwikkeld; dat het marxisme alleen overeind kon blijven als het ingrijpend werd hervormd. Als ze dat onderscheid al konden maken, meenden ze dat ons soort dissidenten het gevaarlijkst was van de twee. En dus trof ons hetzelfde lot als de anderen.'

Martin zag de spieren in haar gezicht verkrampen van verdriet dat ze zich kennelijk zo goed herinnerde dat ze het opnieuw beleefde. 'U kent het verhaal natuurlijk,' vervolgde ze haastig, zich nauwelijks de tijd gunnend adem te halen. 'Over de hoge NKVD-man die Josif Vissarionovitsj Stalin bekende dat een bepaalde gevangene had geweigerd een bekentenis af te leggen. Stalin dacht na over het probleem en vroeg de man toen hoeveel gewicht de staat in de schaal legde, de staat met al zijn gebouwen en fabrieken en machines, het leger met al zijn tanks en trucks, de marine met al zijn schepen, de luchtmacht met al zijn vliegtuigen. En toen zei Stalin, lieve God, toen zei Stalin: *Denk je echt dat de gevangene bestand is tegen het gewicht van de staat?*'

'Hebt u het gewicht van de staat gevoeld? Zijn u en uw man gevangen gezet?'

Zuzana Slánská was nu zo geagiteerd dat ze rook en brandy samen doorslikte. 'En of we het gewicht van de staat hebben gevoeld. En of we gevangen zijn gezet. Een paar maanden allebei tegelijk, en een keer zelfs in dezelfde inrichting, verder maandenlang op verschillende tijdstippen, zodat we elkaar passeerden als schepen in de nacht. Ik kwam te weten dat je de stank van de gevangenis in je neus meeneemt; het heeft me maanden, jaren gekost die kwijt te

d

ran-
Die
aan het

KNIPSELS

Okra-Reizen

Baskenland
6 tot 12 augustus, zevendaagse
rondreis, volpension, voor 1 385 euro.
Armenië
6 tot 16 september, twaalfdaagse
rondreis, volpension, voor 1 595 euro.

Annulatie- en reisverzekering,
uitstappen en Okra-begeleider telkens
inbegrepen. Programma en bestelbon op
www.okra.be (activiteiten en reizen).

Photonews

✔ **Info (niet op vrijdag) bij Lucie**
02 246 39 44 of
lucie.vanhemelrijk@okra.

wette-
zich
er-

'Zorge

draad in r

, OP DE ZWAANHOEK, BEN IK OPGEGROEID E
EEMERSCH (71) UIT OUDENBURG. 'OP DIT
AT LUKT TOT NU TOE, DANKZIJ VEEL

raken. En een keer kwam mijn man zo zwaar mishandeld uit de gevangenis terug dat ik hem niet herkende door het kijkglaasje in de deur, en de politie belde om me te beschermen tegen een gek, en toen ze kwamen, keken ze naar zijn identiteitskaart en zeiden dat ik hem veilig binnen kon laten, dat de gek in kwestie mijn man was. Gebeurt dat in Amerika, meneer Odum, dat de politie je moet vertellen dat je je man gerust binnen kunt laten? En op een dag werd mijn man gearresteerd omdat hij een jongen met een gebroken enkel had behandeld die een anticommunistische dissident bleek te zijn die zich schuilhield voor de politie. De journalisten uit Amerika die het proces versloegen wezen er in hun verhalen op dat hetzelfde een Amerikaanse arts was overkomen, die de gebroken enkel van de moordenaar van A. Lincoln had behandeld.'

Uit een schimmig verleden – een schimmig personage? – kwam in Martins geheugen de herinnering aan dat proces in Praag boven. 'U bent de vrouw van Pavel Slánský?'

'Die naam kent u? U kunt zich het proces herinneren!'

'Iedereen die de gebeurtenissen in Oost-Europa volgde kende de naam Pavel Slánský,' zei Martin. 'De Joodse arts die werd gearresteerd omdat hij een dissident met een gebroken enkel had behandeld; die bij zijn proces verklaarde niet schuldig te zijn aan dat misdrijf, maar de gelegenheid te baat nam om te bekennen dat hij wel het communisme wilde hervormen en uiterst gedetailleerd uiteen te zetten waarom hervorming noodzakelijk was voor het voortbestaan ervan. Hij was de voorloper van de hervormers die na hem kwamen: Dubček in Tsjechoslowakije en uiteindelijk Gorbatsjov in de Sovjet-Unie.'

Een zonnige lach, zo fris als wasgoed buiten aan de lijn, verscheen op het gezicht van Zuzana Slánská. 'Ja, hij was zijn tijd vooruit, wat in sommige landen als een halsmisdrijf wordt beschouwd. De Amerikaanse autoriteiten toonden weinig sympathie voor hem; je zou denken dat ze niet wilden dat iemand een poging zou doen het communisme te hervormen, uit angst dat het zou lukken. Mijn man werd als staatsvijand bestempeld en tot tien jaar gevangenisstraf veroordeeld wegens anticommunistische activiteiten. En mij verging het als de arme dichteres Achmatova, ik stond winter en voorjaar en zomer en najaar voor de gevangenis in de rij om pakjes af te geven met sokken en zeep en sigaretten voor gevangene 277103. Dat nummer staat als een brandmerk in mijn geheugen. De bewakers namen de pakjes aan en tekenden bonnetjes af en beloofden dat ze zouden worden bezorgd. En op een dag kwam een van mijn pakjes terug met het stempel *Overleden*. Voor die neiging van bureaucratieën om zich aan normale procedures en voorschriften te houden moet nog een verklaring worden gevonden, althans een die mij bevredigt. In ieder geval kwam ik zo te weten dat mijn man, gevangene Slánský, niet meer leefde.' Zuzana Slánská hief een koude hand om de sigarenrook van het andere tafeltje te verdrijven. 'Mag ik nog zo'n grappige sigaret? Ik heb de eucalyptus nodig om over de walm van hun sigaren heen te komen. O meneer Odum, voor wie met het ongemak kon leven was het geweldig om dissident te zijn.'

'Waaruit bestond het ongemak, afgezien van gevangenisstraf?'

'Je raakte je baan kwijt, je moest met twee andere echtparen in een flatje van vijftig vierkante meter gaan wonen, je werd naar een psychiatrische inrichting gestuurd om de staat in de gelegenheid te stellen te achterhalen waarom een dissident kritiek had op wat per definitie volmaakt was. Als we laat op de avond bij elkaar kwamen om een boek te bespreken, zeg Solzjenitsyns *Een dag in het leven van Ivan Denisovitsj*, verdiepte ons groepje zich in alle aspecten, in alle denkbare scenario's, behalve de mogelijkheid dat de gangsters die de Sovjet-Unie bestuurden later gangsters voor eigen rekening zouden worden, met een territorium waarop ze na de val van het communisme beslag hadden gelegd. Achteraf besef ik dat we ongelofelijk naïef waren. We werden verblind door onze opwinding; elke keer als we de liefde bedreven, dachten we dat het de laatste keer zou kunnen zijn en dat maakte ons vurige minnaars, tot de dag dat we niemand meer hadden om de liefde mee te bedrijven. En zo hielden de meesten van ons op met lief hebben, maar begonnen te haten.'

'En hoe bent u in de merkloze geneesmiddelen verzeild geraakt?'

'Ik was gediplomeerd verpleegkundige, maar na het proces tegen mijn man durfde geen arts me meer aan te stellen. Ik heb jarenlang huishoudelijk werk gedaan: praktijkruimten schoonmaken, vuilnisbakken in alle vroegte bij de flats ophalen om ze beneden klaar te zetten voor de vuilniswagen. Toen onze eigen communisten in 1989 uit de macht werden gezet, besloot ik te gaan doen wat altijd de droom van mijn man was geweest: merkloze geneesmiddelen aan de derde wereld verkopen tegen de laagst mogelijke prijs. Op een van zijn eerste bezoeken aan Praag leerde ik Samat kennen en legde hem mijn idee voor. Hij stemde er direct in toe het initiatief te financieren in een bestaande humanitaire instelling, Uitholling Overdwars; van zijn geld konden we de ruimte in het station huren en de eerste voorraden generieke middelen kopen. Nu pers ik er net genoeg winst uit om vier zigeuners en een parttime secretaresse in dienst te kunnen hebben. Een keer heb ik geprobeerd Samat terug te betalen, maar hij wilde geen geld aannemen. Ik moet zeggen dat hij bijna een heilige is.'

'Ik neem aan dat er een heilige voor nodig is om het gebeente van een heilige terug te halen,' merkte Martin op.

'Ik kan zeggen dat ik de eerste ben die Samat heeft verteld over de joodse thorarollen in die kerk in Litouwen.' Haar hand ging naar haar hals om de davidster aan te raken. 'Mijn oudste zuster is in de oorlog naar een concentratiekamp in Litouwen gedeporteerd. Het lukte haar te ontsnappen naar de steppe, waar ze zich aansloot bij communistische partisanen die de Duitse achterhoede aanvielen. Het was mijn zuster – die zich als partizaan Rosa noemde, naar de Duitse communiste Rosa Luxemburg; in werkelijkheid heette ze Melka – die in de nederzettingen die nog niet door de Duitsers waren bezet, de Joden waarschuwde tegen de Duitsers en de moordenaars van de *Einsatzgruppen* in hun achterhoede. Er waren er niet veel die haar geloofden; ze konden zich gewoon niet voorstellen dat de nazaten van Goethe en Beethoven en Brahms in staat waren tot een massamoord op een heel volk. Maar in verschillende nederzettingen waren rabbijnen die voor de zekerheid de heilige rollen en zeer kostbare commentaren, in sommige gevallen honderden jaren oud, in bewaring gaven bij een Litouwse orthodoxe bisschop om in een afgelegen kerk te bewaren. Na de oorlog gaf mijn zus mij de naam van die kerk, Spaso-Preobrazjenski Sabor, dat betekent Verheerlijkingskerk, in Zuzovka, aan de rivier de Neman in Litouwen, niet ver van de grens met Wit-Rusland. Toen ik Samat het verhaal had verteld, legde hij alles stil; Samat, die bij mijn weten niet eens joods is, ging direct naar die kerk om de thorarollen op te halen en naar Israël over te brengen. De diocesane metropoliet weigerde de rollen af te staan en was ook niet bereid ze tegen een enorme som geld te ruilen. De metropoliet was wel bereid de Thorarollen te ruilen voor het gebeente van de heilige Gedymin, die in dertienhonderd zoveel de hoofdstad van Litouwen, Vilnius, heeft gesticht. Het gebeente van de heilige Gedymin is in de oorlog door de Duitsers uit de kerk gestolen. Na jarenlang onderzoek kwam Samat uiteindelijk te weten dat het gebeente van de heilige in Argentinië terecht was gekomen. Het was daarheen gesmokkeld door de nazi's die aan het eind van de oorlog Europa waren ontvlucht en ondergebracht in een kleine orthodoxe kerk bij de stad Córdoba. Toen de kerk weigerde het gebeente van de heilige Gedymin af te staan, ging Samat naar iemand van de Argentijnse regering toe die hij kende; op het ministerie van Defensie nog wel. Samat zei tegen mij dat hij het ministerie van Defensie had overgehaald de overblijfselen van de heilige naar Litouwen over te brengen...'

'In ruil waarvoor?'

'Dat weet ik jammer genoeg niet. Samat zei wel dat hij bij mensen op het ministerie van Defensie was geweest. Maar hij heeft me niet verteld wat ze in ruil voor de heilige wilden hebben.'

'Wanneer heeft hij u over het ministerie van Defensie verteld?'

'Bij zijn laatste bezoek aan Praag.'

'Ja, en wanneer was dat?'

'Na zijn vertrek uit Israël ging hij naar Taletbek Rabbani in Londen. In Londen nam hij het vliegtuig hierheen om...'

Martin merkte dat Zuzana Slánská's ogen op iets achter zijn schouder waren gericht. Hij zag dat ze haar davidster wegstopte onder haar blouse en draaide zich in zijn stoel om te kijken. Radek hield zijn deerstalker voor zijn borst en zijn andere hand in de zak van zijn Tiroler jasje terwijl hij bij de ingang van de *salon de thé* naar de bezoekers keek. Hij zag Zuzana Slánská zitten en wees naar hen met zijn deerstalker, terwijl hij tussen de tafels door naar hen toe liep. Zes mannen in burger kwamen gespreid achter hem aan.

Terwijl Zuzana Slánská overeind kwam, slaakte ze een kreet van paniek. 'Ouderdom is niet voor bange mensen,' prevelde ze en terwijl ze strak naar Radek bleef staren, zei ze met nauwelijks bewegende lippen: 'In de Aralzee ligt op twintig kilometer van het vasteland een eiland dat Vozrozjdenie heet. In de Sovjettijd was daar een proefgebied voor biologische wapens. Op het eiland is de stad

Kantoebek. Samats contact in Kantoebek is een Georgiër die Hamlet Achba heet. Kunt u dat allemaal onthouden?'

'Vozrozjdenije. Kantoebek. Hamlet Achba.'

'Waarschuw Samat…' Radek was bijna bij hen. 'Het is wel zeker dat ik de stank van de gevangenis niet overleef,' mompelde ze voor zich heen.

In de zaal reageerden kelners en bezoekers als verlamd, terwijl Radek en zijn metgezellen naar de twee bezoekers achterin liepen. Met een voldaan lachje dat zijn gezicht ontsierde, bereikte Radek de tafel. 'Ik heb een wapen in mijn zak,' zei hij tegen Martin. 'Het is een Duitse Walther PI. Ik arresteer u, mister. U ook, mevrouw.'

Martin voelde het lichte deinen van het dek onder zijn schoenen (de veters en zijn riem waren hem afgenomen) terwijl hij wachtte op de hervatting van het verhoor. Ze waren hem de afgelopen dagen op onregelmatige tijdstippen komen halen, een techniek die eerder bedoeld was om hem het slapen te beletten dan om informatie uit hem te krijgen. Omdat er geen patrijspoort was in de krappe cel recht boven de kiel van de woonboot, noch in de ruimte daarboven, waar de verhoren plaatsvonden, raakte hij snel zijn dag-nachtritme kwijt. Het enige geluid van buiten dat tot zijn oren doordrong, was van misthoorns van voorbijvarende rivierponten en het door het dopplereffect vervormde gieren van politiesirenes van surveillancewagens in de straten van Praag. Ergens in het binnenste van de woonboot klonk het doffe gebrom van een aggregaat; van tijd tot tijd scheen het peertje in de cel feller of juist minder fel. Kort nadat Radek hem had overgebracht van het politiebusje naar de woonboot, die aangemeerd lag aan een betonnen steiger stroomafwaarts van de Karelsbrug, meende hij van een ander niveau een gedempte kreet van een vrouw te horen. Toen hij het geluid in zijn hoofd had gereproduceerd, concludeerde hij dat het ook het gejank van een kat kon zijn geweest die tussen de vuilniszakken op de steiger scharrelde. De verhoren in de benauwde bovenruimte leken de ondervrager niet te vermoeien. Hij was een gebogen, magere bureaucraat met een ongeschoren gezicht en een kaalgeschoren schedel, en een haakneus die ooit in zijn leven gebroken leek te zijn geweest en niet goed was rechtgezet. Presiderend achter een kleine tafel die aan de vloerplanken was vastgeschroefd stelde hij met een neutrale, monotone stem de ene vraag na de andere, waarbij hij maar af en toe van zijn papieren opkeek. Radek, die nu een keurig drie-delig bruin pak met smalle revers droeg, leunde tegen een luik naast een van de twee bewakers die Martin van en naar zijn cel brachten. Martin zat tegenover de ondervrager op een stoel waarvan de voor-poten waren ingekort, zodat de ondervraagde voortdurend het ge-voel kreeg dat hij eraf zou glijden. Felle lampen aan weerskanten van de tafel brandden op zijn netvliezen, waardoor zijn ogen traan-den en zijn zicht onscherp werd.

'Hebt u een naam?' had Martin de magere man achter het bu-reau de eerste keer gevraagd.

De vraag leek de ondervrager te hinderen. 'Wat heb je eraan om te weten hoe ik heet?'

'Dan kan ik uw naam vermelden wanneer ik een klacht indien bij de Amerikaanse ambassade.'

De ondervrager had even naar Radek gekeken en toen weer naar Martin. 'Als u een klacht indient, kunt u vermelden dat u bent ge-arresteerd door een geheime afdeling van een geheim ministerie.'

Tegen de muur geleund had Radek een schorre lach laten horen.

Nu schoof de ondervrager Martin een kleine glazen kan toe. 'Als-tublieft,' zei hij en wees naar de koffie.

'U hebt er extra caffeïne in gedaan om me uit mijn slaap te hou-den,' zei Martin vermoeid, maar hij schonk toch wat in een plastic bekertje en nam een slokje; ze hadden hem bremzoute rijst voor-gezet en drinkwater onthouden sinds hij aan boord was gebracht. 'Uw verhoortechnieken komen rechtstreeks uit de oude Ameri-kaanse films waar Radek zo dol op is.'

'Ik ontken het niet,' zei de ondervrager. 'Men moet geen snob zijn als het erom gaat vakkennis op te doen. Trouwens, ik heb er-varen dat die technieken uiteindelijk effectief zijn; ik zeg dit als ie-mand die aan beide kanten van de tafel heeft gezeten. Toen ik door de communisten werd gearresteerd wegens anticommunistische ac-tiviteiten, hadden ze me met dezelfde techniek na vier dagen zover dat ik misdaden bekende die ik niet had begaan. En welke ervaring hebt u, meneer Odum?'

'Ik heb geen ervaring met verhoren,' zei Martin.

De ondervrager snoof sceptisch. 'Dat is niet de indruk die uw CIA ons heeft gegeven. De bureauchef in Praag heeft ons toevertrouwd dat u een van hun beste actieve agenten was, zo vakkundig dat u zelfs in een menigte kon opgaan wanneer er geen menigte was.'

'Als ik echt zo goed was, waarom ben ik dan ingegaan op Radeks avances op het vliegveld?'

De ondervrager haalde zijn kromme schouders op, zodat ze even op de juiste hoogte kwamen. 'Misschien bent u uw scherpte kwijt. Misschien was u er op dat ogenblik niet bij met uw gedachten. Maar als u Radek niet in de arm had genomen, was u in elk geval...'

'Voor de tegenwaarde van één luizige Amerikaanse dollar per uur,' klaagde Radek.

'Als u hem niet in de arm had genomen, was u vast wel terechtgekomen in een van de drie taxi's die we hadden klaarstaan. De chauffeurs, die zich allemaal Radek noemen, werken allemaal voor ons.'

Martin ontdekte een tot dan toe ontbrekend puzzelstukje: hoe kon Radeks dienst hebben geweten dat hij in Praag zou opduiken? Kennelijk had de hoogste man van de CIA in Praag met zijn Tsjechische tegenhanger over Martin gepraat. En de hoogste man hier bracht rapport uit aan de adjunct-directeur van Operaties, Crystal Quest. Wat Martin terugvoerde naar wat hij een eeuwigheid geleden tegen wijlen Oskar Aleksandrovitsj Kastner had gezegd in die benauwde inloopkast in President Street: *ik wil graag weten waarom de CIA niet wil dat deze weggelopen echtgenoot wordt gevonden.*

'Uw bureauchef,' zei de ondervrager inmiddels, 'beweert dat u niet langer in dienst bent van de CIA. Volgens de chef werkt u freelance als detective. Het kan waar zijn wat hij zegt; het is ook mogelijk dat ze elke connectie met u ontkennen omdat u op heterdaad bent betrapt. Dus vertelt u eens, meneer Odum. Welke wapensystemen moest u kopen in het Vyšehrad-station? En wat nog belangrijker is: voor wie moest u die kopen?'

'Zuzana Slánská verkoopt merkloze geneesmiddelen.'

'De vrouw die u Zuzana Slánská noemt, is nooit wettig getrouwd geweest met dr. Pavel Slánský die, zoals u ongetwijfeld weet, in de communistische periode als staatsvijand is veroordeeld. In werkelijkheid heet ze Zuzana Dzurova. Ze heeft de naam Slánská aangenomen nadat ze had vernomen dat Pavel in de gevangenis was gestorven. Wat die merkloze geneesmiddelen betreft, wij hebben redenen om aan te nemen dat die als dekmantel fungeren voor een van de meest uitgebreide wapenoperaties in Europa.' De ondervrager pakte een rapport uit een van de kartonnen archiefdozen die hij voor zich had, verschoof met zijn nagel een paperclip en nam de derde pagina voor zich. Hij zette een leesbril zonder montuur op en begon voor te lezen: '...handelend in samenwerking met de heer Taletbek Rabbani in Londen, die beweert prothesen tegen kostprijs te verkopen aan derdewereldlanden...' De ondervrager keek op van het papier. 'Het zal u zeker niet zijn ontgaan dat zowel de prothesehandel van de heer Rabbani in Londen als de handel in merkloze medicamenten van Zuzana Slánská hier in Praag wordt gefinancierd door dezelfde man, ene Samat Oegor-Zjilov, die tot voor kort in een Joodse nederzetting op de Westelijke Jordaanoever woonde, na te zijn gevlucht voor de hoog opgelopen bendeoorlog in Moskou.'

Martin had spierpijn van zijn pogingen niet van de stoel te glijden. Het kostte hem moeite de ondervrager scherp te blijven zien. 'Zowel de heer Rabbani als Zuzana Slánská heeft Samat Oegor-Zjilov beschreven als een filantroop...'

Radek lachte kort. 'Een filantroop!'

De ondervrager keek bestraffend opzij naar Radek, alsof hij hem eraan wilde herinneren dat er een pikorde was; dat kuikentjes niet te vroeg moest kakelen. Hij hield het vel papier bij het licht en begon weer voor te lezen. 'Zowel de heer Rabbani als Zuzana Slánská handelt in een Frans apparaat dat de fout corrigeert die het Pentagon in de Verenigde Staten aanbrengt in het gps-satellietsysteem om ongewenste satellietlanceringen van derden te dwarsbomen... overtollige radarinstallaties uit Oekraïne... o ja, pantserwagens voor personeelsvervoer van een Bulgaars staatsbedrijf, Terem, verkocht aan Syrië voor uiteindelijke leverantie aan Irak... motoren en onderdelen voor Sovjettanks, de T-55 en T-72, uit diverse wapenfabrieken in Bulgarije... munitie, springstof, raketten, leerboeken over rakettechnologie uit Servië... straaljag003onderdelen en raketbrandstof van een vliegtuigfabriek in het oosten van Bosnië. En dan dit: de loods met prothesen in Londen en de verkoop van generieke geneesmiddelen in Praag worden gebruikt als dekmantel voor het doorsluizen van orders bij een munitiefabriek in Vitez en geleideraketsystemen die in een experimentele fabriek in Banja Luka worden vervaardigd... betaling van geleverde goederen vond plaats in contanten of diamanten.' De ondervrager sloeg met de nagel van zijn middelvinger tegen het vel papier. 'Ik kan wel doorgaan, maar dat heeft geen zin.'

In een van zijn personages – Martin kon zich niet herinneren welke – had hij op de Boerderij een cursus gevolgd die bedoeld was om uitgezonden agenten voor te bereiden op verhoor door de vijand. Een van de besproken verhoortechnieken was die waarbij de ondervrager flagrante leugens verzon om de ondervraagde van zijn stuk te brengen. Agenten die in deze lastige situatie verzeild raakten moesten zich houden aan de feiten waarvan ze wisten dat ze waar waren en niet ingaan op de verzinsels van de ondervrager.

Duizelig van vermoeidheid hoorde Martin zichzelf zeggen: 'Ik weet absoluut niets van wapenhandel.'

De ondervrager zette zijn bril af en masseerde met zijn duim en middelvinger het hoogste deel van zijn neus. 'Als dat zo is, wat bracht u dan naar de loods van de heer Rabbani in Londen en het station in Praag?'

Martin hunkerde ernaar zich op de metalen brits in zijn cel te kunnen uitstrekken. 'Ik probeer Samat Oegor-Zjilov op te sporen,' zei hij.

'Waarom?'

In onsamenhangende zinnen gaf Martin toe dat hij ooit voor de cia had gewerkt; dat het helemaal waar was dat hij in New York, Brooklyn freelance als detective was gaan werken nadat hij ontslag had genomen. Hij legde uit dat Samat in Israël bij zijn vrouw was weggelopen, waardoor ze in een religieus schemergebied terecht was komen; dat de zuster en de vader van de vrouw hem hadden ingeschakeld om Samat op te sporen en hem over te halen in een religieuze scheiding toe te stemmen, waarna zij een nieuw leven zou kunnen beginnen. 'Ik heb geen belangstelling voor de aanschaf van kunstbenen of merkloze geneesmiddelen. Ik volg alleen een spoor waarvan ik hoop dat het naar Samat zal leiden.'

Met een zuinig lachje was de ondervrager met Martin ter wille. 'En wat gaat u doen wanneer u hem hebt gevonden?'

'Dan neem ik Samat mee naar de dichtstbijzijnde synagoge om hem in aanwezigheid van een rabbijn van zijn vrouw te laten scheiden. Daarna ga ik terug naar Brooklyn om me de rest van mijn leven dood te vervelen.'

De ondervrager dacht na over Martins verhaal. 'Ik ben vertrouwd met de theorie in het inlichtingenwerk dat een goede dekmantel absurd moet zijn om geloofwaardig te zijn. Maar u gaat daar wel heel erg ver in.' Hij bladerde in de papieren op zijn bureau en pakte een ander rapport. 'Wij observeren al weken wie het Vyšehrad-station binnengaat of naar buiten komt. 'Wij hebben zelfs in het kantoor boven afluisterapparatuur geïnstalleerd. Ik heb hier de transcriptie van een heel recent gesprek. Misschien zal het u bekend voorkomen. Een man zegt: *ik moet iets bekennen. Ik ben hier niet om generieke geneesmiddelen te kopen. Ik ben hier om meer te weten te komen over Samats project met betrekking tot het ruilen van het gebeente van de Litouwse heilige voor joodse thorarollen.*' De ondervrager keek op van zijn papier om zijn gevangene recht in de ogen te zien. 'Merkwaardig dat u niets zegt over een scheiding bij een rabbijn. Het gebeente van een Litouwse heilige, joodse thorarollen: ik neem aan dat dat verhulde verwijzingen zijn naar wapensystemen uit Litouwen en Israël. Ik zal u dit zeggen: afgezien van het verbod op handel in wapens en wapensystemen intrigeert me het motief van mevrouw Slánská nog het meest. Ze deed het niet om het geld, meneer Odum. Ze is idealistisch ingesteld.'

'Bij mijn weten is idealisme geen misdaad, zelfs niet in de Tsjechische Republiek.'

'De Amerikaanse schrijver Mencken heeft een idealist eens gekenschetst als iemand die, na de waarneming dat een roos lekkerder ruikt dan een kool, concludeert dat een roos ook lekkerder is in de soep. Net als de idealist van Mencken is het idealisme van mevrouw Slánská nogal merkwaardig; ze blijft verstokt marxist en spant samen om de terugkeer van de communisten te bewerkstelligen. Ze wil de klok terugdraaien en ze zou haar aanzienlijke inkomsten uit de wapenhandel gebruiken om een splintergroep te ondersteunen die hier in de Tsjechische Republiek hoopt te bereiken wat de voormalige communisten in Polen en Roemenië voor elkaar hebben gekregen: de macht terugkrijgen door verkiezingen te winnen.'

Het viel Martin in dat hij zijn vermoeidheid misschien kon bestrijden op een manier waardoor het leek of alles om hem heen in slow motion gebeurde. Hij deed zijn ene oog dicht met het idee dat zijn ene hersenkwab zou kunnen slapen terwijl de andere kwab en het andere oog wakker zouden blijven. Even later verwisselde hij van oog en kwab en hoopte dat de ondervrager zijn geraffineerde plan niet zou doorgronden. Hij hoorde de stem van de ondervrager doorzeuren en kon met zijn ene oog onderscheiden dat de onscherpe gedaante opstond om voor hem half op het bureau te gaan zitten.

'U bent hier gekomen vanuit Londen, meneer Odum. De Britten van MI5 hebben vastgesteld dat u enkele dagen hebt doorgebracht in een pension naast een synagoge in Golders Green. De loods waar Taletbek Rabbani op de dag voor uw vertrek uit Londen is vermoord bevond zich op loopafstand van uw pension.'

'Als iedereen binnen loopafstand van die loods verdacht is,' slaagde de nog functionerende helft van Martins hoofd erin uit te brengen, 'heeft MI5 zijn handen vol.'

'Wij sluiten de mogelijkheid niet uit dat wij met u tot een vergelijk komen, meneer Odum. Ons voornaamste doel is belastend materiaal verzamelen tegen mevrouw Slánská; aantonen dat zij en Rabbani samenspanden met Samat Oegor-Zjilov in de wapenhandel; dat zowel de loods in Londen als het leegstaande station in Praag werd gefinancierd door dezelfde Samat Oegor-Zjilov, een bekende gangster uit Moskou die in verband wordt gebracht met de Oegor-Zjilov die bekendstaat als de Oligarch. Ons doel is verband te leggen tussen de communistische splintergroep en Zuzana Slánská om het hun definitief onmogelijk te maken... Meneer Odum, hoort u mij? Meneer Odum? Meneer Odum, wakker worden!'

Maar Martins beide hersenhelften waren ten prooi gevallen aan uitputting.

'Breng hem terug naar zijn cel.'

Ooit, verschillende incarnaties terug, had Dante Pippen maar ternauwernood een eindeloze busreis overleefd die hem had gebracht van een schuiladres van de CIA in een middenklassewijk in Islamabad (voor de verandering niet oubollig Deens ingericht, maar met moderne Pakistaanse kitsch) naar Pesjawar en de onherbergzame omgeving van de Khyberpas, waar hij bijna een jaar de belevenissen had opgetekend van strijders die Afghanistan in en uit gingen. De bustocht (Crystal Quest had gemeend dat een Ierse journalist die voor een persbureau werkte, Dantes personage in die tijd, zo zou reizen) was een nachtmerrie geworden. Op de houten bank achterin, ingeklemd tussen een moellah uit Kandahar in een smerige *shalwar kameez* en een gebaarde Kashmiri-strijder in een stinkende djellaba, was Dante er diep dankbaar voor geweest als de bus een keer stopte, soms zomaar ergens in het niets, andere keren in de straten naast open riolen in wat voor een dorp doorging, om de passagiers de gelegenheid te geven hun benen te strekken, schatten in welke richting Mekka lag en de koranverzen te prevelen die een moslim vijf keer per dag moet uitspreken. Nu hij onderuitgezakt op de zachte achterste bank zat in een dubbeldeksbus voor toeristen met airco, in een gezelschap goed geklede en, wat belangrijker was, frisgewassen Duitsers op de terugweg na een verblijf in het kuuroord Karlovy Vary, moest Martin Odum opeens aan Dantes Khybertocht denken en de herinnering deed hem glimlachen. Zoals altijd als hij zich iets uit Dantes verleden herinnerde, bedacht Martin dat hij zelf ook een verleden moest hebben, en daaruit putte hij een beetje hoop dat hij dat verleden ooit nog eens zou kunnen opdiepen. Hij bevoelde het Canadese paspoort in zijn binnenzak; ze naderden de Tsjechisch-Duitse grens. Dit paspoort, een van een aantal dat hij uit een safe had gestolen toen hij zijn kantoor leegruimde nadat hij bij de CIA was ontslagen, was op naam gesteld van een inwoner van Brits Columbia, Jozef Kafkor, een naam die Martin niet herkende maar gemakkelijk kon onthouden, omdat hij hem aan Franz Kafka deed denken en diens verhalen over gekwelde mensen die probeerden zich te redden in een nachtmerrieachtige wereld, wat min of meer was hoe Martin zichzelf zag. Gerustgesteld door de beweging van de bus en het brommen van de dieselmotor deed Martin zijn ogen dicht en beleefde dommelend de gebeurtenissen van de afgelopen twaalf uur opnieuw.

Hij hoorde Radeks fluisterende stem in zijn oor. *Toe, meneer Odum, wakker worden.*

Martin was met zorgvuldig in acht genomen tussenpozen naar de oppervlakte gekomen, als een diepzeeduiker die kalm aan doet om te voorkomen dat hij caissonziekte oploopt. Toen hij eindelijk de bijpassende spiergroepen had gevonden en zijn ogen had opengedaan, zag hij Radek, weer in rijbroek met Tiroler jasje, die bij zijn metalen brits in zijn cel hurkte. 'God nog aan toe, word toch wakker, meneer Odum.'

'Hoe lang heb ik geslapen?'

'Vier, viereneenhalf uur.'

Met stramme ledematen was Martin overeind gekomen en met zijn rug tegen het houten schot had hij gevraagd: 'Hoe laat is het?'

'Twintig voor zes.'

'Ochtend of avond?'

''s Ochtends vroeg. Kunt u begrijpen wat ik zeg? De bewakers op de kade en het personeel van de woonboot zijn naar huis gestuurd. Hooggeplaatste mensen willen dat u spoorloos verdwijnt.' Hij gaf Martin zijn schoenen terug, met de veters erin, en zijn riem. 'Nu aandoen. En mee.'

Radek voerde Martin de metalen trap op naar het dek. Uit een berghok in de midscheeps kreeg hij zijn Aquascutum en koffer terug, die Radek in het pension had opgehaald. Martin knipte de koffer open en betastte de witzijden sjaal die op de kleren lag. Hij bevoelde de binnenkant van het deksel.

'Uw valse papieren, uw dollars en uw Engelse ponden zijn waar u ze hebt verstopt, meneer Odum.'

Martin keek argwanend naar Radek. 'Je doet wel veel voor die luizige dertig kronen per uur.'

Even kregen Radeks ogen een gepijnigde uitdrukking. 'Ik ben niet wat ik lijk,' fluisterde hij. 'Ik ben niet degene waarvoor mijn chefs me aanzien. Ik ben als jongen niet in opstand gekomen tegen de communisten om zogenaamde staatskapitalisten te dienen die dezelfde methoden gebruiken.' Hij haalde de geladen Duitse Walther PI uit de zak van zijn Tiroler jasje en bood Martin het wapen met de kolf naar voren aan. 'Een gewaarschuwd man telt voor twee.'

Verbijsterd pakte Martin het wapen aan. 'En een gewapend man telt zeker voor twee.'

'Ik heb opdracht gekregen u om kwart voor zeven in vrijheid te stellen. Ik vermoed dat uw lijk drijvend in de Vltava zou zijn aangetroffen. Uw koffer vol Amerikaanse dollars en Britse ponden en valse papieren zou op de steiger worden gevonden. De autoriteiten zouden hebben aangenomen dat een verdachte Amerikaan, betrokken bij de illegale handel in wapens en wapensystemen, door internationale gangsters was vermoord. Er zou een kort berichtje over zijn verschenen in de plaatselijke kranten. De Amerikaanse ambassade zou zich er verder niet mee bezighouden; de bureauchef van de CIA zou kunnen laten doorschemeren dat het landsbelang ermee gediend zou zijn als ze niet te diep gingen graven. Terwijl de inkt van de verschillende rapporten nog nat was, zou de zaak worden gesloten.'

'Kwart voor zeven... dan heb ik nog geen uur,' merkte Martin op.

'Mijn auto, een grijze Škoda, staat vijftig meter verderop op de kade. De benzinetank is vol, de sleuteltjes zitten erin. Rijd over de kade naar de eerste oprit naar de straat, dan bij de eerste brug de rivier over. Volg naar het zuiden de borden Česke Bujedovice en daarna Oostenrijk. Als u bij de grens wordt tegengehouden, gebruikt u een van uw valse passen. Als het niet te druk is op de weg, bent u er in twee uur.'

'Als ik vlucht, wil ik Zuzana Slánská meenemen.'

'Zij is niet in levensgevaar. U wel. Als het bewijs sterk genoeg is, riskeert ze gevangenisstraf.'

Martin maakte zich ook zorgen over Radek. 'Hoe leg je uit dat je je pistool bent kwijtgeraakt?'

'Ik wil graag dat u hard boven mijn oor slaat, zodat er bloed komt. Wanneer ze me vinden, kan ik net bij kennis komen. Ik zeg dan: u hebt me geslagen. Overtuigend is het niet; ik word vast verlaagd in rang, misschien word ik ontslagen. Maakt niet uit. Ik pleeg verzet, daarom besta ik.'

De mannen drukten elkaar de hand. 'Ik hoop je nog eens tegen te komen,' zei Martin.

Radek lachte schaapachtig. 'Nog een waarschuwing, mister: volgende keer ben ik niet meer zo dom dat ik een luizige Amerikaanse dollar per uur reken.'

Radek zette zijn tanden op elkaar, kneep zijn ogen dicht en hield zijn hoofd scheef. Martin hield zich niet in; hij wist dat Radek zich er eerder uit zou kunnen praten als hij echt gewond was geraakt. Hij greep het wapen bij de loop, klemde zijn kaken op elkaar en dwong zich de man een flinke mep tegen zijn hoofd te geven. Bloedend zakte Radek in elkaar.

'Bedankt,' kreunde hij.

'Het was me echt geen genoegen,' merkte Martin op.

Hij pakte zijn bezittingen en liep over de loopplank naar de kade, waar niemand te zien was. Radeks Škoda stond in de schaduwen links geparkeerd. Hij deed het portier open en liet zijn bagage op de achterbank vallen. Toen hij het sleuteltje omdraaide, startte de motor meteen. Hij keek naar de benzinemeter; de tank was vol, zoals Radek had beloofd. Hij schakelde en reed de kade af. Na ongeveer een halve kilometer viel het licht van zijn koplampen op de oprit naar de straat. Opeens ging Martins voet naar de rem. Terwijl zijn hart in zijn keel klopte bleef hij een ogenblik zitten. Een oud instinct had een alarm doen afgaan in dat deel van zijn hersenen waar zijn gespecialiseerde vakkennis lag opgeslagen. Hij haalde het Duitse pistool uit zijn zak, trok er de patroonhouder uit, liet het eerste 9mm-parabellum-patroon op zijn hand vallen en schatte het gewicht.

Geschrokken hield hij zijn adem in. Het patroon leek normaal. Maar het was te licht!

In tegenstelling tot wat de ondervrager had beweerd, was Martin nog even scherp als altijd.

Het controleren van de patronen uit een wapen was een trucje dat Dante Pippen had geleerd tijdens zijn korte verblijf bij een maffiafamilie op Sicilië. Als je iemand een handwapen gaf, of ergens een wapen achterliet waar het zeker zou worden gevonden, was er altijd het risico dat het tegen je zou worden gebruikt. Op Sicilië was het een sport om wapens achter te laten die met neppatronen waren geladen; de patronen leken echt te zijn (en klonken echt, als je de trekker overhaalde). Maar de nepkogels waren lichter dan echte kogels en iemand met ervaring kon het verschil voelen.

Radek had een valstrik voor hem gespannen.

Martin herinnerde zich de gekwelde uitdrukking in de ogen van de jongeman; hij hoorde zijn vertrouwenwekkende stem de uitspraak doen: *ik ben niet wat ik lijk.*

Wie van ons is wel wat hij lijkt?

Martin dacht erover terug te gaan om Zuzana Slánská te bevrijden. Maar dat idee liet hij snel varen; als hij terugging naar de woonboot om haar te halen, zouden ze weten dat hij hun bedoeling had doorgrond. Dan zouden ze hun toevlucht nemen tot plan b, dat hoogstwaarschijnlijk minder subtiel was, maar direct gevolg zou hebben.

Martin kon zich het scenario van plan a wel indenken: de gevangene, voorzien van allerlei valse papieren en aangehouden in gezelschap van iemand die van wapenhandel werd verdacht, over meestert zijn bewaker, pikt diens wapen in en ontvlucht de plaats waar hij wordt vastgehouden richting Oostenrijk. Ergens onderweg of misschien bij de grens wordt hij aangehouden om zijn papieren te laten zien. In tegenwoordigheid van getuigen trekt hij het vuurwapen en probeert schietend te ontsnappen; daarbij wordt hij door politiemensen in uniform doodgeschoten. Duidelijk geval van zelfverdediging. Komt tegenwoordig zo vaak voor in de voormalige buitengewesten van de Sovjet-Unie.

Nu Martin wist dat Radek hem in de val had willen laten lopen, wilde hij de Škoda niet langer gebruiken, maar als hij hem ergens in een zijstraatje neerzette, waar hij pas na uren of dagen zou worden opgemerkt, zouden de autoriteiten misschien kostbare tijd verdoen met uitkijken naar Radeks auto op de wegen naar het zuiden. Nadat hij de auto had geparkeerd (het wapen zou hij in de rivier gooien, maar de neppatronen op de voorbank laten liggen om Radek te pesten) was de snelste manier om het land te verlaten de beste. De hele dag door reden er treinen naar Karlovy Vary, het kuuroord in de noordwesthoek van het land op een steenworp van de Duitse grens. Uit Karlovy Vary reden elke middag talloze touringcars terug naar Duitsland; zelfs tijdens het communistische regime was het mogelijk geweest een buschauffeur om te kopen om je over de grens te brengen. Als er aan de grens werd gecontroleerd, kon hij het Canadese paspoort gebruiken dat hij in de rafelige voering van de Aquascutum had verstopt. Hij bevoelde de voering en merkte dat er een goede kans was dat Radek die pas niet had ontdekt.

De blikkerige stem van de chauffeur uit de speakertjes in het plafond van de touringcar wekte Martin uit zijn gepeins. *'Bereitet Eure Pässe, wir werden bald an der Grenze sein.'* Verderop zag hij al de lage gebouwtjes met platte daken van grenswisselkantoren en toiletten, en daarachter de douaniers in bruine uniform met baret. Er stond een touringcar voor de hunne en achter hun bus stonden er nog eens drie, wat voor Martin een meevaller was; hij wist dat de douane bij drukte vaak minder scherp controleerde. Toen zijn bus aan de beurt was, kwam een gejaagd uitziende jonge douanier binnen, die bij het lopen over het gangpad meer naar de gezichten dan de opengeslagen passen keek; het ging hem waarschijnlijk om Arabieren of Afghanen. Op zijn bank hield Martin de jonge douanier zijn opengeslagen paspoort met een uitnodigende glimlach voor, maar de man had nauwelijks aandacht voor zijn pas of zijn gezicht. Toen de bus doorreed en langzaam de rode streep passeerde die over de weg was getrokken, lieten de Duitse passagiers, uit opluchting over hun terugkeer in de beschaving, een schor gejuich horen.

Martin deed er niet aan mee. Hij vroeg zich af of hij Zuzana Slánská wel in de klauwen van de doortrapte Radek had moeten achterlaten. Hij stelde zich voor hoe het gewicht van de staat haar breekbare lichaam zou verpletteren.

Op de voorplecht had Radek de rode achterlichten kleiner zien worden toen de Škoda over de kade naar de oprit reed. Toen de lichten opgloeiden omdat er werd geremd en de auto tot stilstand kwam, had de ondervrager, die naast hem had gestaan met een kijker voor zijn ogen, een kribbig gebrom laten horen. Even later, toen de auto doorreed naar de oprit en op de straat boven de kade verdween, drukten de mannen elkaar de hand om hun plan te bezegelen. De ondervrager schoof zijn mouw op om op zijn horloge te kijken. 'Ik zal onze mensen waarschuwen dat de Amerikaan onderweg is naar het zuiden,' zei hij. 'De Oligarch heeft het ministerie per telegram instructies gestuurd: hij wil dat het spoor naar Samat eindigt bij Zuzana Slánská.'

Radek, die zijn zakdoek tegen zijn hoofd drukte om het bloeden te stelpen, haalde zijn kleine zaklantaarn tevoorschijn om te seinen in de richting van de groene afvalbak op de kade. Even later verschenen de potige mannen die Martin van en naar zijn cel hadden gebracht op de loopplank. Radek ging hen voor naar de kleine cel in het achterschip. Met grote ogen van angst zat Zuzana Slánská in kleermakerszit op haar metalen brits, met de deken stijf om zich heen getrokken, hoewel het warm en benauwd was in het hokje. 'Is het nu alweer tijd voor verhoor?' vroeg ze, spelend met haar davidster terwijl ze haar benen strekte en opstond. In plaats van haar naar de deur te leiden, gingen de bewakers aan weerskanten van de vrouw staan en grepen haar bij haar bovenarmen vast. Zuzana's ogen werden groot toen Radek naar haar toe kwam en haar blouse lostrok, zodat haar buik zichtbaar werd. Toen ze de injectiespuit in zijn hand zag, probeerde ze zich los te rukken, maar de mannen verstevigden alleen hun greep. In doodsangst begon Zuzana geluidloos te huilen terwijl Radek de naald in het zachte vlees bij de navel prikte en de spuit leegdrukte. Het verdovingsmiddel had snel effect: Zuzana's oogleden zakten over haar ogen en haar kin zakte op haar borst. Terwijl de mannen haar ondersteunden haalde Radek een zakmesje tevoorschijn en begon de deken aan repen te snijden. Van aan elkaar gebonden repen vlocht hij een touw. Daarna versleepte hij de metalen brits naar het midden van de cel onder de lamp en ging op het bed staan om het ene uiteinde van het geïmproviseerde touw aan de elektriciteitsleiding boven de lamp vast te maken. Hij trok eraan om te controleren of het goed vastzat. De mannen legden Zuzana's slappe lichaam onder de lamp op de brits en hielden haar bovenlichaam recht terwijl Radek een strop knoopte en om de hals van de vrouw legde. Daarna sprong hij van de brits en schopte hem omver en de drie mannen gingen achteruit om naar Zuzana's lichaam te kijken, dat traag aan de strop begon te draaien. Het duurde Radek te lang en hij gebaarde met zijn vinger. Een van de mannen greep de vrouw bij de heupen vast en voegde zijn gewicht toe aan het hare om de executie te versnellen. Radek maakte een meewarig geluidje en schudde zijn hoofd. 'Het is natuurlijk niet de verantwoordelijkheid van de staat als je zelfmoord wilt plegen,' zei hij tegen de vrouw die midden in de cel zichzelf wurgde.

Crystal Quests gezicht betrok terwijl ze haar leesbrilletje opzette om het gedecodeerde 'zeer geheime' actiebericht uit Praag te ontcijferen dat haar stafchef op het vloeiblad had neergelegd. De twee ondergeschikten die haar hadden ingelicht over de massagraven die onlangs in Bosnië waren ontdekt keken elkaar even aan; ze kenden de wisselende stemmingen van de adjunct-directeur Operatiën goed genoeg om te zien dat er storm op til was. Quest keek langzaam op van het rapport. Bij wijze van uitzondering scheen ze niet te weten wat ze moest zeggen.

'Wanneer is dit binnengekomen?' vroeg ze.

'Tien minuten geleden,' antwoordde de stafchef. 'Vanwege uw bijzondere belangstelling ben ik het zelf even komen brengen.'

'Waar is de Škoda gevonden?'

'In zo'n smalle straat met kinderhoofdjes aan de kant van de rivier waar het Hradčany-kasteel staat.'

'Wanneer?'

'Twaalf uur geleden, anderhalve dag nadat de Tsjechen hem hadden zien wegrijden.'

De ondergeschikten grepen hun armleuningen steviger vast om zich schrap te zetten tegen de storm. Tot hun stomme verbazing verscheen er een wrang lachje om Quests vuurrode lippen.

'Wat is het toch een uitgekookte schoft,' zei ze hees. 'Waar zijn de kogels gevonden?'

De stafchef glimlachte ook. 'Op de voorbank van de auto,' zei hij. 'Zes 9mm-parabellums, keurig op een rijtje. Het wapen zelf is niet gevonden.'

Quest sloeg met haar vlakke hand op het rapport. In de oren van de wachtende ondergeschikten klonk het als applaus. 'Natuurlijk is het wapen niet gevonden. Dat ligt allang op de bodem van de rivier. Ja, hij is echt goed.'

'Dat mag ook wel,' zei de stafchef. 'U hebt hem zelf opgeleid.'

Quest knikte enkele malen vergenoegd. 'Dat kun je wel zeggen, ja. Ik heb hem zelf opgeleid, opgelapt toen hij beschadigd was geraakt en hem opnieuw uitgezonden. Een paar personages terug, toen we Martin als Dante Pippen inzetten, herinner ik me dat hij terugkwam van een verblijf bij die Siciliaanse maffiafamilie die Sidewinders wilde verkopen aan de fanatici van Sinn Féin in Ierland. We hebben ons bescheurd toen hij vertelde dat de Sicilianen pistolen neerlegden waar iedereen ze kon vinden om ermee schieten. De clou was dat er nepmunitie in zat, die lichter was dan echte patronen als je de moeite nam ze op de hand te wegen. Dante...' Quest begon te giechelen en moest op adem komen. 'Dante vond dat we hier in Langley ook overal pistolen met nepmunitie moesten neerleggen. Hij zei het maar half voor de grap. Hij zei dat het een snelle methode zou zijn om de uitgekookte agenten van de onnozele halzen te scheiden.'

'Misschien vinden ze hem nog als hij in Praag is ondergedoken,' merkte de stafchef op.

'Dante is niet in de Tsjechische Republiek,' zei Quest effen. 'Hij weet wel vijf of tien manieren om de grens over te komen, die stelt niets voor.'

'We vinden hem terug,' beloofde de stafchef.

Maar Quest, die nog altijd voldaan knikte, volgde een andere redenering. 'Ik ben echt gek op hem. Het is godverdomme toch zó jammer dat we hem uit de weg moeten ruimen.'

'Er moet me iets van het hart,' zei Stella ernstig. 'Ik heb nog nooit een erotische relatie over de telefoon gehad.'

'Ik wist niet dat onze gesprekken erotisch waren.'

'Dat zijn ze zeker. Het feit dat je belt is erotisch. Het geluid van je stem die god weet waar vandaan komt is erotisch. De stiltes waarin we geen van beiden goed weten wat we moeten zeggen, zonder dat een van beiden een einde aan het gesprek wil maken, zijn eindeloos erotisch.'

Ze luisterden allebei naar de holle stilte. 'Het staat niet vast dat we ooit een verhouding zullen krijgen,' zei Martin ten slotte. 'Maar als dat gebeurt, moeten we elke keer de liefde bedrijven alsof het de laatste keer kan zijn.'

Zijn opmerking benam haar de adem. Na een ogenblik zei ze: 'Als we de liefde zouden bedrijven, heb ik het gevoel dat de tijd stil zou staan, dat de dood zou ophouden te bestaan, dat God overbodig zou worden.' Ze wachtte erop dat Martin iets terug zou zeggen. Toen dat niet gebeurde, vervolgde ze: 'Ik vind het zo erg dat we maar zo kort bij elkaar zijn geweest; we moeten nog zoveel tijd inhalen.'

'Hm.'

'Wil je dat vertalen?'

'De tijd laat zich niet inhalen,' zei Martin. 'Je kunt hoogstens dingen vergeten.'

Hij luisterde naar haar ademhaling, zesduizend kilometer verderop. 'Houd er rekening mee,' zei hij, 'dat we zo intiem kunnen praten door de grote afstand tussen ons – omdat de telefoon een bepaalde bescherming biedt. Houd er rekening mee dat de intimiteit spoorloos verdwenen kan zijn zodra we bij elkaar zijn.'

'Nee. Nee. Ik denk niet dat dat zal gebeuren. Luister: voordat Kastner en ik in Amerika kwamen, was ik verliefd op een Russische jongen, dat dacht ik althans. Nu ik erop terugkijk was het aangenaam fysiek, zoals eerste liefdes vaak zijn, maar niet erotisch. Daar zit een universum tussen. Mijn Russische vriendje en ik praatten voortdurend met elkaar, als we niet in een klein kamertje op een smal bed aan het vrij worstelen waren. Nu ik erover nadenk, herinner ik me eindeloze woordenstromen zonder tussenruimte. Ik herinner me gesprekken zonder stiltes. Je weet dat je door het splitsen van een atoom energie kunt opwekken. Hetzelfde kun je met woor-

den doen. Woorden bevatten energie. Je kunt ze splitsen en de vrij-
komende energie inzetten voor je liefdesleven. Ben je er nog, Martin? Hoe interpreteer je mijn verhouding met die Russische jongen?'

'Het betekent dat je er niet klaar voor was. Het betekent dat je
er nu wel aan toe bent.'

'Waar ben ik aan toe?'

'Aan naakte waarheden, in tegenstelling tot stukjes waarheid.'

'Grappig dat je dat zegt. Ken je *Leven en lot* van Vassili Grossman? Een geweldige Russische roman, een van de grootste, van het
niveau van *Oorlog en vrede*. Daarin schrijft Grossman ergens dat je
niet kunt leven met stukjes waarheid; een stukje waarheid is helemaal geen waarheid, volgens hem.'

'Ik heb me met stukjes van de waarheid moeten zien te redden,'
zei Martin. 'Misschien is dat waardoor ik blijf proberen Samat te
vinden. Misschien is ergens in Samats verhaal een naakte waarheid
te vinden.'

'Hoe kom je daarbij?'

'Weet ik niet goed.' Hij lachte zachtjes. 'Intuïtie. Instinct. Tegen
beter weten in hopen dat Humpty Dumpty toch weer een gaaf geheel kan worden.'

1997: MARTIN ODUM WORDT BESCHULDIGD VAN HOOGVERRAAD ÉN LAAG VERRAAD

'Wilt u recht vooruit kijken, daar liggen de bodems,' schreeuwde Almagoel boven het geraas uit van de oude buitenboordmotor van Sovjetmakelij die haar acht meter lange vlet aandreef over het Aralmeer in de richting van het eiland Vozrozjdenije. 'Tien jaar geleden was hier een baai met de haven voor Kantoebek aan het begin. De schepen die u ziet, zijn hier gestrand toen de rivieren die uitmondden in het Aralmeer werden omgeleid en de waterspiegel daalde.'

Martin hield zijn hand boven zijn ogen en tuurde in het verblindende zonlicht. Hij zag een tanker, een sleepboot, een torpedoboot uit het Sovjettijdperk, acht schepen in totaal, half verzonken in het zilte overblijfsel van wat een baai was geweest. 'Ik zie ze,' zei hij tegen het meisje.

'U moet nu handschoenen aan,' riep ze en ze nam even haar hand van de helmstok om hem te laten zien dat ze de hare al had aangetrokken over de mouwen van haar rafelige vissersstrui met een knoopsluiting boven de ene schouder. Martin trok de gele latex keukenhandschoenen tot over zijn hemdsmouwen en deed dik elastiek om zijn polsen. Hij knoopte Dantes witzijden doek die hem geluk moest brengen om zijn hals en schoof zijn broekspijpen in de lange voetbalkousen die hij de avond tevoren van het meisje had gekregen toen ze de Amoe Darja achter zich lieten, een van de twee rivieren die nog uitstroomden in het Aralmeer. Toen de vlet dichter bij het zoute strand kwam, ging een troep witte flamingo's, opgeschrikt door het lawaai van de motor, op de wieken. Martin zag de eerste gebouwen van Kantoebek, een verlaten spookstad, slechts bevolkt door jutters van het vasteland die waren gaan halen wat er nog over was van het ooit zo ruimhartig aangelegde Sovjetcomplex voor onderzoek van biologische wapens. Almagoel, een jongensachtig meisje dat beweerde zestien te zijn, al leek ze een jaar of twee jonger, was hier al vaak geweest. Samen met haar vader en tweelingzuster, tot hun dood, nu twee jaar geleden, aan een geheimzinnige ziekte: koorts, gezwollen lymfeklieren en slijm dat uit hun neus vloeide. (Toen haar zus nog leefde, had Almagoel Irina geheten, maar overeenkomstig de plaatselijke gewoonte had ze de naam van haar gestorven zusje aangenomen om de herinnering levend te houden.) Op het eiland hadden de vader en zijn twee dochters lood en aluminium ingezameld, verzinkte stalen waterleidingbuizen en koperdraad en kachels en gootstenen en kranen en, toen er niets anders meer te vinden was, houten vloerplanken uit de huizen, allemaal om te verkopen op het vasteland aan mannen die de buit op opleggers over de stoffige vlakte afvoerden naar Noekoes of de stad Aral in de Kirgizische steppe. Na de dood van haar vader en zuster was Almagoel nog niet weer terug geweest, maar bij zijn aankomst met de Jak-40 stoptrein uit Tasjkent had Martin te horen gekregen dat zij de enige in Noekoes was met een vlet en een werkende buitenboordmotor die het eiland kende. Hij had haar gevonden in een hut aan de rivier en had haar een aanbod gedaan dat ze niet kon weigeren; hij had het verdubbeld toen hij ontdekte dat ze Engelse les had op het gymnasium en ook voor hem kon vertalen. Ze waren de Amoe Darja op gegaan met een reservevoorraad benzine en een rieten mand met yoghurt van kamelenmelk, geitenkaas en watermeloen.

'Daar ligt Kantoebek,' schreeuwde het meisje, en de vlet boog af in de richting van een duin aan de voet van de stad, waar ze de boot op de zandige bodem liet vastlopen. Martin liep naar voren, sprong in het ondiepe water en trok de vlet de laatste halve meter het strand op. Kennelijk geëmotioneerd door haar eerste bezoek aan het eiland sinds de dood van haar vader voegde Almagoel zich bij hem en bleef met haar gehandschoende handen op haar heupen zorgelijk om zich heen staan kijken. De pijpen van haar *djeans* van Sovjetmakelij, opgehouden met een touw door de lussen, had ze in haar rubber visserslaarzen gepropt die ze met stukken elastiek onder haar knieën had dichtgebonden. Ze schopte tegen kapotte reageerbuisjes en half uit het zand stekende petrischaaltjes en wees naar de stapels rommel bij het kronkelpad dat leidde naar tientallen houten huizen in verschillende stadia van verval. Martin zag bergen roestige dierenkooien in allerlei vormen en formaten, rottend hout, talloze kapotte kratten. Hij keek even naar de hemel om de stand van de zon te schatten. 'Ik ga de stad verkennen,' zei hij tegen het meisje. 'Als alles goed gaat, ben ik halverwege de middag terug.'

'Ik kan niet blijven na zonsondergang,' liet Almagoel hem weten. 'Mijn vader had een ijzeren wet: nooit overnachten op het eiland. Overdag kun je knaagdieren nog zien, misschien zelfs vlooien. Maar in het donker...'

Terwijl ze de vorige avond de Amoe Darja afvoeren, op halve kracht om de vissers die vanaf de oevers visten met lichtbakken en granaten niet te ergeren, had Almagoel uitgelegd welke gevaren bezoekers aan Vozrozjdenije wachtten. Uit angst dat Amerikaanse inspectieteams het eiland zouden bezoeken, in het kader van het verdrag uit 1972 waarin biologische wapens waren verboden, hadden de Sovjets in 1988 tientallen tonnen ziekteverwekkend materiaal in haastig gegraven kuilen gestort. Ook hadden ze in ondiepe greppels duizenden kadavers begraven van apen, paarden, cavia's, konijnen, ratten en muizen die waren gebruikt om de dodelijkheid van de bacteriële ziektedragers te testen. Toen de Sovjet-Unie in het begin van de jaren negentig instortte, hadden Oezbekistan en Kazachstan het gezag over het eiland overgenomen, maar nagelaten iets te doen aan de kadavers van de proefdieren, die een bron van infecties waren geworden voor de knaagdierpopulatie op het eiland. De meeste knaagdieren bleken inmiddels resistent te zijn tegen miltvuur, kwade droes, tularemie, brucellose, pest, tyfus, rickettsia, botulisme of Venezolaanse hersenvliesontsteking bij paarden, maar droegen de ziekten wel over op vlooien, die de aandoeningen weer op andere knaagdieren overdroegen. Het betekende dat een enkele beet van een vlo op het eiland een mens fataal kon worden. De risico's waren reëel. In de twee jaar sinds de dood van haar vader had Almagoel gehoord van veertien mannen in Noekoes die niet waren teruggekomen van hun plundertocht naar het eiland Vozrozjdenije; de plaatselijke autoriteiten rond het steeds kleiner wordende Aralmeer hadden aangenomen dat de vermiste mannen door vlooien waren gebeten en in de duinen op het eiland aan pest of een andere ziekte waren bezweken, waarna hun botten door de flamingo's waren kaal gepikt.

Almagoel had laten doorschemeren dat er in de spookstad op het eiland meer te vinden was dan door vlooien verspreide ziekten. Toen Martin aandrong, had ze gezegd dat zich in de ruïnes van Kantoebek een handjevol rovers onder leiding van een roverhoofdman had gevestigd. *Heeft die roverhoofdman een naam?* had Martin gevraagd. *Mijn vader, die elke avond voor het slapen gaan in de bijbel las, noemde de hoofdman Azazel naar de boze geest in de wildernis naar wie op Grote Verzoendag een zondebok wordt gestuurd,* had het meisje gezegd. *Anderen in Noekoes zeggen dat hij een Deense prins is die Hamlet Achba heet. Die Hamlet en zijn bende eisen een kwart van de waarde op van alles wat iemand van het eiland wil meenemen.* Almagoel dacht niet dat de hoofdman bezwaar zou hebben tegen het bezoek van een journalist die voor een Canadees tijdschrift een artikel wilde schrijven over een voormalig geheim Sovjetcomplex waar proeven met biologische wapens waren genomen, of tegen het meisje dat hem heen en weer bracht om genoeg te verdienen om de winter door te komen.

Zijn pijnlijke been zo veel mogelijk ontziend ging Martin het slingerende pad door de duinen in. Boven draaide hij zich om en wilde zwaaien naar Almagoel, maar zij was op een krat gaan zitten om naar de terugkeer van de flamingo's met hun karakteristieke gebogen snavels te kijken, en merkte hem niet op. Hij kwam uit op de hoofdweg naar de spookstad, die bestond uit betonnen platen. Even buiten de stad zag hij een basketbalveld dat als helihaven kon worden gebruikt; er was een grote witte cirkel op het beton geschilderd en het oppervlak zag zwart van de uitlaatgassen. Verderop kwam hij langs een enorme hangar voor het wagenpark van Kantoebek. De meeste golfijzerplaten van de dakbedekking waren weggehaald, maar er stond nog het een en ander aan voertuigen, half onder het zand: gestripte groene vrachtwagens, twee T-52 tanks zonder rupsbanden, twee pantserwagens voor personeelsvervoer die op hun assen rustten, een verbleekte oranje bus die op een brug was gezet voor een onderhoudsbeurt die niet was doorgegaan, een brandweerwagen die rood was geweest en nu geen motor meer had onder de openstaande motorkap, roestige wrakken van een handjevol tractoren met verbleekte Sovjetslogans op de zijkant. Verderop in de stad zag Martin een enorm gebouw waar nog een rafelige hamer-en-sikkelvlag wapperde boven de dubbele deuren van de entree naar een rijkversierde hal. Een gigantisch mozaïek dat het gewicht van de staat uitbeeldde, in de vorm van tankformaties, vliegtuigeskaders en marineschepen, nam een hele blinde zijmuur in beslag. Borden met door de zon verbleekte cyrillische opschriften hingen aan lantaarnpalen. Op de kruisingen woei de wind stof en zand op dat om Martins voeten wervelde.

En toen gingen zijn nekharen recht overeind staan: hij voelde de ogen die in zijn rug brandden voordat hij de rovers zag die van achter gebouwen op de kruising tevoorschijn schuifelden. Het waren er vijf, allemaal met canvas beenkappen en tot aan de ellebogen doorlopende canvas handschoenen, en de hoofdkappen met glazen kijkvensters die Oezbeekse katoenboeren gebruikten als het gewas werd bespoten. Elk van de mannen droeg een kozakkenkromzwaard aan zijn riem en een ouderwets grendelgeweer over de gebogen arm, met een condoom over de loop tegen zand en vocht. Martins vingers gingen automatisch naar zijn rug, naar de plaats waar hij zijn pistool zou hebben gehad als hij dat had meegenomen.

Een van de rovers gebaarde dat Martin zijn handen omhoog moest steken. Een ander kwam naar hem toe om hem op wapens te fouilleren. Martins polsen werden voor zijn lichaam met een riem geboeid en hij werd als een hond meegetrokken in een zijstraat. Toen hij struikelde, voelde hij een harde por met een geweerloop tussen zijn schouderbladen. Twee straten verder werd een deur opengeduwd en Martin moest naar binnen, een gang in waar nog maar de helft van de witmarmeren vloertegels op zijn plaats lag. Hij en de anderen liepen door een ondiepe trog met een vloeistof die naar ontsmettingsmiddel rook en gingen onder een douchekop staan waaruit hij en zijn bewakers met een fijn verneveld ontsmettingsmiddel werden besproeid. Hij hoorde andere rovers in een vreemde taal die hij niet herkende met de vijf mannen praten die hem hadden meegenomen. Een dubbele deur werd opengerukt en Martin kwam terecht in een zaaltje waar de meeste klapstoelen losgeschroefd waren en tegen de muur gestapeld. Acht mannen in witte laboratoriumjassen met latex handschoenen zaten op de weinige nog niet gedemonteerde stoelen. Vanaf een soort houten troon met een hoge rugleuning, voor een achterdoek van een oude socialistische operette, overzag de roverhoofdman onderuitgezakt het geheel. Hij was een dwerg, zo klein dat zijn voeten de vloer niet raakten, en hij droeg een mouwloos grijs gewaad van ruwe stof, waarvan de zoom halverwege zijn glimmend gepoetste parachutistenlaarzen viel, die op een omgekeerde munitiekist rustten. Zijn blote armen waren zo gespierd als die van een gewichtheffer. Hij droeg een schouderholster over zijn gewaad, waaruit de stalen kolf van een zware geblauwde revolver stak. Door zijn ouderwetse motorbril kreeg zijn hoofd iets van een insectenkop. Hij had een stijve admiraalssteek uit de tsarentijd op zijn hoofd, dat disproportioneel groot was. Hij sprak enkele minuten met een zachte bromstem tegen een van de mannen in overals die achter hem stonden en tilde toen zijn hoofd op om Martin recht aan te kijken. Hij hief zijn korte, gespierde arm om hem te wenken en blafte, met een meisjesachtig hoog opgeschroefde stem, iets in de vreemde taal van de rovers.

Martin wist niet wat hij moest zeggen en mompelde maar wat.

Achter in de zaal klonk de stem van een meisje dat zijn betoog vertaalde. 'Hij wil weten wat u voor reden hebt om naar Kantoebek te komen.'

Martin keek even achterom. Almagoel stond in de zaal, tussen twee gewapende rovers in. Ze lachte nerveus naar hem terwijl hij zich weer omdraaide naar de hoofdman en hem begroette. 'Leg hem uit,' riep hij over zijn schouder, 'dat ik journalist ben en uit Canada kom.' Hij trok een gelamineerd pasje waarop stond dat hij voor de pers werkte en zwaaide ermee. 'Ik schrijf een artikel over de filantroop Samat Oegor-Zjilov, die vanuit Praag naar Vozrozjdenije zou zijn gekomen.'

Toen Almagoel Martins antwoord had vertaald, onblootte de hoofdman ongelovig zijn tanden. Hij snauwde iets met zijn hoge stem naar de mannen achter de troon, die grinnikten. De hoofdman schopte de munitiekist weg zodat zijn voeten in de lucht dansten terwijl hij tierde tegen het meisje achter in de zaal. Toen hij buiten adem was, zakte hij weer onderuit op zijn troon. Almagoel kwam achter Martin staan. 'Hij zegt,' zei ze met een zachte, angstige stem, 'dat Samat Oegor-Zjilov de gouverneur van dit eiland is en de directeur van Kantoebeks experimentele wapenprogramma's.'

De gedempte stemmen die een onbegrijpelijke taal spraken, waren in Martins droom doorgedrongen; hij meende dat hij Lincoln Dittmann was in het Driegrenzengebied en luisterde naar de Saoedi Osama bin Laden (zoals later was gebleken) in overleg met de Egyptenaar Daoed. Toen hij ten slotte besefte dat de mannen geen Arabisch spraken, dwong hij zichzelf wakker te worden en ging rechtop zitten. Zijn ogen moesten even wennen aan het zwakke schijnsel van de lampen die aan de stenen muren van het ondergrondse gewelf bevestigd waren. Hij stak zijn hand uit, voelde tralies en herinnerde zich dat de bewakers hem in een lage kooi hadden geduwd, van het soort dat in laboratoria als behuizing voor apen werd gebruikt. Hij zag dat Almagoel met opgetrokken knieën in de kooi naast de zijne lag. Daarachter waren nog veel meer kooien, zoveel dat hij ze niet kon tellen. In acht ervan lagen gevangenen op de vloer te slapen, of zaten met hun rug tegen de spijlen te dommelen met hun baardige kin op hun borst.

Bij de stenen trap stonden drie mannen in witte labjassen om een hoge roestvrijstalen tafel te praten. Martin kon hun stemmen horen. Geleidelijk aan kwam achter zijn ogen migraine opzetten en hij voelde dat hij in een ander personage werd gezogen – een personage waarin de taal die de mannen spraken vaag vertrouwd leek; tot zijn verbazing kon hij gedeelten verstaan.

…heel stabiel, zelfs in zonlicht.

…het voordeel van miltvuur boven pest. Pestvoorraden worden onbruikbaar door de inwerking van zonlicht.

…beter op miltvuur concentreren.

…vind ik ook… vooral longmiltvuur is dodelijk.

…rickettsia blijft in zand maandenlang goed.

…waar denk je aan?…New York bombarderen met zand en Amerika dan aanvallen met rickettsia?

…vind nog steeds dat we er geen goed aan doen ons te concentreren op bacteriële wapens, die in het algemeen moeilijk stabiel te krijgen zijn en lastig in te zetten.

Natuurlijk! De mannen spraken Russisch, een taal waarin Martin college had gevolgd, al leek dat in een eerdere incarnatie te zijn geweest. Hij herinnerde zich dat de psychiater in het ziekenhuis van de Firma hem had verteld over een patiënt wiens ene alter een taal sprak die de andere persoonlijkheden niet konden verstaan. Het was een mooi voorbeeld, had ze gezegd, van hoe personages in het brein van elkaar gescheiden kunnen zijn.

…toch niet weer pleiten voor zenuwgassen in plaats van bacteriële wapens? Die knoop heeft Samat maanden geleden al doorgehakt.

…Samat zei dat we er in elk stadium van ons programma op terug konden komen. Zenuwgassen, met name VX, maar ook soman *en* sarine, *kunnen dodelijk zijn.*

…er zijn serieuze problemen met de fabricage.

…wil jullie erop wijzen dat tabun relatief gemakkelijk te maken is.

…maar tabun is matig stabiel.

…in een kringetje… we kunnen ook een van de middelen gebruiken die inwendige bloedingen veroorzaken, en bijvoorbeeld ebola op een van onze cliënten uitproberen.

…ebola brengt ons in een impasse. Ik geef toe dat het dodelijk is, maar het is ook relatief instabiel, zodat een ebolaprogramma problematisch wordt.

…in elk geval hebben we de sporen die Konstantin in zijn lab heeft ontwikkeld, dus die kunnen we op onze proefpersonen uitproberen.

…we hebben er nog maar acht over.

…geen zorgen te maken… weer twee erbij.

De drie wetenschappers, als ze dat waren, zetten gasmaskers van het Russische leger op met enorme houtskoolfilters. Een van de mannen pakte een reageerbuisje uit een koelkast, verwijderde met een mesje het lakzegel, schonk voorzichtig een gelige druppel op een wattenpropje in een petrischaaltje en legde er snel een glasplaatje op. De mannen schoven een laag tafeltje voor een kooi aan het uiteinde van het keldergewelf en zetten een kleine ventilator zo neer dat hij de lucht over het petrischaaltje de kooi in zou blazen. De man in de kooi, die een baard had en die met zijn rug tegen de spijlen zat, liet zich op zijn knieën vallen en begon tegen de mannen te schreeuwen in de taal van de rovers. Door zijn getier werden de andere gevangenen wakker. Almagoel ging op haar knieën zitten en schreeuwde in het Oezbeeks naar de mannen in witte jassen. De gevangene in de kooi naast de hare begon de mannen ook uit te schelden. Almagoel keek met een van angst vertrokken gezicht naar Martin. 'Ze nemen proeven op de jutters,' riep ze, wijzend naar de mannen in witte jassen.

In de achterste kooi ging de man met de baard weer op zijn hurken zitten en drukte zijn hemdslip voor zijn mond. Een van de wetenschappers zette een Sony-camera op een statief neer en begon de gevangene te filmen. Een van zijn collega's keek op zijn horloge, noteerde de tijd op een klembord, tilde het glasplaatje van het petrischaaltje en stapte naar achteren.

Martins gedachten gingen terug naar het proces dat was voorafgegaan aan het moment dat hij en het meisje in de apenkooien waren geduwd. De krijgsraad – zoals de hoofdman het had genoemd – was na de lunchpauze begonnen en had twintig minuten geduurd. Op zijn geïmproviseerde troon was Hamlet als aanklager en rechter opgetreden. Martin, wiens polsen geboeid waren gebleven, was van zowel hoogverraad als laag verraad beschuldigd. Almagoel, die van medeplichtigheid was beschuldigd, had achter Martin gestaan en nerveus voor hem getolkt. Hamlet had de zitting geopend door te verklaren dat hij volkomen overtuigd was van de schuld van de verdachten; dat de krijgsraad alleen bedoeld was om de mate van schuld te bepalen en uiteindelijk de passende straf op te leggen.

'Schuldig waaraan?' had Martin gevraagd nadat hij had verklaard niet schuldig te zijn aan hoogverraad of laag verraad.

'Schuldig aan werken voor een buitenlandse inlichtingendienst,' had Hamlet gesnauwd. 'Schuldig aan een poging de Russische biologische wapengeheimen te stelen.'

'Het enige wat ik wil,' had Martin Almagoel laten zeggen, 'is een interview met Samat Oegor-Zjilov.' En hij had over Samats humanitaire inspanningen verteld, zijn streven een dorp in Litouwen het gebeente van de heilige Gedymin terug te geven om de heilige thorarollen aan Israël te kunnen geven.

'En waar,' vroeg Hamlet, naar voren gebogen, met zijn grote hoofd scheef gehouden om Martins reactie beter te kunnen horen, 'zou Samat het gebeente van St. Gedymin vinden?'

'Ik heb gehoord dat hij te weten was gekomen dat het zich bevond in een kleine orthodoxe kerk bij de stad Córdoba, in Argentinië.'

'En wat,' vervolgde de hoofdman, met zijn bungelende beentjes boven de munitiekist, 'zou Samat de Argentijnen bieden voor het gebeente van de heilige?'

Martin besefte dat hij een mijnenveld had bereikt. 'Geen flauw idee,' antwoordde hij. 'Dat is een van de vragen die ik Samat wilde stellen.'

Op dat ogenblik was Hamlet aan een zo heftige tirade begonnen dat het Almagoel de grootste moeite kostte hem bij te houden. 'Hij zegt dat u heel goed weet wat Samat in ruil zou aanbieden, anders was u niet naar het eiland gekomen. Hij zegt dat het Russische nucleaire arsenaal over tien jaar verouderd is en dat de Amerikanen over Rusland zullen heersen als Samat niet de biologische wapens kan verfijnen om tegenover de Amerikaanse dreiging te stellen. Hij zegt dat biologische wapens de enige betaalbare oplossing zijn voor Ruslands probleem. Hij zegt dat het twee miljoen dollar kost om de halve bevolking op een vierkante kilometer te doden met raketten met een conventionele lading, tachtigduizend dollar met een kernwapen, zeshonderd dollar met een chemisch wapen en één dollar met een biologisch wapen. Het eiland Vozrozjdenije, moet u weten, was eens het centrum voor biologische wapenontwikkeling in de Sovjet-Unie. Onder leiding van Samat en gefinancierd door Samat wordt op Vozrozjdenije opnieuw een biologisch arsenaal ontwikkeld dat Rusland zal behoeden voor Amerikaanse overheersing.'

Hamlet zakte in elkaar op zijn troon. Een van de mannen in witte jassen kwam aanlopen met een porseleinen kom vol water dat naar desinfecterend middel rook en de hoofdman kneep de spons uit om er zijn koortsige voorhoofd mee te betten.

Heel serieus vroeg Martin: 'Wilt u beweren dat Samat de Argentijnen biologische wapens heeft geleverd in ruil voor het gebeente van de heilige?'

'Dat beweer ik helemaal niet,' zei de hoofdman kreunend toen hij Almagoels vertaling hoorde. 'Beweer ik dat?' vroeg hij aan de witte jassen.

'*Njet, njet,*' riepen ze door elkaar.

'Dat is het bewijs,' riep Hamlet en wees naar de mannen in witte jassen alsof zij zijn voornaamste getuigen waren.

'Wat beweert u dan wel?' had Martin Almagoel laten vragen.

'Wie staat hier nu terecht, jij of ik?' had de hoofdman woedend teruggeroepen. 'Ik beweer niet dat Samat de Argentijnse militairen biologische wapens heeft geleverd. Ik beweer evenmin dat hij de Argentijnen heeft ingelicht over de banen van de Amerikaanse spionagesatellieten. Dat is een nergens op gebaseerd gerucht. Zoals elke idioot weet moeten de spionagesatellieten om haarscherpe foto's te kunnen maken op geringe hoogte om de aarde te kunnen draaien; ze draaien in anderhalf uur om de planeet. Als je weet wanneer een satelliet kan worden verwacht, kun je operaties stilleggen waarvan je niet wilt dat de Amerikanen er foto's van maken. India en Pakistan doen dat al jaren. Irak ook. Daar komt het gerucht vandaan dat Samat van Saddam Hoessein in Irak de gegevens over de Amerikaanse satellietbanen zou hebben gekregen die hij met de Argentijnen voor het gebeente van de heilige heeft geruild.'

Martin besefte dat Hamlet en de mannen om hem heen volslagen krankzinnig waren, personages die Alice had kunnen tegenkomen nadat ze in het konijnenhol was gevallen. Hij besefte dat hij er belang bij had de knettergekke hoofdman naar de mond te praten. 'En wat zou Samat dan aan Saddam Hoessein kunnen hebben gegeven in ruil voor die baangegevens?'

'Het is gevaarlijk op die vraag het antwoord te weten,' fluisterde Almagoel, maar Martin, dronken van staatsgeheimen, vroeg haar toch de vraag te vertalen.

Hamlet trok zijn geblauwde revolver uit de holster en liet de cilinder draaien, zodat de klikgeluiden door de hele zaal weerklonken. Toen richtte hij het wapen op Martins hoofd en zei: 'Boem boem, jij bent uitgeroeid.' Hij lachte om zijn eigen grap en de anderen in de zaal lachten mee, zij het niet van harte, meende Martin. Een ogenblik later zei Hamlet: 'Als Samat die weg had willen bewandelen, had hij Saddam in ruil voor de baangegevens miltvuur kunnen aanbieden en virussen die inwendige bloedingen veroorzaken en die hier op het eiland zijn gekweekt.' De hoofdman schoof de motorbril omhoog en krabde peinzend naast zijn neus met de loop van de revolver. Zijn dikke lippen plooiden zich tot een stroef lachje. 'Hij had de baangegevens moeten ruilen voor het gebeente van de heilige. En het gebeente van de heilige voor de thorarollen. Maar het spreekt vanzelf dat dat allemaal niet is gebeurd.'

Hamlet had genoeg van het spelletje gekregen en met de kolf van zijn revolver op de armleuning van de troon getimmerd. 'Jij en het meisje zijn schuldig bevonden en jullie worden veroordeeld tot de apenkooien om als proefpersoon bij onze experimenten te worden gebruikt. De zaak is gesloten.'

Het gekreun van de reusachtige jutter in de verste kooi deed Martin opschrikken. Almagoel, die in de kooi naast die van Martin met haar rug tegen de spijlen op de ijskoude vloer zat, drukte haar hoofd tussen haar knieën. Haar lichaam schokte van het geluidloos huilen. Martin stak zijn hand tussen de spijlen door om haar schouder aan te raken. 'Ik herken de mannen in de kooien,' fluisterde het meisje hees. 'Het zijn de vermiste mannen uit Noekoes. We gaan allemaal dood, net als mijn vader en mijn zusje,' voegde ze eraan toe. 'Ze hebben al zes jutters uit Noekoes doodgemaakt en voor de flamingo's gegooid. Het ergste is dat ik geen zus heb die mijn naam kan aannemen.'

In de achterste kooi zakte de reusachtige jutter op zijn knieën, met zijn hoofd op de vloer; toen rolde hij op zijn zij. De man in de witte jas die alles filmde riep naar de anderen dat ze moesten komen kijken. De man met het klembord haalde een grote sleutel tevoorschijn om het hangslot van de kooi open te maken en de drie Russen in witte jassen, met hun gasmaskers voor, doken in de kooi en hurkten rond het lijk. Een man tilde de slappe pols van de jutter op en liet hem weer vallen. 'Konstantin zal heel tevreden zijn over zijn ebola...' begon hij te zeggen toen de reusachtige jutter, in oerrazernij ontstoken, overeind schoot en met zijn vuisten op de gasmaskers en gezichten van de wetenschappers begon te beuken. Terwijl bloed onder hun maskers wegdrupte kropen twee van de wetenschappers naar de lage toegang tot de kooi, maar de reus sleurde hen aan hun enkels terug, klom over hun lichamen heen en beukte hen met hun gezicht tegen de betonvloer. In de andere kooien schreeuwden de gevangenen de reusachtige jutter toe dat hij hen moest komen bevrijden, maar hij bleef de hoofden aan de haren omhoogsjorren en tegen het beton slaan. Het was Almagoels stem die ten slotte tot het brein van de wildeman doordrong. Naar adem snakkend en met een krankzinnige glans in zijn uitpuilende ogen liet de jutter de bebloede hoofden los en keek op.

Almagoel riep zijn naam en sprak hem sussend toe in de vreemde taal van de jutters. De reus, wiens hemd en armen rood zagen van het bloed, kroop de kooi uit en richtte zich aarzelend op. De andere gevangenen schreeuwden hem allemaal toe. Almagoel bleef proberen de reus tot kalmte te brengen. Martin merkte op dat er slijm uit zijn neusgaten kwam terwijl hij slingerend door de kelder naar de roestvrijstalen tafel liep. Hij brak een van de poten af en kwam terug naar de kooien. Hij stak het uiteinde van de poot door de sloten om ze open te wrikken. Martin was de laatste die uit zijn kooi kwam. De reus zakte voor zijn voeten in elkaar; Martin stak zijn hand uit om hem te steunen en voelde dat de man gloeide van de koorts. 'We kunnen niets voor hem doen,' zei Almagoel. De andere jutters deinsden achteruit tot Almagoel hun vinnig iets toesnauwde. Een van de jutters kwam naar voren en bracht de tafelpoot neer op het hoofd van de reus om hem uit zijn lijden te helpen. Gewapend met tafelpoten en houten stoelpoten gingen de jutters de stenen trap op. Almagoel ging voorop, deed behoedzaam de stalen kelderdeur open en ging opzij om de anderen door te laten. Twee Russische wetenschappers die op smalle bedden een dutje deden werden door de wanhopige gevangenen gewurgd. Drie andere wetenschappers waren in een koelcel aan het werk met bevroren miltvuursporen. Martin stak een van de roestvrijstalen poten door de handvaten van de toegangsdeuren, zodat de Russen opgesloten waren, en draaide de thermostaat op. De drie wetenschappers beseften dat ze gevangen zaten en bonkten op de dikke glazen ruit in de deur. Een van de gevangenen vond een plastic jerrycan met benzine voor de verwarmingsinstallatie. Hij sprenkelde benzine over de schappen met petrischaaltjes en archiefkasten. Almagoel streek een lucifer af en liet hem in de benzine vallen. Het laboratorium vloog in brand.

De ontsnapte jutters ontdekten twee triktrak spelende bewakers in een wapenkamer waar in vier oude paraplustandaards kozakkenzwaarden stonden. Beide bewakers grepen naar hun geweer, maar ze werden door hun tegenstanders doodgeknuppeld voordat ze hun wapen konden gebruiken. Martin en Almagoel graaiden de geweren weg, stopten hun zakken vol met patronen en gingen de jutters voor die, nu met kozakkenzwaarden gewapend, de trap naar de achterkant van de zaal opgingen. De enkele schildwacht die daar stond ging achteruit en stak zijn handen omhoog om zich over te geven; maar een van de jutters kliefde met één houw zijn schedel. Op een gebaar van Martin verspreidden de mannen zich om de zaal te omsingelen en door de verschillende toegangen naar binnen te stormen. De strijd was kort en dodelijk. Verwoed rukkend aan de grendel van zijn geweer en nauwelijks richtend gaf Martin, met bonzende slapen, dekvuur van achter uit de zaal terwijl de ontsnappende gevangenen met geheven zwaard en woest gebrul naar voren stormden. De hoofdman, die op zijn troon overleg had gevoerd, zocht een goed heenkomen achter de troon terwijl zijn verblufte lijf-wachten wanhopige pogingen deden om de aanval af te slaan. Twee gevangenen werden gedood voordat ze het podium hadden bereikt; een derde werd in het gezicht geschoten toen hij erop wilde klimmen. Toen Martins grendelgeweer blokkeerde, hoorde hij Lincolns stem in zijn oor brullen: *pak hem bij de loop, godverdomme, gebruik hem als knuppel.* Martin omklemde de hete loop met beide handen en stortte zich in de strijd op het podium, woest uithalend naar lijfwachten die probeerden met hun geweer of hun armen de klappen af te weren. Toen een van de lijfwachten struikelde, stortte Martin zich op hem en drukte hem tegen de grond terwijl een gevangene de hand afhakte waarmee de lijfwacht zijn geweer vasthield. Hijgend kwam Martin overeind en een andere gevangene zette zijn voet op de nek van de gevallen man en legde diens rug tot aan de stuit open. Langzaam maar zeker overmanden de gevangenen, gedreven door een razernij die voortkwam uit de drang tot overleven en het besef niets te verliezen te hebben, de nog levende bewakers. De gewonden, bloedend uit gapende zwaardhouwen, en de drie mannen die zich hadden overgegeven werden naar de orkestbak gesleurd en onthoofd. Een man zonder hoofd zette nog enkele stapjes voordat hij neerviel. Vol weerzin keek Martin toe terwijl de jutters een kring vormden rond de troon, bijna alsof ze een onschuldig kinderspel deden. Hamlet had een deel van het dikke theatergordijn dat op de grond had gelegen over zijn hoofd getrokken. De jutters rukten het gordijn uit zijn verkrampte handen en dwongen de hoofdman prikkend met hun zwaarden te gaan staan. Hamlet veegde snot van zijn neus en smeekte om genade terwijl de jutters hem ontdeden van zijn canvas beenkappen, laarzen, handschoenen en motorbril, waarna ze hem door de zaal en de hal naar buiten dreven.

Op blote voeten door de goot wadend om de vlooien te ontwijken bleef Hamlet in de vreemde taal van de jutters prevelen, maar niemand lette op wat hij zei. Terwijl de zon vlak boven de horizon hing, legde de groep in tegengestelde richting de route af waarlangs Martin naar Kantoebek was gekomen, langs het rijkversierde gebouw met het grote mozaïek dat het gewicht van de staat uitbeeldde. Bij de hangar met voertuigen, omgeven door wervelend zand en stof, vonden de jutters een rol elektrisch snoer waarmee ze de hoofdman van het eiland Vozrozjdenije vastbonden aan een van de gestripte groene vrachtwagens, met zijn polsen boven zijn hoofd aan het roestige frame van een raam; zijn voeten raakten net het zand als hij op zijn tenen stond. De hoofdman jammerde iets en Almagoel, die vanaf de straat toekeek, riep Martin een vertaling toe.

'Hij smeekt hem niet hier achter te laten waar de knaagdieren en vlooien bij hem kunnen komen. Hij smeekt om een kogel.'

'Vraag hem waar Samat hiervandaan naartoe is gegaan,' riep Martin.

'Ik begrijp zijn antwoord niet,' riep Almagoel terug. 'Hij zegt iets over botten van een heilige die terug moeten naar een kerk in Litouwen.'

'Vraag of de kerk in het dorp Zuzovka staat, bij de grens met Wit-Rusland.'

'Ik denk dat hij gek is geworden. Hij zegt alleen maar dat Samat een heilige is, dat herhaalt hij telkens.'

Hamlet Achba bleef onsamenhangende taal uitslaan en Martin en Almagoel liepen door naar het pad door de duinen en de vlet op het strand. Op een gegeven ogenblik bleef Martin staan en keek om naar waar Hamlet moest zijn. Hij wilde net teruggaan, toen hij Dantes wilde Ierse gierlach in zijn oor hoorde. *Weet je hoe de bijbel slachtoffers aanraadt emotioneel te overleven? Oog om oog, tand om tand, brand om brand, jochie.* Toen Martin aarzelde, zuchtte Dante moedeloos. *Ach, wat ben jij toch een slappeling.* Martin moest hem gelijk geven. Hij knikte grimmig, draaide zich weer om en slofte het duin af naar de anderen op het strand. De mannen spoelden het bloed af in de zee, trokken de vlet naar dieper water en gingen aan boord. Almagoel startte de motor en de flamingo's vlogen op. Ze voer achteruit tot het water diep genoeg was om te keren en zette toen op volle kracht koers naar het vasteland. Terwijl Almagoel watermeloen en geitenkaas uit de mand uitdeelde, staarde Martin achterom naar de spookstad Kantoebek, die kleiner en kleiner werd tot hij verdween in de lichte nevel die dikker werd naarmate de zon in het oosten hoger klom.

De ernstige ambtenares aan de balie in het hoofdpostkantoor in Noekoes had nog nooit een buitenlands gesprek aangevraagd; ze moest in een handboek het juiste hoofdstuk opzoeken voordat ze de verschillende nummers had die ze moest gebruiken, en de juiste manier om het gesprek in rekening te brengen. Bij haar derde poging kreeg ze eindelijk verbinding met een oord waarvan ze nog nooit had gehoord – Brooklyn – en kon ze de schaakklok indrukken die ze gebruikte om de duur van gesprekken te meten.

'Stella, ben jij het?' riep Martin in de hoorn in de open cel, terwijl het handjevol mensen in de rij voor hun pensioenuitkering verbaasd omkeek naar iemand die zijn stem over Europa en de Atlantische Oceaan naar de Verenigde Staten van Amerika stuurde, en in een fractie van een seconde antwoord kreeg.

'Heb je Samat gevonden?'

'Hij was al weg, maar het kan niet veel hebben gescheeld. Het basketbalveld zag zwart van de uitlaatgassen.'

'Alles goed met je, Martin?'

'Nu wel. Het zag er even zorgelijk uit.'

'Wat heeft een basketbalveld met Samat te maken?'

'Er was een witte cirkel op geschilderd, wat betekent dat het als helihaven was gebruikt. Anders dan ik reist Samat eerste klas. Ik pruttel achter hem aan in open bootjes met een buitenboordmotor. Hoe is het met je nieuwe voortand?'

'Ik vond dat je gelijk had wat mijn oude tand betrof: die had wel iets charmants, al zag ik er dan kwetsbaar mee uit. Nu herken ik het gezicht niet meer dat me in de spiegel aankijkt.'

'Je kunt altijd een stukje van je nieuwe tand afbreken.'

'Leuk hoor. Martin, niet kwaad worden, maar je zit toch wel echt achter Samat aan?'

'Wat is dat nou voor vraag?'

'Ik heb de laatste tijd veel nagedacht. Eigenlijk ken ik je haast niet – ik denk niet dat je een seriemoordenaar bent of zo, maar je zou een serieleugenaar kunnen zijn. Je zou me ook uit Hoboken kunnen opbellen en de rest verzinnen.'

'Ik bel vanuit een postkantoor in Oezbekistan. De vrouw die me heeft doorverbonden had nog nooit met het buitenland gebeld.'

'Ik wil je geloven. Echt waar. Maar de mensen voor wie je vroeger werkte – je weet wel wie ik bedoel – hebben gisteren een vrouwelijke psychiater op me afgestuurd. Bernice Treffler heette ze. Ze zei dat ze je had behandeld nadat je ontslag had gekregen.'

'Wat heeft ze nog meer gezegd?'

'Ze zei… O Martin…'

'Laat maar horen.'

'Ze zei dat je getikt was. Is dat zo? Ben je getikt, Martin?'

'Ja en nee.'

Stella ontplofte. 'Wat is dat nou voor antwoord, godverdomme? Je bent gek of je bent het niet. Er is geen tussenweg.'

'Het is ingewikkelder dan je denkt. Er is wel een tussenweg. Ik ben niet gek, maar er zijn dingen die ik me niet kan herinneren.'

'Wat voor dingen?'

De ambtenares die de schaakklok in het oog hield mompelde iets tegen Almagoel, die naar Martin toeliep om aan zijn mouw te trekken. 'Ze zegt dat dit je een jaarloon gaat kosten.'

Martin wuifde het meisje weg. 'Gaandeweg,' zei hij tegen Stella, 'ben ik het spoor bijster geraakt van de huiden waarin ik ben gekropen, zodat ik niet meer weet wie ik werkelijk ben.'

Hij hoorde Stella kreunen in de telefoon. 'O god, ik had moeten weten dat het te mooi was om waar te zijn.'

'Stella, luister. Wat ik heb is niet fataal voor mij of voor ons.'

'Ons?'

'Dat is toch waar we ons allebei zorgen over maken?'

'Wauw! Ik geef toe dat je soms klinkt alsof je getikt zou kunnen zijn. Op andere ogenblikken ben je volgens mij volkomen bij je verstand.'

'Ik ben onvolkomen bij mijn verstand.'

Stella begon te lachen. 'Met onvolmaaktheid kan ik leven…'

Opeens werd de verbinding verbroken. 'Stella? Stella, ben je daar nog?' Naar Almagoel riep hij: 'Zeg tegen haar dat de verbinding is verbroken.'

Toen Almagoel vertaalde, pakte de ambtenares haar schaakklok en sloeg er met haar vuist op. Daarna begon ze de kosten van het gesprek uit te rekenen op een telraam. Toen ze de som had uitgerekend, schreef ze het bedrag op een papiertje en hield het zo hoog op dat iedereen in het postkantoor de kinderen kon vertellen over de krankzinnige buitenlander die een fortuin had uitgegeven om zijn stem over de Atlantische Oceaan te sturen, naar een oord met de onwaarschijnlijke naam Brooklyn.

1997: MARTIN ODUM BEREIKT GEENVROUWLAND

Martin Odum parkeerde de Lada die hij had gehuurd in Hrodna, de laatste stad in Wit-Rusland voor de grens met Litouwen, opzij van de tweebaansweg die zo vaak geasfalteerd was, telkens met een nieuwe laag asfalt over de oude, dat hij oprijzend boven de omringende moerassen, waarschijnlijk mocht gelden als een verhoogde autoweg. Hij zette de motor af, wandelde naar de bemoste oever van de rivier de Neman en urineerde tegen een geblakerde eik die door de bliksem getroffen leek. Martin was de grens overgegaan in een stoffig, half Wit-Russisch, half Litouws dorp met een nauwelijks uit te spreken naam. De jonge douaniers, die op tuinstoelen van de zon genoten naast een laag prefabgebouwtje in de stoffige hoofdstraat van het dorp, hadden hem doorgezwaaid zonder zelfs maar een blik te slaan op zijn Canadese paspoort dat op naam stond van Jozef Kafkor. Regelmatig was de weg geblokkeerd door schapen en hij had moeten toeteren om een baan vrij te maken. Op het laatste verkeersbord dat hij had gezien voordat hij stopte om zijn blaas te legen, had gestaan dat zijn bestemming, de rivierstad Zuzovka, achttien kilometer verderop was; aan de hand van de kilometerstand schatte Martin dat Zuzovka achter de volgende bocht in de rivier moest liggen. Aan de hemel liet een hoog vliegend verkeersvliegtuig twee condensstrepen achter, die uiteenvloeiden en verdwenen in een vuilwitte wolk in de vorm van een donzige paardenstaart. Even later bereikte het motorgedreun Martins oren, waardoor het hem toescheen dat het geluid zich haastte om de motoren die het produceerden in te halen.

Hij hunkerde ernaar om in dat vliegtuig te zitten, omlaag te kijken naar de Baltische vlakte en naar huis te gaan, naar Stella. Hij hunkerde ernaar om niet meer elke keer over zijn schouder te hoeven kijken als hij zich op straat waagde, de zoektocht naar Samat op te geven en zich weer dood te kunnen vervelen, een tijdverdrijf dat zijn vroegere vriendin Minh eens had omschreven als zelfmoord in slow motion.

Na de grensovergang met Litouwen had Martin opgemerkt dat de verhoogde weg zich geleidelijk vulde met verkeer in de richting Zuzovka: vrachtwagens met open laadbak, rammelende schoolbussen vol boeren en talloze mannen in wijde hemden en slobberbroeken die langs de weg sjokten. Vreemd genoeg hadden die mannen allemaal een hooivork bij zich of wat Dante Pippen een *shillelagh* zou noemen, een stevige dorsvlegel met een dikke knop aan het uiteinde, gemaakt van forse eikentakken. Terwijl Martin terugliep naar zijn auto, klepperden twee paarden voorbij die rijp leken voor het abattoir; ze trokken een houten kar beladen met bakstenen. De oude boer op de hoge bok hield de leidsels losjes met zijn ene hand vast en bracht twee vingers van zijn andere hand aan zijn pet toen Martin hem in gebroken Russisch een groet toeriep. De oude man klakte met zijn tong tegen de paarden, die maar al te graag bleven staan.

Martin gebaarde naar de groepjes mannen op de weg naar Zuzovka en stak zijn handen op als om te vragen: waar gaan die mensen allemaal naartoe?

De oude man boog opzij en spuwde eucalyptussap op het wegdek. Nadat hij de vreemdeling had gemonsterd met ogen die iets Mongools hadden, zei hij: 'Sint Gedymin komt terug in Zuzovka.'

'Gedymin is zeshonderd jaar geleden gestorven,' zei Martin voor zich heen.

De boer, die langzaam en duidelijk sprak als tegen een kind, zei: 'De botten van Gedymin, die de Duitsers uit onze kerk hebben gestolen, zijn door een wonder teruggekomen.'

Uit een verre uithoek van zijn hersenen haalde Martin Russische woorden om een zin mee te vormen. 'En hoe hebben de botten van de heilige de weg teruggevonden naar Zuzovka?'

Er verscheen een lepe glimlach op het gerimpelde gezicht van de oude man. 'Hoe zou een heilige anders reizen dan per privéhelikopter?'

'En hoe lang geleden heeft de helikopter de botten van de heilige naar Zuzovka gebracht?'

De boer wees met zijn kin naar de lucht en kneep zijn ogen dicht terwijl hij de dagen op zijn vingers aftelde. 'Een dag voor vandaag is de koe van de weduwe Potesta verdronken in de Neman. Twee dagen voor vandaag wond Edintas het touw van de stier om zijn hand en verloor al zijn vingers op de duim na toen de stier het wasgoed aan de lijn aanviel. Drie dagen voor vandaag liep de vrouw van de dronken schaapherder helemaal naar de apotheek in Zuzovka om iets te halen voor een gebroken neus, al weigerde ze te zeggen wiens vuist haar een gebroken neus had bezorgd.' De boer keek grijnzend op Martin neer. 'Drie dagen voor vandaag bracht de helikopter de botten van de heilige naar Zuzovka.'

'En waarom zijn de mannen die naar de stad gaan allemaal gewapend?'

'Ze moeten met de metropoliet Alfonsas Gedymin verdedigen tegen de roomsen.'

De oude man lachte om Martins onwetendheid, klakte naar de paarden en legde de leidsels over hun ruggen. Martin schoof achter het stuur van de Lada, startte en toeterde twee keer naar de boer toen hij hem inhaalde. Nog lachend bracht de oude man twee vingers aan zijn pet, deze keer eerder spottend dan beleefd.

Zuzovka, een in alle richtingen uitgegroeid marktstadje met een reparatiewerkplaats voor tractoren naast de glanzend beschilderde houten poort aan het begin van de lange, brede en stoffige hoofdstraat, bleek inderdaad achter de volgende bocht in de rivier te liggen. Tegenover het tractorstation stond een uit baksteen opgetrokken school met bovenverdieping op een zanderig veldje; het voetbalveld van de school was net als het basketbalveld op het eiland Vozrozjdenije ingericht als helihaven, met een grote ring van witgekalkte stenen in het midden van het veld, dat zwart zag van de uitlaatgassen. Martin moest stapvoets rijden in een file van vrachtwagens met open laadbak en mannen te voet die allemaal op weg waren naar de orthodoxe kerk aan een onverharde zijstraat die door het moeras naar de modderige oever van de Neman leidde.

Hij parkeerde de Lada voor een bakkerij met een briefje op de deur waarop stond dat de zaak vandaag gesloten was in verband met katholieke dreigementen St. Gedymin te 'bevrijden'. Martin mengde zich in de drukte. Hij sprak een jongen aan. *'Gde zjensjini?'* vroeg hij. Waar zijn de vrouwen?

'Zuzovka is niet voor vrouwen,' zei de jongen met een grijns van oor tot oor en liep haastig achter de anderen aan.

De boeren, die onder elkaar grappen maakten over de katholieke schedels die ze zouden splijten en het katholieke bloed dat orthodoxe bodem zou bevloeien, merkten de vreemde in hun midden amper op. Talloze roeibootjes waren aan de houten steigers in de rivier vastgebonden en er waren groepen gewapende mannen te zien die de helling naar de kerk beklommen. De brandweerfanfare, mannen met laarzen tot aan de knie en rode parka's, toeterde marsmuziek in een ijzeren muziektent in een ommuurd plantsoen aan de overkant. Even voor de kerk stak Martin het gelamineerde kaartje omhoog waarop stond dat hij als verslaggever bij een persbureau werkte en verklaarde op luide toon dat hij journalist was, uit Canada. De mensen lieten hem door toen enkele plaatselijke notabelen, die zich van de boeren onderscheidden door het dragen van een tot het bovenste knoopje dichtgemaakt overhemd onder het jasje van een pak, de boeren opriepen de buitenlandse journalist door te laten.

Trekkend met zijn ene been, waaraan hij weer meer pijn had na zijn verblijf bij het Aralmeer, baande Martin zich een weg tussen de krachtig ruikende boeren in de richting van de drie uivormige koepeltjes, elk met een roestig orthodox kruis erop. Twee jonge orthodoxe priesters op sandalen en in zwart habijt, wenkten hem de trap op te komen en de kerk binnen te gaan, waarna ze de deur achter hem vergrendelden door een houten balk aan te schuiven door grepen aan weerszijden. In de kerk rook het naar wierook en de rook van bijenwaskaarsen en het stof en vocht van eeuwen, en het duurde even voordat Martins ogen iets in de schemering konden onderscheiden. Het zilver en goud van de iconen aan de muren lichtten op toen een lange man met een baard en een markant gezicht, die een zwart hoofddeksel als een vierkante mijter op zijn lange zwarte haar droeg, naar hem toe kwam. Bij elke stap liet hij een dikke staf met een zilveren punt op de vloer neerkomen.

'Spreekt u Canadees?' vroeg de priester in het Engels, terwijl hij zich voor de bezoeker posteerde.

Martin knikte.

'Ik ben de metropoliet Alfonsas,' zei de priester met luide, sonore stem, 'uit de districtshoofdstad Alytus gekomen om het gebeente van de heilige Gedymin te ontvangen, en de Verheerlijkingskerk te verdedigen tegen de papen die erop uit zijn de heilige reliek van de rechtmatige eigenaars te stelen.'

'Hm.'

Voordat hij nog iets kon zeggen, raakte Martin verblind door een filmzon. Zodra hij zijn ogen bijna had dichtgeknepen, kon hij een tv-cameraman onderscheiden die door de kerk op hem afkwam. De schijnwerper die op zijn zware schoudercamera was gemonteerd richtte zich op een relikwieënkast aan een muur naast de kansel. Een van de jonge priesters ontsloot een hangslot en zwaaide een dikke glazen deur open terwijl de cameraman inzoomde op het fluwelen kussen waarop wat leek op een verbleekt bekkenbot en een dijbeen rustten. Martin merkte een eind ruw verweerd hout op, ongeveer zo dik en lang als een onderarm, in een met goudbrokaat gevoerde nis in de relikwieënkast.

'Wat is dat voor stuk hout?' fluisterde hij de metropoliet in het oor.

Alfonsas' ogen werden hol van verontwaardiging. 'Dat is geen hout,' riep hij uit. 'Het is een gedeelte van het Ware Kruis.' Door emotie overmand wendde de metropoliet zich af en prevelde verzen in het kerk-Slavisch terwijl hij languit ging liggen op de grote stenen vloertegels waaronder de lijken van metropolieten en monniken begraven lagen. Door een producer geleid draaide de cameraman met filmzon opzij naar Alfonsas en hield de camera op hem gericht terwijl een hyperverzorgde jonge vrouw in een microfoon sprak in wat, nam Martin aan, algemeen beschaafd Litouws was.

Ze brak haar commentaar abrupt af toen in de kerk gebrul van buiten doordrong. Een van de priesters klom haastig op een ladder en riep, kijkend door een spleet in een erkertorentje: 'Heilige vader, de strijd is begonnen.' De metropoliet krabbelde overeind en gebaarde dat de glazen deur van de relikwieënkast dicht en op slot moest. Hij greep zijn staf bij de zilveren knop, legde het zware met juwelen bezette handvat op zijn schouder en ging voor de heilige relieken van St. Gedymin staan. 'Over mijn lijk,' riep hij. Hij keek Martin met zijn zwarte ogen dreigend aan. 'Wees getuige,' sommeerde hij, 'van de doortraptheid van de papen die ten onrechte de relikwieën van onze heilige opeisen.'

De cameraman doofde de filmzon en de tv-ploeg schoot naar de kleine deur achter in de kerk. De metropoliet slaakte een kreet toen hij zag dat ze de dwarsbalk wegschoven – te laat. De deur vloog open en een menigte schreeuwende boeren stormde de kerk in. Meppend met zijn zware staf verdedigde de metropoliet de relikwieënkast tot iemand hem met een hooivork in zijn dij stak en de boeren zijn staf uit zijn handen wrongen. Martin drukte zich plat tegen een muur en stak zijn handen omhoog, maar uitzinnige boeren met wilde baarden en wilde ogen begonnen hem tegen zijn borst te stompen tot hij dubbelsloeg en op de vloer zakte. Door de zee van zich verdringende boeren zag hij dat een van hen een zware kandelaar hief en de glazen deur van de relikwieënkast insloeg. Het kussen met het gebeente van de heilige werd weggegrist, het boerenleger zette de grote toegangsdeur open en stroomde naar buiten. Buiten hieven de katholieken een overwinningsgehuil aan. Misselijk van de pijn in zijn borst zag Martin dat de metropoliet, die op zijn knieën voor de relikwieënkast lag, huilde als een kind.

In bussen die in camouflagekleuren waren beschilderd arriveerden de Litouwse politie en een legereenheid in Zuzovka die er uiteindelijk in slaagden de strijdende gemeentenaren te scheiden, maar toen waren twee aanvallende katholieken en een van de jonge orthodoxe priesters al doodgeslagen en aan weerskanten waren tientallen gewonden gevallen. Met jankende sirenes reden ambulances achter de politie aan. Artsen en verpleegkundigen haastten zich naar het strijdperk voor de orthodoxe kerk om breuken te behandelen en de zwaarste gevallen af te voeren naar het streekziekenhuis in Alytus. Martins ribbenkast werd ingezwachteld door een verpleger, waarna hij door gewapende soldaten werd meegenomen naar een muziektent, die als commandopost was ingericht. Daar werd hij ondervraagd door een kolonel met opgedraaide snor die het belangrijker leek te vinden hoe hij op tv zou overkomen dan wat er bij de confrontatie tussen de plaatselijke orthodoxen en katholieken was gebeurd. Met een passend ernstig gezicht liet de kolonel zich interviewen door de vrouwelijke reporter uit Vilnius en vroeg haar wanneer het gesprek zou worden uitgezonden; vervolgens belde hij zijn vrouw in Kaunas om te zorgen dat ze op het juiste tijdstip zou kijken. Toen de tv-ploeg naar buiten was gegaan om de gewonden te filmen, richtte de officier zich tot Martin om hem naar zijn papieren te vragen. Er was hem zoveel aan gelegen dat de journalist Kafkor (zoals hij op zijn gelamineerde perskaart heette) de katholieke kant van het verhaal zou betrekken – zoals verreweg de meeste Litouwers was de kolonel katholiek – dat hij erop stond Martin in zijn eigen jeep mee te nemen naar de bisschop, die helemaal uit Vilnius was overgekomen om de plaatselijke priesters en gelovigen bij te staan.

De bisschop bleek een opgewekte kleine man te zijn met brede heupen en smalle schouders, waardoor hij er in zijn vuurrode tot op de enkels reikende gewaad en geborduurde stool uitzag als een kerkklok. De ontmoeting vond plaats in de moestuin achter de kerk. Twee witte ooievaars keken vanaf hun grote nest op de klokkentoren toe. 'Data,' zei de bisschop die deze wijze les kennelijk vaker had gedebiteerd, 'zijn handige kapstokken om de geschiedenis aan op te hangen. Dat bent u toch zeker wel met me eens, meneer Kafkor?'

Martin, die veel pijn aan zijn ribben had, gebruikte de punten van de witzijden sjaal om zijn hals om het zweet van zijn voorhoofd te deppen. 'Mja.'

De militair duwde Martin een notitieblok en pen in de hand. 'U moet aantekeningen maken,' fluisterde hij.

Terwijl Martin notities maakte, ijsbeerde de bisschop tussen de groentebedden door, waarbij de zoom van zijn gewaad met elke stap viezer werd, terwijl hij de geschiedenis van St. Gedymin uiteenzette. 'Het was Gedymin, zoals elke scholier in Litouwen weet, die Groot-Litouwen stichtte, een groothertogdom dat zich uitstrekte van de Zwarte Zee tot Moskou tot de Oostzee. Hij bestierde het rijk vanuit de hoofdstad die hij in het jaar onzes Heren 1321 in Vilnius vestigde. Vijfenzestig jaar later, in het jaar onzes Heren 1386, aanvaardden de Litouwers door Gods genade het katholicisme als staatsgodsdienst en op last van de groothertog werd de voltallige bevolking gedoopt op de oevers van de Neman. Gesteld kan worden dat bij die gelegenheid de laatste Litouwse heidenen op de vuilnisbelt van de geschiedenis verdwenen.'

'Hebt u dat allemaal?' wilde de militair weten.

'De eerste katholieke kerk,' vervolgde de bisschop zonder adempauze, 'is tien jaar na de massadoop op deze zelfde plaats gebouwd, en...' Hij wees naar de klokkentoren en het stamboomraam en de twee zijgewelven. '...uitgebreid in de eeuwen daarna. Het gebeente van de heilige Gedymin, of wat er van hem over was nadat de oorspronkelijke crypte in Vilnius door Tataarse vandalen was ontheiligd, werd aan de katholieke kerk in Zuzovka toevertrouwd, waar het heeft gerust van het begin van de veertiende eeuw totdat Litouwen in 1795 door de Russen werd onderworpen. De Russen, die oosters-orthodox waren, ontvreemdden het gebeente van de heilige uit de katholieke kerk en droegen het over aan de orthodoxe metropoliet, die de Verheerlijkingskerk liet bouwen om het in onder te brengen. Ondanks onze herhaalde verzoeken in de loop van de jaren is het gebeente in het bezit van de orthodoxen gebleven, tot een Duitse officier op de terugtocht voor een Russische aanval in 1944 op doortocht in Zuzovka de relieken stal.'

Martin hoopte het verhaal te kunnen bekorten door te zeggen: 'Het was Samat Oegor-Zjilov die ontdekte dat de orthodoxe kerk een verzameling uiterst waardevolle thorarollen en commentaren bezat en aanbood die boeken te ruilen voor het gebeente van de heilige Gedymin, dat hij in een orthodoxe kerk in Argentinië had opgespoord.'

De bisschop begon te stampvoeten zodra de naam van Samat viel. 'Maar dat is niet alles! Dat is het verzinsel dat die duivelse Samat Oegor-Zjilov en de metropoliet aan de wereld willen verkopen. De waarheid ligt volstrekt anders.'

'Onderstreept u het woord waarheid,' zei de officier.

De bisschop merkte op dat de zoom van zijn gewaad bevuild was geraakt en bukte zich om de modder los te kloppen. 'De televisie vertelt ons dat Samat Oegor-Zjilov, die een Russische filantroop wordt genoemd, het gebeente van St. Gedymin heeft teruggebracht in ruil voor de joodse thorarollen en commentaren die sinds de Grote Vaderlandse Oorlog bij de orthodoxe kerk in bewaring zijn gegeven. De televisie zegt ook dat hij voor zichzelf niets meer heeft gevraagd dan een zeer bescheiden crucifix, gemaakt van het hout van het zogenaamde Ware Kruis uit het bezit van de orthodoxe kerk. De televisie heeft zelfs een foto getoond van de metropoliet die de zogenaamde filantroop dat kruis aanbood, dat het formaat had van een kinderpink. Samat bedankte de metropoliet en verklaarde dat hij het crucifix, vervaardigd van het Ware Kruis, zou schenken aan de orthodoxe kerk in het dorp bij Moskou waar zijn moeder nog woonde.'

Martin keek op van zijn aantekeningen, met glinsterende ogen van opwinding. 'Heeft hij de naam van dat dorp genoemd?'

De bisschop schudde zijn zware hoofd; zijn wangkwabben trilden nog na toen hij zijn hoofd weer stilhield. 'Nee. Wat doet het ertoe?' Zonder op antwoord te wachten, vervolgde hij: 'De werkelijke reden dat die Samat Oegor-Zjilov het gebeente aan de orthodoxen heeft gegeven en niet aan de oorspronkelijke katholieke hoeders is opium.'

Getroffen keek Martin weer op. 'Opium?'

'Opium,' herhaalde de officier en tikte met zijn wijsvinger op Martins notitieblok. 'Wilt u dat opschrijven?'

'Opium,' zei de bisschop, 'is de sleutel voor wie wil begrijpen wat er is gebeurd. De opiumpapaver wordt verbouwd in wat de Gouden Driehoek wordt genoemd: Birma, Thailand, Laos. Vietnamese handelaars transporteren de ruwe opium naar de Russische marinebasis aan de Cam Ranh-baai in Vietnam en vandaar wordt het overgebracht naar de Russische haven Nachodka aan de Japanse Zee. Het Russische drugskartel, dat onder leiding stond van de man die de Oligarch wordt genoemd, Tzvetan Oegor-Zjilov, tot hij een paar jaar geleden onderdook, laat de opium bewerken in Nachodka en daarna door Rusland verder smokkelen naar de markten in Europa en Amerika. Sinds eind jaren tachtig heeft Zuzovka gefungeerd als overslagplaats voor opiumtransporten naar Noord-Europa en Scandinavië. Er werden landingsbanen aangelegd bij de Neman en met kleine vliegtuigen werd 's nachts de illegale vracht aan- en afgevoerd. Voor het overbrengen van de grote hoeveelheden opium naar het Westen zette Samat Oegor-Zjilov runners in die zich als orthodoxe priester vermomden, omdat die gemakkelijk de grenzen kunnen oversteken. Toen de metropoliet dreigde daar een stokje voor te steken, kocht Samat hem af door het opsporen en teruggeven van Gedymins gebeente...' De bisschop knipperde ondeugend met zijn ogen. 'Hij ging ervan uit dat wat hij de kerk aanbood inderdaad het gebeente van de zalige heilige was.'

'En de thorarollen?'

'De metropoliet wilde niet dat bekend zou worden dat hij handelde in heilige teksten, dus gaf hij ze in consignatie bij Samat, die ze aan een Israëlisch museum verkocht en de opbrengst, na inhouding van een stevige commissie, aan de orthodoxe kerk schonk.'

'En hoe komt u aan die informatie?'

De bisschop keek omhoog naar de ooievaars op hun nest op de klokketoren. 'Dat heeft een fors uitgevallen vogel me verteld.'

Martin liet het notitieblokje in zijn zak glijden. 'Het lijkt wel of elk raadsel een onderdeel vormt van een groter raadsel.'

'Zoals bij een ui,' zei de bisschop troostend. 'Onder elke laag… zit weer een laag.'

'Nog één laatste vraag: als u er niet van overtuigd bent dat het gebeente dat Samat heeft gebracht dat van de heilige is, waarom hebben de katholieken dan gevochten om ze naar de katholieke kerk over te brengen?'

De bisschop stak een van zijn kleine, brandschone handen op alsof hij het verkeer regelde. 'Of het gebeente werkelijk van de heilige is, is niet belangrijk. Het gaat er uitsluitend om dat de gelovigen van de authenticiteit overtuigd zijn.'

Die avond reed de kolonel Martin persoonlijk terug naar zijn Lada, die nog voor de bakkerij geparkeerd stond.

'Hoe is het met uw ribben, meneer Kafkor?'

'Het doet alleen pijn als ik lach, en ik heb niet veel reden om te lachen.'

'Vaarwel, en God zij met u, meneer Kafkor. Ik heb de soldaten in de jeep opdracht gegeven u naar de grens met Wit-Rusland te begeleiden.' Toen Martin tegenwierp dat dat niet hoefde, kapte de kolonel hem af. 'Onze politie heeft vanmiddag twee opgezwollen lijken in de Neman gevonden. Aanvankelijk werd gedacht dat de mannen katholieken waren die door de orthodoxen waren vermoord, of orthodoxen die door katholieken waren vermoord. Een deskundige uit Vilnius herkende het lange mes dat bij een van de lijken werd aangetroffen als een populair wapen onder Tsjetsjenen, wat erop zou wijzen dat de doden Tsjetsjenen zijn.'

'Misschien waren ze betrokken bij Samats opiumkartel,' suggereerde Martin.

De kolonel haalde zijn schouders op. 'Misschien is er een verband tussen de dode Tsjetsjenen en Samat, maar ik betwijfel of er een verband is met de opiumoperatie. De islam is niet welkom in dit grensgebied van Litouwen, niet bij katholieken en niet bij orthodoxen. Nee, de enige reden dat Tsjetsjenen deze kant op zijn gekomen, moet een opdracht zijn geweest; maar nu ze zijn verdronken, blijft dat schimmig. U kunt me zeker niet wijzer maken?'

Martin schudde zijn hoofd. 'Het is voor mij net zo'n groot raadsel als voor u.'

De volgende ochtend gunde Martin zichzelf een stevig ontbijt in het enige hotel in Hrodna, waarna hij in kalm tempo (want zijn ribben deden pijn als hij te snel liep) een wandelingetje door de hoofdstraat maakte, naar de vitrine van de plaatselijke krant met foto's van de rel in Zuzovka en naar het hoofdpostkantoor. Hij ging in de rij staan voor het loket met een logo van een telefoon erop en noteerde een nummer in een kasboek toen de ambtenaar zijn mondjevol Russisch niet bleek te verstaan.

'Welk land heeft code negen zeven twee?' vroeg ze.

'Israël.'

'En welke stad in Israël heeft code twee?'

'Jeruzalem.'

De ambtenares noteerde 'Jeruzalem, Israël' op haar werkzaamhedenformulier en draaide het nummer. Ze gebaarde dat Martin in de dichtstbijzijnde cel de hoorn moest opnemen. Hij hoorde de stem van een man die verontwaardigd zei: 'Wat een onzin, ik ken niemand in Wit-Rusland.'

'Benny, met mij, met Martin.'

'Wat doe jij in jezusnaam in Wit-Rusland?'

'Lang verhaal.'

'Vat maar samen.'

'Zelfs de samenvatting is nog te lang voor over de telefoon. Moet je horen, Benny, die avond dat ik bij je was, heb je me verteld dat de Oligarch in een afgelegen datsja woonde op een halfuur van Moskou, aan de snelweg van Moskou naar Sint Petersburg. Weet je toevallig nog hoe dat dorp heet?'

'Wacht even. Ik moet in de computer kijken.'

Martin keek naar de mensen voor de loketten die postzegels wilden hebben, of er hun elektriciteit of water kwamen betalen, of hun pensioencheque wilden inwisselen. Niemand in de rijen viel op tussen de anderen, maar dat wilde niet veel zeggen; als iemand hem wilde laten observeren, zou hij iemand uit de streek inschakelen.

Benny kwam weer aan de lijn. 'Dat dorp heet Prigorodnaia.'

'Misschien wil je dat wel spellen.'

Benny voldeed aan het verzoek.

'Prigorodnaia. Bedankt, Bennie.'

'Graag gedaan. Hoewel, misschien ook niet.'

1994: LINCOLN DITTMANN
ZET DE ZAAK RECHT

Bernice Treffler wist dat er iets vreemds aan de hand was zodra Martin Odum de kamer binnenwandelde met een grijns die zowel sardonisch als versierderig was, alsof een gesprek met een psychiater van de Firma een frivool steekspel was. Hij leek langer, zelfverzekerder en minder nerveus, zijn benoembare gevoelens volstrekt de baas. Zijn lichaamstaal was nieuw voor haar: hij hield zijn hoofd suggestief een beetje schuin, zijn schouders waren ontspannen en met zijn ene hand liet hij kleingeld rinkelen in zijn broekzak Hij trok nauwelijks met zijn been. Ze had kunnen zweren dat hij zijn haar anders had gekamd, al zou ze er voor de zekerheid een foto van Martin uit zijn dossier bij moeten pakken, maar dat wilde ze niet onder zijn ogen openen. In plaats van tegenover haar te gaan zitten, met het bureau tussen hen in, liet hij zich gracieus in de stoel naast de lage tafel bij het raam zakken, strekte zijn benen en kruiste ze achteloos bij de enkels; hij knikte naar de andere stoel om haar uit te nodigen bij hem te komen zitten, ervan overtuigd dat ze dat zou doen. Toen ze naar hem toe liep, merkte ze dat hij haar met zijn ogen uitkleedde; ze zag hem haar dij inspecteren toen ze haar benen over elkaar sloeg. Ze zette het opnameapparaatje klaar en schoof de microfoon dichter naar Martin toe. Hij keek haar recht in de ogen en ze merkte dat ze even haar linkerringvinger betastte op de plaats waar ze voor haar scheiding haar gouden ring had gedragen.

'Je hebt parfum op,' zei hij. 'Hoe heet het?'

Toen ze niet reageerde, gooide hij het over een andere boeg. 'Is Treffler je meisjesnaam?'

'Ja, ik werk onder mijn meisjesnaam.'

'Je draagt geen trouwring, maar ik heb wel gemerkt dat je getrouwd bent.'

Ze wendde haar blik van hem af. 'Waardoor heb ik me verraden?'

'Weet je zeker dat je dat wilt weten?' vroeg hij uitdagend.

Ze vroeg zich af waarom Martin Odum de versierder uithing. Wat was er na hun gesprek van de vorige maand veranderd? Ze boog naar voren, in het volle besef dat hij de welving van haar borsten boven de schulprand van haar blouse kon zien, en zette het opnameapparaat aan. 'Mag ik je stemvolume nog een keer testen?'

'Ga je gang.' Hij verstrengelde zijn vingers achter zijn hoofd en liet het erop rusten, volop genietend omdat hij haar in verwarring had kunnen brengen. 'Een vrouw, een hond, een walnootboom,' citeerde hij met een zwaar zuidelijk accent, 'zonder slaag geen *home sweet home*.'

'Is dat ook van Walt – of Walter – Whitman?'

Hij lachte zacht. 'Het is een spotversje dat de jongens vroeger bij het kampvuur zongen toen ze wachtten op de oversteek van de Rapahannock.'

Opeens kreeg ze het door. 'Je bent niet Martin Odum!'

'En jij bent minder traag van begrip dan Martin beweert.'

'Jij bent de man die beweert dat hij bij de slag bij Fredericksburg is geweest,' fluisterde ze. 'Jij bent Lincoln Dittmann.'

Hij glimlachte alleen.'

'Maar waarom? Wat doe je hier?'

'Martin heeft je verteld dat ik bij Fredericksburg ben geweest, maar je geloofde hem niet. Je dacht dat hij het allemaal verzon.' Lincoln boog zich naar voren en keek haar volstrekt serieus aan. 'Dat heeft hij als kwetsend ervaren, dr. Treffler. Psychiaters worden geacht op te bouwen, niet af te breken. Martin heeft mij gestuurd om de zaak recht te zetten.'

Dr. Treffler begreep dat ze zich op onbekend gebied moest begeven. 'Goed, zie me er dan maar eens van te overtuigen dat Lincoln Dittmann bij de slag bij Fredericksburg is geweest. Waar praatten de jongens zoal over, in afwachting van de oversteek?'

Lincoln staarde naar buiten, met grote, starre, geconcentreerde ogen. 'Ze bespraken huismiddeltjes tegen buikloop, die velen als hun grootste vijand beschouwden, veel erger dan Johnny Reb. Ze wisselden stookrecepten uit. Ik herinner me een luitenant van het 70e uit Ohio die iets had gebrouwen wat hij "kopstoot" noemde: sap van boombast, teerwater, terpentijn, bruine suiker, lampolie en alcohol. Ze debatteerden over de vraag of na het oversteken van de rivier, de verovering van Richmond en de behaalde overwinning de slaven in vrijheid moesten worden gesteld; er waren zoveel tegenstanders dat veel voorstanders hun mening voor zich hielden. Ze klaagden over de prijs van tabak, één dollar tachtig per pakje. Ze klaagden over Yankees die naar het westen waren gegaan om niet te hoeven opkomen, en die claims legden op gratis land, terwijl zij zich aan de Rapahannock zaten te verbijten en godverdomme oorlog moesten voeren. Ze klaagden over de beroerde kwaliteit van shoddy...'

'Shoddy?'

'Ze heette de wollen uniformstof die van gedragen kleding was gemaakt en die na een paar weken als vanzelf uit elkaar viel.'

'Welke rang had je?'

Lincoln richtte zijn blik weer op dr. Treffler. 'Ik was niet bij het leger.'

'Als je geen militair was, wat deed je dan bij Fredericksburg?'

'Ik werkte voor Alan Pinkerton uit Chicago. Ooit van Pinkertons Detectivebureau gehoord?' Toen dr. Treffler knikte, zei hij: 'Dacht ik al. Alan was door zijn vriend kolonel McClellan aangezocht om het op te nemen tegen de bandieten die de spoorwegen in het westen belaagden. Nadat de oude Abe de kolonel aan het hoofd had gesteld van het Potomac-leger, haalde McClellan er zijn vriend Alan Pinkerton bij, die in die tijd het pseudoniem E.J. Allen gebruikte, als ik het me goed herinner. En Alan nam een aantal van zijn mannetjes mee, zoals ik, om een inlichtingendienst op te zetten. Toen kwam wat de Noordelijken de slag bij Antietam noemden, naar het riviertje, en de Zuidelijken de slag om Sharpsville, genoemd naar het dorp. Geholpen door generaal Joe Hooker – die zich lang genoeg losrukte van zijn vrouwelijke aanhang, die we "Hooker's girls" noemden of kortweg "hookers", om de aanval over de rechterflank te leiden; behaalde McClellan de overwinning en Bobby Lee moest zich met zijn leger, of wat ervan over was, terugtrekken in Virginia. Antietam was de eerste keer dat ik de olifant zag...'

'Dat je de olifant zag?'

'Zo noemden we gevechtservaring: je zei dat je de olifant had gezien. Na de slag stuurde Alan een aantal van ons naar het Zuiden om de Zuidelijke slagorde te verkennen, maar die oude slang van een Lee misleidde ons: hij besefte waarschijnlijk dat we zijn sterkte zouden kunnen afleiden uit het aantal rantsoenen, want hij verdubbelde de rantsoenen zodat wij zijn leger verdubbelden, waardoor McClellan het niet aandurfde en bleef zitten waar hij zat. Daaruit leidde de oude Abe af dat McClellan niet meer vooruit te branden was en hij stuurde hem terug naar Chicago. Alan Pinkerton ging met hem mee, maar ik bleef achter om voor Lafayette Baker te werken, die in Washington een federale inlichtingendienst opzette. Wat me op McClellans opvolger brengt, Ambrose Burnside, en Fredericksburg.' Lincoln boog naar voren om het microfoontje te pakken en sprak erin: 'Een vrouw, een hond, een walnootboom: zonder slaag geen home sweet home. Zeg dokter, zullen we samen een hapje gaan eten wanneer we hier klaar zijn?'

Bernice Treffler hield haar gezicht in de plooi en haar stem neutraal. 'Je begrijpt zelf wel dat dat niet kan.'

'Waar staat geschreven dat er afstand moet zijn tussen jou en je cliënt? Sommige psychiaters slapen met hun cliënten om de afstand te overbruggen.'

'Zo werkt het bij mij niet, Lincoln.' Ze probeerde er een grapje van te maken. 'Misschien heb je een andere psychiater nodig...'

'Je voldoet prima.'

'Ga dan maar door met vertellen.'

'Met vertellen? Dus je denkt dat het een verhaal is?' Hij schoof de microfoon over de lage tafel van zich af. 'Je begrijpt nog steeds niet dat ik vertel wat er in werkelijkheid is gebeurd. Met mij. Bij Fredericksburg.'

'Lincoln Dittmann doceerde geschiedenis aan een kleine universiteit,' zei dr. Treffler geduldig. 'Hij werkte zijn scriptie over de slag bij Fredericksburg om tot een boek dat hij in eigen beheer uitbracht, onder de titel *Kanonnenvoer*, toen hij geen uitgever voor het manuscript kon vinden.'

'Er zijn bij Fredericksburg dingen gebeurd die je in geen enkel geschiedenisboek kunt vinden, ook niet in *Kanonnenvoer*.'

'Bijvoorbeeld?'

Lincoln was nu verontwaardigd. 'Nou goed. Burnside dwong het leger tot een geforceerde mars naar het Zuiden, langs de Rapahannock, maar moest uiteindelijk aan de verkeerde kant van de rivier tien lange dagen bivakkeren, wachtend tot die verdomde onderdelen van de pontonbrug eindelijk werden gebracht. Lafayette Baker had me een aanstelling bij Burnsides staf bezorgd – ik werd geacht uit te zoeken in welke sterkte de Zuidelijken zouden vechten, zodat Burnside zou weten wat hij aan de overkant van de rivier zo ongeveer kon verwachten. Gewapend met een Engelse zeemanskijker bracht ik de eerste negen dagen voornamelijk door met vernikkelen in een heteluchtballon, maar de mosterddikke mist boven de rivier trok al die tijd maar niet op, en ik kon niets zien van wat er op de heuvelrug achter Fredericksburg gebeurde. Daarom besloot ik door de linies te gaan. Ik vond een gezonken vissersbootje dat ik met hulp van een paar combattanten op de kant trok, zette de dollen in het vet en begon voor zonsopgang aan de oversteek; het water in de rivier stond hoog en aan weerskanten bevond zich ondiep moeras. Toen ik met mijn roeiboot bleef steken, trok ik mijn hoge schoenen en kousen uit, rolde mijn broekspijpen op en waadde door de blubber tot ik vaste grond onder mijn voeten voelde. Ik was uitgekomen onder een helling waarop een krankzinnigengesticht stond. De artsen en het verplegend personeel waren naar het binnenland gevlucht toen het leger van Burnside opdoemde op de andere oever van de rivier, en hadden de waanzinnige vrouwen aan hun lot overgelaten. Zij hingen uit de ramen, sommigen gekleed, anderen poedelnaakt, geboeid door de aanblik van de Noordelijke soldaten die urineerden in de rivier, soms ook door de mortiersalvo's die de Noordelijke artillerie op de overkant van de Rapahannock afvuurden en de daarop volgende explosies in de heuvels achter Fredericksburg; de krankzinnige vrouwen waren ervan overtuigd dat er iets vreselijks stond te gebeuren en dat het hun taak was daar getuige van te zijn en het verhaal door te vertellen, een jonge vrouw voor een raam, met plukken klithaar over haar blote borsten, krijste naar me toen ik de helling naar het gesticht beklom.

Bij de herinnering aan de arme geesteszieken die in hun gesticht ingeklemd zaten tussen de linies haalde Lincoln hoorbaar adem door zijn neusgaten. Zacht stelde dr. Treffler voor: 'Even pauze, Lincoln?'

Hij schudde schokkerig zijn hoofd. 'Ik ontvreemdde een verplegerskiel uit de linnenschuur achter het gesticht, verkleedde me en liep door Fredericksburg in de richting van Marye's Hill. De stad was verlaten, op wat schildwachten na die me aanzagen voor iemand die in het gesticht werkte. Ik nam goede nota van wat ik zag. Fredericksburg zelf zou kennelijk niet worden verdedigd, hoewel er soms een scherpschutter uit Mississippi vanuit een schuilplaats aan de havenkant over de rivier schoot. Ik liep de stad uit langs gebouwen met karton in de kozijnen en een winkel met dichtgetimmerde deuren en ramen (alsof plunderaars zich daardoor zouden laten weerhouden) en liep de vlakte op. Ik zag dat er geen pogingen waren ondernomen om loopgraven aan te leggen of schuttersputjes te graven, en ik begon me af te vragen of het wel tot een veldslag zou komen. Daarna kreeg ik de holle weg onder Marye's Hill in het zicht, met de stenen muur erlangs, en toen wist ik dat er slag zou worden geleverd en dat de overwinning naar de Zuidelijken zou gaan, want het wemelde op die weg van de Zuidelijke militairen – scherpschutters poetsten de messing viziers van hun Whitworths en legden de papieren hulzen klaar op de muur; er stonden kanonnen met korte loop met stapels *grapeshot*, de bijbehorende dodelijk effectieve munitie, naast de wielen; er waren officieren te voet met zwaarden en pistolen met lange loop die pas aangekomen soldaten in de linie dirigeerden; ik zag Zuidelijke vlaggen en vaandels van onderdelen die opgerold tegen bomen waren gezet zodat de Noordelijken, als ze eindelijk verschenen, niet zouden weten tegenover wie ze stonden tot het te laat was om terug te gaan. De enige ontrolde vlag die met het naakte oog te zien was behoorde toe aan het 24e Regiment uit Georgia, geharde vechtjassen, en in nuchtere staat geduchte scherpschutters. Er bood zich geen toegang tot de holle weg en de muur aan; de rechterflank was te drassig voor een omtrekkende beweging en links zetten de weg en de muur zich eindeloos voort. Ik werd enkele keren aangesproken door vooruitgeschoven wachtposten, maar met een frivole opmerking over de krankzinnigen kwam ik er telkens langs, zodat ik de helling verder kon beklimmen. En achter de heuvelrug, buiten het zicht van de mannen van Pinkerton die vanuit heteluchtballonnen de situatie met hun kijkers verkenden, bevond zich het omvangrijkste leger dat ik ooit had gezien. Ze hadden meer kanonnen bij zich dan een man kon tellen. Soldaten besproeiden de weg om het stof vast te houden terwijl met paardenspannen de kanonnen achter recent opgeworpen aarden wallen in positie werden gebracht. Een militaire kapel van de Zuidelijken bracht walsen ten gehore ten behoeve van de Zuidelijke dames en heren die uit Richmond waren gekomen om de veldslag te zien. Het voetpad leidde me langs een grote grijze tent naast een groepje scheefgegroeide appelbomen en ik zag drie generaals gebogen staan over op een schraagtafel uitgespreide kaarten. Een man in wit uniform leek me Bobby Lee zelf; de tweede, in grijs wollen uniform met gepluimde steek, leek me George Pickett (wat zou betekenen dat Picketts divisie zich eerder dan verwacht had aangesloten om de linie te versterken; de derde, die de omslagdoek van een vrouw om zijn schouders had geslagen, moest de oude Pete Longstreet zijn. Het was erg verleidelijk de generaals van dichterbij te bekijken en ik gaf toe aan mijn verlangen, met voor mij ongewenste gevolgen. Een jonge officier in een splinternieuw uniform, met een koppel waaraan hij zijn zwaard droeg, hield me staande. Mijn verklaring dat ik de laatste verpleger was die het krankzinnigengesticht had verlaten, leek hem niet te overtuigen, en hij nam me mee naar de divisietent aan de andere kant van Marye's Hill. Al wilde ik nog zo graag, ik kon niet ontkomen; hij hoefde maar alarm te slaan en duizend rebellen zouden zich op me hebben gestort. Mag ik misschien een glaasje water?'

'Natuurlijk.' Dr. Treffler liep naar een buffetkast, schonk water uit een plastic fles in een glas en bracht het naar Lincoln toe, zich steeds bewust van zijn blik. Dacht hij aan de jonge zottin die uit het raam had gehangen met het verkleefde haar voor haar borsten? Vond hij het jammer dat hij een psychiater had die niet met haar patiënten naar bed ging?

Lincoln dronk het glas water in een lange teug leeg en liet toen zijn vinger over de rand glijden, terwijl hij de draad van zijn verhaal weer opnam. 'Ik werd stevig verhoord door een gedrongen officier met opgetrokken schouders en een flinke kuif haar die van ouderdom en gevechtsmoeheid grijs was geworden, veronderstelde ik, want hij bewoog zich op twee houten krukken voort. En toen mijn antwoorden bij hem niet in goede aarde vielen – ik erkende dat ik in Pennsylvania geboren en getogen was, maar beweerde naar het Zuiden te zijn gegaan om de rechten van de staat en de slavernij te verdedigen, want welk verstandig denkend mens wilde dat miljoenen slaven het noorden zouden overspoelen en onze banen zouden inpikken – beval hij me al mijn kleren uit te doen, waarna hij mijn kleding minutieus begon te onderzoeken. Zo ontdekte hij dan ook het horloge dat versierd was met Alan Pinkertons symbool, het wakende oog, dat Alan zelf me had gegeven in de tijd dat we achter treinrovers en veedieven aan zaten. De oude officier herkende het symbool onmiddellijk en mijn bewering dat ik het van een van de krankzinnige vrouwen in het gesticht had gekregen, kon hem niet overtuigen. *Je bent een Federale spion,* zei hij, *achter onze linie betrapt. Sluit vrede met je Schepper, want voor zonsopgang krijg je de kogel.'*

Bij de herbeleving van de episode depte Lincoln het zweet van zijn voorhoofd. 'Ik mocht me weer aankleden en werd aan mijn enkels geboeid, net strak genoeg om te kunnen lopen, maar niet rennen. Ik werd naar een kring van ziekenwagens gebracht, waar ik zittend op een houten kist mijn testament mocht schrijven en brieven die ik nog aan familie of vrienden wilde sturen. In dit jaargetijde werd het vroeg donker. Het noorderlicht, een zeldzaamheid op deze breedte, flakkerde als geluidloos kanonsvuur in het noorden; er was niet veel fantasie voor nodig om te veronderstellen dat achter de horizon een grote oorlog werd uitgevochten. Er werd me een olielamp gebracht en een tinnen bord met scheepsbeschuit en water, maar ik kon zelfs het speeksel in mijn mond niet doorslikken, omdat mijn keel door angst werd dichtgeschroefd. Ik probeerde aan mijn vader en moeder te schrijven en aan een meisje dat ik in Pennsylvania had gekend, ik wilde vertellen wat me was overkomen en begon met: *Ik maak van de huidige gelegenheid gebruik om een paar regels te pennen, ik ben gezond maar dat zal niet lang meer duren.* Ik moest ophouden met schrijven omdat mijn verstand, vertroebeld door chemische stoffen die door mijn angst waren ontstaan, de woorden niet kon vinden om mijn toestand te beschrijven. Ik raakte ervan overtuigd dat het allemaal een gruwelijke droom was, dat ik elk ogenblik te bang kon worden om te blijven dromen; dat ik mezelf door het membraan zou persen dat slaap scheidt van wakker zijn en het zweet van mijn voorhoofd zou vegen en dat ik, nog in de ban van de nachtmerrie, moeite zou hebben om weer in slaap te vallen. Maar de houten kist voelde klam en koud onder mijn hand en de geur van zwavel – in de wagen ernaast werd het been van een jongen afgezet die onder een omvallend kanon was gekomen en de stomp werd met zwavel dichtgebrand – drong in mijn longen en de pijn bracht me tot het besef dat wat er was gebeurd en nog stond te gebeuren geen droom was.'

Gevangen in het web van Lincolns relaas boog dr. Treffler zich naar voren toen hij ophield met praten. 'Geef het maar toe,' zei hij met een neerbuigend lachje, 'het begint je te dagen dat ik de waarheid spreek.' Toen ze voorzichtig knikte, vervolgde hij: 'Ik verwachtte dat ik zou worden opgehangen, maar de oude officier met het zilvergrijze haar en de krukken had iets gruwelijkers in petto. Bij het krieken van de dag werden mijn polsen en ellebogen op mijn rug gebonden met een stuk telegraafdraad. Twee mannen met de gestreepte hemden van gevangenbewaarders brachten me van de ziekenwagen naar de tolweg aan de andere kant van Marye's Hill, Plank Road, zo genoemd omdat diepe bomkraters die in de weg waren geslagen met aarde en planken waren afgedekt om de weg begaanbaar te houden. Op de rand van zo'n krater, ongeveer zo groot als een flink wagenwiel, naast een stapel planken aan de kant van de weg, begreep ik wat mijn ondervrager had bedoeld toen hij over mijn executie sprak. Een van de bewakers had een bord van strokarton bij zich waarop met Oost-Indische inkt "De spion Dittmann" was geschreven, en maakte het bord met splitpennen vast op het rugpand van mijn jasje. Ik kon raden wie de vorm van mijn executie had verzonnen toen ik boven me Stonewall Jackson ontwaarde, bekend om zijn extreme religieuze opvattingen; hij zat te paard op de helling. Zijn gezicht drukte pure kwaadaardigheid uit. Hij nam zijn sigaar uit zijn mond en bestudeerde me lange tijd, alsof hij zich mij en dit ogenblik in het geheugen wilde prenten. Bits tikte hij zijn sigaar af terwijl hij een adjudant instructies gaf. Ik bevond me te ver weg om meer dan enkele woorden te kunnen verstaan. *Begraven, dat wil ik, maar wel levend…* Honderden Zuidelijke militairen aan deze kant van de helling hadden hun bezigheden gestaakt om naar de terechtstelling te kijken. Mijn ondervrager trok een sigaret uit de mond van een van de bewakers, kwam op zijn krukken naar me toe en duwde de sigaret tussen mijn droge lippen. *Het is een kwestie van traditie,* zei hij. *Een ter dood veroordeelde heeft recht op een laatste sigaret.* Sidderend trok ik aan de sigaret. Het roken en de rook die mijn keel dichtbrandde leidden me af. Mijn ondervrager staarde naar de as en wachtte tot die zou doorbuigen en vanzelf zou vallen zodat ze de executie konden voltrekken. Zuigend aan de sigaret werd ik me ook bewust van de as. Het leven zelf leek ervan af te hangen. In weerwil van de zwaartekracht werd de kegel langer dan het onopgerookte deel van de sigaret.'

'En toen?'

'En toen bracht een zuchtje wind over de rivier de verre klanken mee van een muziekkorps dat Yankee Doodle speelde. In de nachtelijke duisternis had het Federale leger eindelijk de pontonbrug over de rivier gelegd en nu viel het op volle sterkte aan. Vanuit Fredericksburg, waar de achterhoede van de Zuidelijken een schijngevecht voerde om het Federale leger 9 in de val te lokken waarin het zou trappen zodra het de stad had veroverd en richting Richmond zou optrekken, werd nu en dan geschoten. Ieders blik werd naar de rivier getrokken, vanwaar Yankee Doodle en de holle echo's van musketvuur te horen waren. Bobby Lee bracht zijn paard tot staan naast Jackson, die voor hem salueerde. Ze praatten even en Lee wees naar Chatham Mansion, dat door Burnside als commandopost werd gebruikt, zichtbaar aan de overzijde van de rivier. En toen keek Lee even mijn kant op. Hij richtte zijn blik op mij en riep: *Wat heeft dat te betekenen?* Mijn ondervrager riep terug dat ik een Federale spion was die de avond tevoren achter de linie van de Zuidelijken was betrapt; ze wilden me levend begraven als waarschuwing voor anderen. Lee zei iets tegen Jackson, richtte zich in zijn stijgbeugels op, nam zijn witte hoed af en schreeuwde omlaag: *Er zal op deze velden vandaag door zovelen worden gestorven dat een man er voor een heel leven genoeg aan heeft. Bind hem aan een boom en laat hem toekijken bij de slag, en laat hem vrij wanneer het voorbij is.* Zo kreeg ik de olifant opnieuw te zien, als getuige van het bloedbad dat zich op die gruwelijke dag in december aan de voet van Marye's Hill afspeelde. Burnsides leger stormde vanuit Fredericksburg naar de vlakte en stelde zich in slagorde op. Het 114e Regiment Zoeaven uit Pennsylvania met zijn witte hoofdbanden was de eerste die de muur naast de holle weg bereikte: met wapperende vanen en op de maat

die de jonge trommelaar aangaf, tot zijn hoofd door een kanons-
kogel van zijn romp werd gescheiden. Het was een slachting van
begin tot eind. De hele middag vielen Federale militairen golf na
golf de holle weg aan, en werden met minikogels neergemaaid. Ik
telde veertien aanvalsgolven, maar niet een van de Federale militairen bereikte zelfs maar de muur. De zaak was zo hopeloos dat Zuidelijken die op de heuvel toekeken naar wat er beneden gebeurde,
de moed van de Federale militairen toejuichten. Ik zag dat de
scherpschutters onder de Rebellen hun handen in emmers water
doopten om hun Whitworths, die gloeiend heet werden van het
schieten, te kunnen laden zonder blaren te krijgen. Op een zeker
tijdstip die middag zag ik dat groepjes Federale militairen probeerden dekking te zoeken achter een paar bakstenen huizen op de vlakte, maar de cavalerie van de Yankees dwong hen met de blanke sabel terug in de strijd. Het was gruwelijk om aan te zien; er zijn
sindsdien dagen geweest dat ik liever had gehad dat ze me levend
hadden begraven, omdat de aanblik en de geluiden van de slag dan
niet in mijn geheugen gekerfd zouden zijn.'

'En mocht je over het slagveld terug naar je linie toen het voorbij was?'

'Over het slagveld kan ik maar beter zo min mogelijk zeggen. Die
nacht daalde de temperatuur onder het vriespunt en mijn adem
kwam in grote witte wolken langs mijn klapperende tanden, toen
ik probeerde zonder te vallen de weg terug af te leggen. Ik scheurde het kartonnen bord los dat ze op mijn rug hadden gehangen en
begaf me in de richting van de vlammen die ik in Fredericksburg
kon zien branden. Struikelend over de gezwollen lijken van paarden en mannen stuitte ik op lijken zonder ledematen die zich in de
kraters van mortierinslagen hadden opgehoopt. Ondanks de winterse kou werden dazen aangetrokken door het bloed dat uit wonden vloeide. De verminkte Federale soldaten die nog leefden maakten stapels van de doden en kropen eronder om warm te blijven.
Tot mijn eeuwige spijt kon ik niets voor hen doen. Ik nam de tijd
om een stervende soldaat die een stukje papier met zijn naam en
adres op het rugpand van zijn bloes had gespeld in mijn armen te
nemen. Hij rilde en mompelde *Sarah, liefste* en stierf. Ik nam het
papiertje mee om het aan zijn familie te sturen, maar raakte het in
de verwarring van de nacht kwijt. Paarden zonder ruiter schraapten

met hun hoeven over de grond om iets eetbaars te vinden, maar het enige voer in Fredericksburg op 13 december 1862 was kanonnenvoer.'

'Je bereikte de stad...'

'Fredericksburg leek op Sodom. Bij hun afmars hadden de Federalen de gebouwen in brand gestoken en het warenhuis leeggeplunderd; meubilair en andere koopwaar lagen verspreid over de plankieren en het zand op straat. Wat er over was van zijden japonnen waaruit zakdoeken en droogdoeken waren gescheurd hing over uithangborden bij de toegang tot winkels. Krankzinnige vrouwen uit het gesticht doorzochten in vervuilde hemden en op blote voeten de puinhopen, vonden spiegeltjes en deftige, uit Parijs geïmporteerde dameshoeden, die ze over hun verkleefde haar trokken. Twee vrouwen vochten om een regulateur. Ik was waarschijnlijk een van de laatsten die de brug overstaken, want achter me begonnen genisten de pontons te demonteren. Aan de overkant zwierf ik van kampvuur naar kampvuur, langs ontmoedigde soldaten die lagen te dommelen en schildwachten die stonden te slapen. Ik moet koorts hebben gekregen, want wat er na het oversteken van de pontonbrug is gebeurd, is me alleen schetsmatig en onsamenhangend bijgebleven. Ik meen me lange rijen mistroostige soldaten te herinneren die terugsjokten naar Washington, stapels gewonden van drie, vier man dik op open ezelskarren, en doden die in ondiepe graven werden gelegd op de plaats waar ze waren bezweken. Toen ik wakker werd, ik weet niet hoeveel dagen later, lag ik op een veldbed met ingedroogde bloedvlekken in een veldhospitaal. Medici trokken de conclusie dat ik aan hypochondrie leed, wat jullie knappe dokters tegenwoordig depressie noemen. Een heer met een vriendelijk gezicht en een besmeurd wit overhemd, waarvan de bovenste knoopjes openstonden, depte mijn borst en hals met azijn om de koorts omlaag te brengen. We raakten aan de praat. Hij vertelde dat hij Walter heette. Pas later kwam ik weten dat hij de beroemde dichter Whitman uit Brooklyn was, die langs de veldhospitalen trok op zoek naar zijn broer George, die als gewond was opgegeven. Door toeval trof hij hem in dezelfde tent aan waar ik lag. Toen ik me op een ochtend sterker voelde, legde Walter zijn arm om mijn middel en hielp me naar buiten, waar de zon scheen. Getweeën gingen we met onze rug tegen een stapel nieuwe houten lijkkisten zitten. Ik herinner me dat hij naar de berg geamputeerde ledematen achter de tent keek en opmerkte: *Fredericksburg is misschien wel de meest totale manifestatie van wanbeleid die zich ooit in een oorlog op aarde heeft voorgedaan.* Na een tijdje kwamen ziekenbroeders uit de tent met drie brancards met lijken erop en zetten die op de grond neer in afwachting van de begrafenis. De doden waren met dekens afgedekt en de teenstukken van hun sokken staken eronderuit, met een speld aan elkaar vastgemaakt. Walter kwam overeind, liep naar de lijken toe, hurkte erbij, tilde de deken van een van de doden op en bleef heel lang kijken naar het gezicht van de dode jongen. Toen hij weer naast me kwam zitten, haalde hij een opschrijfboekje uit zijn binnenzak, likte aan een eindje potlood en begon te schrijven. Toen hij klaar was, vroeg ik wat hij had opgeschreven en dat is me al die jaren bijgebleven.' Lincoln kneep zijn ogen dicht – tegen de tranen, meende dr. Treffler – terwijl hij zich de regels van Walter Whitman voor de geest haalde. *Aanblik bij zonsopgang, – in kamp voor de hospitaaltent op een brancard (drie dode mannen, liggend) elk met een deken over zich heen getrokken – ik til er een op en kijk naar het gezicht van de jongeman, kalm en geel, – wat vreemd! (Jongeman: ik denk dat dit gezicht van jou het gezicht is van mijn dode Christus!).*

Zonder een spoor van arrogantie keek Lincoln dr. Treffler aan en fluisterde op zangerige toon: 'Een vrouw, een hond, een walnootboom, zonder slaag... De rest weet ik niet meer.'

'Ik geloof je, Lincoln. Ik merk wel dat je echt in Fredericksburg bent geweest.' Toen hij oppervlakkig ademhalend met zijn kin op zijn borst bleef zitten, zei ze: 'Shalimar.'

'Wat?'

'De naam van mijn parfum. Shalimar.'

1994: BERNICE TREFFLER

RAAKT EEN PATIËNT KWIJT

Dr. Treffler liep om het standbeeld van Nathan Hale voor het gebouwencomplex van de CIA in Langley (Virginia) en bekeek de gezichtsuitdrukking van de jonge koloniale spion vanuit verschillende gezichtspunten, terwijl ze zich afvroeg waaraan hij had gedacht toen hij werd afgevoerd om te worden terechtgesteld. Ze kon zich voorstellen dat hij aan niets had gedacht; misschien was hij te zeer in beslag genomen door het brok in zijn keel, dat angst wordt genoemd, om goed te kunnen nadenken. Ze kon zich niet herinneren of Nathan Hale de olifant had gezien (al was die uitdrukking waarschijnlijk pas in de Burgeroorlog in zwang gekomen) voordat hij zijn opdracht achter de Britse linie op het eiland Manhattan ging volvoeren. Ze vroeg zich af of de Britse beulen gestreepte hemden hadden gedragen; ze vroeg zich ook af of ze een sigaret tussen zijn lippen hadden gedrukt voordat ze hem ophingen aan de Post Road, tegenwoordig Third Avenue in Manhattan. *Het is een kwestie van traditie,* had Lincoln Dittmann de beul horen zeggen, *een ter dood veroordeelde heeft recht op een laatste sigaret.*

Een vaalbleek ogende jongeman met een gelamineerd kaartje aan de borstzak van zijn driedelige pak kwam naar haar toe. 'Hij was de eerste in een lange rij Amerikanen die spionage voor hun land met hun leven hebben moeten bekopen,' merkte hij op, terwijl hij omhoogkeek naar Nathans op de rug gebonden handen. 'U moet Bernice Treffler zijn.' Toen ze *in eigen persoon* zei, vroeg hij naar het identiteitsbewijs van haar ziekenhuis en haar rijbewijs en vergeleek geconcentreerd de foto's met haar gezicht. Ze zette haar zonnebril af om hem terwille te zijn. Hij leek tevreden en gaf haar identiteitsbewijs en rijbewijs terug. 'Ik ben Karl Tripp, hoofdassistent van mevrouw Quest, een mooie naam voor voetveeg. Ik hoop dat ik u niet heb laten wachten. Wilt u mij maar volgen...'

'Natuurlijk,' zei dr. Treffler en liep met haar begeleider mee. Haar blik werd getrokken door het gelamineerde pasje aan zijn borstzak met zijn foto, naam en werknemersnummer erop. Als hij door de bliksem werd getroffen, zou ze het dan opbrengen om het los te maken en aan zijn familie te sturen?

'Eerste keer in Langley?' vroeg hij terwijl hij zijn pasje liet zien aan de portier in uniform bij het draaihekje, samen met de ondertekende verklaring dat hij een bezoekster mee naar binnen mocht nemen die Bernice Treffler heette.

'Eigenlijk wel,' zei ze.

De portier gaf haar een bezoekerspasje dat een uur geldig was en noteerde de naam van dr. Treffler en het nummer van het pasje in een bezoekersboek. Karl Tripp klemde het pasje vast aan de revers van haar jasje, ze passeerden het draaihekje en liepen door een lange gang naar de liften. Ze wilde in de eerste stappen die openging, maar Tripp trok aan haar mouw om haar tegen te houden. 'We nemen de snellift naar de zesde,' fluisterde hij.

Enkele jonge mannen die zich van de plebejerslift moesten bedienen keken naar de goed geklede vrouw die op de patriciërslift wachtte en vroegen zich af wie ze kon zijn, want de zesde verdieping was in marinetermen een admiraalsverblijf, waar buitenstaanders (de lift stopte niet op andere verdiepingen) alleen op uitnodiging werden toegelaten. Toen de deuren op de zesde eindelijk openschoven, moest Tripp met dr. Treffler nog een controle passeren. Hij leidde haar door een in oorlogsschepengrijs geschilderde gang naar een deur waarop 'Toegang uitsluitend voor personeel Directoraat Operatiën' stond, ontsloot hem met een sleutel die aan een kettinkje aan zijn riem hing en wees haar een stoel voor een halvemaanvormig bureau. 'Koffie? Thee? Cola light?'

'Ik hoef niets, dank u.'

Tripp vertrok en deed de deur achter zich dicht. Treffler keek om zich heen en vroeg zich af of dit echt het kantoor kon zijn van een zo belangrijke persoon als Crystal Quest, die ze een paar keer

aan de telefoon had gehad nadat ze Martin Odum was gaan behandelen. Een ogenblik later ging een smalle, in de lambrisering
achter het bureau gecamoufleerde deur open en mevrouw Quest
kwam uit een ruimer, lichter kantoor naar voren. Zo te zien was ze
veel ouder dan ze aan de telefoon had geklonken en ze droeg een
broekpak met brede revers dat haar vrouwelijkheid bepaald niet ac-
centueerde. Haar kortgeknipte haar had de kleur van verroest giet-
ijzer. 'Ik ben Crystal Quest,' zei ze op zakelijke toon en leunde tegen het bureau, drukte kort maar stevig de hand van dr. Treffler en
nam plaats op een draaistoel met rieten zitting. Uit de onderste la
van het bureau pakte ze een thermosfles. '*Frozen* daiquiri's,' verklaarde ze en zette twee waterglazen neer, waarvan ze er maar één
vulde nadat haar bezoekster een afwerend gebaar had gemaakt. 'Dus
u bent Bernice Treffler,' zei ze. 'Over de telefoon klinkt u ouder.'

'En u juist jonger... Sorry, ik had niet...' Ze lachte nerveus. 'Wat
een manier om een gesprek te beginnen. Het was niet onaardig bedoeld.'

'Natuurlijk niet. En dat brengt ons op Martin Odum.'

'Ik heb een interimrapport gestuurd...'

'Hoor liever de orgeldraaier dan de aap.' Quest liet haar een scheef
lachje zien. 'Waarmee ik natuurlijk niets onaardigs bedoel.'

'Martin Odum lijdt aan wat wij een meervoudig persoonlijk-
heidssyndroom noemen.' Dr. Treffler hoorde dat Crystal Quest met
haar kiezen ijsschilfers vermaalde. 'Daaraan ligt een trauma ten
grondslag,' vervolgde de psychiater, 'in veel gevallen door seksueel
misbruik op jeugdige leeftijd. Dat leidt tot kortsluiting in het nar-
ratieve geheugen van de patiënt waardoor meervoudige persoonlijkheden tot ontwikkeling komen, elk met eigen herinneringen en
bekwaamheden en emoties en zelfs taalbeheersing. Iemand met een
MPS schakelt vaak van de ene persoonlijkheid op een andere over in
situaties waarin stress optreedt.'

Met haar vingers viste Crystal Quest een ijsschilfer uit het wa-
terglas en stopte hem in haar mond. 'Heeft hij het trauma kunnen
benoemen?'

Dr. Treffler schraapte haar keel. 'Het oorspronkelijke trauma, de
bron van de meervoudige persoonlijkheden, blijft in nevelen gehuld,
moet ik tot mijn spijt melden.' Ze had kunnen zweren dat Crystal
Quest opgelucht keek. 'Wat niet wil zeggen dat het bij verdere be-

handeling niet aan de oppervlakte zal komen. Ik wil graag naar het trauma toe, niet alleen terwille van de geestelijke gezondheid van de patiënt, maar ook voor het wetenschappelijke artikel dat ik wil schrijven...'

'Er komt geen wetenschappelijk artikel, dr. Treffler. Nu niet en in de toekomst evenmin. De behandeling wordt ook niet voortgezet. Hoeveel van die verschillende persoonlijkheden hebt u ontdekt?'

Dr. Treffler deed geen poging haar teleurstelling te verbergen. 'In het geval van Martin Odum,' antwoordde ze stroef, 'heb ik drie duidelijk van elkaar gescheiden alters aangetroffen, die de patiënt zelf personages noemt, een aanduiding die u wel bekend zal voorkomen. Ten eerste is er Martin Odum. Dan is er een Ier die Dante Pippen heet. En ten slotte is er een in de Burgeroorlog gespecialiseerde historicus die door het leven gaat als Lincoln Dittmann.'

'En is er iets gebleken van een vierde personage?'

'Nee. Is er een vierde personage?'

Quest negeerde de vraag. 'Hoeveel van die personages hebt u zelf ontmoet?'

'Martin Odum, natuurlijk. En bij het meest recente gesprek, afgelopen week, heb ik Lincoln Dittmann in actie gezien.'

'Hoe kon u weten dat het Lincoln was?'

'De man die mijn kamer binnenkwam was heel anders dan de Martin Odum die ik heb leren kennen. Toen ik besefte dat ik Lincoln Dittmann voor me had en dat zei, gaf hij het toe.'

'En nu de kern van de zaak. Is Martin Odum geschift? Moeten we hem in een inrichting opbergen?'

'Er zijn twee mogelijkheden. Lincoln Dittmann is inderdaad geschift, om dat woord te gebruiken. Hij is ervan overtuigd dat hij tijdens de Burgeroorlog getuige is geweest van de slag bij Fredericksburg. Desgewenst kan Lincoln Dittmann, of zijn alter ego, de Ier Dante Pippen, voor onbeperkte tijd worden opgesloten.'

'En Martin Odum?'

'Martin ervaart het als onaangenaam dat hij niet kan bepalen wie van de drie actieve alters zijn werkelijke ik is. Maar hij functioneert redelijk goed, is goed in staat in zijn onderhoud te voorzien, voor zichzelf op te komen, misschien zelfs in staat een relatie met een vrouw te onderhouden, zolang ze met de ambigue kern van zijn persoonlijkheid kan leven.'

'Dus niemand die Martin in een bar of bij een diner ontmoet, zou denken dat hij geestelijk gestoord is?'

Dr. Treffler knikte behoedzaam. 'Zolang hij er niet in slaagt de bijzonderheden van het oorspronkelijke jeugdtrauma voor de geest te halen, blijft hij in deze toestand verkeren: goed genoeg functionerend om zich te kunnen redden, maar met een vaag onbehagen.'

'Juist. Ik wil dat u de behandeling staakt. Ik stuur mijn man Tripp bij u langs voor alle aantekeningen die u in de loop van de behandeling hebt gemaakt. Ik hoef u er niet op te wijzen dat voor de gehele zaak de hoogste categorie van geheimhouding geldt en dat u er met geen sterveling over mag spreken.'

Dr. Treffler herinnerde zich een van de dingen die ze in het begin van de gesprekken tegen Martin had gezegd. 'Ook niet als ik de namen wijzig om de schuldigen te beschermen?'

'Grapjes zijn hier ongepast, dr. Treffler.' Crystal Quest drukte een knopje in. 'Tripp brengt u terug naar de ingang. Bedankt voor uw bezoek.'

'Is dat alles?'

Crystal Quest kwam uit haar rieten draaistoel. 'Dat is zeer zeker alles.'

Dr. Treffler ging staan en keek haar aan met ogen die glinsterden door een nieuw besef. 'U hebt nooit gewild dat ik het trauma aan het licht zou brengen. U wilt niet dat Martin beter wordt.'

Quest snoof de parfumgeur op in het raamloze hokje; met enige verbazing besefte ze dat Bernice Treffler in haar professionele rol naar vrouwelijkheid rook, wat meer was dan ze van zichzelf kon zeggen. 'U hebt geen flauw idee waar u het over hebt,' zei de adjunct-directeur Operaties kribbig. 'In het geval van Martin zou genezing heel goed fataal kunnen zijn.'

1997: MARTIN ODUM ONTDEKT
HET KATOVSKI-GAMBIET

Terwijl hij voor de drukke aankomsthal van de stoeprand stapte, stak Martin ter hoogte van zijn broekriem zijn wijsvinger op naar de snorders die klanten zochten die geen zin hadden in een taxi met vergunning en een gemanipuleerde meter. Al na enkele seconden stond een antieke Zil voor hem stil waarvan het raampje aan de passagierskant openstond.

'*Koeda,*' vroeg de chauffeur, een heer op leeftijd met een smalle das, een geruit jasje met brede revers en een brilmontuur dat in de Sovjettijd modieus was geweest.

'Spreekt u Engels?' vroeg Martin.

'*Njet, njet, nje govorjoe po-Anglijski,*' beweerde de bestuurder, en daarna ging hij over op krom Engels, dat hij kennelijk graag sprak. 'Waar naartoe gaat u, bezoeker?'

'Een dorp niet ver van Moskou: Prigorodnaia. Ooit van gehoord?'

De chauffeur maakte een wiegende beweging met zijn hoofd. 'Iedereen boven vijftig jaar weet Prigorodnaia,' verklaarde hij. 'U was eerder daar?'

'Nee. Nooit geweest.'

'Niet koppig te vinden. Richting Sint Petersburg, op snelweg Moskou-Sint Petersburg. Hoge omes hadden daar datsja's, nu allemaal dood en begraven. Nu alleen lage omes.'

'Dat komt goed uit,' zei Martin met een vermoeid grijnsje. 'Ik ben zelf een lage ome. Hoeveel gaat het kosten?'

'Heen en weer: honderd Amerikaanse dollars. Half nu, half terug in Moskou.'

Martin ging naast de bestuurder zitten en haalde twee biljetten van twintig en een van tien tevoorschjn – hetzelfde bedrag dat Dante Pippen de alevitische prostituee Djamillah een paar personages geleden had betaald. Hij stopte nog een aspirientje in zijn mond uit het potje dat hij op het vliegveld had gekocht tegen de pijn aan zijn gekneusde ribben en keek voor zich uit terwijl de chauffeur in de Zil door het drukke Moskouse verkeer laveerde.

'Ik ben arme gepensioneerde,' legde de bestuurder uit. 'Automobiel is van jongste zoon van eerste vrouw, mijn stiefzoon voor scheiding van zijn moeder. Hij hoort tot handige kapitalisten die aandelen geprivatiseerde industrie opkocht bij verdeling aan proletariërs en met dikke winst verkocht aan Russische maffioso. Daarom is hij eigenaar van oude maar met liefde gerestaureerde Zil. Hij leent hem uit eind van de maand als belachelijke huur van geprivatiseerde flat betaald moet worden.'

'Wat deed u voor u met pensioen ging?'

De chauffeur wierp een snelle blik opzij naar zijn passagier. 'Geloof of niet, maakt mij niet wat: ik was beroemd en berucht schaakgrootmeester, nummer drieëntwintig van Sovjet-Unie in 1954 toen ik was Komsomolkampioen, negentien jaar.'

'Waarom berucht?'

'Mensen zeggen dat ik door schaken gek als deur ben geworden. Maar schakende psycholoog schrijft: schaken maakt niet mensen gek. Schaken is waardoor gekke mensen niet gek worden. U schaakt misschien?'

'Vroeger wel. Tegenwoordig ben ik niet vaak meer in de gelegenheid.'

'U weet misschien Katovski-gambiet?'

'Er gaat vaag een belletje rinkelen.'

'Ik ben dat belletje,' zei de bestuurder opgewonden. 'Hippolyte Katovski in eigenste persoon. Mijn gambiet deed lopend vuurtje toen ik in buitenland speelde: Belgrado, Parijs, Londen, Milaan, zelfs een keer Miami in Carolina-Noord, ander keer Peking in tijd dat Chinese Volksrepubliek nog socialistisch bondgenoot en Mao Tse-toeng strijdmakker.'

Martin merkte op dat de ogen van de oude man vochtig werden van nostalgie. 'Wat was het Katovski-gambiet precies?' vroeg hij.

Katovski claxonneerde verontwaardigd naar een voordringende

taxi. 'Onder Sovjets gingen zulke chauffeurs naar katoenoogst in Centraal-Azië. Rusland is Rusland niet meer na machtsverlies van onze communisten. Ha! Wij hebben nu vrijheid en gaan dood van honger. Het Katovski-gambiet was aanbod van giftige pion en beide lopers op damevleugel voor macht op diagonalen terwijl paarden doorstoten op koningsvleugel. Twee jaar lang alles geslagen, tot R. Fischer in Reykjavik wint door negeren giftige pion en rokeren op damevleugel nadat ik lopers op goede plaats heb.'

Zijn lippen bewogen terwijl hij in zijn hoofd het gambiet doorspeelde; Katovski zweeg en Martin wilde hem niet storen. De Zil reed langs een reusachtig bord met reclame voor Marlboro en langs metrostations die stromen arbeiders uitbraakten. Martin werd door vermoeidheid overmand (hij had twee dagen en twee nachten gedaan over de reis van Hrodna naar Moskou) en hij liet zijn ogen even dichtvallen. Toen hij ze twintig minuten later weer opendeed, reed de Zil over de ringweg. Reusachtige hijskranen beheersten wat Martin kon zien van de horizon. Nieuwe gebouwen met gevels van glas, die de overkant weerspiegelden, waren aan weerskanten van de verkeersader verrezen. In een ervan kon hij de voorbijrijdende auto's zien, maar het ging zo snel dat hij niet kon zien in welke auto hij zelf zat. De doorstroming werd belemmerd waar mannen met gele helmen een gedeelte van de snelweg met pneumatische hamers openbraken. Voorbij de plaats van de werkzaamheden meerderde de Zil weer vaart. Verderop kondigde een bord boven de weg de afslag naar de snelweg naar Sint Petersburg aan.

'Nu niet ver Prigorodnaia,' zei Kastovski. 'Ik was met anderen adviseur van Boris Spasski in 1972, zijn nederlaag van Fischer. Als hij luistert naar mij, hij kan met Fischer mat aanvegen, want Fischer maakt blunder na blunder. Ha! Ze zeggen winnaar schaakpartij is man van een na laatste blunder. Hier: weg naar Prigorodnaia. Tijd gaat door vingers die niet maken vuist: ik ken deze weg vóór asfalt. In 1952 en deel van 1953 ik word door chauffeur met auto gebracht naar datsja van Lavrenti Pavlovitsj Beria in Prigorodnaia elke zondag voor schaakles aan vrouw van Beria. Na dood van kameraad Stalin geen schaakles meer en Beria, man die achter Stalins rug goelags bouwt en trouwste kameraden zuivert, krijgt executie.'

Terwijl Katovski de afslag nam, langs een bord waarop 'Prigorodnaia 7 KM' stond, begon Martins gekneusde rib weer op te spelen. De pijn voelde merkwaardig... vertrouwd.

Hoe kon pijn in godsnaam vertrouwd zijn?

Bonzende slapen waren een voorbode van barstende hoofdpijn en Martin begon ze te masseren. Hij merkte dat hij rollen in- en uitgleed. Hij hoorde Lincoln Dittmann met lijzige stem een poëziefragment mompelen:

...de zwijgende kanonnen glanzend als goud rijden
licht ratelend over de stenen. Zwijgende kanonnen, die weldra
uw zwijgen zullen verbreken, weldra onbelemmerd de rode arbeid
zullen verrichten.

En de stem van de dichter met het bezoedelde half openstaande witte hemd.

Aanblik bij zonsopgang, – in het kamp voor de
hospitaaltent op een brancard (er lagen drie doden,)
elk met een deken over zich heen...

Andere stemmen, nauwelijks verstaanbaar, speelden in het gedeelte van zijn brein waar zich het geheugen bevond. Langzamerhand kon hij dialoogfragmenten onderscheiden.

Dames en heren... Martin Odums oorspronkelijke biografie veronachtzaamd.

Zijn moeder was...

...was een Poolse... Geïmmigreerd... Na de Tweede...

Maggie heeft door...

...levensgroot te zien...

De bestuurder van de Zil keek naar zijn passagier. 'Ziet u die schoorstenen vieze witte rook uitbraken,' zei hij.

'Mja.'

'Papierfabriek, gebouwd na Beria, natuurlijk; had hij nooit toegestaan. Nu weet u waarom hier alleen nog lage omes wonen: zwavelstank in de lucht elk uur, elke dag van elk jaar. De boeren hier bezweren dat het went – op den duur heb je alleen nog last als de lucht niet vervuild is.'

Zelfs de zwavelstank die Martins neus prikkelde leek vertrouwd.

'Kameraad Beria schaakte ook,' herinnerde de bestuurder zich. 'Heel slecht. Zo slecht is moeilijk van hem te verliezen.'

...Lincoln Dittmann is in het Driegrenzengebied geweest... hoorde

een oude lotenverkoper Pools spreken tegen een hoer... kon volgen waar het over ging...

...zijn moeder vertelde hem indertijd verhaaltjes voor het slapen gaan in het Pools...

Martin merkte dat hij het benauwd kreeg; hij had het gevoel te zullen stikken in herinneringen die uitgebraakt moesten worden voordat hij verder kon met zijn leven.

Voor hen uit stond aan de kant van de weg een verlaten douanepost met een rode ster in vaal geworden verf. Aan de andere kant van de weg stroomde onder een flauwe helling een traag riviertje. Het water stond kennelijk hoog, want aan beide kanten was een strook ondiep moeras te zien; gras golfde mee met de stroom.

Martin hoorde een stem die hij als de zijne herkende hardop zeggen: 'De rivier heet de Lesnia, wat de naam is van het bos waar hij zich doorheen slingert waar hij langs Prigorodnaia loopt.'

Katovski minderde vaart. 'U zei toch dat u nog nooit in Prigorodnaia bent geweest?'

'Inderdaad.'

'Maar u weet naam van rivier?'

Martin, die zich op de stemmen in zijn hoofd concentreerde, gaf geen antwoord.

...blonk als student uit in Russisch... sprak de taal met een Pools accent.

...Zijn Pools ophalen, kunnen ze ook aan zijn Russisch werken.

'Stop,' zei Martin.

Katovski remde met twee wielen op het asfalt en twee wielen in de zachte berm. Martin sprong uit de auto en liep midden over de verharde weg in de richting van Prigorodnaia. Links van hem, hoog op de helling bij een groepje scheefgegroeide appelbomen, zag hij een rij gewitte bijenkasten. Hij had veel last van zijn pijnlijke been en pijnlijke ribben, en zijn migraine bonsde achter zijn ogen terwijl hij zich door een landschap bewoog dat hem pijnlijk vertrouwd was, hoewel hij het nog nooit had gezien.

...de voornaam Jozef?

De helft van de Polen heet Jozef.

...precies de bedoeling...

Ik herlees toevallig net Kafka...

...stel een Pools klinkende naam voor zoals Kafkor.

Martin bespeurde een oneffenheid in het asfalt onder zijn voeten, keek omlaag en zag dat een weggedeelte ongeveer ter grootte van een grote tractorband slordig was hersteld. Het asfalt was wel gladgestreken, maar het was bobbelig verhard en de begrenzing van de reparatie was duidelijk zichtbaar. Hij staarde met open mond naar het ronde stuk weg en voelde zich plotseling duizelig; hij zakte op zijn knieën en keek over zijn schouder naar de Zil die op hem afkwam. Zijn ogen werden groot van doodsangst terwijl hij voelde dat hij door een mosterd-dikke geheugenmist in de tijd werd teruggevoerd. Hij zag dingen die hij herkende, maar die zijn hersenen, beneveld door stoffen die zich als gevolg van zijn angst hadden gevormd, niet konden benoemen: de twee schoorstenen die vuilwitte rookpluimen uitbraakten, de leegstaande douanepost met de verbleekte rode ster die boven de ingang was geschilderd, de rij gewitte bijenkasten op een helling met een groepje scheefgegroeide appelbomen. En toen, nadat hij zijn doodsangst had overwonnen, werd hij voor een nieuwe vijand gesteld, waanzin, en hij had kunnen zweren dat hij een olifant over de heuvelkam zag lopen.

De oude bestuurder van de Zil stond naast de auto met een hand op het openstaande portier, en riep zijn passagier op klaaglijke toon toe: 'Ik kon altijd winnen van Beria, maar ik dacht ik leef langer als ik word tweede.'

De stemmen in Martins hoofd werden luider.

...Kafka bestudeerd aan de Jagiello-universiteit in Kraków.

...In de zomer als gids gewerkt in Auschwitz.

...baan op het Poolse toeristenbureau in Moskou.

...zonder veel moeite contact gelegd met het doelwit van Operatiën.

Kwestie van weten waar die Samat uithangt...

Met vertrokken gezicht hoorde Martin zichzelf fluisteren: 'Posjol ty na choey.' Hij sprak de O's in Posjol duidelijk uit. *Ga jezelf spietsen op een lul.*

Met het gevoel dat hij in een verschrikkelijke nachtmerrie gevangen zat, krabbelde Martin overeind en strompelde over de weg in de richting van Prigorodnaia. Kon hij Samat eerder hebben ontmoet? Hij had een beeld van zichzelf terwijl hij aan de bar hing van een exclusieve gelegenheid aan de Bolsjaja Kommoenistitsjeskaja, de Commercial Club. Voor zijn geestesoog verscheen een magere man die op de kruk naast hem kwam zitten. Hij was van gemiddelde lengte, met een smal, somber gezicht, en hij droeg bretels die zijn broek hoog boven zijn middel ophielden; hij had het nacht-blauwe Italiaanse jasje van zijn pak als een cape om zijn schouders hangen, over een gesteven wit overhemd zonder das dat tot aan zijn prominente adamsappel dichtgeknoopt was. De initialen 'S' en 'Oe-Z' waren op het borstzakje geborduurd. Martin zag zichzelf iets op de glanzende mahoniehouten bar leggen: een doormidden ge-scheurd kaartje voor het Bolsjoj. Uit zijn jaszak haalde de man ook een doorgescheurd kaartje. De helften pasten precies op elkaar.

Terwijl hij zijn lippen als een buikspreker bewoog, mompelde Sa-mat: *waarom moest het zo lang duren? Ik had gehoord dat ik het con-tact hier vorige week al kon verwachten.*

Het kost tijd om een personage te formeren, een flat te huren, de schijn te wekken dat dit een toevallige ontmoeting is.

Mijn oom Tzvetan wil u zo spoedig mogelijk spreken. Hij heeft drin-gende berichten die naar Langley moeten. Hij wil de garantie van een vangnet voor als het misgaat. Hij wil de garantie dat de mensen voor wie u werkt het vangnet organiseren voordat de noodzaak zich voor-doet.

Hoe kom ik met hem in contact?

Hij woont in een dorpje niet ver van Moskou. Het heet Prigorodnaia. Ik nodig u uit het weekend door te brengen in de datsja. We kunnen te-gen iedereen zeggen dat we kamergenoten waren op het Instituut voor Bosbouw. We hebben samen computerwetenschap gestudeerd.

Ik weet niets van computers.

Afgezien van mij weet niemand in Prigorodnaia er iets van.

Martin zag de lage houten huizen aan de rand van het dorp, elk met een moestuintje met een hek erom heen, sommige met een koe of varken aan een boom gebonden. Een gedrongen boer die brand-hout kloofde op een hakblok keek op en leek te verstarren. De lan-ge bijl ontglipte zijn vingers terwijl hij de bezoeker aanstaarde. Hij deinsde terug voor Martin alsof hij een spook zag, draaide zich toen om en holde het paadje op dat uitkwam bij de kleine kerk met ui-endaken met afbladderende verf. In de nabijheid van de kerk viel Martin een veldje op achter de begraafplaats dat was geëgaliseerd en bestreken met cement; er was een grote witte cirkel op geschil-derd en er zaten zwarte vlekken van uitlaatgassen op het beton. Een orthodoxe priester in een vaalzwart gewaad dat te kort was om zijn blote dunne enkels en Nikes te bedekken stond voor de deuren van de kerk. Hij hield een klein houten crucifix boven zijn hoofd terwijl mannen en vrouwen, door de houthakker op de hoogte gebracht, overal uit het dorp kwamen aanlopen.

'Ben je het echt, Jozef?' vroeg de priester op hoge toon.

Terwijl Martin dichterbij kwam, begonnen de met elkaar fluisterende vrouwen verwoed kruisjes te slaan.

Martin liep naar de priester toe. 'Is Samat teruggekomen in Prigorodnaia?' vroeg hij.

'Hij is hier geweest en weer weggegaan in zijn helikopter. Heeft dit kruis, dat is gemaakt van het Ware Kruis van Zuzovka, geschonken aan onze kerk hier in Prigorodnaia, waar zijn onvolprezen moeder elke dag voor zijn ziel bidt. En voor de jouwe.'

'Loopt hij gevaar?'

'Niet meer, niet minder dan we liepen sinds de ontdekking dat de planken over de kuil in de weg waren verwijderd en de levend begraven man was verdwenen.'

Martin begreep dat hij werd geacht te weten waar de priester het over had. 'Wie heeft Samat beschermd?' vroeg hij.

'Zijn oom, Tzvetan Oegor-Zjilov, die wij de Oligarch noemen, heeft hem beschermd.'

'En wie beschermt zijn oom?'

De priester schudde zijn hoofd. 'Organisaties die te machtig zijn om hardop te worden genoemd.'

'En wie heeft jullie beschermd toen jullie de planken over het gat weghaalden en de levend begraven man bevrijdden?'

'De Almachtige God heeft ons beschermd,' zei de priester en sloeg op orthodoxe wijze een kruis met zijn andere hand.

Martin keek op naar de uiendaken en weer naar de priester. 'Ik wil Samats moeder spreken,' verkondigde hij, in de hoop dat zij een van de vrouwen op het pad voor de kerk zou zijn.

'Zij woont alleen in de datsja van de Oligarch,' zei de priester.

'Krystina is gillend gek,' zei de boer die hout had gekloofd. De andere boeren knikten instemmend en sloegen opnieuw een kruis.

'En waar is de Oligarch dan?' improviseerde Martin.

'Dat weet niemand van ons, waar de Oligarch naartoe is gegaan toen hij Prigorodnaia achter zich liet.'

'En wanneer is de Oligarch vertrokken?'

'Dat weet niemand precies. De ene dag was hij nog hier en sleepte zich op aluminium krukken voort, met zijn lijfwachten achter zich aan en zijn barzois dansend voor hem uit, de volgende dag was de datsja leeggehaald en verlaten, en tijdens de lange winternacht brandde er beneden maar een enkele kaars voor het raam.'

Martin wilde doorlopen naar de grote datsja met het houten kraaiennest dat uitstak boven de witte berken rond het huis. De boeren op het pad lieten hem wel door, maar sommigen wilden even zijn arm aanraken en een tandeloze oude vrouw zei giechelend: 'Uit de doden opgestaan, dus.' Magere kippen en een haan met uitbundige pluimage scharrelden voor Martin uit en lieten fijn stof opdwarrelen van het pad. Door nieuwsgierigheid gedreven liepen de dorpelingen en de priester, nog met het geheven crucifix in de hand, achter hem aan.

Toen Martin bij het hek om de datsja van de Oligarch kwam, meende hij een vrouw te horen die voor zich heen zong. Hij haakte het hekje los en liep voorzichtig de keurig verzorgde tuin met de afwisselende rijen groenten en zonnebloemen in, tot hij de zangstem had opgespoord. Een oude, broze vrouw in een sleetse doorknoopjurk was op blote voeten bezig een plastic gieter te vullen met regenwater uit een ton onder de dakgoot. Ze had lang wit piekhaar en een lichte huid, die strak over haar gezichtsbeenderen spande, en toen ze Martin ontwaarde, moest ze het haar uit haar ogen strijken om hem goed te kunnen zien. 'Tzvetan had zoals altijd gelijk,' zei ze. 'Je hebt de winter beter kunnen overleven toen het gat met sneeuw bedekt was, hoewel ik er vierkant tegen was dat ze je zonder middagmaal zouden begraven.'

'U weet wie ik ben?' vroeg Martin.

'Vroeger stelde je niet zulke domme vragen, Jozef. Ik ken je net zo goed als mijn eigen zoon Samat; net zo goed als zijn vader, die in de tijd van Stalin naar Siberië is gegaan om te overwinteren en nooit terug is gekomen. Merkwaardig hoe ons leven totaal en voor altijd is bepaald door Stalins grillige wreedheid. Ik wist dat je terug zou komen, lieve Jozef. Maar waarom heeft het in vredesnaam zo lang geduurd? Ik had je na de eerste dooi van de eerste winter al terug verwacht.' De oude vrouw zette haar gieter neer, nam Martin bij de hand en nam hem door de tuin mee naar de achterkant van de datsja. 'Om deze tijd wilde je altijd graag thee met jam. Een beker lekker warm drinken, dat kun je vanmorgen goed gebruiken.'

Krystina duwde een half loshangende hordeur open, schoof haar vuile voeten in een paar viltmuilen, schuifelde door een aantal lege kamers naar de keuken en bleef daarbij telkens over haar schouder kijken of Martin wel meekwam. Met beide smalle armen bediende ze de handpomp tot er water uit de tuit kwam. Ze vulde een zwart-geblakerde ketel en zette hem op een van de roestige elektrische plaatjes op een gasfornuis dat het niet meer deed. 'Ik zal je lieve-lingsjam uit de voorraad in de kelder pakken,' beloofde ze. 'Liefste Jozef, verdwijn nu niet weer. Beloof je dat?' Bijna alsof ze het ant-woord niet wilde horen, trok ze een luik omhoog, maakte het vast met een honderiem en liep de trap af.

Martin ging op verkenning uit op de benedenverdieping van de datsja, waarbij zijn voetstappen door de kale muren van de lege ka-mers werden weerkaatst. Achter de door zwavelaanslag aangetaste ramen zag hij de priester en zijn trouwe gelovigen bij het hek staan, in ernstig gesprek verwikkeld. Achter de dubbele woonkamer met enorme natuurstenen schoorstenen aan weerskanten bevond zich een werkkamer met boekenplanken zonder boeken over de volle lengte van de muren, en daarachter een kamertje waarin een laag militair ziekenhuisbed van metaal stond voor een kleine open haard waarin repen papier en gedroogde takken klaarlagen. Op de schoor-steenmantel stonden zes lege parfumflesjes. Een stapeltje vrouwen-kleding lag op een omgekeerd houten krat waarop aan alle zicht-bare kanten in clichéletters 'Oegor-Zjilov' en 'Prigorodnaia' stond. Op de deur naar een toilet was een verzameling prentbriefkaarten geprikt. Martin bekeek de kaarten, die uit alle uithoeken van de we-reld waren verstuurd. Er was er een bij van de *dutyfree* winkel op Charles de Gaulle bij Parijs, een van de Klaagmuur in Jeruzalem, een van de Karelsbrug over de Moldau in Praag, een van Bucking-ham Palace in Londen. De hoogste kaart op de deur was een foto van een gezin op een landweg langs twee identieke huizen van over-naads hout, die heel dicht bij elkaar stonden. Aan de overkant van de weg stond een verweerde schuur op een heuveltje; een metalen Amerikaanse adelaar sierde de weervaan op het mansardedak. De mensen op de prentbriefkaart droegen kleding zoals boeren twee eeuwen eerder bij de kerkgang hadden gedragen: de mannen en jon-gens droegen een zwarte broek, zwarte jas en strooien hoed, de vrouwen en meisjes een katoenen jurk tot op de enkels, hoge rijgschoenen en een mutsje met onder de kin gestrikt lint.

Martin verwijderde de punaise met zijn nagels en draaide de kaart om. Er stond geen datum op; de gedrukte verklarende tekst was met een mesje weggekrabd en van het stempel over de postzegel was niet meer over dan 'fast New York'. 'Liefste mama,' had iemand in het Russisch geschreven, 'ik leef gezond in America the Beautiful maak je geen zorgen over mij maar blijf zingen onder het wieden in de moestuin want zo zie ik je voor mijn geestesoog.' Er stond onder: 'Veel liefs S.'

Vanuit de keuken riep de oude vrouw: 'Jozef, mijn kind, waar ben je gebleven? Kom theedrinken.'

Martin schoof de kaart in zijn zak en liep terug. In de keuken vulde de oude vrouw, die een gescheurd schort gebruikte als pannenlap, twee bekers met een aftreksel dat gemaakt bleek te zijn van wortelschillen, want thee was allang te duur voor haar geworden. Ze ging op een melkkrukje zitten en liet de enige stoel in de keuken aan haar bezoeker. Martin schoof hem aan bij de tafel met formicablad en ging tegenover haar zitten. Met beide handen omvatte de vrouw de gebarsten beker terwijl ze herinneringen ophaalde en zachtjes met haar hoofd wiegde. Haar ogen met de zware oogleden schoten van het ene voorwerp naar het andere, als een vlinder die een blad uitkiest om op neer te strijken. 'Ik kan me de dag nog heugen dat Samat je meebracht uit Moskou, Jozef. Het was een dinsdag. O, dat verbaast je. Maar ik weet het nog omdat het de dag was dat de vrouw uit het dorp de was kwam doen; ze durfde de elektrische wasmachine niet te gebruiken die Samat bij GOEM had gekocht en ging liever naar haar vertrouwde wasplek, een ondiepte in de rivier. Jij en Samat waren ergens aan een instituut kamergenoten geweest, zei hij toen hij je voorstelde aan de entourage van zijn oom. Later nam Tzvetan je apart om je allerlei vragen te stellen over dingen die ik niet begreep: wat bedoelde hij met een vangnet? Je kunt je de Oligarch toch nog wel herinneren, Jozef? Die man was een en al rancune.'

Martin dacht dat hij de boze stem van een oude man tegen het regime hoorde tieren, terwijl hij zwaaiend op zijn benen op aluminium krukken steunde, voor een gehoor dat niets durfde terug te zeggen. *Mijn grootvader is tijdens de collectivisering van 1929 geëxe*

cuteerd, mijn vader is doodgeschoten op een braakliggend terrein in 1933,
beiden waren door een reizende rechtbank als koelak schuldig bevonden.
Weet je wat koelakken waren, Jozef? Volgens die stalinistische schoften
waren het zogenaamd rijke boeren die Stalins plan wilden saboteren om
de landbouw te collectiviseren en de boeren naar de staatsboerderijen te
drijven. Die lui waren helemaal niet rijk. Koelakken waren boeren met
één paar leren schoenen, waar ze een heel leven mee toekonden omdat ze
die alleen in de kerk droegen. Mijn grootvader en mijn vader gingen te
voet naar de kerk op schoenen van gevlochten riet, lapti *noemden ze die,*
en ze trokken pas over de drempel van de kerk hun schoenen aan. Om-
dat ze een paar leren schoenen bezaten, werden mijn vader en grootva-
der voor 'vijand van het volk' uitgemaakt en doodgeschoten. Misschien
begrijp je nu waarom ik een eenmansoorlog tegen Moedertje Rusland
voer. Ik zal het de Sovjets of hun nazaten nooit vergeven...

Martin keek naar de oude vrouw die een slok nam. 'Ik herinner
me dat hij iets over leren schoenen zei.'

De vrouw reageerde geanimeerd. 'Dat verhaal vertelde hij aan iedereen die voor het eerst in de datsja was: dat zijn vader en grootvader door de Sovjets waren geëxecuteerd omdat ze leren schoenen
hadden. Het kan zelfs wel waar zijn. Maar het kan ook gefanta-
seerd zijn. Mensen die het stalinistische tijdperk hebben meegemaakt, komen er nooit van los. Zij die erna zijn geboren, kunnen
er nooit in doordringen. Jij bent te jong om het grootste staatsge-
heim uit die tijd te kennen: waarom iedereen alle uren die hij wa-
kend doorbracht voor Stalin applaudisseerde. Ik zal het je leren: dat
was omdat de muren in de nieuwe flatgebouwen met vilt waren geï-
soleerd, goed tegen de kou, maar het leidde wel tot een motten-
plaag. Wij maakten er een sport van om ze in de vlucht te doden
door in onze handen te klappen. We hielden de score bij; elke avond
werd degene met de meeste lijkjes tot winnaar uitgeroepen. Ach...'
zei de vrouw met een diepe zucht, 'gedane zaken nemen geen keer.
Samat en Tzvetan zijn hier nu allebei weg.'

'En waar zijn ze naartoe?' vroeg Martin zacht.

De oude vrouw toonde hem een droevig lachje. 'Ze hebben zich
verstopt, ze houden een winterslaap in kuilen in de permafrost.'

'En in welk land zijn die kuilen?'

Ze staarde naar buiten. 'Ik studeerde piano aan het conservatorium toen mijn man, Samats vader, er vals van werd beschuldigd

dat hij een vijand van het volk zou zijn, waarna hij werd verbannen naar Siberië.' Ze stak haar vingers op om ze te bekijken en Martin zag dat ze kloofjes had en gespleten zwarte nagels. 'Mijn man – ik kan even niet op zijn naam komen, maar die komt wel weer – mijn man was medicus, begrijp je. Hij kwam niet terug uit Siberië, maar Tzvetan heeft, na de dood van Koba die jij als Stalin kent, van teruggekomen gevangenen gehoord dat zijn broer een kliniek leidde in een kamp voor geharde misdadigers, die hem met oudbakken broodkorsten betaalden.

'Hebben u en Samat geleden door de arrestatie van uw man?'

'Ik werd uit de partij gezet. Vervolgens trokken ze mijn beurs in en ontzegden me de toegang tot het conservatorium, maar dat was niet omdat mijn man was aangehouden – hij en Tzvetan waren namelijk Armeniërs en Armeniërs beschouwen hun arrestatie als een ereblijk.'

'Waarom werd u dan geroyeerd?'

'Lieve jongen, omdat ze hadden ontdekt dat ik een Israëliet was, natuurlijk. Mijn ouders hadden me een christelijke naam gegeven, Krystina, om te voorkomen dat de partij zou vermoeden dat ik van Joodse komaf ben, maar die list is uiteindelijk niet gelukt.'

'Wist u dat Samat naar Israël was gegaan?'

'Dat had ik bedacht; hij moest emigreren vanwege de bendeoorlog in de straten van Moskou. Ik heb hem de suggestie aan de hand gedaan dat Israël hem misschien zou accepteren als hij kon bewijzen dat hij een Joodse moeder had.'

'Hoe knoopte u de eindjes aan elkaar toen uw beurs voor het conservatorium was ingetrokken?'

'Terwijl Tzvetan in de goelag zat, zorgde hij ervoor dat wij steun kregen van zijn zakenrelaties. Toen hij terug was, nam hij ons zelf onder zijn hoede. Hij haalde Samat over om bosbouw te gaan studeren, al zou ik niet weten waarom mijn zoon bosbouw zou willen studeren. En daarna stuurde hij hem naar de economische hogeschool van het staatsplanbureau. Wat Samat daarna is gaan doen, heeft hij me nooit verteld, maar kennelijk was het belangrijk, want hij had een glimmende limousine met chauffeur. Wie had dat ooit gedacht: mijn zoon met een eigen chauffeur?'

In een opwelling zei Martin: 'U lijkt me niet gek.'

Krystina keek hem verbaasd aan. 'Heeft iemand dat dan beweerd?'

'Ik hoorde iemand in het dorp zeggen dat u geschift was.'

Krystina fronste. 'Ik ben ook geschift als het nodig is,' mompelde ze. 'Het is een middel om jezelf te beschermen tegen het leven en het lot. Ik hul me in mijn gekte zoals een boer in de winter een jas van schapenleer aantrekt. Als de mensen je voor geschift verslijten, kun je alles tegen iedereen zeggen en niemand rekent het je aan, zelfs de partij niet.'

'U bent niet wat u lijkt.'

'En jij, lieve Jozef van me, ben jij wat je lijkt?'

'Ik weet niet goed wat u daarmee bedoelt...'

'Samat heeft je meegenomen hierheen en hij zei dat jullie studievrienden waren. Ik heb je aanvaard als de zoon die ik in het kraambed heb verloren. De Oligarch heeft je als lid van zijn gevolg ingehaald en na een paar maanden als lid van het gezin. En jij hebt ons allemaal verraden. Je hebt Samat verraden, je hebt mij verraden, je hebt Tzvetan verraden. Waarom?'

'Ik kan... me hier niets van herinneren.'

Krystina keek Martin indringend aan. 'Beschermt je geheugenverlies je tegen het leven en het lot, Jozef?'

'Kon dat maar... ik probeer het te ontlopen, maar het leven en het lot gaan eindeloos door, altijd vlak achter me, en ze halen me in.'

Er drupten tranen uit Krystina's stijf dichtgeknepen ogen. 'Lieve Jozef, dat is ook mijn ervaring geweest.'

Na zijn afscheid van Krystina liep Martin terug. De gelovigen waren allang achter de priester aan naar de kerk teruggekeerd om te bidden voor de ziel van Jozef Kafkor. Martin maakte het tuinhekje open toen hij Samats moeder uit het raam hoorde roepen.

'Het was Zoerab,' riep ze.

Martin liep terug. 'Zoerab?'

'Zoerab, zo heette Samats vader. Zoerab Oegor-Zjilov.'

Martin glimlachte en knikte. Krystina lachte hem toe en stak haar hand naar hem op.

Nadat hij het dorp achter zich had gelaten, zag Martin de Zil staan in de schaduw van een groepje scheefgewaaide berken. Katovski had zijn schoenen en sokken uitgetrokken en zijn broekspijpen omgeslagen om pootje te baden in het koele water van de Lesnia. 'Kent u toevallig vierde partij van A. Aljechin tegen J. Capablanca, 1927?' vroeg de chauffeur terwijl hij de helling beklom om zich bij Martin te voegen. 'Ik speel die na in mijn hoofd: een meer sensationeel dameoffer dan beroemd dameoffer van dertienjarige R. Fischer in zeventiende zet van zijn Grünfeld-verdediging tegen grootmeester Byrne, tot verbazing van wereld.'

'Nee,' zei Martin terwijl Katovski op de grond ging zitten om zijn sokken en schoenen weer aan te trekken. 'Die partij ken ik niet.'

'Bij nader inzien niet aan te raden, kameraad bezoeker. Dameoffers zijn alleen voor zeer sterken. Ik heb het één keer in mijn leven geprobeerd. Ik was vijftien en ik speelde tegen grootmeester Oemanski. Na zijn zestiende zet bestudeerde ik stelling twintig minuten en gaf op. Ik kon alleen verliezen. Grootmeester Oemanski bedankte vriendelijk voor overwinning. Later hoor ik hij heeft partij maandenlang bestudeerd. Stelling was kristalhelder voor mij. Na vier zetten pion achter. Loper gepend na zeven en torenlijn open na negen, met zijn dame en twee torens in positie. Wat ik begreep was: ik kan niet staat verslaan. Als ik moest overdoen,' voegde de chauffeur er met een zucht aan toe, 'ik speel niet tegen staat.'

Honderd meter voor de aansluiting van de weg naar Prigorodnaia op de vierbaansweg van Moskou en Sint Petersburg hadden militairen van het ministerie van Binnenlandse Zaken in camouflagepakken de weg afgezet, zodat af en toe een auto stapvoets tussen de chicanes door moest slalommen, die uit stroken leer met vlijmscherpe pieken bestonden. Toen Katovski kwam aanrijden en de geparkeerde bestelwagen met DHL-logo op de zijkant wilde passeren, gebaarden jonge soldaten met automatische wapens de bestuurder dat hij de berm in moest rijden. Een gespierde burger in een gekreukt pak rukte het passagiersportier open, greep Martin bij zijn pols en sleurde hem zo ruw de auto uit dat zijn gekneusde ribben een stroomstoot door zijn borst stuurden. Een tweede burger dreigde de chauffeur, die geïntimideerd achter zijn stuur wegkroop, met zijn vinger. 'Je kent de wet, Lifsjitz: je kunt zes maanden krijgen voor het besturen van een taxi zonder vergunning. Misschien vergeet ik je aan te houden als je me ervan weet te overtuigen dat je vandaag geen passagier naar Prigorodnaia hebt gebracht.'

'Hoe kan ik iemand naar Prigorodnaia brengen? Ik weet niet eens waar het is.'

Martin keek om over zijn schouder en vroeg: 'Waarom noemt u hem Lifsjitz?'

De gespierde man omvatte Martins nek met zijn ene enorme hand en pakte met de andere zijn elleboog om hem in de laadruimte van de DHL-bestelbus te duwen. 'We noemen hem Lifsjitz omdat hij zo heet.'

'Hij zei tegen mij dat hij Katovski heet.'

De burger snoof. 'Katovski, de schaakgrootmeester! Die is al ruim tien jaar dood. Lifsjitz de snorder zat vijf of zes jaar geleden in de finale van het Chinese damtoernooi in het district Moskou. Schaakgrootmeester: dat is een nieuwe in het repertoire van Lifsjitz.'

Even later zat Martin op de vuile laadvloer van de bestelwagen met zijn benen gestrekt voor zich uit en zijn polsen op zijn rug gebonden. De twee burgers zaten op een ingebouwd bankje voor hem Camels te roken en neutraal door de rook naar hun gevangene te kijken. 'Waar word ik naartoe gebracht?' wilde Martin weten, maar ze leken geen van beiden bereid hem antwoord te geven.

De bestelbus moest ergens op de ringweg een afslag naar een drukke hoofdweg hebben genomen, want Martin voelde dat ze werden ingeklemd door het verkeer. Er werd druk getoeterd. Martin hoorde piepende remmen en vloekende bestuurders. De twee bewakers bleven naar de gevangene kijken en leken onaangedaan. Twintig minuten later ging de bestelwagen ergens naar beneden – aan het motorgeluid hoorde Martin dat ze in een garage waren – reed achteruit en stopte. De burgers gooiden de achterportieren open, pakten Martin onder zijn oksels vast, hesen hem op een laadperron en leidden hem door klapdeuren en een lange gang naar een klaarstaande goederenlift. De metalen schaarhekken schoven dicht en de lift ging luid kreunend omhoog. De deuren van de eerste vier verdiepingen waren dichtgelast met metalen staven. Op de vijfde etage kwam de lift schokkerig tot stilstand. Andere burgers die stonden te wachten trokken de schaarhekken open en onder begeleiding van zes mannen in burger werd Martin naar een glimmend wit geschilderd en felverlicht vertrek gebracht. De handboeien om zijn polsen werden losgemaakt, hij werd uitgekleed en grondig geïnspecteerd door twee verplegers in witte overals met rubber handschoenen. Een overrijpe arts in een vlekkerige witte jas, met een sigaret op haar onderlip en een stethoscoop om haar hals kwam Martins ogen, oren en keel controleren, luisterde naar zijn hart, mat zijn bloeddruk en prikte met haar vingertoppen in zijn ribbenkast, zodat hij de pijn moest verbijten. Terwijl ze deed alsof ze zijn gezondheid controleerde, voelde Martin zich onbehaaglijker door zijn naaktheid dan door de situatie. Hij concentreerde zich op haar nagels, die knalgroen waren gelakt. Hij kon de vraag verstaan die ze hem in het Pools stelde: ze wilde weten of hij ooit in een ziekenhuis was opgenomen. Een keer, antwoordde hij in het Engels, voor een scherfwond in mijn rug en een beknelde zenuw in mijn linkerbeen, die nog pijn doet als ik te lang doorloop. De arts verstond zijn antwoord kennelijk, want ze liet haar vingers over zijn rug glijden en vroeg of hij medicijnen gebruikte. Soms een aspirientje, zei hij. En zonder aspirine? vroeg ze. Dan leef ik met de pijn, zei hij. De arts knikte, noteerde zijn antwoord op een formulier op een klembord met een lijst, die ze dateerde en ondertekende voordat ze hem aan een van de burgers gaf. Terwijl ze zich omdraaide en weg wilde gaan, vroeg Martin aan haar of ze algemeen arts of specialist was. Wanneer ik niet als freelancer voor de dienst werk, ben ik gynaecoloog, zei ze.

Martin moest zich aankleden. Een van de burgers voerde de gevangene mee naar een deur achter in het vertrek, deed hem open en ging opzij. Martin schuifelde een groter vertrek binnen (zijn schoenveters waren weer eens ingenomen, wat lastig was met lopen) vol zware meubels, overgebleven, vermoedde hij, uit de dagen van Stalin, toen de KGB in de Sovjet-Unie de lakens uitdeelde. Een kleine, forse man van middelbare leeftijd met een bril met getinte glazen zat achter een monsterlijk groot bureau. De man knikte naar de houten stoel die voor het bureau stond.

Behoedzaam liet Martin zich op de stoel zakken. 'Dorst,' zei hij in het Russisch.

De ondervrager knipte met zijn vingers. Even later werd een glas water voor de gevangene neergezet. Hij pakte het met beide handen en dronk het achter elkaar leeg.

'Ik ben Canadees staatsburger,' verklaarde Martin in het Engels. 'Ik eis dat ik iemand van de Canadese ambassade te spreken krijg.'

Achter het bureau richtte de burger een felle lamp op Martins ogen, zodat hij ze bijna moest dichtknijpen. Een zware stem die bij

zijn zware postuur paste kwam uit het verblindende licht aange-
zweefd. 'U reist op een paspoort op naam van Kafkor, Jozef,' zei de
ondervrager in uitstekend Engels. 'Het paspoort pretendeert een
Canadees paspoort te zijn, hoewel het, zoals u ongetwijfeld weet,
een vervalsing is. De naam is Pools. De Russische federale veiligheidsdienst wilde al de hand op u leggen toen uw naam onder onze aandacht kwam. U bent de Kafkor, Jozef, die omgaat met Samat
Oegor-Zjilov en zijn oom, Tzvetan Oegor-Zjilov, beter bekend als
de Oligarch.'

'Is dat een vraag?' vroeg Martin.

'Dat is de vaststelling van een feit,' antwoordde de ondervrager
effen. 'Volgens onze gegevens hebt u Samat Oegor-Zjilov ontmoet
toen u kort na uw komst naar Moskou voor het Poolse toeristenbureau werkte. U werd door Samat Oegor-Zjilov aan zijn oom voorgesteld, die verblijf hield in de voormalige datsja van Beria in Prigorodnaia. In de vier maanden na uw eerste bezoek aan Prigorodnaia
bracht u veel tijd door als gast in de datsja, waar u soms de hele
week logeerde, andere keren een lang weekend van vier dagen. U
deed dat zogenaamd omdat u Poolse conversatieles gaf aan Samats
moeder, die in de datsja woonde. Uw chefs bij het Poolse toeristenbureau klaagden niet over uw lange afwezigheid, wat ons op de
gedachte bracht dat uw baan bij het toeristenbureau een dekmantel was. U was kennelijk een Pool, hoewel wij vermoedden dat u
een deel van uw leven in het buitenland had doorgebracht, want onze Pools sprekende medewerkers die de banden afluisterden van uw
gesprekken met uw collega's in Moskou hoorden taalfouten en een
ouderwetse woordkeus. U sprak Russisch – nog steeds, vermoed ik
– met een stevig Pools accent, wat erop wees dat u Russische les
van Pools sprekende docenten hebt gehad in Polen of elders. Dus,
gospodin Kafkor, werkte u voor de Poolse inlichtingendienst of, met
of zonder medewerking van de Polen, voor een inlichtingendienst
in het Westen?'

'U ziet me voor iemand anders aan,' zei Martin. 'Ik zweer u dat
ik niets weet van wat u allemaal beschrijft.'

De ondervrager sloeg een dossier open met een diagonale rode
streep op het omslag en begon een dikke stapel papieren door te
bladeren. Na een ogenblik keek hij op. 'Op een gegeven moment
verslechterde uw relatie met Samat en zijn oom. U verdween voor

een periode van zes weken uit het zicht. Toen u weer opdook, was u onherkenbaar. U was kennelijk gemarteld en uitgehongerd. Op een ochtend brachten twee lijfwachten van de Oligarch u in alle vroegte in een roeiboot over de Lesnia naar de zeven kilometer lange afslag naar Prigorodnaia van de snelweg van Moskou naar Sint Petersburg, waar asfalteringswerkzaamheden plaatsvonden. U werd de helling opgeduwd naar een gat in de weg dat een dag eerder was gegraven. U was poedelnaakt. Met een grote veiligheidsspeld was aan de huid tussen uw schouderbladen een stuk karton vastgemaakt waarop DE SPION KAFKOR stond. Voor de ogen van ongeveer veertig wegenbouwers werd u levend begraven in het gat; u moest in foetushouding gaan liggen, want het gat was niet groter dan een grote tractorband. Dikke planken werden over u heen gelegd en daarna werden de wegenbouwers gedwongen de plek te asfalteren.'

Martin had het onthutsende gevoel dat hij een beschrijving hoorde van een film die hij had gezien en vergeten. 'Meer water,' mompelde hij.

Er werd weer een glas water voor hem neergezet en hij dronk het leeg. Met een schorre fluisterstem vroeg Martin: 'Hoe kunt u dat allemaal weten?'

De ondervrager draaide de lamp zodat het schijnsel op het bureau viel. Terwijl de ondervrager vijf vergrote foto's neerlegde, ving Martin een glimp op van Kafkors Canadese paspoort, een stapel Amerikaanse dollars en Britse ponden, de prentbriefkaart die hij in de datsja in Prigorodnaia van de deur had gehaald, en zijn schoenveters. Hij schoof zijn stoel dichter naar het bureau toe en boog zich over de foto's. Ze waren allemaal van een afstand gemaakt en vergroot, zodat ze korrelig en onscherp waren. Op de eerste foto stond een uitgemergelde man, naakt, met een verkleefde baard en een soort doornenkroon op zijn hoofd, die voorzichtig door de blubber naar het droge liep. Achter hem volgden twee bewakers met gestreepte overhemden. Op de volgende foto knielde een naakte man aan de rand van een gat en keek over zijn schouder, met holle ogen van doodsangst. De derde foto in de serie toonde een magere man met een lang, smal gezicht, het jasje van zijn pak als een cape over zijn schouder, die de veroordeelde een sigaret aanbood. Op de vierde foto stond een gezette man met een zilvergrijze kuif en een donkere bril, die op de achterbank van een limousine zat. Op de laatste foto plette een stoomwals het glimmende asfalt, waarboven dampflarden hingen. Arbeiders met harken of schoppen staarden vol afgrijzen naar de executie.

'Een van de wegwerkers in die ploeg, de gereedschapsman om precies te zijn, werkte voor onze veiligheidsdiensten,' zei de ondervrager. 'Hij had een verborgen camera in de thermosfles in zijn lunchtrommel. Herkent u uzelf op deze foto's, gospodin Kafkor?'

Een enkel woord wrong zich door Martins kurkdroge keel. *'Njet.'*

De ondervrager deed het licht uit. Martin voelde de wereld duizelingwekkend om zich heen tollen. Zijn oogleden zakten over zijn ogen en zijn voorhoofd kwam op een van de foto's tot rust. De ondervrager bleef zwijgen tot de gevangene weer rechtop ging zitten.

'Wanneer is dat allemaal gebeurd?' hoorde Martin zichzelf vragen.

'Lang geleden.'

Martin zakte weer onderuit op zijn stoel. 'Voor mij,' zei hij vermoeid, 'is gisteren lang geleden en eergisteren een eerdere incarnatie.'

'De foto's zijn in 1994 gemaakt,' zei de ondervrager.

'Drie jaar geleden!' fluisterde Martin. Hij kneedde zijn voorhoofd en probeerde de stukken van de vreemde puzzel in elkaar te passen, maar hij kon geen samenhangend beeld krijgen. 'Wat is er met die levend begraven man gebeurd?' vroeg hij.

'Nadat de foto's waren ontwikkeld en doorgestuurd besloten we tot een operatie om hem te bevrijden – ú te bevrijden – in de hoop dat u nog in leven zou zijn. Toen we de plaats van de executie bereikten, ontdekten we dat de boeren, onder leiding van de pope, het asfalt al hadden verwijderd, de planken omhoog hadden gewrikt en de man uit het gat hadden gehaald. Voordat het licht werd hielpen onze mensen de planken terugleggen en het asfalt repareren.'

'En wat is er met... die man gebeurd?'

'De tractormonteur van het dorp heeft u in zijn takelwagen naar Moskou gebracht. Hij wilde u naar een ziekenhuis brengen. Bij een rood stoplicht op de ringweg, niet ver van de Amerikaanse ambassade, sprong u uit de cabine en verdween in het donker. Noch de politie, noch onze dienst kon daarna nog een spoor van u ontdekken. Wat ons betrof was u van de aardbodem verdwenen – tot we vandaag door de douane op het vliegveld attent werden gemaakt op de komst van een Canadees met een paspoort op naam van Kafkor, Jozef. Wij gingen ervan uit dat u weer naar Prigorodnaia zou gaan en lieten de weg afzetten door militairen van het ministerie van Binnenlandse Zaken; we wisten dat we u op de terugweg zouden kunnen onderscheppen.'

Een secretaris verscheen achter het bureau en fluisterde gebogen iets in het oor van de ondervrager. Kennelijk geërgerd wilde de ondervrager weten: 'Hoe lang geleden?' Dan: 'Hoe is hij daar in vredesnaam achter gekomen?' Hoofdschuddend van misprijzen keek de ondervrager Martin weer aan. 'De hoogste man van de CIA in Moskou heeft vernomen dat wij u in handen hebben. Hij dient via de officiële kanalen een verzoek bij ons in om u aan zijn dienst over te dragen wanneer we klaar met u zijn.'

'Waarom zou de CIA Jozef Kafkor willen verhoren?'

'Ze zullen willen weten of u ons hebt kunnen vertellen wat wij willen weten.'

'Wat wilt u dan weten?'

'Aan wiens kant stonden ze, Samat Oegor-Zjilov en de Oligarch, Tzvetan Oegor-Zjilov? En waar zijn ze nu?'

'Samat is ondergedoken in een Joodse nederzetting op de Westelijke Jordaanoever in Israël.'

De ondervrager zette met zorgvuldige bewegingen zijn bril af door eerst de ene poot en toen de andere van zijn oor te tillen en begon de glazen te poetsen met de punt van zijn zijden das. 'Breng thee,' zei hij tegen de secretaresse. 'En brioches met vijgenjam.' Hij zette zijn bril weer op, maakte een stapeltje van de foto's en legde ze terug in het dossier. 'Gospodin Kafkor, de Russische federale veiligheidsdienst krijgt te weinig budget, te weinig mankracht en te weinig waardering, maar we zijn niet op ons achterhoofd gevallen. Dat Samat naar Israël is uitgeweken is ons allang bekend. We onderhandelden met de Israëlische Mossad om toegang tot hem te krijgen toen hem ter ore kwam dat Tsjetsjeense huurmoordenaars hem in Israël hadden gevonden, zodat hij het land uit vluchtte. Maar waar is hij vanuit Israël naartoe gegaan?'

De ondervrager bladerde verslagen door. 'Hij is in Londen gesignaleerd in de wijk Golders Green. Hij is opnieuw gesignaleerd in de omgeving van het Vysëhrad-station in Praag. Hij zou de stad Kantoebek op het eiland Vozrozdenije in het Aralmeer hebben bezocht. Er waren ook berichten dat hij naar Zuzovka in Litouwen zou zijn gegaan, niet ver van de grens met Wit-Rusland. Er is zelfs een gerucht dat hij de mysterieuze man zou zijn die in de helikopter zat die een halfuur achter de begraafplaats in Prigorodnaia heeft gestaan.'

De secretaris verscheen met een dienblad in de deuropening. De ondervrager gebaarde dat hij het op een rond tafeltje tussen twee stoelen moest neerzetten en weggaan. Toen hij alleen was met de gevangene, gebaarde hij hem naar een van de stoelen. Hij nam de andere stoel en schonk twee bekers vol dampende thee. 'Neemt u een brioche,' zei hij en schoof Martin het rieten mandje toe. 'Ze zijn zo ontzettend lekker dat het vast zondig is om ze op te eten. Laten we samen zondigen, gospodin Kafkor,' zei hij en hapte in zijn versnapering, waar hij zijn hand onder hield om de kruimels op te vangen.

'Ik heet Tsjeklasjvili,' zei hij en nam nog een hap. 'Archip Tsjeklasjvili.'

'Dat is een Georgische naam,' merkte Martin op.

'Mijn familie komt uit Georgië, maar ik heb allang trouw gezworen aan Moedertje Rusland. Ik was,' voegde hij er met twinkelende ogen aan toe, 'de gereedschapsman van de wegenbouwers in dienst van onze veiligheidsdiensten. Ik heb die foto's van u gemaakt met de camera in mijn thermosfles.'

'U hebt het ver gebracht in de wereld,' zei Martin.

'Foto's maken van uw executie was mijn eerste grote triomf. Dat trok de aandacht van mijn chefs en bracht mijn carrière op een hoger plan. Nadat u uit de takelwagen was gesprongen en in Moskou uit het zicht was verdwenen, hoorden we geruchten dat u de Amerikaanse ambassade aan de ringweg had bereikt. De hoogste man van de CIA in eigen persoon zou zich over u hebben ontfermd. Gedurende achtenveertig uur was er een piek in het gecodeerde radioverkeer, waarna u in een auto van de ambassade naar Finland werd overgebracht. Er zaten vijf mannen in de auto, allemaal voorzien van een diplomatiek paspoort, zodat ze bij de grens zo konden doorrijden. Wat er daarna met u is gebeurd, weten we gewoon niet. Ik vermoed dat u het ook niet weet.'

Martin staarde naar de ondervrager. 'Waarom veronderstelt u dat?'

De ondervrager dacht even na. 'Mijn vader is in 1953 door de KGB gearresteerd. Hij werd ervan beschuldigd voor de Amerikanen te werken en is door een tribunaal veroordeeld tot de kogel. Op een avond in maart haalden de bewakers hem uit zijn cel in de Loebjanka, het uitgestrekte KGB-complex, en namen hem mee naar de lift die gevangenen naar de keldergewelven bracht voor hun executie. Toen ze merkten dat de lift niet werkte, brachten ze hem terug naar zijn cel. Monteurs werkten de hele nacht door om de lift te repareren. De volgende ochtend kwamen de bewakers mijn vader weer halen. Ze stonden op de lift te wachten toen ze hoorden dat Stalin dood was. Alle executies werden opgeschort. Een paar maanden later werd Beria door het nieuwe bewind gedood, er werd een algemene amnestie afgekondigd en mijn vader kwam vrij.'

'Wat heeft dat verhaal met mij te maken?'

'Ik herinner me dat mijn vader aankwam bij onze gemeenschappelijke flat; ik was destijds een jongetje van zes. Het had geregend en hij was doorweekt. Mijn moeder vroeg waar hij was geweest. Hij schudde in verwarring zijn hoofd. Hij had een lege blik in zijn ogen, alsof hij iets afschuwelijks had gezien, een monster of een geest. Hij kon zich niets herinneren van zijn aanhouding, hij kon zich niets herinneren van het tribunaal, hij kon zich niets herinneren van de bewakers die hem naar de lift hadden gebracht. Dat was allemaal uit zijn geheugen gewist. Toen ik voor de veiligheidsdiensten ging werken, zocht ik zijn dossier op om te kijken wat er met hem was gebeurd. Mijn vader was inmiddels met pensioen. Jaren later waagde ik het een keer hem te vertellen wat ik had ontdekt. Hij luisterde zoals je luistert naar het verhaal van iemands leven, en hij glimlachte beleefd, alsof het leven dat ik had opgediept niets met hem te maken had, en ging door met het leven dat hij zich herinnerde. Dat bleef zo tot de dag waarop hij stierf.'

De ondervrager dronk zijn thee op, haalde een sleuteltje uit zijn vestzak en gaf dat aan Martin. 'Als u door die deur gaat, komt u bij een smalle wenteltrap die helemaal doorloopt naar het straatniveau. De sleutel is van het slot in de deur naar de zijstraat. Buiten doet u de deur weer op slot en de sleutel gooit u in de goot.'

'Waarom doet u dit?'

'Ik geloof u als u zegt dat u zich niet kunt herinneren dat u over de rivier bent meegenomen en levend begraven. Ik geloof u als u zegt dat u Samat Oegor-Zjilov of zijn oom, de Oligarch, niet kent. Ik heb de conclusie getrokken dat u ons niet kunt helpen met ons onderzoek. Als u intelligent bent, verlaat u Rusland zo snel mogelijk. Wat u ook doet, gaat u niet naar de Amerikaanse ambassade; de CIA-chef heeft al een paar weken geleden discreet geïnformeerd naar iemand die Martin Odum zou heten. Uit het signalement maken we op dat Martin Odum en Jozef Kafkor een en dezelfde man zijn.'

Martin begon een bedankje te mompelen, maar de ondervrager wimpelde het weg. 'Die broodmagere man op de derde foto die de veroordeelde een laatste sigaret geeft is Samat Oegor-Zjilov. De man met het zilvergrijze haar die naar de executie kijkt door het gedeeltelijk open raam van de auto is de Oligarch, Tzvetan Oegor-Zjilov. Onthoudt u goed dat ze al een keer hebben geprobeerd u te vermoorden. Als ze u vinden, zullen ze het ongetwijfeld opnieuw proberen. O ja, ik moet niet vergeten u uw eigendommen terug te geven.' Hij pakte het Canadese paspoort, de bankbiljetten, de prentbriefkaart van een gezin dat een wandeling maakte op het Noord-Amerikaanse platteland, en de veters, en gaf alles aan de gevangene.

De ondervrager keek toe terwijl de gevangene de veters in zijn schoenen deed. Toen Martin opkeek, haalde de ondervrager zijn zware schouders op als om uit te drukken dat er verder niets te zeggen viel.

Martin knikte instemmend. 'Hoe kan ik u bedanken?' vroeg hij.

'Dat kunt u niet.' De ondervrager glimlachte beheerst. 'Overigens is Archip Tsjeklasjvili een personage. Ik ga ervan uit dat Jozef Kafkor en Martin Odum ook personages zijn. De Koude Oorlog is voorbij, maar we leven nog als onze personages. Misschien bent u wel het laatste slachtoffer van de Koude Oorlog, verdwaald in een labyrint van personages. Misschien zult u met behulp van die prentbriefkaart de uitgang kunnen vinden.'

1992: HOE LINCOLN DITTMANN
OP POOLSE LES GING

'Heren en dames,' verklaarde de voorzitter van de Personagecommissie en tikte met zijn knokkels op de ovale tafel om de aanwezigen tot kalmte te manen, 'ik nodig u uit aandacht te besteden aan een opmerkelijk detail in Martin Odums biografie dat wij ten onrechte hebben verwaarloosd.'

'Gaat het over hetzelfde waar ik aan denk?' vroeg de aversietherapeut die aan Yale had gestudeerd. 'Zijn moeder was...'

'Ze was Poolse, god nog aan toe,' snauwde Maggie Poole, zoals altijd met het Britse accent dat haar na haar studie in Oxford was blijven aankleven. Opgewekt voegde ze eraan toe: 'Zijn moeder is na de Tweede Wereldoorlog naar de *États Unis* geëmigreerd.'

'Daar kunnen we wel iets mee,' zei de enige andere vrouw in de commissie, een lexicografe van de Universiteit van Chicago die permanent aan de dienst was uitgeleend. 'Het verbaast me nogal dat we het tot nu toe over het hoofd hebben gezien.'

'Elke keer dat we aan een personage werkten, hebben we het onder ogen gehad,' bevestigde de nestor van de commissie, een vergrijsd CIA-fossiel dat in de Tweede Wereldoorlog, aan het begin van zijn lange, illustere loopbaan, nog personages voor OSS-agenten had ontwikkeld. Hij keek naar de voorzitter en vroeg: 'Waar komt dat idee nu opeens vandaan?'

'Toen Lincoln Dittmann terugkwam uit het Driegrenzengebied,' zei de voorzitter, 'stond in het operatieverslag dat hij een oude lotenverkoper Pools had horen spreken met een hoer in een bar en dat hij had gemerkt dat hij hun gesprek kon volgen.'

'Dat is omdat zijn moeder hem Poolse verhaaltjes voor het slapengaan voorlas toen ze nog in Pennsylvania woonden, in Jonestown,' verklaarde de aversietherapeut ongeduldig.

'*Mon Dieu*, een halfjaar intensieve studie en hij spreekt Pools als een geboren Pool,' zei Maggie Poole.

'Zoals jij Brits Engels hebt geleerd,' plaagde de aversietherapeut.

'Je kunt het niet laten, hè Troy?'

'Wat kan ik niet laten?' vroeg hij en keek onschuldig om zich heen.

De voorzitter gebruikte nogmaals zijn knokkels. 'Gezien wat de adjunct-directeur voor hem op het oog heeft,' zei hij, 'moet hij eigenlijk ook Russisch spreken.'

'Martin Odum heeft als student Russisch gedaan,' merkte de lexicografe op. 'Geen wonder dat hij een Pools accent had.'

'Terwijl zijn Pools wordt bijgespijkerd,' zei Maggie Poole, 'kan hij meteen aan zijn Russisch werken.'

'Goed, ik vat het samen,' zei de voorzitter. 'Wat we nu hebben is een Pool die zich net als de meeste Polen goed kan redden in het Russisch. Wat we nu nog moeten hebben is een naam.'

'Laten we eens een eenvoudige naam kiezen.'

'Gemakkelijker gezegd dan gedaan. *Le simple n'est pas le facile.*'

'Zullen we Franz-Josef als voornaam kiezen?'

'Laten we ons door de Oostenrijkse keizer inspireren of door Haydn?'

'Allebei.'

'Waarom niet alleen Jozef,' stelde Maggie Poole voor.

'Half Polen heet Jozef.'

'Juist daarom, dunkt me,' zei ze vinnig.

'Dat is niet wat je zei toen we de naam Dante Pippen kozen. Toen zei je dat niemand die een lijst met pseudoniemen doorploegde Dante Pippen ervan zou verdenken een pseudonyme te zijn, omdat het zo'n ongewone naam was.'

Maggie Poole liet zich niet uit het veld slaan. 'Consequent zijn,' zei ze kattig, 'is de laatste toevlucht van fantasielozen. Dat is van Oscar Wilde, voor het geval je dat niet wist.'

'Ik ben toevallig net Kafka's *Amerika* aan het herlezen.'

'God nog aan toe, je wilt toch niet Kafka als achternaam voor-stellen?'

'Ik dacht aan een Pools klinkende variatie: Kafkor.'

'Kafkor, Jozef. Niet kwaad. Kort en goed, een gemakkelijke naam om mee te werken, lijkt me. Wat vind jij, Lincoln?'

Lincoln Dittmann, die door het raam van het vergaderzaaltje op de derde verdieping naar buiten staarde, naar de honderden auto's op het parkeerterrein, keek de leden van de Personagecommissie weer aan. 'Een variatie op de naam Kafka, Kafkor, lijkt me heel pas-send.'

'Wat bedoel je daar in vredesnaam mee?'

'Kafka schreef verhalen over gekwelde mensen die in een nacht-merriewereld proberen te overleven, min of meer de kern van hoe dit nieuwe personage zichzelf beschouwt.'

'Jij kent je Kafka,' zei Maggie Poole.

'Hij kan Kafka hebben bestudeerd aan de Jagiello-universiteit in Kraków,' zei iemand.

'Hij kan in de zomer als gids in Auschwitz hebben gewerkt.'

'Via onze contacten in Warschau kunnen we hem een baantje be-zorgen bij het Poolse bureau voor toerisme in Moskou. In die po-sitie moet hij contact kunnen leggen met het object van de adjunct, zonder al te veel aandacht op zichzelf te vestigen.'

'Kwestie van uitzoeken waar die Samat komt als hij in Moskou is.'

'Dat moet Crystal Quest uitzoeken,' merkte Lincoln op.

1997: MARTIN ODUM MAG DE SIBERISCHE NACHTVLINDER INSPECTEREN

De telefoon aan de andere kant van de lijn was zo vaak overgegaan dat Martin was opgehouden met tellen. Hij besloot hem de hele avond te laten overgaan, de hele nacht, de hele volgende dag als het nodig was. Ze moest op een gegeven ogenblik toch thuiskomen. Een vrouw met een slapende peuter op haar heup klopte met een munt tegen het glas van de telefooncel en toonde verontwaardigd haar pols zodat Martin haar horloge kon zien. 'Zoek maar een andere cel, ik heb deze zelf gekocht,' mompelde hij en keerde haar de rug toe. Hoofdschuddend omdat de New Yorkers met de dag onmogelijker werden, liep de vrouw boos door. In Martins oor klonk het rinkelen van de telefoon zo regelmatig dat hij zich niet meer bewust was van het geluid. Zijn gedachten dwaalden af; hij haalde op wat hij zich van eerdere telefoongesprekken kon herinneren. Tot zijn verbazing kon hij haar stem in zijn hoofd laten klinken alsof hij een goede buikspreker was. Hij hoorde haar zeggen: *wanneer de antwoorden je ontglippen, moet je leren leven met de vragen.*

Hij besefte dat de telefoon niet langer overging. Hij hoorde iemand ademen.

'Stella?'

'Martin, ben jij het?' wilde een stem weten die opmerkelijk veel op die van Stella leek.

Martin verbaasde zich over zijn eigen verlangen die stem te horen, met de enige mens ter wereld te praten die geen aanstoot leek te nemen aan het feit dat hij niet goed wist wie hij was, maar bereid leek te leven met welke versie ook waarin hij zich presenteerde. Opeens voelde hij het dode vogeltje herleven: hij hunkerde ernaar de tatoeage van de nachtmot onder haar borst te zien.

'Ik ben het, Stella. Martin.'

'Jezus, Martin. Wauw. Niet te geloven.'

'Ik probeer al uren je aan de lijn te krijgen. Waar was je?'

'Ik kwam wat Russen tegen in Throckmorton's Market aan Kingston Avenue. Het waren immigranten, nog maar heel kort hier. Ik heb ze de moppen verteld die ik in Moskou vertelde toen ik voor onderafdeling Marx werkte. Wil je een leuke horen?'

'Mja.' Als ze maar aan het woord bleef.

Ze giechelde om de clou voordat ze de grap begon te vertellen. 'Goed,' zei ze en concentreerde zich. 'Drie mannen worden samen gevangen gezet in de Loebjanka. Na een tijdje vraagt de eerste gevangene: "Waarom zit jij hier?" En de tweede gevangene zegt: "Ik was tegen Popov. En jij?" En de eerste gevangene zegt: "Ik was voor Popov." De twee kijken de derde gevangene aan en vragen: "Waarom ben jij gearresteerd?" En hij zegt: "Ik ben Popov."'

Het stoorde haar dat Martin niet lachte. 'Toen ik bij de Schrijversbond in Moskou de clou vertelde, rolden de mensen over de grond van het lachen. Iemand bij onderafdeling heeft het spoor van de mop gevolgd: in drie dagen raakte hij door heel Moskou verspreid, na anderhalve week werd hij in Wladiwostok verteld. De Russen in Throckmorton's Market klapten in hun handen. En jij snapt hem niet?'

'Ik snap hem wel, Stella. Het is niet grappig. Het is dieptreurig. Toen je grap zich door Rusland verspreidde, lachten de mensen niet. Ze huilden.'

Stella dacht daarover na. 'Misschien zit daar iets in. Zeg, waar bel je deze keer vandaan? Moermansk aan de Barentszee of Irkoetsk aan het Bajkalmeer?'

'Luister goed, Stella. Weet je nog waar ik je de eerste keer vandaan heb gebeld?'

'Hoe zou ik het kunnen vergeten. Je zei dat je je had bedacht en je belde vanuit...'

Hij viel haar in de rede. 'Ik belde vanuit een telefooncel die naar terpentine rook.'

Hij hoorde haar adem stokken. 'Op de hoek van...'

Hij viel haar weer in de rede. 'Kun je die cel vinden als je leven ervan afhangt?'

Heel bedaard antwoordde ze: 'Mijn leven hangt er inderdaad van af.'

'Wil je dan het sectierapport meenemen over je vader dat je van die FBI-man hebt gekregen?'

'Anders nog iets?'

'Mja. Die keer dat ik je vader heb gesproken, haalde hij een souvenir met parelmoerbeslag uit de zak van zijn kamerjas en legde dat goed zichtbaar ergens neer. Als het mogelijk is, wil ik dat voorwerp graag in handen krijgen.'

'Anders nog iets?'

'Ja, er is nog iets. Ik wil graag de nachtvlinder inspecteren.'

'Geen probleem,' zei ze. 'Die neem ik overal mee naar toe.'

Ze dronken lauwe koffie helemaal achter in een vierentwintiguurszaakje aan Kingston Avenue, twee winkels voorbij Throckmorton's Minimarket. Stella keek telkens op naar Martin; zinnen die zich in haar hoofd vormden, leken telkens in haar keel te blijven steken. Toen ze bij de telefooncel op de hoek van Lincoln en Schenectady verscheen, hadden ze elkaar onwennig omhelsd. Een zwakke geur van rozenblaadjes ontsnapte van onder haar kraag. Ze had iets gezegd over dat ze eigenlijk zouden moeten kussen, maar de kus was verlegen en snel geweest en eigenlijk teleurstellend voor beiden. Omdat hij niet wist wat hij moest zeggen, zei hij dat hij haar nooit anders dan in een broek had gezien. Ze zei dat ze het strakke rokje tot op de knie droeg om zich als vrouw te vermommen. Hij lachte een beetje en zei dat de vermomming hem inderdaad had misleid. Hij vroeg haar of ze voorzorgsmaatregelen had genomen om te voorkomen dat ze werd geschaduwd. Ze legde uit dat ze naar een ijssalon aan Rogers Avenue was gegaan waar een drom tieners aan de automaten stond, door de achterdeur naar de steeg was geglipt en door stille zijstraten naar Schenectady en de telefooncel was gelopen. Hij had geknikt en haar aan de arm meegevoerd naar de eettent aan Kingston. Nu hij tegenover haar zat, merkte hij de nieuwe voortand op; die was witter dan de andere en stak nogal af. Ze droeg haar haar op haar rug in een vlecht die tussen haar schouderbladen uit het zicht verdween. Hij herkende de waaiers van rimpeltjes in haar ooghoeken en haar felle ogen die in hem leken te willen kijken. De bovenste drie knoopjes van haar mannenhemd stonden open en de bleke driehoek van huid leek op te lichten.

Martin schraapte zijn keel. 'Je hebt gedreigd me je tatoeage te laten zien bij onze eerstvolgende ontmoeting.'

'Hier? Nu?'

'Waarom niet?'

Stella keek om zich heen. Vier Chinese vrouwen in net zo'n afgeschoten zitje aan de andere kant van de ruimte speelden mahjong en een jongeman en een meisje keken elkaar zo diep in de ogen dat Stella betwijfelde of zij zich door minder dan een aardbeving zouden laten afleiden. Ze haalde diep adem om moed te putten, maakte nog drie knoopjes los en trok de stof weg voor haar rechterborst. Visioenen drongen zich aan Martin op: een piepende tl-buis boven een bar aan de haven in Beiroet, een bovenkamer met een gescheurd schilderij van Napoleons nederlaag bij Accra, de getatoeëerde nachtvlinder onder de rechterborst van de alevitische prostituee die de naam Djamillah gebruikte. 'Wil je de loepzuivere waarheid horen?' fluisterde hij. 'Je Siberische nachtmot beneemt me de adem.'

Er speelde een lachje om Stella's lippen. 'Dat moet ook. De Jamaicaan op Empire Boulevard die hem heeft gezet zei dat ik mijn geld terug kon krijgen als je niet paf stond. Misschien zal nu het een tot het ander leiden.'

Hij pakte haar hand en ze legde haar andere hand op de zijne, en ze bogen zich allebei over de tafel voor een kus.

Daarna zei Martin: 'We hebben eerst nog wat af te handelen.'

'Je formulering bevalt me,' zei Stella terwijl ze haar hemd dichtknoopte.

Hij keek verbaasd. 'Waarom?'

'Voor wie tussen de regels leest, staat er genot op de agenda.'

Zijn ogen lachten. 'Heb je het sectierapport meegebracht?'

Ze haalde het rapport en de begeleidende brief uit haar tas en legde ze op tafel. Martin nam eerst snel het sectierapport door: *myocardinfarct...stolsel op plaque in al door cholesterol vernauwde hartslagader...abrupt ernstig reduceren van de bloedsomloop...onherstelbaar trauma aan een gedeelte van het hartspierweefsel... moet vrijwel op slag dood zijn geweest.*

'Mja.'

'Wat mja?'

'De CIA-arts lijkt te beweren dat je vader een natuurlijke dood is gestorven.'

'In tegenstelling tot een onnatuurlijke dood? In tegenstelling tot moord?'

Martin begon de brief te lezen die de FBI had meegestuurd. *Geen sporen van braak... De heer Kastner had trouwens een geladen Toela-Tokarev onder handbereik... geen sporen van een worsteling... helaas niet ongebruikelijk bij mensen die, zoals de heer Kastner, op een rolstoel aangewezen zijn, dat bloedstolsels die in een been ontstaan, omhooggaan naar de hartslagader... minuscule huidbeschadiging bij een schouderblad, mogelijk een insectenbeet... U kunt me gerust opbellen op mijn geheime nummer als u nog vragen hebt.* Martin keek op. 'Ging je vader vaak naar buiten?'

'Kastner kwam nooit buiten. Hij ging zelfs de tuin achter het huis niet in. Hij bracht zijn tijd door met het schoonmaken en oliën van zijn wapenverzameling.'

'Als hij niet buitenkwam, hoe kan hij dan door een insect gebeten zijn?'

'Dus het sectierapport overtuigt je niet?'

Martin keek naar de ondertekening van de brief en verstijfde.

'Wat is er?' vroeg Stella.

'Ik heb een Felix Kiick gekend die voor de FBI werkte.'

'Er was een andere agent die de leiding had van het programma voor getuigenbescherming toen Kastner en ik en Elena in 1988 aankwamen. Die hebben we een aantal keren ontmoet toen we op het onderduikadres van de CIA in Tyson's Corner bij Washington woonden. Die agent ging in 1995 met pensioen; hij kwam naar President Street om zijn opvolger voor te stellen. Zo hebben we meneer Kiick leren kennen.'

'Kort van stuk? Gedrongen? Met een laag zwaartepunt waardoor hij lijkt op de verdedigers in de NFL? Aardig, open gezicht?'

'Ja. Ken je die?'

'Toen ik voor de CIA werkte, hebben we elkaar een paar keer ontmoet. Ik kende hem als contraterrorismespecialist, maar aan het einde van zijn carrière heeft hij waarschijnlijk een schop naar boven gekregen. De mensen van het programma voor getuigenbescherming zijn meestal agenten die hun tijd rustig uitdienen tot ze met pensioen kunnen.' Er schoot Martin iets te binnen. 'Toen ik je vader leerde kennen, zei hij dat hij mijn naam van iemand in Washington had gekregen. Was dat soms Felix Kiick?'

Stella zag aan Martin dat het hem dwarszat. Ze dacht na voordat ze antwoord gaf. 'Kastner belde het geheime nummer in Washington dat we hadden gekregen voor het geval we iets nodig hadden. Nu je het zegt, was het Kiick die indertijd heeft gezegd dat er een goede privédetective niet ver van ons vandaan woonde. Hij kon je aanbevelen, maar hij zei dat Kastner niet mocht zeggen hoe hij aan je naam kwam.'

Martin leek zich te concentreren op horizonten die Stella niet kon zien. 'Dus het was geen toeval dat ik met Samat Oegor-Zjilov werd opgescheept.'

'Ik heb het souvenir met parelmoerbeslag meegebracht,' zei Stella. Ze deed haar tas open en hield hem scheef zodat Martin haar vaders Toela-Tokarev kon zien. 'Het is een antiek wapen, maar hij doet het nog wel. Het was Kastners favoriete lichte wapen. Op gezette tijden ging hij ermee naar de kelder om te schieten op een kartonnen doos met isolatiemateriaal; dan haalde hij de kogel er weer uit om hem onder de microscoop te bestuderen. Ik heb er ook kogels voor gekocht.'

Stella bracht haar beker aan haar mond, maar merkte dat haar koffie koud was geworden. Martin stak zijn hand op om nieuwe te bestellen. De kelner, een tiener met lange tochtlatten en een zilveren knopje in een neusvleugel, bracht twee dampende bekers koffie en nam de oude mee. 'En Samat?' vroeg Stella.

'Ik denk dat ik weet hoe ik hem kan opsporen.'

'Niet doen.'

'Hè?'

'Niet doen. Laat Samat maar zitten. Concentreer je op mij opsporen.'

'En je vader dan?'

'Wat heeft Kastner ermee te maken of je besluit ermee op te houden?'

'Hij heeft me de opdracht gegeven. Hij is dood, dus hij kan de opdracht niet intrekken.' Martin wilde haar pols pakken, maar ze trok hem snel terug. 'Ik ben er al zo lang mee bezig dat ik het nu niet opgeef,' zei hij koppig.

'Je bent gek.' Ze zag de uitdrukking op zijn gezicht. 'Zo bedoel ik het niet. Je bent niet gek in de zin van echt gek. Je geestelijke gezondheid laat een beetje te wensen over. Geef maar toe dat je je soms gedraagt als een borderliner. In jouw situatie zou ieder ander zijn schouders ophalen en doorgaan met leven.'

'Levens, bedoel je.'

Martin wilde weer haar pols pakken. Deze keek verzette ze zich er niet tegen. Hij bedoelde haar horloge en begon het afwezig op te winden. 'Samat is in Amerika,' zei hij.

'Hoe weet je dat?'

Hij liet haar de prentbriefkaart zien en vertelde hoe hij Samat was gevolgd, van Israël naar Londen en Praag en het eiland Vozrozjdenije in het Aralmeer en het dorp Zuzovka in Litouwen, en ten slotte naar het dorpje Prigorodnaia niet ver van Moskou, waar Samats moeder Krystina in de lege datsja woonde die van Lavrenti Beria was geweest, de meest gehate man van Rusland. 'Zij heeft tegen me gezegd dat ze zich als het nodig was gedroeg alsof ze geschift was,' zei Martin. 'Ze zei dat ze zich in gekte hulde zoals een boer in de winter een schapenleren jas aantrekt.'

'Dat lijkt me een manier om te overleven.' Stella bestudeerde de foto op de kaart: de mannen en jongens met hun zwarte broek en zwart jasje en strohoed, de vrouwen en meisjes met hun katoenen jurk tot op de enkels, hoge rijgschoenen en een muts met strik onder de kin. Ze draaide de kaart om vertaalde de tekst. 'Liefste moeder, ik leef en ben gezond in America the Beautiful... Veel liefs van S.' Ze zag het weggekrabde opschrift. 'Waar op Gods groene aarde is "fast New York"?' wilde ze weten, turend naar het poststempel.

'Ik heb me erin verdiept. De mensen op de foto zijn amish. Belfast is zo ongeveer het middelpunt van de amish-gemeenschap in de staat New York en de enige stad daar die eindigt op "fast". Het is heel plausibel. Alle mannen hebben lange baarden. In plaats van hun baard af te scheren, zoals de Russische revolutionairen deden als ze wilden verdwijnen, heeft Samat vast zijn baard laten staan en zich als amish gekleed om in zijn omgeving te kunnen opgaan.'

'Voor wie houdt hij zich schuil?'

'Ten eerste voor de Tsjetsjeense gangsters die de dood van een van hun leiders, de Ottomaan, willen wreken. Dan is er je zuster, en zijn oom Akim, die beweert dat Samat honderddertig miljoen dollar heeft ontvreemd uit holdings die hij beheerde. Bovendien schijnt de CIA veel belangstelling voor hem te hebben, al weet ik niet waarom.'

'En hoe pas ik in het geheel?'

'Toen je me Samat beschreef, die eerste keer bij me thuis…'

'Dat lijkt zo lang geleden dat het in een eerdere incarnatie moet zijn geweest.'

'Je praat met een deskundige van wereldformaat op het gebied van eerdere incarnaties. Toen je hem beschreef, zei je dat hij zee-wiergroene ogen had die geen enkele emotie uitdrukten. Je zei dat je hem overal zou herkennen, als je zijn ogen kon zien.' Martin dempte zijn stem. 'Ik wil je niet iets vragen wat je liever niet wilt vertellen, maar hoe komt het dat je zijn ogen zo goed kent?'

Stella wendde zich af. Een ogenblik later zei ze: 'Die vraag zou je niet stellen als je niet een idee had van het antwoord.'

'Je hebt zijn zeewiergroene ogen van dichtbij gezien toen je met hem sliep.'

Stella kreunde. 'Op de avond van de bruiloft kwam hij 's ochtends heel vroeg mijn kamer binnen. Hij schoof tussen de lakens. Hij was naakt. Hij waarschuwde me dat ik me stil moest houden; hij zei dat mijn zus alleen gekwetst zou zijn als ik haar vertelde dat ik hem had… uitgenodigd.' Stella keek in Martins ogen. 'Ik zou zijn ogen overal herkennen omdat ik ze in mijn geheugen heb ge-prent toen hij me neukte in de kamer naast de slaapkamer van mijn zus, op de eerste avond van haar huwelijk met dat monster. Oor-spronkelijk had ik drie weken in Kiryat Arba willen blijven, maar ik ben na tien dagen weggegaan. Hij kwam elke avond in mijn bed toen ik daar was…'

'En toen je twee jaar later terugkwam?'

'Toen heb ik hem de eerste dag onder vier ogen verteld dat ik hem zou vermoorden als hij zich weer in mijn bed vertoonde.'

'Hoe reageerde hij daarop?'

'Hij lachte alleen maar. 's Nachts morrelde hij aan de deur om me te tergen, maar hij kwam niet binnen. Martin, je moet me de waarheid zeggen: verandert hierdoor iets tussen ons?'

Hij schudde zijn hoofd.

Stella permitteerde zichzelf een lachje dat om haar lippen bleef rusten.

1997: MARTIN ODUM KRIJGT
ZIJN GET

In de oude Packard van zijn vriend en huisbaas Tsou Xing, eigenaar van het Chinese restaurant onder de biljartzaal aan Albany Avenue, bereikten Martin en Stella na donker Belfast. De puisterige jongen van de benzinepomp aan de rand van de stad telde op vingers met olievlekken de keuzemogelijkheden af: een paar goede hotels in het centrum, sommige duurder dan andere; een paar pensions, een verzameling motels aan Route 19, sommige netjes, andere minder; en een aantal bed and breakfast-huizen, waarvan dat van de oude mevrouw Sayles aan de Genesee verreweg het beste was, met als grootste voordeel het ruisen van de rivier waar sommige mensen van in slaap vielen, en grootste nadeel het ruisen van de rivier dat sommige mensen uit hun slaap hield.

Ze vonden het huis aan de rivier met een bordje 'B&B' en 'Lelia Sayles' op een uithangbord aan een tak van een oeroude eik, en staken een hand door de scheur in de hor om de klopper op de voordeur te gebruiken. Omdat ze geen bagage hadden, moest Martin dertig dollar vooruitbetalen voor een kamer met een breed tweepersoonsbed, badkamer aan het eind van de gang, en 's nachts graag op blote voeten naar de wc om de spoken op zolder niet te storen. Ze gingen iets eten in een kleine gelegenheid tegenover de openbare bibliotheek aan South Main en deden lang met hun cafeïnevrije koffie om het ogenblik uit te stellen waarop ze niet meer terug konden. Nadat Martin de Packard op de oprit van mevrouw Sayles had geparkeerd, wilde hij absoluut het oliepeil controleren.

'Ik ben net zo zenuwachtig als jij,' mompelde Stella, die zijn gedachten kon raden toen hij de motorkap op de pen zette. Ze liep naar het huis, maar draaide zich bij de veranda om en haar linkerhand zweefde naar de bleke driehoek op haar borst. 'Je moet het zo zien, Martin,' riep ze. 'Als de seks tegenvalt, kunnen we altijd terugvallen op onze erotische telefoonrelatie.'

'Ik wil seks én een erotische telefoonrelatie,' riep hij terug.

Stella hield haar hoofd scheef. 'Nou,' zei ze terwijl een lachje in de plaats kwam van de nervositeit in haar ogen, 'misschien moet je dan maar liever ophouden met klooien aan de auto. We zijn immers geen van beiden maagd.'

'Hoe is het gegaan?' vroeg mevrouw Sayles de volgende ochtend terwijl ze schaaltjes zelfgemaakte jam op de ontbijttafel neerzette.

'Wat?' vroeg Martin kribbig.

'Het,' zei mevrouw Sayles nadrukkelijk. 'Lieve help, het vleselijke. Ik mag dan aan de verkeerde kant van de tachtig zijn beland, ik weet verdomd goed dat ik niet hersendood ben.'

'Heel goed, dank u,' zei Stella effen.

'Je moet wat minder zwaar op de hand worden, jongeman,' adviseerde mevrouw Sayles toen ze zag dat Martin zijn geroosterde boterham voor de tweede keer met boter besmeerde. 'Dan word je ook een betere bedpartner.'

In de hoop het gesprek op een ander onderwerp te brengen liet Martin de prentbriefkaart zien.

'Mijn betbetovergrootvader, Dave Sanford, heeft de eerste zagerij op de oever van de Genesee gebouwd,' legde mevrouw Sayles uit, terwijl ze in een gebreide tas naar haar leesbril zocht. 'Dat was in 1809. Dit huis is in 1829 opgetrokken uit hout dat uit die zagerij kwam. In die tijd was Belfast nog heel klein. Enkel bos zover je kon kijken, schijnt het. Toen door hausse in hout de bossen waren uitgeput, gingen de meeste mensen in de veehouderij. De White Creek-kaasfabriek, die heel beroemd is in deze streek, is omstreeks 1872 opgericht door mijn betovergrootvader...'

Stella probeerde het gesprek weer op de amish te brengen. 'En die foto op de kaart?'

'Dat blijft een vlek tot ik mijn leesbril heb gevonden, lieve kind. Ik had kunnen zweren dat hij in deze tas zat. Nooit begrepen hoe iemand haar bril kan vinden zonder erdoor te kunnen kijken. Kijk, nou blijkt hij hier toch te zitten.' Mevrouw Sayles zette haar bril op, pakte de prentbriefkaart van Stella aan en hield hem in het zonlicht dat door het erkerraam naar binnen viel. 'Zoals ik al zei ken ik de amish aan de White Creek Road heel goed door de familieband met de White Creek-kaasfabriek. Hmmm.' Mevrouw Sayles tuitte peinzend haar lippen. 'Eerlijk gezegd herken ik geen van de amish op deze kaart.'

'En de huizen en de schuur?' vroeg Martin die achter haar was komen staan en de dicht bij elkaar staande overnaadse houten huizen aanwees en de schuur met mansardedak ertegenover, iets verhoogd.

'Huizen en schuur ook niet. Maar er wonen bosjes amish aan de smalle aflopende wegen bij White Creek. Daar kan die foto heel goed zijn genomen.' Mevrouw Sayles kreeg een inval. 'Er is een man die Elkanah Macy heet en die conciërge is aan de Valleyview Amish School aan de Ramsey Road. Hij klust ernaast voor de amish in White Creek. Als iemand jullie kan helpen, is hij het. Zeg wel tegen Elkanah dat ik jullie heb gestuurd.'

Elkanah Macy bleek een gepensioneerde onderofficier te zijn die, aan de foto's aan de muren te zien, in zijn twintig dienstjaren op de helft van alle Amerikaanse marineschepen had gediend. Hij had de werkplaats in de kelder van de school verbouwd tot een replica van een scheepsreparatieplaats, compleet met naakte kalenderpin-ups. 'Dus Lelia heeft jullie gestuurd?' zei Macy, die aan een nat sjekkie trok terwijl hij van onder zijn zware oogleden naar zijn bezoekers keek. 'Ze heeft jullie vast voorgelogen over Dave Sanford die haar betbetovergrootvader zou zijn. Dat beweert ze verdomme tegen iedereen die lang genoeg stilstaat om haar aan te horen. Als je haar hoort praten, is iedereen in Belfast die wat heeft gedaan familie van haar: Sanfords zagerij aan de Genesee, de oude kaasfabriek aan de White Creek Road. Ik wed dat ze jullie heeft verteld over de spoken op haar zolder. Ha! Neem van iemand die het weten kan aan dat die dame een levendige fantasie heeft. In werkelijkheid waren de eerste Sayles in Allegheny County woekeraars die in de jaren veertig goedkoop boerderijen opkochten en met vette winst doorverkochten aan militairen die van het front terugkwamen. Wat willen jullie van de amish in White Creek?'

Martin liet Macy de prentbriefkaart zien. 'Weet u misschien waar we die huizen kunnen vinden?'

'Misschien. Misschien niet. Hangt ervan af.'

'Waarvan?' vroeg Stella.

'Van hoeveel jullie voor die informatie willen betalen.'

'U draait er niet omheen,' merkte Stella op.

'Hoor eens, dat spaart tijd en schoenzolen.'

Martin pelde een vijftigje van een rolletje biljetten. 'Hoever komen we hiermee?'

Macy griste het biljet uit Martins vinger. 'De twee boerenhuizen met een schuur ervoor staan zo'n vijf, zes kilometer weg aan de McGuffin Ridge Road. Neem South Main om Belfast uit te rijden, dan kom je op de 19. Kijk uit naar het reclamebord van de maagd Maria met haar nulachthonderd-nummer. Meteen daarna steek je de 305 over naar het westen en een kilometer verderop kom je op de White Creek Road in zuidelijke richting naar Friendship. De White Creek Road loopt een eindje parallel aan de kreek. Ongeveer halverwege Friendship is een zijweg, de McGuffin Ridge Road. Je moet stekeblind zijn om hem niet te zien.'

Martin liet nog een briefje van vijftig zien. 'Eigenlijk zijn we op zoek naar een oude makker van me die misschien in een van die boerenhuizen daar is gaan wonen.'

'Is die oude makker een amish?'

'Nee.'

'Simpel.' Macy pikte het tweede biljet in. 'Al die amish laten mij die verdomde elektriciteitsmeters en stoppenkasten verwijderen als ze in zo'n huis trekken. Amish gebruiken geen elektriciteit of elektrische apparaten: koelkasten, tv's, naaimachines, strijkijzers, noem maar op. Je herkent een huis waarin amish wonen aan de elektriciteitsmeter die niet aangesloten scheef aan het huis hangt. Wie geen amish is, heeft een aangesloten meter.'

'Wonen er veel amish aan de McGuffin Ridge Road?' vroeg Martin.

Toen de conciërge over zijn baardstoppels wreef, gaf Martin hem nogmaals vijftig dollar.

'Verbazend hoe het portret van U.S. Grant herinneringen oproept,' zei Macy terwijl hij het biljet dubbelvouwde en bij de andere in zijn borstzak wegstak. 'Afgezien van één huis is de McGuffin Road helemaal amish. Dat enige huis is het tweede op je prentbriefkaart.'

Stella keek Martin aan. 'Dus daarom heeft Samat zijn moeder deze kaart gestuurd.'

'Ja,' beaamde Martin. Hij knikte Macy toe. 'Dat zijn heel wat schepen bij elkaar,' merkte hij op, terwijl hij zijn blik over de ingelijste foto's liet glijden. 'Op al die schepen gediend?'

'Nooit echt op zee geweest,' zei Macy giechelend. 'Alleen op die schepen gediend terwijl ze in dok lagen, want ik word namelijk zeeziek zodra ze het ruime sop kiezen.'

'U had bij een ander onderdeel moeten gaan,' zei Stella.

Macy schudde nadrukkelijk zijn hoofd. 'De marine was godverdomme een beste baas,' zei hij. 'Ik was gek op de schepen. Niet op wat ze bevoeren, de zee dus. Ik zou verdorie zó bijtekenen als ze me vroegen. Zeker weten.'

Martin parkeerde de Packard bij een benzinestation aan de rand van de stad om een fles bronwater te kopen en een kaart van Allegheny County terwijl Stella naar de wc ging. Toen hij via de 19 de stad uit reed, voelde hij haar hand op zijn dij. Hij verstarde; met echte intimiteit, de vorm die ná seks komt, was Martin Odum niet vertrouwd. Hij zag zichzelf als iemand tussen Dante Pippen, die met dezelfde gedrevenheid en energie oorlog voerde en de liefde bedreef, en Lincoln Dittmann, die een keer naar Rome was gereisd om een hoer te zoeken die hij in het Driegrenzengebied had ontmoet, in. Stella voelde zijn verstarring onder haar vingers. 'Ik heb niet gelogen tegen mevrouw Sayles,' zei ze. 'Het is heel goed gegaan, dank je. Al met al was de afgelopen nacht een groots begin van ons seksleven.'

Martin schraapte zijn keel. 'Het kost me grote moeite om over dingen als ons seksleven te praten.'

'Ik vraag je niet erover te praten,' zei Stella met een lach in haar stem. 'Ik verwacht alleen dat je naar me luistert terwijl ik erover praat. Ik verwacht van je dat je af en toe "mja" mompelt bij wijze van vriendelijke aanmoediging.'

Martin keek even opzij en zei: 'Mja.'

De Packard reed langs het reclamebord met het telefoonnummer van de maagd Maria. Een paar honderd meter voorbij de 305 bereikten ze de kruising met het bord 'White Creek Road' en 'Friendship'. Martin reed de White Creek Road op en minderde vaart. Toen de weg omlaag voerde, verdween de kreek aan de rechterkant

358

uit het zicht, maar hij was weer te zien toen ze omhoog waren gereden. Het kabbelende water van de White Creek herinnerde Martin aan de Lesnia, die parallel liep aan de weg die Prigorodnaia verbond met de snelweg van Moskou naar Petersburg. De boerderijen
aan White Creek stonden direct aan de weg om gemakkelijker
brandhout en veevoer aan te voeren in de winter, als de sneeuw tot
aan de knieën reikte. Achter sommige huizen, die een halve tot een
hele kilometer uit elkaar stonden, was een werkplaats aangebouwd
en van de meubels of stoffen die daar werden gemaakt waren voorbeelden op de veranda uitgestald; alle huizen hadden een scheef
hangende meter en stoppenkast aan de overnaadse houten zijmuur
hangen. In de garages stonden amish-rijtuigjes en in de weiden stonden trekmerries te grazen. Soms kwamen als volwassenen geklede
kinderen, in zwart pak of een jurk tot op de enkels met muts en
rijgschoenen, naar de kant van de weg gehold om naar de passerende auto te kijken.

Ze bereikten de McGuffin Ridge en Martin sloeg af. McGuffin
leek sprekend op White Creek: de weg slingerde zich door golvend
boerenland, met huizen dicht aan de weg, allemaal met scheef hangende elektriciteitsmeters en stoppenkasten. Na zes kilometer kneep
Stella in Martins dij.

'Ik zie ze,' zei hij.

Nog langzamer rijdend kwam de Packard op gelijke hoogte met
de twee identieke houten huizen die dicht tegen elkaar stonden.
Aan de overkant van de weg stond een verweerde schuur. Een grof
vormgegeven Amerikaanse adelaar van metaal stak uit boven de
versierde weervaan op het mansardedak. Twee amish-mannen in
overals met bretels stonden achter het eerste huis planken te ver-
zagen. Een amish-vrouw zat op een schommelstoel op de veranda
te werken aan een quilt die tot over haar voeten viel. Terwijl de
Packard langs het tweede huis reed, keek Stella om en hield haar
adem in.

'De elektriciteitsmeter is bij dat huis niet afgekoppeld,' zei ze.

'Het is een perfecte plek voor iemand die in het landschap wil
verdwijnen,' zei hij. 'De amish-buurvrouw kan voor hem koken. Als
iemand komt snuffelen wanneer hij van huis is, zal hij dat van de
amish-mannen horen. Je hebt nergens een auto bij dat huis zien
staan?'

'Nee. Misschien gaat hij met een rijtuigje naar de stad, net als de amish.'

'Onwaarschijnlijk. Geen auto, geen Samat.'

'Wat doen we nu verder?' vroeg Stella terwijl Martin doorreed.

'Wachten tot Samat terugkomt. Dan stoffen we de antieke Toe-la-Tokarev van je vader af en gaan bij hem langs.'

Martin parkeerde de Packard in de berm voorbij de volgende heuvel en hij en Stella liepen terug naar een esdoornbosje. Aan de andere kant van het bosje konden ze de twee huizen zien en de schuur aan de overkant van de weg. Ze gingen met hun rug tegen een boom op de grond zitten wachten. Martin haalde Dantes witzijden gelukssjaal uit zijn zak en knoopte die om zijn hals.

'Hoe kom je daaraan?' vroeg Stella.

'Heeft een meisje aan iemand gegeven die ik in Beiroet heb gekend. Ze zei dat de sjaal zijn leven zou redden als hij hem droeg.'

'En was dat zo?'

'Ja.'

'En het meisje?'

'Dat is om het leven gekomen.'

Stella liet dat op zich inwerken. Na een poosje zei ze opeens: 'Kastner is vermoord, hè?'

Martin ontweek haar blik. 'Waarom denk je dat?'

'Dat heeft die man van de FBI, Felix Kiick, tegen me gezegd.'

'Zo concreet? Heeft hij gezegd dat je vader niet aan een hartaanval is gestorven?'

'Die Felix Kiick deugde. Kastner vertrouwde hem. Ik ook, ik vertrouwde hem ook.'

'Ik ook,' bevestigde Martin.

'Ik heb er heel lang over nagedacht. Ik heb er op allerlei manieren naar gekeken.'

'Waarnaar?'

'Zijn brief. In het sectierapport staat niets over een kleine huidbeschadiging bij het schouderblad. In de brief van Kiick staat dat wel.'

'Het kon een insectenbeet zijn.'

'Het was als een rode vlag voor mijn gezicht, Martin. Hij vestigde de aandacht op iets wat een spoor kon zijn van een dodelijke injectie met een heel dunne naald. Kastner heeft me over zulke dingen verteld; volgens hem waren dodelijke injecties de favoriete methode van de KGB om moorden te plegen. In zijn tijd gebruikten de moordenaars van de KGB een smaakloos rattengif waardoor het bloed zozeer verdund raakte dat je polsslag verdween en dat je uiteindelijk gewoon ophield met ademhalen. Kastner had gehoord dat ze aan verfijndere middelen werkten die niet gemakkelijk aangetoond kunnen worden; hij zei dat ze een stollingsmiddel hadden ontwikkeld waardoor een verstopping in de hartslagader kon worden veroorzaakt, waardoor een myocardinfarct kon worden veroorzaakt. Die opmerking van Kiick over een insectenbeet is jou toch ook niet ontgaan?'

'Die is me wel opgevallen.'

'En?'

'Kiick is de man die heeft voorgesteld dat je vader mij zou inschakelen om Samat te zoeken. Kiick heeft zich bij de FBI voornamelijk met contraterrorisme beziggehouden. Hij heeft het pad gekruist van Crystal Quest, de adjunct-directeur Operaties van de Firma...'

'Die je in je eerste gesprek met Kastner Fred noemde.'

'Je hebt een goed geheugen, ook voor andere dingen dan KGB-moppen. Kiick moet hebben geweten dat Fred niet wilde dat Samat zou worden opgespoord. En nu vestigt Kiick onze aandacht op een insectenbeet.'

Stella leek opgelucht. 'Dus je denkt niet dat ik gestoord ben?'

'Je bent van alles, maar niet gestoord.'

'Als ik niet beter wist, zou ik dat als compliment opvatten.'

'Iemand anders die ongeveer in dezelfde tijd als je vader is vermoord, is aan insectensteken gestorven. Ze heette Minh.'

Stella herinnerde zich dat de man van de Shabak in Israël Martin had verteld over het Chinese meisje dat op zijn dak door bijen was doodgestoken. 'Wat heeft de dood van de een met de dood van de ander te maken?' vroeg ze.

'Als je vader is vermoord, betekent dat dat iemand wilde verhinderen dat er naar Samat werd gezocht. Minh controleerde mijn bijenkasten, waarvoor ze mijn witte overal en tropenhelm met muskietennet droeg, toen de bijen door een of andere aanleiding de kast uit stormden.'

'Uit de verte moet ze op jou hebben geleken.' Ze bedacht nog iets anders. 'En die schoten toen we van Kiryat Arba naar die heilige grot liepen? Je zei dat er twee geweerschoten heel dicht bij jou waren ingeslagen.'

'Het kunnen Palestijnen zijn geweest die op Joden schoten,' zei Martin. Het klonk niet erg overtuigd.

'Misschien waren het de mensen die Kastner hebben vermoord, en je vriendin Minh, die op je schoten.'

'Mja. De macht van de Oligarch reikt ver. Maar we zullen het nooit zeker weten.'

'O Martin. Ik geloof dat ik bang ben…'

'Je bent de enige niet. Ik ben nooit niet bang.'

De lange schaduwen die net voor zonsondergang verschenen strekten hun tentakels uit over de weilanden. Martin volgde zijn eigen gedachtegang en zei: 'Je hebt mijn kijk op de dingen veranderd, Stella. Ik dacht vroeger dat ik me de rest van mijn leven alleen nog dood wou vervelen.'

'Voor iemand die zich dood wilde vervelen gaf je een goede imitatie weg van iemand met een opwindend bestaan.'

'O ja?'

'Kiryat Arba, Londen, Praag, dat eiland in het Aralmeer, dat dorpsoproer in Litouwen over wie het gebeente van een obscure heilige mag hebben. En dan het verhaal over Prigorodnaia en de weg erheen. Niet echt saai.'

'Je hebt het spannendste weggelaten.'

'Wat is dat dan?'

'Jij.'

Stella hurkte naast hem om haar gezicht tegen zijn hals te drukken. 'Jeugdige onbezonnenheid,' fluisterde ze.

De zon was achter de heuvels in het westen verdwenen en een rossiggrijze gloed kleurde de hemel toen ze de koplampen zagen die uit de richting White Creek over de McGuffin Ridge Road aankwamen. Martin stond op en trok Stella overeind. De auto leek vaart te minderen bij de twee boerderijen en draaide de zandweg naar de schuur op. Een man trok de schuurdeuren open en deed ze weer dicht nadat hij de auto in de schuur had geparkeerd. Even later floepte het buitenlicht aan van het dichtstbijzijnde huis. De man ging naar binnen. Op de begane grond ging licht achter de ramen aan. Martin en Stella wisselden een blik.

'Ik wil niet dat je risico's neemt,' zei Stella vlak. 'Als hij gewapend is, doet mijn zus het maar zonder scheiding, dan moet je hem doodschieten.'

Voor het eerst die dag lachte Martin. 'Weet je zeker dat je grappen vertelde voor de KGB? Weet je zeker dat je geen sluipmoorden pleegde?'

'Ik vertelde moordgrappen, Martin. Maar ik ben nu zenuwachtiger dan gisteravond. Laten we er maar gauw op af gaan.'

In de invallende duisternis liepen ze over de witte middenstreep naar de beide huizen. Ergens achter hen blafte een hond en een halve kilometer verderop aan de McGuffin Ridge begonnen andere honden te huilen. Door het raam aan de voorkant van het tweede huis zag Martin het amish-gezin bij kaarslicht aan een lange eettafel zitten; alle gezinsleden bogen het hoofd terwijl de man met de baard aan het hoofdeinde in gebed ging. Martin bevoelde de Toela-Tokarev om zich ervan te vergewissen dat hij ontgrendeld was, sloop toen geluidloos met Stella de veranda op en drukte zich plat tegen de muur naast de voordeur. Hij gebaarde dat Stella moest aankloppen.

In het Engels met een zwaar Russisch accent riep de bewoner van het huis: 'Ben jij dat, Zaccheus? Ik heb toch gezegd dat je het eten om acht uur moest brengen. Het is niet beschaafd om te eten op de tijd dat jullie Amerikanen eten.' De deur ging open en een broodmagere man met een dikke baard waarboven alleen zijn zeewiergroene ogen zichtbaar waren bekeek Stella door de hordeur. Het buitenlicht viel schuin over haar heen en haar gezicht ging schuil in de schaduw.

'Wie bent u?' vroeg hij. 'Wat doet u hier om deze tijd?'

'Privjet, Samat,' fluisterde Stella.

Samat hield geschrokken zijn adem in. *'Tjij,'* fluisterde hij. *'Sjto tjij zdesj delaesj?'*

Stella staarde recht in Samats ogen. 'Hij is het,' zei ze.

Martin liet zich zien met de antieke Toela-Tokarev op Samats borst gericht. Stella deed de hordeur open en Martin stapte over de drempel. Er verzamelde zich wit spuug in Samats mondhoek terwijl hij achteruitliep. Hij had zijn handen opgestoken, ver uit elkaar, bijna als om te groeten. 'Jozef, goddank, je leeft nog.' Hij begon in het Russisch vragen te stellen. Martin besefte dat Jozef net als Stella en Samat Russisch sprak. Hij, Martin, kon woorden en zinsdelen verstaan, soms een hele zin volgen, maar hij was niet in staat een heel gesprek in het Russisch te voeren. Hij viel Samat midden in een zin in de rede. *'V Amerike, pa-anglijski govoriat.'* In Amerika wordt Engels gesproken.

'Wat moet je met haar?' Samat keek van de een naar de ander. 'Hoe is het mogelijk dat jullie elkaar kennen?'

Stella leek even beduusd als Samat. 'Vertel me niet dat jullie elkaar kennen.'

'We zijn elkaar al eens tegengekomen,' zei Martin tegen haar.

Samat liet zich op een bank vallen. 'Hoe heb je me gevonden, Estelle?'

Martin trok een houten stoel bij, zette hem achterstevoren neer en ging tegenover Samat zitten, het pistool steunend op de rugleuning en gericht op zijn borst. Stella pakte een barkruk en liet de prentbriefkaart aan Samats voeten vallen. Hij raapte hem op, bekeek de foto en draaide de kaart om om naar het stempel te kijken. 'Zaccheus moest hem in Rochester op de post doen,' klaagde hij. 'Die smeerlap is niet verder gegaan dan Belfast. Geen wonder dat jullie de twee huizen op McGuffin Ridge hebben gevonden.' Hij keek strak naar Martin en weer naar de kaart. 'Jozef, je bent teruggegaan naar Prigorodnaia. Je bent bij mijn moeder geweest.'

'Waarom zegt hij Jozef tegen je?' vroeg Stella verbaasd.

Martin bleef Samat in de ogen kijken. 'Ik was een dag of twee te laat voor je. De pope zei dat je met je helikopter was weggevlogen nadat je hem het houten kruisje van het Ware Kruis had gegeven.'

'Kan dat wapen niet weg?'

Stella gaf antwoord. 'Dat kan zeker niet weg, dat is om mij gerust te stellen.'

Samat veegde met zijn mouw over zijn voorhoofd en vroeg: 'Jozef, hoeveel kun je je herinneren?'

'Alles.' Voor zijn geestesoog zag Martin de eerste zwart-witfoto die de Russische ondervrager in Moskou hem had laten zien: een uitgemergelde man, die door de Rus Kafkor, Jozef was genoemd, spiernaakt met een doornenkroon op zijn hoofd, die uit een bootje was gestapt en naar de kant waadde, met twee bewakers in gestreepte hemden achter zich aan. 'Ik herinner me alle bijzonderheden. Ik weet dat ik zo lang ben gemarteld dat ik elk besef van tijd kwijt was.'

Stella boog zich naar voren. Ze begon te begrijpen waarom Martin zichzelf niet als geestelijk gezond beschouwde. 'Wie heeft je gemarteld?' fluisterde ze.

'De mannen met de gestreepte hemden,' zei Martin. 'De voormalige para's die de datsja in Prigorodnaia bewaakten, die me naar de overkant van de rivier hebben gebracht...' Hij keek Samat aan. 'Ik herinner me de sigaretten die op mijn lichaam zijn uitgedrukt. Ik herinner me dat de grote veiligheidsspeld van het stuk karton waarop DE SPION KAFKOR stond door de huid tussen mijn schouderbladen werd gestoken. Ik herinner me dat ik de Lesnia werd overgezet naar de oever waar al die wegwerkers naar me staarden. Ik herinner me dat de bewakers me de helling op porden naar de weg en het gat dat in de weg was uitgegraven.'

Samat begon te hyperventileren. Toen hij weer kon praten, zei hij: 'Ik smeek je me te geloven, Jozef. Ik zou je hebben gered als dat mogelijk was geweest.'

'In plaats daarvan gaf je Kafkor een laatste sigaret.'

'Je kunt het je inderdaad herinneren!'

Stella keek van de een naar de ander; ze hoorde bijna haar vaders stem die haar voorhield dat in het leven van agenten de vragen altijd talrijker zouden zijn dan de antwoorden.

Samat voelde onder zijn vest. Martin ontzekerde zijn wapen. De klik klonk hard in de kamer. Samat verstijfde. 'Ik moet beslist een sigaret roken,' bracht hij moeizaam uit. Hij hield het vest open en haalde langzaam een pakje Marlboro uit zijn borstzak. Hij trok er een sigaret uit, streek een houten lucifer af en probeerde het vlammetje bij het uiteinde van de sigaret te houden. Zijn hand trilde en hij moest zijn pols met zijn andere hand vasthouden om de sigaret te kunnen aansteken. Hij nam een trek, hield de sigaret met zijn duim en middelvinger vast en keek de rook na die naar de lamp kringelde. 'Wat herinner je je nog meer, Jozef?'

Martin kon bijna de zware stem horen van de Russische ondervrager, die de personagenaam Archip Tsjeklasjvili had gebruikt. Hij herhaalde wat Tsjeklasjvili hem in Moskou had verteld; soms klonken in zijn hoofd zijn eigen stem en die van de ondervrager door elkaar heen. 'De tractormonteur in Prigorodnaia heeft me in zijn takelwagen naar Moskou gebracht. Hij wilde me naar een ziekenhuis brengen. Bij een rood licht op de ringweg, niet ver van de Amerikaanse ambassade, ben ik uit de cabine gesprongen en in het donker verdwenen.'

'Ja, ja, dat klopt allemaal,' zei Samat. 'Mevrouw Quest heeft ons bericht gestuurd... ze heeft mijn oom Tzvetan en mij laten weten... dat de contraspionnen van de FBI je zwervend in de straten achter de ring hebben aangetroffen. Volgens haar kon je je niet herinneren wie je was of wat je was overkomen... ze had het over een trauma... ze zei dat het voor iedereen beter was als je het je niet herinnerde. O Jozef, je hebt ze allemaal misleid.' Samat begon te huilen en tranen glansden op zijn ingevallen wangen. 'Als ze had vermoed dat je het nog wist, was je Moskou niet levend uit gekomen.'

'Dat gevoel had ik al. Ik wist dat alles ervan afhing of ik haar ervan kon overtuigen dat ik last had van geheugenverlies.'

'Het was de Oligarch die opdracht gaf je te martelen,' zei Samat opeens heel heftig. 'Hij was ervan overtuigd dat je de operatie in Prigorodnaia had verraden. Hij moest weten aan wie. Mevrouw Quest moest weten aan wie. Het was een kwestie van schadebeperking. Als er bederf is ingetreden, moeten we dat wegbranden, zei mijn oom. Ik heb geprobeerd hem tot rede te brengen, Jozef. Ik heb tegen hem gezegd dat je de operatie kon hebben onthuld toen je had begrepen waaruit die bestond, maar alleen aan ingewijden. Alleen aan Crystal Quest. Ik heb hem bezworen dat je nooit naar de media of de autoriteiten zou gaan. Ik zei dat je ertoe kon worden gebracht de zaak van onze kant te bekijken. We werkten immers allemaal voor dezelfde organisatie? We dansten allemaal naar de pijpen van dezelfde organisatie. Het was niet aan ons om een oordeel over de operatie uit te spreken. De CIA gaf ons een koers op en die volgden we. Je was soldaat in die oorlog, net als ik, net als mijn oom; jij was de schakel tussen ons en mevrouw Quest; tussen ons en Langley.'

Martin moest Samat ertoe verleiden de lacunes in te vullen. 'Het was de omvang van de operatie in Progorodnaia die me deed walgen,' zei hij. 'Zoiets was nog nooit geprobeerd.'

Samats hoofd bleef onophoudelijk deinen; de woordenstroom bleef vloeien, alsof uit de hoeveelheid woorden die de lucht vulde een band kon ontstaan tussen hem en de man die hij als Jozef kende. 'Toen de CIA mijn oom Tzvetan vond, handelde hij in Armenië in tweedehandsauto's. Wat ze aantrok in hem was dat zijn vader en grootvader door de bolsjewieken waren vermoord; zijn broer, mijn vader, was in de kampen gestorven; hijzelf had jaren in een Siberische gevangenis doorgebracht. Tzvetan verfoeide het Sovjetregime en de Russen die daarin aan de touwtjes trokken. Hij was tot alles bereid om zich te wreken. Dus werd hij door de CIA gefinancierd; met dat geld veroverde hij zijn positie in de handel in tweedehandsauto's in Moskou. Met ruimhartige hulp van de CIA, ik praat hier over honderden miljoenen, begaf hij zich in de aluminiumhandel. Hij sloot contracten af met smelterijen, hij kocht driehonderd treinstellen, hij kocht een haven in Siberië om het erts over te slaan. Al snel beheerste hij de aluminiummarkt in Rusland en had hij een fortuin van miljarden dollars vergaard. En zijn imperium bleef groeien: hij handelde in chroom en steenkool, hij kocht tientallen fabrieken en bedrijven, hij opende banken voor dienstverlening aan het imperium en om winsten wit te wassen in het buitenland. Daarbij kwam ik van pas. Tzvetan vertrouwde me volkomen; ik was de enige die begreep hoe het imperium van de Oligarch in elkaar zat. Het zat allemaal in mijn hoofd.'

'Dus nadat Tzvetan zich had opgewerkt tot economische factor van betekenis, duwde de CIA hem de politiek in.'

'Als mijn oom zich geliefd heeft gemaakt bij Jeltsin, was het omdat dat paste in het plan van mevrouw Quest. Toen Jeltsin zijn eerste boek wilde publiceren, regelde Tzvetan de contracten en kocht de oplage op. De familie Jeltsin kwam opeens tot de ontdekking dat ze aandelen hadden in reusachtige ondernemingen. Dankzij de Oligarch is Jeltsin een vermogend man geworden. Toen Jeltsin in 1991 president van de Russische federatie wilde worden, financierde Tzvetan zijn verkiezingscampagne. Tzvetan betaalde Jeltsins persoonlijke lijfwachten, de presidentiële veiligheidsdienst. Het lag voor de hand dat Jeltsin, als hij advies wilde, zich tot de belangrijkste figuur in zijn intieme kring wendde: de Oligarch.'

Martin begon te begrijpen waar het complot van Prigorodnaia om draaide. 'Jeltsins rampzalige beslissing de prijzen los te laten en Rusland begin jaren negentig aan een vrijemarkteconomie bloot te stellen, leidde tot hyperinflatie waardoor de pensioenen en het spaargeld van tientallen miljoenen Russen verdampten. Het land werd in een economische chaos gestort...'

'Het concept was afkomstig van Crystal Quests mensen op Operaties. Mijn oom was degene die Jeltsin ervan heeft overtuigd dat de noden van Rusland door een vrijemarkteconomie konden worden opgelost.'

'De privatisering van de industrie, waarbij de rijkdom van het land werd geplunderd en in handen viel van de Oligarch en een handjevol soortgenoten...'

Samat wreef zijn handen langs elkaar. 'Het kwam allemaal uit de koker van het directoraat Operaties van de CIA: de hyperinflatie, de privatisering, zelfs Jeltsins beslissing om Tsjetsjenië aan te vallen en het Russische leger in een oorlog te storten die het niet kon winnen. Je begrijpt wel wat de bedoeling van de Amerikanen was; de Koude Oorlog was weliswaar voorbij, maar Amerika wilde na de overwinning op de machtige Sovjet-Unie niet dat een machtig Rusland als een feniks uit de as zou herrijzen. De mensen in Langley konden niet het risico nemen dat de overgang van socialisme naar kapitalisme succesvol zou verlopen. Dus haalden ze er de Oligarch bij, die de communistische apparatsjiks haatte, en maar al te graag zou zien dat Rusland en de Russen wegzakten in een economisch moeras, door gebruik te maken van zijn aanzienlijke invloed op Jeltsin.'

Stella, die Martin aandachtig gadesloeg, zag hem huiveren. Even dacht ze dat hij weer pijn had aan zijn been. Toen besefte ze dat het kwam door wat Samat vertelde: Martin had de naakte waarheid gevonden in Samats verhaal. Zijzelf ook. 'De CIA stuurde Rusland!' riep ze uit.

'De CIA stuurde Rusland het moeras in,' beaamde Martin.

'Dat was het mooie eraan,' zei Samat met iets schril triomfantelijks in zijn stem. 'Wij hebben de Russen betaald gezet wat ze de Oegor-Zjilovs hebben aangedaan.'

Martin herinnerde zich wat Crystal Quest tegen hem had gezegd op de dag dat ze hem in Xings Chinese restaurant had ontboden: 'We hebben niet je geweten ingehuurd, alleen je verstand en je lichaam. En op een mooie dag viel je uit je rol, je viel uit al je rollen, en nam een moreel standpunt in, zoals dat wordt genoemd.'

Indertijd had Martin geen flauw idee gehad wat ze had bedoeld. Nu waren de stukjes van de puzzel op hun plaats gevallen, nu begreep hij waarom in Langley topoverleg was geweest over de beslissing zijn contract te beëindigen, of zijn leven.

Vermoeid trok Samat aan de sigaret om zijn zenuwen in bedwang te houden. Martin staarde naar de askegel aan Samats sigaret en wachtte tot die zou doorbuigen en afvallen. In weerwil van de zwaartekracht, in weerwil van de rede werd de kegel langer dan het niet opgerookte deel van de sigaret. Martin associeerde de as met de naakte knielende man aan de rand van de kuil, de man van wie een zwart-witopname was gemaakt terwijl hij met holle ogen van doodsangst over zijn schouder keek.

Samat werd zich ook bewust van de vorm van de askegel. Binnensmonds pratend van angst fluisterde hij: 'Alsjeblieft. Ik vraag het je, Jozef, terwille van mijn moeder die van je hield alsof je haar zoon was. Schiet me niet dood.'

'Ik weet niet of je hem wel moet doodschieten,' zei Stella. 'Maar ik weet ook niet of je het niet moet doen. Wat bereik je ermee?'

'Wraak is een uiting van geestelijke weerbaarheid. Als ik hem doodschiet, bewijs ik mijn... geestelijke weerbaarheid.' Martin keek weer naar Samat, die hoorbaar ademhaalde door zijn mond, bij elke ademtocht doodsbang dat het zijn laatste zou zijn. 'Waar is de Oligarch?' vroeg Martin.

'Dat weet ik niet.'

Martin hief de Toela-Tokarev en richtte hem op Samats voorhoofd, midden tussen de ogen. Stella wendde zich af. 'Toen je in Kiryat Arba woonde,' hielp Martin Samat herinneren, 'belde je vaak met iemand die een nummer had dat met het kengetal 718 begon.'

'De telefoongegevens zijn vernietigd. Hoe kun je dit weten?'

'Stella heeft indertijd een van je telefoonrekeningen gezien.'

'Ik zweer het je op het hoofd van mijn moeder: ik weet niet waar de Oligarch is. Het 718-nummer was het telefoonnummer thuis van de Amerikaanse fabrikant van kunstbenen en kunstarmen die ik naar Londen verscheepte voor uitvoer naar oorlogsgebieden.' Tranen welden op in Samats zeewier-groene ogen. 'Ik weet niet eens of de Oligarch nog leeft. Bij het programma voor getuigebescherming wordt alles heel streng afgegrendeld, just om te voorkomen dat iemand hem via mij kan bereiken. Of mij via hem.'

Heel ingehouden zei Stella: 'Het is mogelijk dat hij de waarheid spreekt.'

Samat klampte zich vast aan de reddingsboei die Stella hem toewierp. 'Ik heb je nooit kwaad willen doen,' zei hij tegen haar. 'Het huwelijk met je zuster was voor ons allebei een verstandshuwelijk: zij wilde in Israël wonen en ik moest snel weg uit Rusland. Ik kon niet met Ya'ara naar bed. Dat moet je begrijpen. Alleen bij een vrouw kan een man een man zijn.'

'Waardoor Stella als enige overbleef,' zei Martin.

Samat keek hem niet aan. 'Een man heeft zijn behoeften...'

Martin hield het pistool secondenlang roerloos op Samat gericht, maar liet de korrel toen langzaam zakken. 'Je andere oom, die in Caesarea woont, beweert dat je honderddertig miljoen dollar uit zes van zijn holdings hebt gestolen. Hij heeft me een miljoen geboden om je op te sporen.'

Samat bespeurde een uitweg. 'Ik zal je twee miljoen betalen om me niet te vinden.'

'Ik accepteer geen cheques.'

Samat begreep hoe hij toch nog uit zijn netelige situatie zou kunnen ontsnappen. 'Ik heb aandelen aan toonder in het vriesvak van mijn koelkast.'

'Er is nog een andere kwestie die moet worden geregeld,' liet Martin hem weten.

Er klonk al iets meer zelfvertrouwen in Samats stem. 'Zeg het maar,' zei hij zakelijk.

De volgende ochtend gebruikte Stella urenlang Samats telefoon om te proberen een orthodoxe rabbijn te vinden die hen zou willen helpen. Van een oude rabbijn in Philadelphia kreeg ze het nummer van een collega in Tenafly, in New Jersey; op het bandje van diens synagoge stond dat in een noodgeval in het weekend de rabbijn thuis kon worden gebeld, maar dat nummer ging eindeloos over zonder dat er iemand opnam. Een rabbijn van Beth Hakneses Hachodosh in Rochester kende een rabbijn bij Ezrath Israel in Ellenville, New York die orthodoxe scheidingen uitsprak, maar toen Stella diens nummer draaide, kreeg ze zijn minderjarige dochter aan de lijn; die zei dat haar vader, de rabbijn, in Israël was. Hij had wel een neef die zijn collega was bij B'nai Jacob in Middletown, in Pennsylvania. Het was de rabbijn in Middletown die voorstelde dat ze Abraham Shulman zou opbellen, de rabbijn van de Beth Israel-synagoge in Crown Heights in Brooklyn. Rabbijn Shulman, een vriendelijke man met een sonoor stemgeluid, legde Stella uit dat alleen een tijdelijke rabbinale kamer, bestaande uit drie orthodoxe rabbijnen, de wetsrol over de get kon opstellen en de handtekeningen kon autoriseren. Door een gelukkig toeval zat hij aan de zondagsbrunch met twee collega's, een uit Manhattan en een uit de Bronx, allebei orthodox, net als hijzelf. En o hemel ja, het was ongebruikelijk, maar de tijdelijke rabbinale kamer kon de handtekening van de echtgenoot onder de get authentiek verklaren, ook als de vrouw niet fysiek aanwezig was, waarna het document kon worden doorgestuurd naar de rabbijn van de echtgenote in Israël om door haar te worden ondertekend, waardoor de scheiding definitief zijn beslag zou krijgen. Rabbijn Shulman informeerde hoe lang zij en de beweerde echtgenoot erover zouden doen om Crown Heights te bereiken. Stella zei tegen de rabbijn dat ze tegen het einde van de middag langs zouden komen. Ze noteerde zijn aanwijzingen: van Manhattan naar Brooklyn over de Manahttan Bridge, dan over Flatbush Avenue naar de Eastern Parkway en dan de Eastern Parkway tot aan Kingston Avenue. De synagoge bevond zich op de drie bovenverdiepingen van Eastern Parkway nummer 745, aan je linkerhand vanuit New York, onmiddellijk na Kingston Avenue.

De drie rabbijnen, aan wie de brunch niet ongemerkt voorbij leek te zijn gegaan, hielden beraad in Shulmans schemerige werkkamer vol boeken, op de begane grond onder de synagoge. Shulman, de jongste van de drie, was gladgeschoren met glimmende appelwangetjes; de andere twee rabbijnen hadden allebei een dunne witte baard. Ze droegen alle drie een zwart pak en een zwarte vilthoed; bij de oudsten stond dat heel natuurlijk, bij Shulman had het een komisch effect. 'Wie van u,' baste Shulman, die van Samat naar Martin en weer naar Samat keek, 'is de gelukkige toekomstige ex?'

Martin, die de Toela-Tokarev in zijn jaszak omklemde, gaf Samat een por. 'Wie zou geloven,' sputterde Samat zachtjes terwijl hij over het dikke tapijt schuifelde, 'dat je al die moeite hebt gedaan om me te vinden om een scheiding door te drukken?'

'Zei u iets?' informeerde de rabbijn rechts van Shulman.

'Ik ben degene die gaat scheiden,' verkondigde Samat.

'Waarom dat overhaaste gedoe?' vroeg de derde rabbijn. 'Waarom kon het niet wachten tot sjoel maandagochtend opengaat?'

Stella improviseerde. 'Hij moet vanavond op Kennedy Airport met het vliegtuig naar Moskou.'

'Er zijn ook orthodoxe rabbijnen in Moskou,' merkte Shulman op.

In een bamboe kooi op een houten rechte ladder voor de boekenkasten die tot aan het plafond reikten, wipte een groene vogel naar een hogere zitstok, en verklaarde glashelder: '*Loz im zayn, loz im zayn.*'

Rabbijn Shulman keek gegeneerd. 'Mijn papegaai spreekt Jiddisj,' legde hij uit. '*Loz im zayn* betekent: laat hem toch.' Hij keek zijn collega's lachend aan. 'Misschien probeert *Ha Shem*, gezegend zij zijn naam, ons iets duidelijk te maken.' De rabbijn keek weer naar Samat. 'Ik neem aan dat u dat hele eind niet bent gekomen zonder legitimatie.'

Samat gaf de rabbijn zijn Israëlische paspoort.

'U bent Israëli?' zei Shulman, kennelijk verbaasd. 'Spreekt u Ivriet?'

'Ik ben vanuit de Sovjet-Unie naar Israël geëmigreerd. Ik spreek Russisch.'

'De Sovjet-Unie bestaat niet meer,' merkte Shulman op.

'Ik bedoel natuurlijk Rusland,' zei Samat.

'Neemt u me niet kwalijk dat ik het vraag,' zei de oudste van de drie rabbijnen, 'maar u bent toch wel Joods?'

'Mijn moeder is Joods, dus ben ik ook Joods. De Israëlische autoriteiten hebben de bewijzen daarvan geaccepteerd toen ik werd toegelaten.'

Stella legde de situatie in grote lijnen uit terwijl Shulman aantekeningen maakte. Haar zuster, die in Israël de naam Ya'ara had aangenomen, was de dochter van wijlen Oskar Aleksandrovitsj Kastner uit Brooklyn in New York, en woonde nu in een Joodse nederzetting op de Westelijke Jordaanoever, Kiryat Arba. Ya'ara en Samat Oegor-Zjilov, hier aanwezig, waren in het huwelijk verbonden door de rabbijn van Kiryat Arba, die Ben Zion heette; Stella was zelf getuige geweest bij de huwelijksplechtigheid. Samat had vervolgens zijn vrouw verlaten zonder volgens de orthodoxe voorschriften van haar te scheiden. Diezelfde Samat, hier aanwezig, had zich bedacht en was nu bereid zijn handtekening te zetten op het document waarin zijn vrouw volgens de orthodoxe voorschriften een scheiding werd verleend. Ze stapte naar voren om de rabbijnen een vel papier te geven waarop de voorwaarden tot de scheiding waren uiteengezet. Samats handtekening stond eronder gekrabbeld.

De glanzende papegaai liet zich op een lagere schommel zakken en riep uit: 'Nu, shoyn! Nu, shoyn!' Shulman verklaarde: 'Dat is jiddisch voor: nu moeten er spijkers met koppen worden geslagen.'

Een van de oudere rabbijnen keek schuin de kamer door naar Martin. 'En wie bent u?'

'Dat is een goede vraag, meneer,' zei Martin.

'Misschien wilt u antwoord geven,' zei Shulman.

'Ik heet Martin Odum.'

Terwijl ze strak naar Martin keek, zei Stella: 'Hij heeft diepere identiteitslagen dan die naam, rabbijn. In feite weet hij niet precies wie hij is. Maar wat dan nog – vrouwen worden zo vaak verliefd op mannen die niet weten wie ze zijn.'

Shulman schraapte zijn keel. De drie rabbijnen bogen zich over Samats paspoort. 'De foto in het paspoort vertoont weinig gelijkenis met deze meneer,' merkte een van de rabbijnen op.

'Ik had geen baard toen ik naar Israël ging,' legde Samat uit.

'Als u goed kijkt,' zei Stella, 'kunt u aan de ogen zien dat het dezelfde man is.'

'Alleen vrouwen kunnen een man aan zijn ogen herkennen,' merkte Shulman op. Hij richtte zich tot Samat. 'U bevestigt dat u de Samat Oegor-Zjilov bent die getrouwd is met...' Hij keek in zijn aantekeningen. 'Ya'ara Oegor-Zjilov uit Kiryat Arba?'

'Dat bevestigt hij,' zei Stella.

De rabbijn keek haar onaangenaam getroffen aan. 'Hij moet zelf spreken.'

'Ik bevestig het,' zei Samat. Hij keek even naar Martin, die tegen de wand bij de deur geleund stond, met zijn ene hand in zijn jaszak. 'Het is zo.'

'Is er nakomelingschap?'

Toen Samat bevreemd keek, zei Stella: 'Hij wil weten of jij en Ya'ara kinderen hebben.' Ze richtte zich rechtstreeks tot Shulman. 'Het antwoord is: je kunt geen kinderen krijgen zolang je het huwelijk niet voltrekt.'

Een van de oudere rabbijnen zei op bestraffende toon: 'Dame, gezien het feit dat hij zich niet tegen de scheiding verzet, denk ik dat u ons meer vertelt dan we hoeven te weten.'

Shulman vroeg: 'Vergunt u, Samat Oegor-Zjilov, hier aanwezig, aan uw vrouw Ya'ara Oegor-Zjilov een religieuze scheiding, datgene wat wij een get noemen, uit eigen vrije wil en overtuiging, zo waarlijk helpe u de almachtige God?'

'Ja, ja, ze kan haar verdomde get krijgen,' antwoordde Samat ongeduldig. 'Jullie gebruiken wel veel woorden om zoiets eenvoudigs als een scheiding te beschrijven!'

'De kabbala leert ons,' zei Shulman terwijl zijn twee collega's instemmend knikten, 'dat God het universum heeft geschapen uit de kracht van het woord. Uit de kracht van uw woord, meneer Oegor-Zjilov, zullen wij een scheiding scheppen.'

Stella lachte Martin in de andere hoek van de kamer toe. 'Het verbaast me niet dat woorden kracht hebben.'

Samat keek bevreemd. 'Wie is die Kabbala en wat heeft hij met mijn scheiding te maken?'

'Laten we verdergaan,' stelde Shulman voor. 'Volgens de bepalingen van de get,' zei hij, en hij raadpleegde Stella's document, 'krijgt uw vrouw alle eigendommen toegewezen waarover u in Israël beschikt, waaronder een maisonnette in de Joodse nederzetting Kiryat Arba, een automobiel van het merk Honda en alle eventuele tegoeden op bankrekeningen op uw naam bij banken in Israël.'

'Daar heb ik al ja op gezegd. Ik heb er mijn handtekening onder gezet.'

'Wij moeten ons er mondeling van vergewissen dat u begrijpt wat u hebt ondertekend,' zei Shulman.

'Dat u niet onder druk bent gezet om te tekenen,' voegde een van zijn collega's eraan toe.

'Ingevolge de scheidingsvoorwaarden,' vervolgde de rabbijn, 'deponeert u bij deze rabbinale kamer een miljoen aandelen aan toonder, met de bedoeling dat gezegde een miljoen dollar met aftrek van een genereuze schenking van vijfentwintigduizend dollar aan een Joods programma voor emigratie van Joden naar Israël, zal worden overgedragen in de eigendom van uw vrouw, Ya'ara Oegor-Zjilov.'

Samat keek even naar Martin, die nauwelijks merkbaar knikte. 'Ik stem toe, ik stem in alles toe,' zei Samat haastig.

'In dat geval,' zei de rabbijn, 'zullen wij nu het get-document opstellen zodat u uw handtekening kunt zetten. Het document zal met de negenhonderdvijfenzeventigduizend dollar per Federal Express naar rabbijn Ben Zion in Kiryat Arba gaan. Ya'ara zal daar voor een rabbinale kamer moeten verschijnen om de get te ondertekenen, waarna u en uw vrouw definitief gescheiden zullen zijn.'

'Hoe lang gaat het duren om het document op te stellen?' vroeg Martin bij de deur.

'Drie kwartier ongeveer,' zei Shulman. 'Mogen wij de heren en dame intussen een kopje koffie aanbieden?'

Later stonden Martin en Samat voor de synagoge te wachten terwijl Stella de Packard haalde. Martin ging op de achterbank naast Samat zitten. 'Waar gaan we nu heen?' vroeg Stella.

'Naar Little Odessa.'

'Waarom gaan we naar de Russenwijk in Brooklyn?' vroeg Stella.

'Dat merk je vanzelf,' zei Martin.

Stella haalde haar schouders op. 'Waarom niet?' zei ze. 'Tot nu toe weet je in elk geval heel goed wat je doet.'

Ze manoeuvreerde de Packard door de spits op de Ocean Parkway en door straat na straat vrijwel identieke grimmig grijze flatgebouwen, met kleurig wasgoed aan lijnen op het dak. Tweemaal probeerde Samat een gesprek met Martin aan te knopen, die met de kolf van de Toela-Tokarev in zijn rechtervuist zat en met zijn linkerhand Samats pols omvat hield. Elke keer legde Martin hem het zwijgen op met een bits 'mja'. Voorin moest Stella lachen. 'Je bereikt niet veel bij hem als hij in de stemming is om "mja" te zeggen,' zei ze.

'Ga linksaf wanneer je bij Brighton Beach Avenue komt,' instrueerde Martin. 'Het is het volgende stoplicht.'

'Je bent hier eerder geweest,' zei Samat.

'Ik had twee cliënten in Little Odessa voordat ik een beroemde internationale detective werd die weggelopen echtgenoten opspoorde,' zei Martin. 'De een miste een ontvoerde rottweiler. Bij de andere zaak ging het om het wijkcrematorium van Tsjetsjeense immigranten.'

Samat vertrok zijn gezicht. 'Ik begrijp niet waarom Amerika Tsjetsjenen toelaat. De enige goede Tsjetsjenen zijn dode Tsjetsjenen.'

'Ben je in Tsjetsjenië geweest?' vroeg Stella aan Samat.

'Je hoeft niet naar Tsjetsjenië te gaan om Tsjetsjenen tegen te komen,' zei Samat. 'In Moskou stikte het ervan.'

Martin kon de verleiding niet weerstaan. 'Zoals de man die de Ottomaan werd genoemd.'

Het zeewiergroen in Samats ogen werd donker, alsof ze een donderwolk weerkaatsten. 'Wat weet jij daarvan?'

'Ik weet wat iedereen weet,' zei Martin quasi-onschuldig. 'Dat hij en zijn vriendin op een ochtend ondersteboven hingen aan een lantaarnpaal bij de muur om het Kremlin.'

'De Ottomaan was niet onschuldig.'

'Ik heb gehoord dat hij vijftig had gereden waar hij maar veertig mocht.'

Samat begreep eindelijk dat hij voor de gek werd gehouden. 'Te hard rijden in Moskou kan je lelijk opbreken,' zei hij. 'Rommel op straat gooien trouwens ook.'

'Ga linksaf Fifth Street in, even verderop. Parkeer aan de linkerkant bij het bord waarop "streng verboden te parkeren" staat.'

'Voor het crematorium?' vroeg Stella terwijl ze links afsloeg.

'Mja.'

'Naar wie gaan we toe?' vroeg Samat nerveus terwijl Stella de Packard langs de stoeprand parkeerde en de motor afzette.

'Het is bijna acht uur,' zei Martin. 'We blijven hier wachten tot het donker is en er niemand meer op straat is.'

'Ik doe mijn ogen even dicht,' zei Stella.

Stella's dutje duurde een uur en tien minuten; door al het rijden en haar zorgen was ze erg moe geworden. Samat dommelde ook, zo leek het althans; zijn kin zakte op zijn borst en zijn gesloten oogleden trilden. Martin bleef de kolf van de Toela-Tokarev stevig omklemmen. Vreemd genoeg voelde hij zich niet moe, hoewel hij de afgelopen nacht slecht had geslapen op Samats bank (waar Samat om de paar uur uit de kast waarin hij was opgesloten had geroepen dat hij naar de wc moest). Wat Martin alert hield, de reden dat de adrenaline bleef stromen, was zijn overtuiging dat wraak nemen een vorm van geestelijke weerbaarheid was; dat hij, als hij zich in dit spel tot het einde staande hield, geestelijk weer gezond zou zijn.

Terwijl het duister in Little Odessa inviel, kwamen de Russen thuis. Achter hen was er minder verkeer op Brighton Beach Avenue. Aan weerskanten van Fifth Street gingen lampen branden, ook de lichtbak in de vestibule van het uitvaartcentrum floepte aan. Twee etages boven de deur waarop in gouden letters 'Achdan Abdoel-chadzijev & Zonen – Crematorium' stond ging een zware luchter met kerstboomlampjes aan, en voor een open raam klonk het jengelgeluid van een accordeon die Centraal-Aziatische melodieën ten gehore bracht. Een magere man en een tienerjongen sleepten een karretje met halva over straat en verdwenen in een van de opritten naar een huizenblok. Er kwamen twee meisjes langs die touwtje sprongen op weg naar huis. Een oude vrouw met een Russische *avoska* vol groente liep haastig de stoep voor een huis op. Toen de straat verlaten leek, boog Martin zich naar voren om Stella een duwtje tegen haar schouder te geven.

Ze verstelde haar spiegel om naar Martin te kunnen kijken. 'Hoe lang heb ik geslapen?'

'Eventjes maar.'

Samats ogen knipperden open en hij slikte een geeuw in. Hij keek voor en achter de straat in. 'Ik begrijp niet waarom we in de Russische wijk in Brooklyn zijn,' zei hij nerveus. 'Als we een afspraak met iemand hebben...'

Martin hoorde een stem in zijn oor. *Ga nu eens een keer niet de plussen en minnen afwegen: gebruik geweld.*

'Dante?'

Je wilt hem niet doodschieten, Martin, dat maakt te veel lawaai. Gebruik de kolf. Breek zijn knieschijf.

'Tegen wie heb je het, Martin?'

Niet over nadenken, doe het nou maar, verdomme.

'Ik praat tegen mezelf,' mompelde Martin.

Hij kwam zwaar in de verleiding om uit de gevangenis te vluchten, zich buiten het personage Martin Odum te begeven en, al was het maar heel even, zo'n impulsief iemand als Dante Pippen te worden. Terwijl hij de Toela-Tokarev bij de loop hield, liet hij de kolf hard op Samats rechterknie neerkomen. Het scherpe geluid van versplinterend bot vulde het interieur van de Packard. Samat staarde ongelovig naar zijn knie terwijl een bruinachtige vloeistof in de stof van zijn broek trok. Toen bereikte de pijn zijn hersenen en hij begon te gillen. Tranen sprongen in zijn ogen.

Stella draaide zich om op haar stoel, zwaar ademend. 'Martin, ben je gek geworden?'

'Juist niet.'

Samat hield met beide handen zijn kapotte knie vast en verging van de pijn. 'Jij hebt Kastner vermoord, hè?' zei Martin zachtjes tegen hem.

'Ik moet naar een dokter.'

'Jij hebt Kastner vermoord,' herhaalde Martin. 'Geef het toe, dan maak ik een eind aan je lijden.'

'Ik heb niets te maken gehad met Kastners dood. De Oligarch heeft hem laten elimineren toen die vrouw, die Quest, tegen hem zei dat jij me probeerde te vinden. Mijn oom en Quest... ze wilden alle sporen uitwissen.'

'Hoe konden de moordenaars binnenkomen zonder een deur te forceren of een raam in te slaan?' vroeg Stella.

'Quest leverde de sleutels van de deuren en de alarminstallatie.'

'Je hebt ook het Chinese meisje op het dak vermoord,' zei Martin.

Samat had een loopneus. 'De mensen van Quest hadden de Oligarch over de kasten op het dak verteld. Hij stuurde een scherpschutter naar het dak aan de overkant. Die zag het Chinese meisje voor jou aan. Haar dood was een ongeluk.'

'Waar is de Oligarch?'

'Godallemachtig, ik moet een dokter hebben.'

'Waar is de Oligarch?'

'Ik heb toch al gezegd dat ik dat niet weet.'

'Ik weet dat je het wel weet.'

'We praten alleen over de telefoon.'

'Dat 718-nummer?'

Toen Samat niets zei, boog Martin opzij om Samats portier open te doen. 'Lees voor wat er boven die ingang aan de overkant staat,' beval hij.

Samat probeerde de naam te lezen, maar hij had tranen in zijn ogen. 'Ik kan niet zien...'

'Er staat: Achdan Abdoelchadzijev. Abdoelchadzijev is een Tsjetsjeense naam. Het crematorium is het Tsjetsjeense bedrijf dat ervan is beschuldigd gouden kiezen te verwijderen voordat de lijken worden verbrand. Ik duw je de straat op en bel aan om tegen de Tsjetsjenen die boven aan de avondmaaltijd zitten te vertellen dat de man die de Ottomaan ondersteboven aan een lantaarnpaal in Moskou heeft opgehangen voor de deur staat. Er is geen Tsjetsjeen die het verhaal niet kent of niet onmiddellijk de kans zou grijpen oud zeer te wreken.'

'Nee, nee... Het nummer is 718-555-9291.'

'Als je liegt, sla ik je andere knie kapot.'

'Ik zweer het op het hoofd van mijn moeder. Breng me nu naar een dokter.'

Martin stapte uit en sleurde Samat aan zijn polsen uit de auto. Hij zette Samat zo neer dat hij met zijn rug naar de deur op de stoep zat. Toen drukte Martin een paar seconden op de bel. Twee etages hoger verscheen en jonge vrouw voor het open raam.

'Crematorium vandaag gesloten,' riep ze naar beneden.

'Crematorium net weer open,' riep Martin terug. 'Ooit van een Tsjetsjeen gehoord die de Ottomaan werd genoemd?'

De vrouw voor het raam trok schielijk haar hoofd terug. Even later stokte de grammofoonmuziek. Twee mannen staken hun hoofd naar buiten. 'Wat is er met de Ottomaan?' riep de oudste, die een flamboyante snor had, naar beneden.

'De Armeniër van de Slavische Alliantie die hem en zijn vriendin heeft gelyncht bij het Kremlin staat bij je voor de deur. Hij heet Samat Oegor-Zjilov. Je Tsjetsjeense vrienden hebben de hele wereld naar hem afgezocht. Jullie hoeven je niet te haasten; met een verbrijzelde knie komt hij niet ver.'

'God nog aan toe, bij de liefde van mijn moeder, je kunt me hier toch niet achterlaten!'

Martin voelde de opwinding boven in het huis. Er klonken roffelende voetstappen. 'Start vast,' riep hij Stella toe. Pijn vlijmde door zijn been terwijl hij weer overstak en naast haar kwam zitten. 'Niet door rood rijden.'

Stella beet op haar lip tegen het trillen en reed weg terwijl de Tsjetsjenen Samat het crematorium insleepten. 'O Martin,' zei ze. 'Wat gaan ze met hem doen?'

'Ik vermoed dat ze eerst met een nijptang zijn gouden kiezen zullen verwijderen, hem dan in hun goedkoopste kist leggen en het deksel dichtspijkeren en in het vuur schuiven om hem levend te cremeren.' Hij legde even zijn hand op de hare op het stuur. 'Samat heeft een spoor van bloed achtergelaten: de Ottomaan en zijn vriendin, je vader, mijn Chinese vriendin Minh, de jutters in de kooien op een eiland in het Aralmeer die op een ellendige manier aan hun eind zijn gekomen toen Samat ze als proefdieren gebruikte om biologische wapels te testen die hij daarna aan Saddam Hoessein heeft verkocht. Het is een lange lijst.'

Met handgebaren dirigeerde Martin Stella terug naar het hart van Brooklyn. Op de Eastern Parkway liet hij haar parkeren. Hij haalde een papieren zak uit de kofferbak, pakte haar bij de arm en voerde haar mee naar een bankje. 'Er zit nog een miljoen aan aandelen in de zak,' zei hij en hij gaf de zak aan haar. 'Verstop je in een motel aan de Jersey-kant van de Holland Tunnel. Rijd morgen door naar Philadelphia, ga daar naar de grootste bank die je kunt vinden om de aandelen in te ruilen en zet het geld op een rekening op jouw naam. Rijd dan naar Jonestown in Pennsylvania. Niet Johnstown, Jonestown. Zoek daar naar een klein huis van wit geschilderd overnaads hout, met stormluiken en een veranda rondom, aan de rand van de stad, met uitzicht over de akkers. Er is een tuin bij waarin we kippen kunnen houden. En een klooster, niet ver weg achter de heuvel; vanuit het huis moet je het kleppen van de klokjes kunnen horen.'

'Hoe weet je dat over Jonestown en het klooster?'

'Lincoln Dittmann en ik komen allebei uit Jonestown. Vreemd genoeg hebben we elkaar destijds niet gekend. Mijn familie is op mijn achtste naar Brooklyn verhuisd, maar Lincoln is in Pennsylvania opgegroeid. Ik had Jonestown bijna vergeten. Dittmann heeft me er weer aan herinnerd.'

'Wie is Lincoln Dittmann?'

'Iemand die ik in een andere incarnatie ben tegengekomen.'

'Wat moet ik doen wanneer ik het huis heb gevonden?'

'Kopen.'

'Waarom ga je niet met me mee?'

'Ik moet nog een paar dingen afmaken. Maar wanneer ik klaar ben, kom ik naar Jonestown.'

'Hoe vind je me daar dan?'

'Jonestown is klein. Ik vraag wel naar dat bloedmooie stuk met de loensende ogen en het lachje om haar lippen.'

Stella genoot van de koele avondlucht. De passerende koplampen gaven haar het gevoel dat zij en Martin terecht waren gekomen op een eiland van stilte in een eeuwig bewegende wereld. 'Kun je je echt herinneren wat er in Moskou met je is gebeurd?' vroeg ze.

Hij lachte haar toe. 'Nee. Het deel van mijn leven dat ik als Jozef Kafkor heb doorgebracht blijft achter een scherm verborgen. Maar wat ik kwijt ben, is voor ons niet belangrijk. Wat ik me van Martin Odums leven wil herinneren begint hier.'

1997: LINCOLN DITTMANN
ZIET HET GROTE VERBAND

'Federale drukkerij, hoofdkantoor. Met Harvey Cleveland. Wat mag ik voor u doen?'

'Herken je mijn stem, Felix?'

'Eerlijk gezegd niet. Moet dat dan?'

'Zegt een hangar onder de Pulaski Skyway je iets? Een krankzinnige Texaan, Leroy, stond op het punt je dood te schieten. Je sprong een meter in de lucht toen je het breken van zijn pols hoorde.'

Felix Kiick grinnikte in de hoorn. 'Als je over de duivel spreekt,' zei hij. 'Lincoln Dittmann. Hoe kom je aan dit nummer? Dit is een geheime hotline, beweren ze.'

'Hoe is het met je, Felix?'

'Wacht even, dan zet ik de encryptie aan.' Er klonk luid gekraak, daarna kwam Felix' stem weer luid en duidelijk door. 'Ik ben bijna, maar nog niet helemaal met pensioen. Nog zes weken, drie dagen en viereneenhalf uur, dan ben ik hier weg. En jij?'

'Alles wel min of meer in orde.'

'Is het min of is het meer?'

'Meer, in feite.'

'Heb je je geheugen al terug?'

'Er is niets mis met mijn geheugen, Felix. Je verwart me met Martin Odum.'

Lincolns opmerking bracht hem even van zijn stuk. 'Je hebt waarschijnlijk gelijk,' gaf hij voorzichtig toe. 'Je bent toch... Lincoln Dittmann?'

'In eigen persoon.'

'Waarom bel je?'

'Ik zoek het overzicht. Ik dacht dat jij misschien wat lacunes kon invullen.'

'Vertel maar wat je weet,' zei hij, op zijn hoede. 'Misschien kan ik dan aangeven wat je niet weet.'

'Ik weet wat Jozef Kafkor in Prigorodnaia is overkomen, Felix. Hij was de liaison tussen Crystal Quests CIA-mensen op Operaties en de Oligarch, Tzvetan Oegor-Zjilov. Toen Jozef had begrepen dat Quest betrokken was bij de operatie in Prigorodnaia, toen hij erachter was gekomen wie de operatie had geïnstigeerd, heeft hij waarschijnlijk gedreigd de zaak op te nemen met een aantal congresleden en senatoren, in welk stadium Jozef werd gemarteld en uitgehongerd door de ondergeschikten van de Oligarch en uiteindelijk levend begraven.'

'Ik hang aan je lippen, Lincoln.'

'Jouw werkterrein was contraterrorisme, voordat je werd uitgerangeerd en voortaan de handjes mocht vasthouden van cliënten in het beschermingsprogramma voor getuigen. Ik meen me te herinneren dat je op een gegeven moment in je carrière naar de Amerikaanse ambassade in Moskou bent overgeplaatst. Was jij in Moskou toen Jozef Kafkor binnenkwam, Felix?'

Lincoln kon bijna horen dat Kiick glimlachte. 'Uitgesloten is dat niet,' erkende de FBI-man.

'Met jouw anciënniteit,' zei Lincoln, die zo snel praatte dat hij nauwelijks de tijd nam om adem te halen, 'moet je de hoogste man van de FBI op de ambassade zijn geweest. Dus moet je het gerucht hebben gehoord dat de adjunct-directeur van Operaties via een contact een geheime operatie uitvoerde. Toen Jozef bij je op de stoep stond, moet je hebben bedacht dat hij het contact zou kunnen zijn: uit zijn fysieke toestand, de sporen van marteling en zijn geestelijke gesteldheid moet duidelijk zijn geworden dat de operatie uit de hand was gelopen.' Lincoln zweeg om op adem te komen. 'Waarom zijn de Oligarch en Samat weggesluisd?'

Felix zuchtte. 'Ze namen al jaren gigantische risico's: de bendeoorlogen in Moskou, de Tsjetsjenen, bepaalde facties binnen de Russische veiligheidsdiensten, ontevreden KGB-veteranen die in de kou waren komen te staan, Jeltsins politieke vijanden, would-be kapitalisten die door de Oligarch bij zijn opmars onder de voet waren gelopen, noem maar op. En dan verschijnt Jozef Kafkor ten tonele: Jozef met zijn gewetensbezwaren. Quest zal de Oligarch hebben verzekerd dat zij de enige was die van zijn onbehagen had gehoord, maar de Oegor-Zjilovs, Tzvetan en Samat, moeten hun twijfels hebben gehad. Quest had er immers kennelijk belang bij tegen beiden te liegen over de onbeperkte duur van de beoogde operatie. Toen Jozef uit het graf was gered dat de Oligarch voor hem had gegraven en in Moskou op straat was komen te staan, namen de Oegor-Zjilovs geen genoegen met Quests bewering dat hij zich het personage Jozef Kafkor niet meer kon herinneren. Samat bezweek als eerste voor de druk. Hij wilde niet naar de vs. Hij dacht dat hij veiliger zou zijn in een Joodse nederzetting op de Westelijke Jordaanoever, dus organiseerde hij zijn emigratie naar Israël. De Oligarch hield het langer vol, maar uiteindelijk werd het hem ook te veel en dus werd hij ook weggehaald.'

'En in het programma voor getuigenbescherming opgenomen?'

'Geen sprake van. Hij was te belangrijk voor Quest om aan de FBI toe te vertrouwen. Haar mensen knutselden zelf een personage in elkaar voor de Oligarch en installeerden hem ergens aan de Amerikaanse oostkust.'

'Intussen had jij Kastner en zijn twee dochters onder je hoede.'

'Ik mocht Kastner graag.'

'Als het een troost voor je is, gezien het feit dat hij is vermoord: hij mocht jou ook graag.'

'Je wrijft zout in de wonde, Lincoln.'

'En de dag dat Kastner zei tegen jou, die hij zijn vriend in Washington noemde, dat hij iemand nodig had om Samat op te sporen, kon je de verleiding het lot te tarten niet weerstaan, hè? Ik kan me wel voorstellen hoe het scenario na Moskou eruitzag. Iemand als jij moet gefascineerd zijn geweest door iemand die met wonden over zijn hele lichaam achter de ambassade rondzwierf. De onmiddellijke belangstelling van de CIA voor die man moet je hebben geïntrigeerd. Je zult nieuwsgierig zijn geweest naar wat er met Jozef Kafkor was gebeurd nadat hij in het geheim naar Finland was overgebracht. Je had vrienden bij de CIA, je moet hebben gehoord dat de Jozef Kafkor, die als het ware onder je ogen naar Finland was weggesluisd, opnieuw tot leven was gewekt als Martin Odum en dat diezelfde Martin Odum privédetective in Crown Heights was geworden. En dus gaf jij Kastner de naam Martin Odum door.' Toen Kiick dit niet ontkende of bevestigde, vroeg Lincoln: 'Waarom?'

'Waarom niet?'

'Hou je niet van den domme, Felix.'

'Die Oligarch en zijn neefje Samat stonden me tegen. Crystal Quest stond me ook tegen; ik weet nog hoe arrogant ze was toen de FBI de Driegrenzenactie aan haar moest overdragen. En over het algemeen is de liefde tussen FBI en CIA niet al te groot. Bovendien moeten er grenzen zijn. Ik bedoel: de Russische economie te gronde richten...'

'Hoe ben je erachter gekomen?' vroeg Lincoln.

'Je hoefde maar in Moskou om je heen te kijken. Je hoefde maar de zelfvoldane grijns te zien van de mensen van Operaties die in Moskou werden aangesteld. Quest kwam zelf ook een paar keer kijken; haar bloeddoorlopen ogen glommen van pure triomf. Ze hielden zich met iets heel groots bezig, dat was iedereen in de omgeving wel duidelijk. Ze waren bezig met iets van wereldomvang, ze maakten geschiedenis. En we zagen Jeltsin al die wilde ideeën doordrijven die volgens de krant door de Oligarch waren ingefluisterd: het van de ene dag afschaffen van de prijsbinding, wat leidde tot hyperinflatie; de privatisering van de Sovjetindustrie waardoor Oegor-Zjilov en een paar andere insiders puissant rijk werden, en de rest van de proletariërs straatarm achterbleven; de inval in Tsjetsjenië, waardoor de Russische strijdkrachten vastliepen in de Kaukasus. Er was geen genie voor nodig om het te doorzien. De Russische economie afbreken, tientallen miljoenen mensen tot armoede brengen zodat de Verenigde Staten geen machtig Rusland meer te duchten hadden: allemachtig, Lincoln, dat ging te ver. Dus ik zag er een zekere poëtische gerechtigheid in om Martin Odum degene te laten zijn die Samat opspoorde om de scheiding te regelen. Ik denk dat ik me wel heel even heb afgevraagd of Martins geheugen bij de confrontatie met Samat niet terug zou komen.'

'Als Martin zijn geheugen terug had gekregen, als hij tot het besef was gekomen dat hij Jozef was, zou hij wraak willen nemen.'

Heel behoedzaam zei Felix: 'Dat zou elke normale man in zijn positie willen.'

'Kastner is toch vermoord?'

'Waarschijnlijk wel. De CIA wilde absoluut zelf de lijkschouwing doen. De manier waarop het is gegaan zinde me niet erg: te glad. Martin gaat naar Israël om Samat op te sporen. Kastner bezwijkt aan een hartaanval. En het Chinese meisje in Martins overal wordt op het dak door bijen doodgestoken.'

'Dat is je dus opgevallen.'

'Mij valt alles op. Dus vertel eens, Lincoln: hebben Martin en Estelle, de dochter van Kastner, Samat gevonden?'

'Hoe kom je erbij dat Estelle bij de zaak betrokken is?'

'Je hebt me op dit geheime nummer gebeld. Dat moet je van iemand hebben gekregen. Ik vermoed,' voegde Felix er voorzichtig aan toe, 'dat Stella het nummer aan Martin heeft gegeven en dat Martin het aan jou heeft doorgegeven.'

'Martin heeft Samat gevonden waar je hem had opgeborgen: in de staat New York, in het hart van het amish-gebied. Hij heeft hem overgehaald zijn vrouw een religieuze scheiding te gunnen. Een stel rabbijnen in Brooklyn heeft de formaliteiten afgehandeld.'

'En wat is er met Samat gebeurd nadat hij zijn krabbel had gezet?'

'Hij zei dat hij Russische vrienden in Little Odessa wilde opzoeken. Niemand heeft hem meer gezien nadat hij een taxi had aangehouden om naar Brighton Beach te gaan.'

'Nu Samat is gevonden, is de zaak afgedaan.'

'Maar de Oligarch loopt nog vrij rond. Zou jij toevallig weten waar hij tegenwoordig uithangt?'

'Dat weet ik niet. Als ik het wel wist, zou ik het je niet vertellen. Als je erover denkt hem te gaan zoeken: niet doen. Denk aan wat er met Jozef is gebeurd. Als je de Oligarch ook maar een haar krenkt, word je levend gevild door Quest en haar loopjongens.'

'Dank je voor je gratis goede raad, Felix.'

'Je hebt mij een keer het leven gered, Lincoln. Nu probeer ik jouw leven te redden.'

1997: LINCOLN DITTMANN VOELT DE TERUGSLAG IN ZIJN SCHOUDERBLADEN

Het sanctum dat Lincoln had weten te vinden was een vrijwel ideale schuilplek voor een scherpschutter. De meeste ruiten waren kapot, zodat hij de Whitworth op schouderhoogte op een vensterbank kon laten rusten; staand schoot Lincoln het best, met zijn linkerelleboog steunend tegen een rib. Het venster zelf werd afgeschermd door de klimop die de hele voorgevel van het leegstaande ziekenhuis had overwoekerd; het stond iets hoger op de heuvel dan de U-vormige woonkazerne in Crown Street, achter Albany Avenue, waar zich nummer 621 bevond. Voor een scherpschutter waren de weersomstandigheden (zonnig en koud) ideaal; vochtig weer kon een kogel in zijn snelheid remmen en de baan omlaagbuigen, terwijl een kogelbaan bij droog en warm weer eerder een afwijking omhoog kreeg. Nadat hij het geweer en een boodschappentas over trappen vol glasscherven en zwerfvuil naar driehoog had gesjouwd, had Lincoln zijn dikke werkhandschoenen uitgetrokken en al zijn vingertoppen bestreken met superlijm, waarna hij de flessen drinkwater, Marsen en bekers drinkyoghurt op een krant had uitgestald. Hij knoopte Dante Pippens witzijden gelukssjaal om zijn hals en begon de Whitworth in te stellen. Hij schatte de afstand van de voordeur van het ziekenhuis tot de stoep voor de woonkazerne op tachtig meter, berekende zijn hoogte boven de grond en de lengte van de hypotenusa van de resulterende driehoek. Hij stelde de fijnregeling van het messing vizier op de Whitworth in, waarbij hij gebruikmaakte van een crucifix dat achter een raam op de begane grond aan de straatkant hing. Bij de juiste instelling en met vaste arm afgevuurd kon met de zeskantige loop van de Whitworth, bedoeld om een zeshoekig .45-patroon af te vuren dat exact elke twintig meter om zijn as draaide, alles worden geraakt wat de schutter kon zien. Koningin Victoria had zelf eens een voltreffer op vierhonderd meter gescoord, en over die prestatie was ze zo enthousiast dat ze degene die het wapen had ontwikkeld, de heer Wentworth, ter plaatse tot ridder had geslagen. Lincoln tikte de pompstok aan, schoof de met de hand gemaakte huls in de loop en drukte toen voorzichtig het slaghoedje over de nippel van het geweer. Ten slotte verwijderde hij de vlamdemper en schoof een condoom over de loop ter bescherming tegen stof en vocht. Nu het wapen schietklaar was, hurkte Lincoln bij het raam om zijn doelwit te bestuderen, het gebouw aan de overkant van wat eens het Carson C. Peck-ziekenhuis was geweest.

Lincoln had een oude truc van Martin Odum gebruikt om achter het adres te komen dat bij het geheime telefoonnummer 718-555-9291 hoorde. Hij had het telefoonbedrijf opgebeld vanuit een cel aan de Eastern Parkway. Een vrouw had opgenomen. Net als Martin in Londen had Lincoln voor de gelegenheid het Ierse accent van Dante Pippen geactiveerd.

'Kunt u me vertellen hoe ik aan een nieuwe gele gids kan komen, nu mijn hond de oude gids aan flarden heeft geknaagd?'

'De gids van welk district, meneer?'

'De gele gids van Brooklyn.'

'Die sturen we u graag toe. Mag ik vragen van welk nummer u belt?'

'Natuurlijk,' had Lincoln gezegd. 'Het is 718-555-9291.'

Voor de zekerheid had de vrouw het nummer herhaald. Daarna had ze gevraagd: 'Wat hebt u voor hond?'

'Een Ierse setter, natuurlijk.'

'Nou, dan moest u de nieuwe gids maar goed verstoppen. Nog iets anders van uw dienst?'

'Met een nieuwe gele gids ben ik dik tevreden. Weet u zeker waar u hem naartoe moet sturen?'

'Ik zal nog even op het scherm kijken,' had de vrouw gezegd. 'Hier heb ik het. Crown Street in Brooklyn, New York, nummer 621, dat klopt toch?'

'Helemaal, lieve meid.'

'Prettige dag nog.'

'Komt voor elkaar,' had Lincoln gezegd voordat hij ophing.

Vanuit zijn schuilplaats op de derde verdieping van het leegge-
haalde, slooprijpe ziekenhuis keek Lincoln naar een zwarte tiener
met een gettoblaster op zijn schouder die nummer 621 op zijn ska-
tes passeerde. Terwijl de schemering inviel en de straatlantaarns aan-
gingen, meende Lincoln een groepje Nicaraguanen te zien, met
dreads en kleurige bandana's, die uit een snorderstaxi stapten en het
gebouw aan de overkant ingingen. Nadat hij zich voor de nacht had
ingericht, bestudeerde Lincoln het gebouw door het vizier van zijn
geweer. Voor alle ramen op de laagste vier verdiepingen hingen goedkope gordijnen, in sommige gevallen dicht, voor andere ramen half
open; de mensen in de kamers van wie hij een glimp opving, waren
zo te zien Puerto Ricanen of zwarten. Het doelwit leek de gehele
bovenste etage in beslag te hebben genomen; voor alle ramen hing
zonwering, op een na potdicht. Het raam waar hij tussen de lamellen door kon kijken bleek de keuken te zijn; er stond een enorme
koelkast en een gasfornuis met dubbele oven. Een gezette zwarte
vrouw met een schort voor was het avondeten aan het klaarmaken.
Af en toe liepen mannen de keuken in; een van hen was in hemdsmouwen en Lincoln zag een zwaar pistool in een schouderholster.
De zwarte vrouw deed de oven open om een grote kalkoen of zoiets
te bedruipen; daarna schepte ze twee grote kommen vol met hon-
denvoer. Ze leek iets te roepen tegen iemand in de kamer ernaast
terwijl ze de kommen op de vloer zette. Een ogenblik later kwamen
twee barzois aan dansen, en ze verdwenen onder het keukenraam.

Lincoln schoof wat rommel weg, ging met zijn rug tegen de muur
op de grond zitten en trakteerde zichzelf op een Mars en een halve beker yoghurt. Al met al vond hij het een opluchting dat hij zelf
zou schieten en niet Martin Odum. Martin was niet echt een
scherpschutter, hij was te ongeduldig om zijn doel te zoeken en bij
het instellen van het vizier aan een of twee klikjes extra te denken
om te corrigeren voor afstand en windcompensatie, en daarna de
trekker langzaam over te halen (niet schokkerig); hij was te cere-
braal om in koelen bloede te kunnen doden, tenzij hij daartoe door
een Lincoln Dittmann of Dante Pippen werd aangespoord. Kortom: Martin was er te betrokken, te temperamentvol voor. Wanneer

een geboren scherpschutter als Lincoln op een menselijk doelwit schoot, was het enige dat hij voelde de terugslag van het geweer. Terwijl hij het doel observeerde en rustig de tijd nam, om vervolgens de buit met één enkel schot binnen te halen, was Dittmann in zijn element. Hij had als jongen in Pennsylvania al met een geweer door de bossen achter zijn huis in Jonestown gezworven om op konijnen en vogels te jagen. Bij een opfriscursus op de Boerderij van de Firma in gevechten van man tot man en wapengebruik had hij de instructeurs een keer verbaasd doen staan toen ze hem op zijn eerste dag op de schietbaan een ouderwetse halfautomatische M-1 met gasdruksysteem in handen hadden gegeven. Zonder iets te zeggen had Lincoln er het ijzeren vizier afgeschroefd en een salvo afgevuurd op de negentigcentimeter-schijf in de hoop ergens daarvoor het stof te zien opdwarrelen. Toen dat gebeurde, draaide hij het vizier een klik op, het equivalent van een minuut elevatie of vijfentwintig centimeter op de schijf, en had de tweede kogel in het zwart afgevuurd. Hij had één klik bijgesteld voor het windeffect en met zijn derde schot de roos getroffen.

In het donker kwam de kou. Lincoln zette de kraag van Martin Odums winterjas op, trok hem stevig om zich heen en dommelde in. Beelden van soldaten met witte hoofdbanden, die een stenen muur langs een holle weg aanvielen, dwarrelden door zijn hoofd; hij hoorde kanonvuur en het geknetter van geweersalvo's, terwijl rook en dood over het slagveld waarden. Hij dwong zichzelf wakker te worden om naar de lichtende wijzers van zijn horloge te kijken en het gebouw aan de overkant. Nadat hij weer in een onrustige slaap was gevallen, dreef hij af naar een minder heftige omgeving. Magere meisjes in strakke jurkjes deden muntjes in een jukebox en dansten in elkaars armen op de tonen van 'Don't Worry, Be Happy'. De muziek ebde weg en Lincoln ademde de negatieve ionen in van een fontein op de Janicula, een van Romes zeven heuvelen. Een elegant geklede vrouw en een dwerg in een dichtgeknoopte overjas tot op de knie kwamen voorbij. Lincoln hoorde zichzelf zeggen: *ik ben Lincoln Dittmann. We hebben elkaar in Brazilië ontmoet, in het grensstadje Foz da Iguaçú. Overdag heette u Lucia, bij avond en nacht Paura.* Hij verstond het opgewonden antwoord van de vrouw: *ik weet wie u bent! Overdag heet u hetzelfde als 's avonds en 's nachts, namelijk Giovanni de Varrazano.*

In zijn gedachtespinsel haalde Lincoln de vrouw in terwijl ze verder de heuvel afliep. Hij greep haar bij de schouders vast en schudde haar door elkaar tot ze erin toestemde de rest van haar leven met hem polyestertjes te gaan fokken op een boerderij in Toscane.

Terwijl Lincoln weer naar het gebouw aan de overkant keek, werd hij zich bewust van de eerste okerkleurige vlekken aan de grimmige hemel boven de daken in het oosten. De voorbereidingen waren opvallend soepel verlopen. Hij was door de stegen achter Albany Avenue naar de binnenplaats achter Xings restaurant gegaan. Hij had een oude enterhaak, die achter een roestende koelkast verborgen lag, over de laagste tree van de brandtrap gegooid en was naar het dak geklommen. De bijen waren allang weg uit Martins kasten, ook de kast die leek te zijn ontploft; er lagen nog vlekken die op ingedroogde stroop leken op het rubberoïd. Met de sleutel die Martin achter een losse baksteen in de borstwering had verborgen, had Lincoln de dakdeur opengedaan en was de trap afgeslopen naar Martin Odums voormalige biljartzaal. In de donkere flat was hij naar het biljart gelopen dat Martin als bureau had gebruikt en had een enkele met de hand gerolde patroonhuls uit de mahoniehouten humidor gepakt; Lincoln had de munitie een paar jaar daarvoor zelf gefabriceerd en het kruit afgewogen op een apothekersweegschaaltje. Hij had de patroon in zijn zak laten glijden, de Whitworth gepakt en er het stof afgeblazen. Het was een verrassend licht wapen, prachtig uitgevoerd, met een schitterende balans, heerlijk om in de hand te houden. Deze Whitworth was oorspronkelijk zijn eigendom geweest; hij had zich niet kunnen herinneren hoe het geweer in Martin Odums bezit was gekomen. Dat moest hij hem toch eens vragen. Nadat hij eventuele vingerafdrukken van het wapen had geveegd, had hij het in een van Martins overjassen gewikkeld en op zijn rug genomen. Hij had dikke werkhandschoenen aangetrokken die hij in een kartonnen doos had gevonden en was afgedaald naar de steeg, waar hij de boodschappentas met provisie had opgehaald die hij eerder die ochtend had klaargezet. Door de stille straatjes van Crown Heights was hij teruggelopen naar het logge gebouw met CARSON C. PECK-ZIEKENHUIS op de gevel en het jaartal 1917. Insluiping was betrekkelijk eenvoudig gebleken: achter het ziekenhuis, in Montgomery Street, hadden krakers een gat gemaakt in de omheining die het sloopbedrijf om het complex had gezet en op de begane grond stond een deur op een kier. Op zijn hurken had Lincoln zich binnen georiënteerd en uit het trapgat had hij gehoest van beneden gehoord, wat erop duidde dat de krakers zich in de kelder hadden geïnstalleerd.

De okerkleurige strepen hadden flarden daglicht over de hemel getrokken, waardoor de daken zich nu in silhouet aftekenden. Lincoln masseerde de kou en stijfheid uit zijn armen, hees zich overeind en liep naar een hoek van de kamer om tegen de muur te urineren. Hij liep terug naar het raam, knielde bij de vensterbank en zag aan de overkant licht branden in de keuken op de hoogste verdieping. De zwarte vrouw, gehuld in een ochtendjas, zette twee grote potten koffie. Toen de koffie klaar was, schonk ze acht bekers vol op een dienblad en verdween ermee. Beneden, bij de entree van nummer 621, kwamen twee Nicaraguaanse vrouwen, in lange winterjassen met kleurige dassen en gebreide mutsen die ze tot over hun oren hadden getrokken, naar buiten en liepen haastig in de richting van het metrostation aan de Eastern Parkway. Twaalf minuten later parkeerde een zwarte BMW voor de entree. De bestuurder, een lange man in een leren jas tot op de knie en met een chauffeurspet op, stapte uit en leunde tegen het openstaande portier; hij ademde witte wolken uit. Hij keek een paar keer op zijn horloge en stampte zijn voeten warm. Hij vergeleek het nummer boven de entree met wat hij op een papiertje had staan en leek gerustgesteld toen hij de twee mannen zag die de zware deur van 621 openduwden en de straat op kwamen. Ze droegen allebei een tweerijige jekker met opgezette kraag. De mannen, kennelijk lijfwachten, staken hun hand op naar de chauffeur. Een van de lijfwachten wandelde naar de hoek van de straat en bekeek Albany Avenue in beide richtingen. De ander liep enkele passen naar links om Crown Street te inspecteren. Terwijl hij terugliep naar de BMW, keek hij even naar de vensters van het leegstaande ziekenhuis aan de overkant.

De beveiliging was kennelijk nogal nonchalant; de lijfwachten deden wat ze moesten doen, maar zonder gedrevenheid, zoals vaak gebeurt wanneer de beschermde persoon ergens is ondergebracht en degenen die verantwoordelijk zijn voor zijn veiligheid veronderstellen dat eventuele vijanden hem niet zullen kunnen vinden. Bij de BMW stonden de lijfwachten een babbeltje te maken met de chauffeur. Een van de lijfwachten kreeg kennelijk een oproep op zijn portofoon, want hij haalde hem uit zijn zak, keek op naar de gesloten jaloezieën en mompelde er iets in. Er verstreken enkele minuten. Toen ging de deur van 621 weer open en er verscheen opnieuw een lijfwacht in de deuropening. Hij had moeite de twee barzois aan lange riemen in bedwang te houden. De mannen bij de BMW keken vermaakt toe terwijl de honden de man zowat de goot in trokken. Achter hem verscheen een gedrongen man met kromme schouders, een zilvergrijze kuif en zonnebril. Hij had een sigaar tussen zijn tanden geklemd en liep met behulp van twee aluminium krukken door zijn ene been naar voren te gooien en zijn heup bij te trekken, waarna hij de beweging met het andere been herhaalde. Aan het einde van de entreegang bleef hij staan om op adem te komen. Een van de lijfwachten deed het achterportier van de auto open. In de hoekkamer aan de overkant richtte Lincoln zich op en drukte in een vloeiende beweging zijn linker elleboog tegen zijn ribben terwijl hij het geweer op de vensterbank richtte. Hij sloot zijn linkeroog, drukte zijn rechteroog tegen het telescoopvizier en draaide de Whitworth tot het dradenkruis op het voorhoofd van het doelwit gericht was, vlak boven zijn neus. Hij haalde de trekker zo beheerst geleidelijk over dat de steekvlam voorbij de nippel aan het staartstuk, de wegrazende kogel en de bevredigende terugslag van de kolf tegen zijn schouder hem allemaal verrasten. Toen hij opnieuw naar het doelwit keek, zag hij bloed uit een grillig gevormde scheur in het midden van zijn voorhoofd gutsen. De lijfwachten hadden een geluid gehoord, maar dat nog niet in verband gebracht met een schot. De man die het portier openhield was de eerste die opmerkte dat hun beschermeling op de stoep in elkaar zakte. Hij haastte zich naar hem toe om hem onder zijn oksels te grijpen, schreeuwde om hulp en liet hem op de grond zakken.

Toen de lijfwachten eenmaal beseften dat de man die ze beschermden was doodgeschoten was Lincoln, ondanks de pijnscheuten in zijn been, al op weg naar het gat in de omheining.

1997: CRYSTAL QUEST GAAT GELOVEN IN DANTES DRIEVULDIGHEID

Dante Pippen, een meester in zijn vak, had een door wandjes afge-scheiden zitje gekozen achter in Xings Chinese restaurant en zat met zijn rug naar de tafels tegenover een spiegel waarin hij kon zien wie binnenkwam en wegging. Hij keurde de twee figuren in re-genjas die klokslag twaalf uur het restaurant betraden. Beiden had-den de uitdrukkingloze ogen van types in het laagste echelon van de CIA-veiligheidsdienst. De man met de bloemkooloren van een beroepsbokser dook achter de bar om na te gaan of Tsou Xing, die op een hoge kruk voor de kassa presideerde, geen buks met afge-zaagde loop onder de bar had liggen. De tweede man, die de schou-ders en hals van een gewichtheffer had, negeerde Dante en liep door de klapdeuren de keuken in. Even later kwam hij terug en posteer-de zich voor de deur, met zijn armen voor zijn borst gekruist.

Even later verscheen Crystal Quest voor de deur van het restau-rant. Toen ze vanuit de blikkerende zon op Albany Avenue het schemerige interieur betrad, kon ze even geen hand voor ogen zien. Zodra haar ogen gewend waren, zag ze Dante zitten en liep naar hem toe, waarbij de dikke zolen van haar lage schoenen over het li-noleum klosten. 'Lang niet gezien,' zei ze, terwijl ze op het bankje tegenover hem schoof. 'Zoals gewoonlijk zie je er patent uit, Dan-te. Train je nog op die roeimachine?'

Dante kon er niet echt om lachen. 'Je verwart me met Martin Odum, Fred. Dat is de man van de roeimachine.'

Quest, die begreep dat dat een grap was, grijnsde nerveus.

'Zullen we de bloedsomloop trakteren op een dosis alcohol?' stelde Dante voor.

'Alcohol lijkt me een heel goed idee. Iets met veel ijs.'

Dante bestelde een whisky zonder ijs en een frozen daiquiri met veel ijs. Tsou zwaaide met zijn goede arm om de bestelling te bevestigen. In afwachting van de drankjes keek Dante naar Quest, die verstrooid met de ruches langs de voorsluiting van haar overhemd speelde. Hij merkte op dat het jasje van haar broekpak en de huid bij haar ogen rimpels vertoonden en dat haar roestkleurige haarspoeling was uitgegroeid zodat roet-grijze wortels te zien waren. 'Jij ziet er niet best uit, Fred. Zware baan?'

'Adjunct Operaties zijn van een inlichtingenapparaat dat een nieuwe rol voor zichzelf heeft gekozen, als risicomijdende, hightech gezelligheidsclub, valt niet mee,' zei ze. 'Er zijn mensen in Langley die niets anders doen dan de hele dag staren naar downloads van de satelliet, alsof een foto je kan vertellen wat een tegenstander voornemens is te doen met wat hij heeft. Rare manier om een spionagedienst te leiden! We zijn gekort op ons budget, de president heeft geen tijd of geen zin om het dagrapport te lezen dat we voor hem samenstellen, de liberale pers springt op onze nek omdat er soms iets niet helemaal lukt. Het spreekt vanzelf dat we ons niet kunnen beroemen op onze successen...'

De Chinese serveerster in een jurk met een hoge zijsplit zette de glazen neer. De manier waarop ze in de spiegel wegglipte, deed Dante denken aan Minh, Martins betreurde Chinese vriendin. 'Heb je die dan?' vroeg hij aan Quest.

Ze knauwde op schilfers ijs en was de draad van het gesprek allang kwijt. 'Heb ik wat?'

'Successen.'

'Een of twee of drie.'

'Zoals de kwestie Prigorodnaia,' zei Dante zacht.

Quests ogen werden hard. 'Waar heb je het over?'

'Jezus, Fred, doe niet zo hypocriet,' snauwde Dante. 'We weten wat er met Jozef Kafkor is gebeurd. We weten dat de adjunct Operaties de Armeense handelaar in tweedehandsauto's geld heeft gestiekt zodat hij de aluminiummarkt in handen kon krijgen. We weten dat Oegor-Zjilov, alias de Oligarch, met Jeltsin heeft aangepapt, de publicatie van zijn boek heeft georganiseerd, zijn persoonlijke lijfwacht heeft gerekruteerd en zijn bankrekening heeft aangevuld. Toen de Oligarch eenmaal een vertrouweling van Jeltsin was geworden, zette hij hem ertoe aan de prijsbinding los te laten en de industrie in de ingestorte Sovjet-Unie te privatiseren. We weten dat hij Jeltsin heeft overgehaald tot de inval in Tsjetsjenië, net toen het Rode Leger zich een beetje had hersteld van de afgang in Afghanistan. We weten dat degene die begin jaren negentig Rusland achter de schermen bestuurde, niemand anders was dan... Fred Astaire. We weten dat ze het land de vernieling in hielp zodat het nieuwe Rusland dat uit de as van de Sovjet-Unie zou verrijzen, niet met Amerika zou kunnen concurreren.'

Het bloed leek uit Quests wangen weg te trekken tot de enige kleur die nog zichtbaar was van de blushervegen was die ze in het vliegtuig vanuit Washington haastig had aangebracht. Ze lepelde nog een stukje ijs in haar mond. 'Wie zijn wíj?' wilde ze weten.

'Dat lijkt me zo duidelijk als wat. Ten eerste Martin Odum, voormalig CIA-agent, nu privédetective en gespecialiseerd in het opeisen van mahjongschulden. Dan Lincoln Dittmann, de Burgeroorlog-deskundige die de dichter Whitman in levenden lijve heeft ontmoet. En de laatste, maar zeker niet de minste, is ondergetekende, Dante Pippen, de Ierse explosievenexpert uit Castletownbere.'

Quest lachte bitter. 'Die stunt van Lincoln toen hij beweerde dat hij de slag bij Fredericksburg zelf had meegemaakt, dat was een briljante vertolking. We trapten er allemaal in: de psych, ik, de commissie die van tijd tot tijd de situatie evalueerde om af te wegen of je contract moest worden beëindigd of je leven. We namen allemaal aan dat Martin Odum knettergek was geworden. Dat zal me leren iemand het voordeel van de twijfel te geven.'

Dante nipte van zijn glas en haalde een schouder op. 'Als het een troost voor je is: Lincoln heeft de slag bij Fredericksburg echt meegemaakt.'

Quest trok haar ene wenkbrauw op; ze vond het niet prettig voor de gek te worden gehouden. 'Waarom wilde je me spreken, Dante? Wat is zo belangrijk dat het niet kon wachten tot je in de gelegenheid was om naar Langley te komen?'

'We hebben een levensverzekering genomen, we hebben opgenomen wat je voor de wereld verborgen wilt houden: de operatie-

Prigorodnaia, het feit dat jij de sleutels van Kastners huis ter beschikking hebt gesteld zodat de mensen van de Oligarch naar binnen konden om hem te vermoorden; dat jij die lui hebt verteld over Martins bijenkasten, wat heeft geleid tot de dood van het Chinese meisje Minh. En verder de scherpschutter die in Hebron heeft geprobeerd Martin uit de weg te ruimen. En dan de Tsjechen die Martin in Praag een auto en een pistool ter beschikking stelden om mee te vluchten. Die aanslagen op Martins leven had jij ongetwijfeld verzonnen.'

'Dat is onzin. Ik weet genoeg om nooit een pistool met nepkogels te laden.'

'Hoe weet je dat het pistool met nepkogels geladen was?' vroeg Dante.

Quest maakte een vingertop vies door de mascara op haar ooglid uit te vegen. Dante vatte haar stilzwijgen als antwoord op. 'Luister, Fred, als iemand van ons anders aan zijn eind komt dan door ouderdom, worden de opnamen vermenigvuldigd en bezorgd bij alle leden van de toezichtssubcommissie van het Congres, en ook bij met zorg gekozen journalisten van de liberale pers, die berichten over wat er heel soms niet helemaal goed gaat.'

'Je bluft.'

Dante stak zijn kin naar voren en keek Quest recht in de ogen. 'Als je dat denkt, kun je het er rustig op aan laten komen.'

'Luister, Dante, we zijn allemaal opgegroeid in de Koude Oorlog. We hebben onze beste krachten aan de strijd gegeven. Ik weet zeker dat we tot een compromis kunnen komen.'

'Er staat nog één punt op de agenda. We hebben krijgsraad gehouden om te beslissen of we een eind maken aan je leven of aan je carrière. Twee stemmen spraken zich uit voor je carrière. Binnen een week willen we in de krant lezen dat de legendarische Crystal Quest, de eerste vrouwelijke adjunct-directeur Operaties, na tweeëndertig jaar trouw en eigenzinnig dienstbetoon aan de CIA, de zak heeft gekregen.'

Tegen haar wil meegesleept in Dantes drievuldigheid vroeg Quest: 'Wie stemde voor een einde aan mijn leven?'

'Martin natuurlijk, maar omdat hij zelf nogal bedeesd is, wilde hij de uitvoering aan mij of Lincoln overlaten.' Dante lachte haar vriendelijk toe. 'Sommige mensen kunnen wel vergeven, maar niet vergeten. Bij Martin is het net andersom: die kan wel vergeten, maar niet vergeven.'

'Wat vergeet hij dan?'

'Of Martin Odum een personage is, of dat hij dat zelf is.'

'Dat is hij zelf, het eerste personage. Je hebt voor de militaire inlichtingendienst van de landmacht gewerkt...'

'Je bedoelt dat Martin voor de militaire inlichtingendienst heeft gewerkt.'

Quest knikte behoedzaam. 'Martin was gespecialiseerd in Oost-Europese dissidenten. Ik kwam een artikel van zijn hand tegen in de *Army Intelligence Quarterly* waarin hij aangaf dat er twee stromingen waren onder dissidenten: de anticommunisten, die het communisme wilden afschaffen, en de procommunisten, die het communisme van zijn stalinistische trekken wilden ontdoen en het systeem hervormen. In zijn artikel, dat van een verziende blik getuigde, voorspelde hij dat het waarschijnlijker was dat de procommunisten invloed zouden krijgen in Oost-Europa en uiteindelijk in de Sovjet-Unie zelf, dan dat de anticommunisten het heft in handen zouden krijgen. Ik herinner me dat... Martin het Slánský-proces in Praag erbij haalde en stelde dat hij de voorloper was van hervormers die na hem zouden komen: Dubček in Tsjechoslowakije en ten slotte Gorbatsjov in de Sovjet-Unie.'

'En jij hebt hem uit de militaire inlichtingendienst naar de CIA gelokt?'

'De Personagecommissie stelde een personage samen met gebruik van zijn echte naam en zo veel mogelijk van zijn echte achtergrond. Hij had in Pennsylvania gewoond tot zijn vader met het gezin naar Brooklyn verhuisde. Martin was toen een jaar of acht. Hij groeide op aan de Eastern Parkway en ging naar basisschool 167, Crown Heights was zijn vertrouwde omgeving, hij had zelfs een vriendje op school wiens vader een Chinees restaurant had aan Albany Avenue. Toen we ontdekten dat hij met springstof kon omgaan, lieten we hem een tijdje bombrieven maken of mobiele telefoons bewerken om van afstand tot ontploffing te brengen. Martin was de laatste agent die ik persoonlijk runde voordat ik naar boven werd geschopt om leiding te geven aan de mensen die de agenten aanstuurden. De Odum die wij hebben samengesteld was geen detective, dat is iets wat jij... wat Martin aan zijn personage heeft toegevoegd toen er een einde kwam aan zijn carrière bij de Firma.' Geschokt begon Quest weer op een stukje ijs te kauwen.

Dante schoof tien dollar onder de asbak en stond op. 'Ik zal het allemaal aan Martin doorgeven als ik hem spreek. Ik vermoed dat hij opgelucht zal zijn.'

Quest keek op naar Dante. 'Jij bent degene die de Oligarch heeft doodgeschoten.'

'Jezus, Fred.'

'Ik weet dat jij het hebt gedaan, Dante. Het was jouw handelwijze.'

Dante lachte onbekommerd; zijn schouders schokten van vrolijkheid. 'Je begint het vak te verleren, Fred. Ik heb niets te winnen door tegen je te liegen: het was Lincoln die de aanslag op de Oligarch heeft gepleegd. In de kranten stond dat de politie de kogel of het moordwapen niet kon thuisbrengen, wat moet betekenen dat Lincoln die oude spuit uit de Burgeroorlog heeft gebruikt die je voor hem hebt opgeduikeld in het kader van het Dittmann-personage. Jezus, dat is om je rot te lachen. Martin en ik zouden niet weten hoe je dat ding moet laden.'

Tevreden nagrinnikend liep Dante naar de ingang van het restaurant. De gewichtheffer maakte zich los van de keukendeur en liep achter hem aan. De bokser kwam achter de bar vandaan om hem tegen te houden. Tsou Xing riep met een hoge stem: 'Binnen geen geweld, glaag.'

Dantes Ierse temperament vlamde op. Terwijl hij over zijn schouder omkeek naar Quest, vroeg hij met gedempte stem: 'Moet ik aannemen dat je het erop laat aankomen, Fred?'

Quest keek Dante in de ogen, wendde toen haar blik af en zwaaide met haar vinger. De twee beveiligers bleven onmiddellijk staan. Dante knikte alsof hij belangrijke informatie op zich liet inwerken, iets wat zijn personage kon transformeren en de duurzaamheid ervan kon vergroten. Hij neuriede een favoriet wijsje van Lincoln, 'Don't Worry, Be Happy', duwde de deur open en liep het verblindende licht in.